D1507701

WOLFGANG KAYSER
DAS SPRACHLICHE KUNSTWERK

WOLFGANG KAYSER

DAS SPRACHLICHE KUNSTWERK

EINE EINFÜHRUNG IN DIE LITERATURWISSENSCHAFT

FÜNFZEHNTE AUFLAGE

FRANCKE VERLAG BERN
UND MÜNCHEN

ERSTE AUFLAGE 1948
ZWEITE AUFLAGE 1951
DRITTE AUFLAGE 1954
VIERTE AUFLAGE 1956
FÜNFTE AUFLAGE 1959
SECHSTE AUFLAGE 1960
SIEBENTE AUFLAGE 1961
ACHTE AUFLAGE 1962
NEUNTE AUFLAGE 1963
ZEHNTE AUFLAGE 1964
ELFTE AUFLAGE 1965
ZWÖLFTE AUFLAGE 1967
DREIZEHNTE AUFLAGE 1968
VIERZEHNTE AUFLAGE 1969
FÜNFZEHNTE AUFLAGE 1971

©

A. FRANCKE AG VERLAG BERN 1948
FÜNFZEHNTE AUFLAGE 1971
ALLE RECHTE, INSBESONDERE DAS DER ÜBERSETZUNG, VORBEHALTEN

VORWORT

Das vorliegende Buch führt in die Arbeitsweisen ein, mit deren Hilfe sich eine Dichtung als sprachliches Kunstwerk erschließt. Die Forschung der letzten Jahrzehnte hat überwiegend mit anderer Zielsetzung gearbeitet. Sie stellte das Werk in Bezüge zu außerdichterischen Phänomenen und meinte, erst da das eigentliche Leben anzutreffen, dessen Abglanz dann das Werk sein sollte. Die Persönlichkeit eines Dichters oder seine Weltanschauung, eine literarische Bewegung oder eine Generation, eine soziale Gruppe oder eine Landschaft, ein Epochengeist oder ein Volkscharakter, schließlich Probleme und Ideen –, das waren die Lebensmächte, denen man sich durch die Dichtung zu nähern suchte. So berechtigt solche Arbeitsweisen auch heute noch sind und so groß ihr Ertrag sein mag, es stellt sich die Frage, ob damit nicht das Wesen des sprachlichen Kunstwerks vernachlässigt und die eigentliche Aufgabe literarischer Forschung übersehen wird. Eine Dichtung lebt und entsteht nicht als Abglanz von irgend etwas anderem, sondern als in sich geschlossenes sprachliches Gefüge. Das dringendste Anliegen der Forschung sollte demnach sein, die schaffenden sprachlichen Kräfte zu bestimmen, ihr Zusammenwirken zu verstehen und die Ganzheit des einzelnen Werkes durchsichtig zu machen.

Während der Vorherrschaft jener andersgerichteten Arbeitsweisen hat es nicht an Forschern gefehlt, die den eigentlichen Aufgaben treu geblieben sind. Aber erst seit einem Jahrzehnt haben solche Bemühungen wieder an Umfang und Bedeutung gewonnen, haben sich verbunden und in Zeitschriften, Tagungen und Schulen organisiert, so daß die damalige Prophezeiung heute schon Tatsache ist: ein neuer Abschnitt in der Geschichte der literarischen Forschung hat begonnen. Und die Erwartung scheint berechtigt, daß von dem wiedergewonnenen Zentrum der auf das Dichterisch-Sprachliche gerichteten Arbeit aus auch die Literaturgeschichte neue Maßstäbe bekommen wird.

So erscheint es nicht verfrüht, eine Einführung in die Probleme und Arbeitsweisen der literarischen Interpretation zu versuchen. Der Aufbau des Buches fügte sich zwanglos: nach einer Erörterung der philologischen Vorfragen beschreibt ein erster Teil die elementaren Phänomene, die sich innerhalb der vier Schichten des Inhalts, des Verses, der Sprache und des Aufbaus finden. Im zweiten Teil werden sie aus ihrer Starre und Vereinzelung befreit und auf die jeweiligen synthetischen Kraftzentren des Gehalts, des Rhythmus, des Stils und der Gattung bezogen. Im Fortschreiten enthüllt sich auch deren wechselseitige Bestimmung, bis schließlich vom letzten

Kapitel aus das Zusammenwirken aller Kräfte und die geschlossene Einheit des sprachlichen Gefüges sichtbar werden. Denn der hier behandelten Arbeitsweise ist es möglich, die zunächst unvermeidliche Auflösung des einzelnen Werkes durch eine schließliche Wiederherstellung seiner Ganzheit zu überwinden. Durch die stete Bewegung auf dieses Ziel hin unterscheidet sich vielleicht dieser Versuch von den thematisch verwandten Büchern von Walzel, Winkler, Ermatinger, Petersen und anderen.

Es schien geboten, dem Leser zugleich die Handhabung des theoretischen Rüstzeuges vorzuführen. Zu diesem Zweck wurde eine Reihe von Interpretationen, mitunter in Form eines Exkurses, an die Erörterung angeschlossen. Die Beispiele dafür wie auch für die Hinweise im Text wurden aus den germanischen und romanischen Literaturen, gelegentlich aus der griechischen und lateinischen Dichtung genommen. Wenn in dieser Ausdehnung ein weiterer Unterschied zu anderen Einführungen liegt, so entstammt er der Überzeugung, daß es keine nationalen Literaturwissenschaften gibt, daß die Kräfte, die das sprachliche Gefüge der Dichtung wie ihre Form bilden, fast überall die gleichen sind und daß echte Belesenheit auf weitem Feld das Verständnis des einzelnen Werkes vertieft. Die Literaturgeschichte selber lehrt uns die Verflochtenheit und gemeinsame Grundlage der europäischen Literaturen immer deutlicher sehen. Wir stehen auch da vielleicht in einem grundsätzlichen Wandel der Anschauung und Arbeit. Ernst Robert Curtius hat in dem Einleitungskapitel zu seinem Buch *Europäische Literatur und lateinisches Mittelalter* die «Aufteilung der europäischen Literatur unter eine Anzahl unverbundener Philologien» – und nicht nur für das Mittelalter – bekämpft und statt dessen verlangt, «den Blick auf das Ganze» zu lenken. Mit seinem Werk hat er der Literaturgeschichte das Wegmal gesetzt, das die Literaturwissenschaft in Emil Staigers *Die Zeit als Einbildungskraft des Dichters* besitzt. Von beiden Standpunkten aus erscheint somit die Ausweitung des Blickes als notwendig. Dafür Dispositionen zu schaffen, ist eine Nebenabsicht des vorliegenden Buches.

Dem dient auch die Bibliographie, die zugleich den Überblick über die Forschungslage ergänzen soll. Bibliographien dieser Art sind immer mißlich; sie sind es zumal in der Gegenwart, die sichere bibliographische Auskünfte und Einsicht in Neuerscheinungen zum Spiel des Zufalls macht. Aber eben diese Schwierigkeiten ließen wiederum einen bibliographischen Anhang als nicht unnützlich erscheinen, so lückenhaft und unzuverlässig er sein mag. Der Verfasser hat für mannigfache Hilfe bei seinem Bemühen zu danken, die Mängel abzumildern.

Über den Charakter einer Einführung hinaus möchte das Buch zu manchen Problemen einen selbständigen Beitrag liefern. Unabwägbar sind die Anregungen, die dem Verfasser dabei zugute kamen. Bei dem Versuch, sich

selber rückblickend Rechenschaft zu geben, bleiben die Gedanken vor allem
an zwei Stationen haften: der Zeit des Lernens unter Julius Petersen in Berlin und dann der Leipziger Dozentenzeit, als in den regelmäßigen Zusammenkünften mit André Jolles manche neuen Wege gemeinsam entworfen
wurden.

Von dem Buch erscheint gleichzeitig eine portugiesische, vor allem in den
Beispielen überarbeitete Ausgabe, bei deren Abfassung der Verfasser durch
ein großzügiges Stipendium des Instituto para a Alta Cultura des portugiesischen Unterrichtsministeriums unterstützt wurde, wofür auch an dieser
Stelle aufrichtig gedankt sei.

Lissabon, im Juli 1948.

VORWORT ZUR ZWEITEN AUFLAGE

Die Änderungen, die für die zweite Auflage vorgenommen wurden, beschränken sich auf die Verbesserung von Druckfehlern und auf einige Ergänzungen in der beigefügten Bibliographie. Wenn im übrigen der Wortlaut unverändert blieb und eigene Pläne zur Erweiterung sowie manche
Anregungen, die von außen kamen, noch nicht verarbeitet worden sind –
der Verfasser hat da vor allem einigen Besprechern des Buches für wertvolle Hinweise und die Erörterung strittiger Fragen zu danken –, so liegt
das zu einem Teil an dem frühen Zeitpunkt, zu dem eine Neuauflage notwendig wurde. Es war weiterhin der Wunsch bestimmend, auch noch die Anregungen zu sammeln, die sich aus der unmittelbaren Beobachtung ergeben,
wie das Buch seine Aufgabe als «Einführung» bei den Einzuführenden erfüllt.

Göttingen, im Juli 1951.

VORWORT ZUR DRITTEN AUFLAGE

Die neue Auflage ist nur in Einzelheiten verändert worden. Zusätze finden
sich besonders in den Abschnitten über die «Versfüße» und die «rhetorischen
Figuren», erweitert wurde die Erörterung der «Zeitstufen» und der «Aktionsarten» und in den späteren Kapiteln die der Tragödie und des Grotesken.
Vermehrt wurde weiterhin die Bibliographie, die eine Reihe wichtiger Neuerscheinungen der letzten Jahre anführt, zu einem beträchtlichen Teil wieder
aus dem Ausland. Der Verfasser hat mehreren englischen Kollegen für die
Freundlichkeit zu danken, mit der sie die eigenen Bemühungen, Einblick in

die oft so ähnlich gerichteten englischen Forschungen zu bekommen, durch
Hinweise unterstützten.

Von der zweiten Auflage ist unter dem Titel Interpretación y análisis de la
obra literaria eine spanische Übersetzung erschienen (Biblioteca románica
hispánica, Madrid 1954).

Göttingen, im Mai 1954.

VORWORT ZUR SECHSTEN UND WEITEREN AUFLAGEN

Von nun an wird das *Sprachliche Kunstwerk* unverändert erscheinen. Die
kurze Lebensspanne, die seinem Verfasser zugemessen war, ließ eine Überarbeitung nicht zu. Den, der aus der Nähe zuschauen und teilhaben durfte,
kann diese Tatsache nicht verwundern. Alles in diesem Leben war nach
vorne, auf Ausweitung und Steigerung gerichtet. Die Freude am Entwerfen
neuer Gewänder ließ keinen Spielraum zum Flicken der alten. Kaum eine
Notiz ist zurückgeblieben, die auf geplante Korrekturen hinweist. Es scheint
unmöglich, dies als zufällig anzusehen. Der Rückblickende sieht mit Staunen,
wie einheitlich gefügt dies der Wissenschaft von der Dichtung gewidmete
Leben war. Konzeptionen aus der Studienzeit kehrten noch in den letzten
Kollegstunden wieder: Wachstumsringe um einen gleich bleibenden Kern.
Es gibt kaum einen Arbeitsbereich der späteren Jahre, der nicht schon im
Sprachlichen Kunstwerk – zumindest stichwortartig – angelegt wäre. Eine
Atempause führte den immer Tätigen zu dieser Fixierung breit angelegter
Möglichkeiten. An der Wende vom mehr Aufnehmenden zum überwiegend
Lehrenden machte sich der Verfasser noch einmal zutiefst mit seinem Instru-
ment vertraut, lernte er seine Klaviatur bis in die letzten Feinheiten technisch
beherrschen. Möglichkeiten des Konzertierens sind überall angedeutet; einige
davon wurden in den folgenden Jahren ausgeführt, andere thematisch im
Kreis der Freunde und Schüler angeschlagen. Daß die Technik des Instru-
mentes übermittelbar, erlernbar ist, hat die breite Aufnahme gezeigt, die
das *Sprachliche Kunstwerk* seit seinem Erscheinen gefunden hat. Daß andere
mit dieser Technik weiterkonzertieren, war die Hoffnung seines Verfassers,
der sich selbst nur als Glied in der nicht abreißenden Kette derer sah, die
dem Geist dienen.

                                                         Ursula Kayser

Göttingen, im Mai 1960.

EINFÜHRUNG

1. BEGEISTERUNG UND STUDIUM

Das Studium der Literatur setzt bei dem Studierenden eine gewisse theoretische Begabung voraus. Ohne die Fähigkeit, theoretische Probleme als solche zu erfassen, wissenschaftliche Methoden bei ihrer Arbeit zu verstehen und sie selber bei der Lösung neuer Fragen anzuwenden, bleibt der Zugang zu der Wissenschaft von der Literatur verschlossen. Aber wie jede Wissenschaft verlangt sie darüber hinaus eine besondere Begabung für ihren Gegenstand. Ohne eine besondere Empfänglichkeit für das Phänomen des Dichterischen würden alle Begriffe der Literaturwissenschaft leer bleiben und bei ihrer Anwendung nicht recht greifen. Diese Fähigkeit zum Erlebnis des spezifisch Dichterischen äußert sich gewöhnlich als Begeisterung, und bei dem jungen Studenten, der sich ernsthaft dem Studium der Literatur widmet, überwiegt sie meist das theoretische Interesse. Nicht selten ist sie nicht nur Symptom der künstlerischen Empfänglichkeit, sondern zugleich Zeichen einer eigenen latenten Schaffenskraft, deren Weckung von der theoretischen Beschäftigung mit der Dichtung erwartet wird.

Aber je größer die Begeisterung für Dichterisches ist, desto tiefer pflegt die Enttäuschung im Anfang des Studiums zu sein. Denn dieses trägt zunächst nicht dazu bei, Gefühlserlebnisse zu vermitteln und zu vertiefen, es scheint sich um sie überhaupt nicht zu kümmern. Die Wege, die die theoretische Behandlung einschlägt, führen weit ab vom Wesen des Dichterischen. Statt die Schönheit eines Gedichtes zu genießen, muß man Silben und Akzente zählen, Schemata des Reims prüfen und lernen, oder man hält sich bei einzelnen Wörtern auf, deren scheinbar leichtes Verständnis dadurch kompliziert wird, daß man ihr Vorkommen und ihre Verwendung in anderen Schriften des gleichen Dichters oder in denen seiner Zeitgenossen untersucht. Statt sich der Wucht eines Dramas hinzugeben, muß man es zerlegen und sezieren, bis scheinbar alles Leben aus ihm entwichen ist. Die Enttäuschung pflegt sich bis zu dem Vorwurf zu steigern, daß die Wissenschaften von den Künsten die künstlerische Empfänglichkeit schwächen oder gar zerstören. Erst während des weiteren Studiums erkennt man, um wieviel tiefer die Aufnahmefähigkeit und das Verständnis für literarische Dinge geworden sind. So wie ein musikalisch Gebildeter eine Fuge besser versteht als ein Unerfahrener, dem sie eine Folge von Tönen bleibt, so versteht ein literarisch Gebildeter ein Dichtwerk besser als einer, der es nur als Reiz erlebt. Denn damit stehen wir noch ganz im Bezirk des Subjektiven, jeder liest dann wie Werther «seinen Homer», während das Verstehen zu dem Werke selber zu führen sucht.

Gewiß handelt es sich um eine Annäherung. Der Deutende kann niemals

seiner Individualität, seiner Zeit und Nationalität entfliehen. Die Geschichte
der Shakespeare-Deutungen ist ein lehrreiches Kapitel der abendländischen
Geistesgeschichte. Aber all das widerlegt nicht das Recht und die Notwendigkeit zu einer möglichst sachgemäßen Erfassung dichterischer Texte und
hat die Antriebe dazu nicht verschütten können. Alle theoretische Beschäftigung mit der Dichtung dient zunächst der großen und schweren Kunst,
richtig zu lesen. Nur wer ein Werk richtig lesen kann, kann es für andere
zum richtigen Sprechen bringen, d. h. es richtig interpretieren. Und nur wer
ein Werk richtig lesen kann, wird den weiteren Anforderungen genügen,
die mit der Wissenschaft von der Dichtung gestellt werden.

2. DER GEGENSTAND
DER LITERATURWISSENSCHAFT

Es gibt Wissenschaften, die eindeutig einem bestimmten Gegenstandsbezirk zugeordnet sind. So gehört alles, was die Welt der Töne ausmacht, zur
Musikwissenschaft. Aber es gibt auch Gegenstände, die in den Herrschafts-
bereich mehrerer Wissenschaften fallen. Ein Wald etwa kann Gegenstand
für die Botanik, die Geographie, die Nationalökonomie sein; die Einheit
der jeweiligen Wissenschaft ist dann durch eine besondere Blickrichtung
gegeben.

Die Wissenschaft von der Literatur scheint mit dem Ausdruck Literatur
den ihr eigenen Gegenstand anzugeben. Aber was heißt Literatur? Dem
Wortsinn nach umfaßt sie alles Sprachliche, das durch Schrift fixiert ist.
Nun ist unverkennbar, daß es andere Wissenschaften gibt, die ganz oder
überwiegend «Literarisches» zu ihren Gegenständen haben. Ein juristi-
scher oder religiöser Text, ein Wörterbuch, ein Handelsbrief –, sie gehören
offenbar nicht zu den Gegenständen der Literaturwissenschaft. Wenn diese
überhaupt eigene Gegenstände hat und nicht nur durch eine besondere, einheitliche Blickrichtung konstituiert wird, so müssen sie eine engere Gruppe
innerhalb der «Literatur» bilden. Das 18. Jahrhundert zog eine klare Grenze
um einen solchen Bezirk, den sie «Poesie» nannte: die Grenze bildete der
Vers, und wer Verse machte, war ein Poet oder Dichter. Noch Schiller
bezeichnete den Romanschriftsteller als den «Halbbruder» des Dichters.
Aber im 18. Jahrhundert häuften sich nun auch die Zweifel, ob der Vers
wirklich ein solches Kriterium darstelle, ob er die Kraft habe, Dichtung und
Nicht-Dichtung zu sondern. Für die deutschen Romantiker sind Märchen
und Romane die «poetischsten» Gattungen, und ein Shelley formuliert den
Satz: «The distinction between poets and prose-writers is a vulgar error.»
Tatsächlich stehen für uns heute Prosaisten wie Flaubert, Dickens, Keller,

Stifter u.s.f. wesensgemäß auf einer Stufe mit den Versdichtern. Ob ein Drama in Versen oder in Prosa geschrieben ist, das scheint uns, und mit Recht, irrelevant für sein Wesen als Dichtung. Es wäre absurd, sollten wir erst der letzten Fassung der *Iphigenie* die Eigenschaft als Dichtung zuerkennen oder das namhafteste Drama der portugiesischen Literatur, den *Frei Luiz de Sousa* von Almeida Garrett für immer ausschließen, weil sich sein Autor nach einigem Schwanken doch zur Prosa entschloß. Und sollten wir einen Teil von Molières Komödien zur Dichtung rechnen, weil sie in Versen geschrieben sind, die anderen aber nicht? Seine *Princesse d' Elide* zerreißen, deren erster Akt versifiziert ist, die folgenden aber – aus Zeitmangel, wie Molière anmerkt – nicht mehr? Und schließlich bei Shakespeare die einzelnen Szenen zerstückeln? Ein großer Teil des Theaterpublikums hört nicht einmal mehr, ob ein Drama in Versen oder in Prosa vorgetragen wird (was übrigens ebensosehr Schuld der Hörenden wie der Sprechenden ist). Andererseits sind für uns versifizierte Lehrgedichte in der Art von Lucrez' *De natura*, mittelalterliche gereimte Chroniken, Essais in Versen dadurch noch nicht als echte Dichtung legitimiert. Seit der Romantik sind die Wörter Dichtung und Dichter von einem Bedeutungswandel ergriffen worden, ein Prozeß, der sich in den germanischen Sprachen schneller abspielt als in den romanischen.

So eng Dichtungen in Prosa und in Versen zusammenrücken, so deutlich bleiben sie für unser Empfinden von einem wissenschaftlichen, juristischen Text u.s.f getrennt. Es reicht nicht zur Grenzziehung aus, wollten wir sagen, daß die einen der Phantasie des Autors entspringen, die andern nicht. Englische Romantiker haben in diesem Sinne in der Phantasie ein Phänomen sehen wollen, das konstituierend für die Dichtung sei. Aber auch der Wissenschaftler braucht Phantasie, und wer wollte entscheiden, ob die eines Historikers, etwa eines Althistorikers, wesensverschieden oder auch nur geringer sei als die eines Dichters, der ein historisches Drama schreibt oder einen schon vielfach behandelten literarischen Stoff von neuem bearbeitet. Auf jeden Fall ist damit kein Kriterium zu gewinnen, das die Absonderung eines engeren «literarischen» Bezirks erlaubte.

Um das zu erreichen, muß man davon ausgehen, daß jeder zur Literatur im weiteren Sinne gehörige Text ein durch Zeichen fixiertes Gefüge aus Sätzen ist. Die aneinandergereihten Sätze in dem Übungstext einer Grammatik, in denen irgendeine Regel geübt werden soll, sind kein Gefüge, ein literarischer Text immer. Die Satzgefüge tragen ein Gefüge von Bedeutungen. Es liegt in dem Wesen der Sprache, daß Wörter und Sätze «bedeuten». Hier aber ist die Stelle erreicht, wo sich die Eigenheit des literarisch-dichterischen Textes gegenüber jedem andern enthüllt. «Trübe Wolken, Herbstesluft» – diese beiden Sätze könnten wir uns als Teil eines aufgezeichne-

ten Alltagsgespräches denken, etwa zwischen zwei Menschen, die sich über
Wetter und Jahreszeit unterhalten. Die Bedeutungen, die von den Sätzen
getragen werden, beziehen sich dann auf Sachverhalte, die unabhängig von
den Sprechern existieren, die zur Realität gehören. (Realität umfaßt hier
nicht nur sinnlich wahrnehmbare Gegenstände, sondern auch «Abstrakte»,
auch die idealen Gegenstände der mathematischen Sprache wie Punkt, Linie,
Dreieck u.s.f.) In unserm Beispiel sind es ganz bestimmte reale Sachverhalte: daß jetzt trübe Wolken am Himmel sind und die Luft herbstlich ist.
Lesen wir die Zeile aber an ihrem wirklichen Ort, nämlich als erste Zeile
des Gedichtes *Herbstentschluß* von Nikolaus Lenau, so haben wir sie ganz
anders zu nehmen, oder wir verfehlen völlig ihren «Sinn». Da beziehen sich
die Bedeutungen nicht mehr auf reale Sachverhalte. Die Sachverhalte haben
vielmehr ein seltsam irreales, auf jeden Fall ein durchaus eigenes Sein, das
von dem der Realität grundsätzlich unterschieden ist. Die Sachverhalte oder,
wie wir auch sagen wollen, die Gegenständlichkeit (die natürlich auch Menschen, Gefühle, Vorgänge umfaßt) ist nur als Gegenständlichkeit dieser
dichterischen Sätze da. Und umgekehrt: die Sätze der Dichtung schaffen
sich ihre eigene Gegenständlichkeit. Über das reale Wetter lassen sich unzählige Feststellungen treffen. Die Gegenständlichkeit in der Gedichtzeile
ist nur von den sie tragenden Sätzen konstituiert, und die Bindung ist in
diesem Fall so eng, daß die Welt des Gedichtes, daß das Werk ein anderes
werden würde, änderten wir auch nur etwas an der Sprache, etwa den Klang,
die Betonungen, die Pause, die Länge der Zeile.

So sind zwei Kriterien gewonnen, um aus der Literatur im weiteren Sinne
einen engeren Bezirk abzusondern. Das besondere Vermögen solcher literarischen Sprache, eine Gegenständlichkeit eigener Art hervorzurufen, und
der Gefügecharakter der Sprache, durch den alles in dem Werk Hervorgerufene zu einer Einheit wird. Was auch noch in dem Gedicht Lenaus an Gegenständlichkeit sichtbar werden mag, es liegt innerhalb des Horizontes,
der mit der ersten Zeile gegeben wurde.

Der so herausgehobene Bezirk läßt sich mit dem Ausdruck bezeichnen,
der schon von früheren Zeiten verwendet wurde: wir sprechen von ihm als
der «Schönen Literatur». Die Grenzziehung mag im einzelnen Falle schwer
fallen. Aber selbst wenn ein breiter Streifen Grenzland zugestanden wird
oder die Leichtigkeit zugegeben, mit der wir hin- und herüberspringen (indem wir unser Bild einer Landschaft, einer Stadt dem vom Werk hervorgerufenen darüber legen, und wer hätte noch nicht ein Gedicht so gelesen, als
sei es für seine augenblickliche Situation gemeint?), so nimmt das nicht die
Berechtigung, von der Schönen Literatur als einem Sonderbezirk zu sprechen.
Der Vers aber, der eben als äußeres Kriterium entthront werden mußte,
kann nun wieder in seine Würde eingesetzt werden. Denn die Affinität,

die die Schöne Literatur zum Verse besitzt und so sehr, daß der Vers gewöhnlich schon zur Zuerkennung des Dichtungscharakters genügt, erklärt sich daraus, daß er besondere Energien enthält, die bei dem Hervorrufen einer eigenen Gegenständlichkeit helfen. Es ließ sich eben an der Zeile aus Lenau erkennen, wie wirksam die Pause, die Betonungen, die Länge und versgerechte Gliederung der Zeile an dem Aufbau und der Artung der dichterischen Welt mitwirken.

So dürfen wir also sagen, daß die Schöne Literatur der eigentliche Gegenstand der Literaturwissenschaft ist und daß dieser Gegenstand von hinreichender Eigenart gegenüber allen anderen Texten ist.

Gegen diese Auffassung haben sich Bedenken erhoben. Der eifrigste Verfechter einer engeren Abgrenzung des Gegenstandes ist der italienische Philosoph Benedetto Croce, der seine Auffassung am übersichtlichsten niedergelegt hat in dem Werk *La Poesia. Introduzione alla Critica e Storia della Poesia e della Letteratura*. Croce sondert die Poesie streng von der Literatur. Die «espressione letteraria» ist ein Phänomen der Zivilisation und der Gesellschaft, ähnlich wie die Höflichkeit. Sie besteht in der Harmonisierung der espressioni non poetiche (wie «le passionali, prosastiche e oratorie o eccitanti») mit der espressione poetica. Die Literatur hat also keine eigene Substanz, sondern ist die schöne Einkleidung des Subjektiv-Gefühlvollen, des Rednerischen, des Unterhaltenden und des Lehrhaften, die Croce als die vier Klassen der Literatur nennt. Man könnte dieser Sonderung an sich zustimmen, wird aber überrascht durch das, was nach Croce alles nicht zur Dichtung gehört, von ihr durch einen Abgrund getrennt ist. Da erscheinen nicht nur Redner, Wissenschaftler, insbesondere Historiker, da erscheinen auch Horaz, Fielding, Manzoni, Scott, Victor Hugo, da erscheinen Schillers *Wilhelm Tell*, Camoes, Byron, Musset, Molière. An ihnen allen wird also das Phänomen des Dichterischen nicht (oder nur stellenweise) sichtbar, sie bleiben von den Gegenständen der Critica e Storia della Poesia ausgeschlossen.

Damit aber zeigt sich wohl doch, daß Croces Bestimmungen des Literarischen einerseits und des Dichterischen andererseits (Identität von Inhalt und Form, Ausdruck der vollen «Humanitas», Anschauung des Besonderen im Universalen und umgekehrt, Zuordnung zu der einen, unteilbaren Schönheit) nicht ausreichen, um eindeutig über die Zugehörigkeit eines Werkes zu entscheiden. Ein besonders für lyrische Schönheiten aufgeschlossenes Gefühl scheint bei Croce die Urteile zu fällen. Deswegen geraten denn auch alle Stellen eines Werkes, die Angelpunkte der Struktur sind, gleichsam a priori in den Verdacht, unpoetisch zu sein. (Während für uns der Gefüge-Charakter eine wesentliche Eigenschaft der Schönen Literatur war.) Auf jeden Fall sehen wir kein Recht, Horaz, Molière, Byron u. s. f. von den

eigentlichen Gegenständen der Wissenschaft von der Dichtung auszuschließen. Um aber die Werke von Wissenschaftlern, Rednern, Journalisten fern-
halten zu können, reicht das Kriterium aus, das wir oben nannten: daß die
Schöne Literatur ihre eigene Gegenständlichkeit hervorruft.

Der Umkreis der Schönen Literatur ist weit gezogen. Damit wird einmal
jene Situation vermieden, in die Croces Auffassung führt: nachdem nun die
Bücher über Dante, Ariost, Goethe, die spanische Dichtung u.s.f. geschrieben sind, ist die «Critica und Storia della Poesia» eigentlich an ein Ende gekommen bzw. muß auf das Erscheinen neuer Dichter warten. Aber die
Weite des Umkreises der Schönen Literatur besagt andererseits nicht, daß
alles von ihm Umfaßte nun auf einer Ebene liegt. Ein Unterschied zwischen
Dichtung und Literatur besteht, und Croces Wesensbestimmung und Einteilung der Literatur scheint als Ansatz zu näherer Unterscheidung durchaus geeignet.

Wenn festgestellt wurde, daß die Wörter Dichtung und Dichter nicht
mehr in ihrer Bedeutung durch den Vers abgegrenzt werden, so muß jetzt
positiv ergänzend hinzugefügt werden, daß ihre neue Bedeutung durch den
Horizont des Ranghohen bestimmt wird. Dichter und Dichtung sind wer-
tende Begriffe geworden. Man wird ohne Frage zugeben, daß in der Dichtung das Wesen des Poetischen am reinsten hervortritt. Aber es lassen sich
zwischen Dichtung und Schöner Literatur keine scharfen Grenzen ziehen,
und es ist keine ontologische Eigenheit angebbar, die die Dichtung als Sonderbezirk abzugrenzen erlaubte.

Auf der anderen Seite scheinen manche Literaturgeschichten der gegebenen Gegenstandsbestimmung der Literaturwissenschaft zu widersprechen. So findet man in der *Histoire de la littérature française* von Lanson Kapitel über Philosophen, Redner, Historiker. Der Grund dafür liegt in dem
sprachlichen Rang der behandelten Texte, der sie der «Schönen» Literatur
näherte. Noch weiter geht die *Cambridge History of English Literature*. Sie
schließt bewußt «the literature of science and philosophy, and that of poli-
tics and economics ... the newspaper and magazine ... domestic letters and
street songs; accounts of travel and records of sport» mit ein. Es mag hier
offen bleiben, ob die Herausgeber den Begriff «Literatur» in seinem weitesten Sinne meinten oder ob sie, durchdrungen von der Überzeugung, die
Schöne Literatur sei ein soziales und geschichtliches Phänomen, das Erd-
reich mit aushoben, in dem sie wurzelt. Es handelt sich hier überhaupt in
erster Linie um das Problem, wie Literaturgeschichte zu schreiben sei, dessen Erörterung in andere Zusammenhänge gehört. Im Grunde ist der Widerspruch in der Gegenstandsbestimmung nur scheinbar. Denn an dem
Sonderbezirk der Schönen Literatur rütteln auch jene Verfasser nicht und
werden kaum bezweifeln, daß sie der eigene Gegenstand der Literatur-

wissenschaft ist. Wir aber erkennen unsererseits, daß es außer dem eigenen Gegenstand der Literaturwissenschaft noch besondere literarhistorische Fragestellungen gibt, die notwendigerweise zur Einbeziehung anderer Gegenstände führen.

Der wichtigste dieser Gegenstände ist die Gestalt des Dichters. Es ist grundsätzlich zu betonen, daß der Dichter einem literarischen Text nicht immanent ist: so als sei das Werk nur verständlich, wenn wir genau den Dichter kennten. Der Dichter ist in dem eigentlichen Gegenstand der Literaturwissenschaft nicht enthalten. Die Literaturwissenschaft braucht ihre Arbeit nicht aufzugeben und die Literaturgeschichte die Feder nicht aus der Hand zu legen, wenn sie an Märchen, Volkslieder und andere Werke anonymer oder kollektiver Herkunft kommt. Diese Trennung ist mit aller Schärfe gegenüber älteren Auffassungen zu betonen. Da wurde beides, Dichter und Text, in einer unzulässigen Weise innerlich gekoppelt. Im äußersten Fall kam man sogar dazu, den Text zu vernachlässigen und als eigentlichen Gegenstand der Literaturwissenschaft nicht das sprachliche und fixierte Werk, sondern «das Werk in der Seele des Autors» hinzustellen, das der Leser in seiner Seele reproduziere und das die theoretische Betrachtung in möglichster Reinheit zu erstellen habe. Diese um die Jahrhundertwende verbreitete Auffassung findet sich noch in Arbeiten jüngeren Datums wie z. B. bei Pierre Audiat; in dessen *La Biographie de l'œuvre littéraire, Esquisse d'une méthode critique* heißt es: «Elle (l'œuvre) représente une période dans la vie de l'écrivain, période qu'on pourrait à la rigueur chronométrer ... L'œuvre est essentiellement un acte de la vie mentale...» (S. 39f.).

Die Befreiung von solcher psychologistischen Auffassung hat auch bei dem vorliegenden Problem die Phänomenologie gebracht. Die beiden wichtigsten Arbeiten aus neuerer Zeit zur Gegenstandsbestimmung der Literaturwissenschaft bzw. zur Erhellung des Seins literarischer Texte sind die von dem polnischen Forscher Roman Ingarden, einem Schüler des Philosophen Husserl, *Das literarische Kunstwerk*, und von Günther Müller *Über die Seinsweise von Dichtung*.

Wenn das dichterische Werk als dichterisches Werk der zentrale Gegenstand der Literaturwissenschaft ist, so dürfen und müssen wir die Frage nach seiner Entstehung, den Quellen, dem Schaffensvorgang, der Wirkung, den Einflüssen, die es ausübte, seine Bedeutung für Strömungen, Epochen u.s.f. und vor allem die Fragen, die zu seinem Dichter leiten und sich mit ihm beschäftigen, als einen weiteren Kreis von Fragen auffassen, der sich um jenes Zentrum der Literaturwissenschaft herumlegt. Wir haben uns damit dem Begriff der Literaturwissenschaft und ihrer Gliederung genähert.

3. BEGRIFF UND GESCHICHTE
DER LITERATURWISSENSCHAFT

Das vorliegende Buch bezweckt, in die Gesamtheit der Fragen einzuführen, die ein literarisches Werk als solches stellt. Es dient nicht dazu, ein bestimmtes Werk oder einen bestimmten Dichter oder eine Epoche oder eine literarische Gattung in ihrer Eigenheit zu erforschen und darzustellen. Wenn es auch nicht an praktischen Beispielen fehlen wird, so erfolgt deren Einbeziehung doch immer, um eine Arbeitsweise oder allgemeine Grundbegriffe zu erläutern. Die Gesamtheit der theoretischen Fragen aber, oder, wenn ein anspruchsvolleres Wort am Platze ist: ihr System ist die Literaturwissenschaft. Als lebendige Wissenschaft ist ihr System nicht abgeschlossen; gerade die letzten Jahrzehnte haben es stark verändert, und im Grunde bedeutet jedes bedeutsame, neu erschienene wissenschaftliche Werk eine Veränderung. Wer in die Literaturwissenschaft eindringen will, darf nicht erwarten, daß er nun an der Hand sicherer Führer auf wohlbebauten Straßen wandeln kann, die ihn zu festen Zielen führen. Er sieht sich, sobald er nur etwas tiefer dringt, fortwährend zur Stellungnahme und Entscheidung angerufen, und oft genug werden ihn Zweifel beschleichen, ob die bisherigen Wege wirklich gangbar sind, weit genug gehen und überhaupt in der rechten Richtung laufen.

Ein wichtiger Teil aller theoretischen Fragen dient der Besinnung auf das Wesen eines dichterischen Kunstwerks. Indem Dichtung, wie wir sahen, durch eine besondere Mächtigkeit der Sprache gekennzeichnet ist, wird ihre Erforschung zu einem Teil der Wissenschaft von der Sprache. Literaturwissenschaft und Sprachwissenschaft gehören aufs engste zusammen. In der Praxis hat sich zwar eine Trennung ergeben, und die Spezialisierung hat zu immer stärkerer Einseitigkeit geführt. Aber diese Entwicklung ist den Dingen nicht gemäß und hat der fruchtbaren Arbeit geschadet. Der Literarhistoriker muß eine gründliche sprachwissenschaftliche Schulung besitzen, auch wo er nur Werke seiner Muttersprache studieren will, und der Linguist kann nur gewinnen, wenn er Sprache da beobachtet, wo sie am intensivsten lebt, in der Dichtung.

Die Bemühungen um das Wesen dichterischer Werke sind kein Kennzeichen modernen Denkens. Eines der ersten großen Denkmale, in denen die Ergebnisse einer solchen Besinnung niedergelegt wurden, ist die Poetik des Aristoteles. Sie ist nur fragmentarisch überliefert, aber trotzdem von großer Wirkung auf viele nachfolgende Untersuchungen gewesen; wer sich mit dem Wesen der Tragödie beschäftigt, muß sich noch heute mit ihr auseinandersetzen. Dem Beispiel des Aristoteles folgend, bezeichnen wir den Teil der Literaturwissenschaft, der das Wesen der Dichtung und der dichterischen Kunstwerke zu erfassen sucht, als POETIK. Es wird sich später herausstellen, daß sie sich in bestimmte Problemkreise gliedern läßt. Aber auf jeden Fall stellt sie den innersten Kreis der Literaturwissenschaft dar.

Wir nannten die Poetik des Aristoteles als eines der ersten Denkmale der Literaturwissenschaft. Aus der römischen Zeit ist vor allem des Horaz *Epistula ad Pisones* zu nennen, die seit Quintilian den Titel *De arte poetica* führt. Neben diese beiden Werke stellten sich dann manche andere wie Ciceros *Orator, Partitiones, Topica* u. a., Quintilians *Institutio Oratoria* u.s.f. Gerade diese Schriften haben im Mittelalter die Dichtungslehre beherrscht, die in den beiden Disziplinen der Rhetorik und Grammatik ihren Platz hatte. Maßgeblichen Einfluß übte dann die antike Poetik auf die theoretischen Bemühungen der Humanisten und weiterhin der Denker des 17. und 18. Jahrhunderts. Es hängt mit dem besonderen Geist dieser Jahrhunderte zusammen, daß die Bemühungen in der Poetik immer zugleich in der Meinung unternommen wurden, die festen Gesetze zu finden, nach denen sich Dichtung richtet und zu richten hat. Die Poetiken dieser Zeit waren normativ und verlangten von der dichterischen Praxis Unterordnung unter ihre Normen.

Wer sich also mit der Dichtung jener Zeiten beschäftigt, braucht zum vollen Verständnis die Kenntnis dieser Poetiken, die zugleich Marksteine aus der Geschichte der Literaturwissenschaft sind. Wir nennen einige der wichtigsten und geben voraus einige Arbeiten zur Dichtungslehre des Mittelalters an:

E. Faral, *Les Arts poétiques du 12e et 13e siècle*, Paris 1923;

H. Brinkmann, *Zu Wesen und Form mittelalterlicher Dichtung*, Halle 1928;

C. H. Haskins, *Studies in medieval culture*, Oxford 1929;

O. Bacci, *La Critica Letteraria (dall' Antichità classica al Rinascimento)*, Milano;

H. Glunz, *Die Literarästhetik des Mittelalters*, Bochum 1937;

E. R. Curtius, *Zur Literarästhetik des Mittelalters*. Zeitschrift für romanische Philologie, 1938;

ders., *Dichtung und Rhetorik im Mittelalter*, Dtsch. Vierteljahrsschr. 1938;

ders., *Europäische Literatur und lateinisches Mittelalter*, [6]Bern 1967;

August Buck, *Italienische Dichtungslehren*, Teil I: *Vom Mittelalter bis zum Ausgang der Renaissance*. Hab.-Schr. Kiel 1942 (Masch.-Schr.);

J. W. H. Atkins, *English literary Criticism: The medieval phase*, Cambridge 1943.

Poetiken des Humanismus:

Hieronimus Vida (1520 bzw. 1527);

Trissino (1529 bzw. 1563);

Ant. Viperanus (1558, 1579);

Ant. Riccobonus (1587);

J. Pontanus (1594);

G. J. Vossius (1647);

die bedeutendste ist die des

Julius Caesar Scaliger: *Poetices libri septem* (1561);

Darstellungen: K. Borinski, *Die Poetik der Renaissance*, 1886;
  J. E. Spingarn, *A history of Literary Criticism in the Renaissance*, New
  York 1925; C. Trabalza, *La Critica Letteraria nel Rinascimento* (Storia
  dei generi letterari), Milano.

Italienische Poetiken:

Minturno, *Arte poetica* (1563);

Castelvetro, *Kommentar zu Aristoteles* (1570);

Tasso, *Discorsi dell'. arte poetica* (1587);

Muratori, *Perfetta Poesia* (1705/06);

Giovan Vincenzo Gravina, *Ragion poetica* (1708);

Darstellung: K. Voßler, *Poetische Theorien in der italien. Frührenaissance*,
  1900; C. Trabalza, s. o.

Französische Poetiken:

Du Bellay, *Défense et Illustration* (1549);

Jules de la Mesnardière (1639);

Die Autoren, die an der «*querelle du Cid*» und an der «*querelle des anciens
  et des modernes*» teilnahmen;

Boileau, *Art poétique* (1674);

P. André, *Essai sur le Beau* (1711);

De la Motte, *Discours sur la tragédie* (1730);

Voltaire, *Essai sur la poésie épique* (1726–29);

Batteux, *Les Beaux-Arts réduits à un même principe* (1746);

Diderot, *Sur le Beau* (1751);

Darstellungen: René Bray, *La formation de la doctrine classique en France*,
  2. Aufl. Paris 1931; Georges Lote, *La poétique classique au XVIIIe siècle*.

Spanische Poetiken:

López Pinciano, *Filosofía antigua poética* (1596);

Lope de Vega, *Arte nuevo de hacer comedias* (1609);

Francisco Cascales, *Tablas poéticas* (1617);

Gracián, *Agudeza y Arte de Ingenio* (1648);

Luzán, *Poética* (1737);

Arteaga, *De la belleza ideal* (1789);

Darstellung: Menéndez y Pelayo, *Historia de las Ideas Estéticas en España*,
  Madrid ²1940.

Deutsche Poetiken:
 Opitz, *Buch von der deutschen Poeterei* (1624);
 Georg Ph. Harsdörffer, *Poetischer Trichter* (1647-53);
 Gottsched, *Kritische Dichtkunst* (1730);
 Breitinger, *Critische Dichtkunst* (1740);
 Baumgarten, *Ästhetik* (1750, 1758);
 (Lessing);
 Sulzer, *Allgemeine Theorie der schönen Künste* (1771-1774);
 Darstellung: B. Markwardt, *Geschichte der Poetik*, 6 Bde., Berlin–Leipzig
  1937 u. 1956 ff. (bisher 5 erschienen).
Englische Poetiken:
 G. Puttenham, *Art of English Poesy* (1589);
 Dryden, *Essay on dramatic poesy* (1668);
 Pope, *Essay on Criticism* (1711);
 Hogarth, *Analysis of Beauty* (1753);
 Burke, *The sublime and beautiful* (1756);
 Lord Kames, *The elements of Criticism* (1762);
 Hugh Blair, *Lectures on Rhetoric and Belles-Lettres* (1783);
 Darstellung: Saintsbury, *History of Criticism*, 1902 ff.; J. W. H. Atkins,
  English Literary Criticism: The Renascence, London 1947; *17th and
  18th Centuries,* ebda 1951.

Ein Kennzeichen der genannten (und der vielen nicht genannten) Poetiken
war ihre normative Einstellung. Der «Kunstrichter» meinte in ihnen die
Maßstäbe zu besitzen, um jedes literarische Werk als solches verstehen und
beurteilen zu können. Identische Wertmaßstäbe ließen sich an alle Werke
aller Zeiten und Völker anlegen, weil es nach dem Glauben der Aufklärung
nur eine dichterische Ästhetik gab bzw. nur einen «Geschmack». Es haben
sich praktische Schemata der Beurteilung erhalten, bei denen man jeden
Dichter nach bestimmten Kategorien prüfte (wie inventio, versificatio, con-
structio u. s. f.) und ihm dabei jeweils 0 bis 20 Punkte erteilte. Homer er-
hielt immer die Höchstzahl.

Aber das 18. Jahrhundert sollte nun zugleich den Grund für eine anders-
artige theoretische Beschäftigung mit der Dichtung legen. Erkannte man
bis dahin in der Nachfolge des Horaz das «prodesse et delectare» als die
eigentlichen Funktionen der Dichtkunst und mithin als ihre konstitutiven
Eigenschaften an, so erlebte man nun, daß im künstlerischen Erlebnis selber
andere Schichten der Seele ergriffen wurden als die des ästhetischen Gefal-
lens und der Einsicht. (Eine auf 4 Bände berechnete Darstellung der literarischen Kritik seit der Mitte des 18. Jahrhunderts bis zur Gegenwart
legt zur Zeit R. Wellek vor: *History of Modern Criticism*, Bd. I und II
Yale Univ. Press 1955.)

Zum Verständnis der neuen Erlebnisse kann ein Beispiel dienen, das mancher Leser an sich erfahren haben wird. Man kommt in eine unbekannte Stadt und schlendert durch die Straßen. Plötzlich findet man sich vor einem Bauwerk, etwa einer Kirche, die durch die edlen Proportionen, durch die Harmonie aller Teile, durch ihre Schönheit auffällt. Man erkennt in ihr, sagen wir: ein gotisches Monument, möchte aber gern mehr wissen. Und dann erfährt man, daß es sich um einen Bau des 19. Jahrhunderts handelt. Man fühlt sich beschämt und fühlt auf eine seltsame Weise den Boden unter den Füßen fortgezogen. Der innere Kontakt mit dem Werk hat plötzlich ausgesetzt. Der ästhetische Eindruck ist fraglos geblieben, es hat sich kein Stein verrückt. Aber das ästhetische Erlebnis war für den modernen Betrachter offenbar nur ein Teil des Gesamterlebnisses. Er glaubte in dem Werk eine Botschaft zu hören und hört nun eine Lüge. Er meinte, vor der Gestaltung eines Ausdruckswillens zu stehen, der notwendigen und einmaligen Gestaltung, und sieht sich vor dem Geständnis schöpferischer Ohnmacht. Er hat das Werk nicht nur als ästhetisches Gebilde genommen, sondern, so können wir mit einem Worte sagen, als Dokument.

Oder das umgekehrte Beispiel. Man hört ein Gedicht. Es macht keinen großen Eindruck, es sagt einem wenig. Und dann erfährt man, daß es von einem Dichter stammt, den man besonders schätzt. Liest man es nun noch einmal, so ist es fast ein anderes Gedicht geworden, obwohl sich kein Wort geändert hat. Es erscheint nun als vielsagend und gehaltvoll. Man empfindet es jetzt wieder in dieser Erweiterung: als Dokument, als Ausdruck eines Schöpfers. Das Erleben als Dokument ist ein Erleben des Individuellen und damit des Geschichtlichen. Ohne die Bereicherung und die Verarmung abzuwägen, die darin gegenüber dem rein «ästhetischen» Erlebnis liegt, begnügen wir uns hier mit der Feststellung, daß sich diese grundsätzliche Wandlung im Erlebnis von Kunstwerken im 18. Jahrhundert vollzog. Die Wirkung aber zeugt zugleich von Wesenszügen des Wirkenden und von den Antrieben, die es hervorbrachten. So vollzog sich ein Wandel in der Deutung der Dichtung und in der Auffassung vom Künstler. Das 18. Jahrhundert schuf die Begriffe, die dem neu erkannten Sachverhalt gemäß waren, und formulierte die neuen Fragen, die sich stellten. Es waren vor allem englische und deutsche Denker, die hierbei vorangingen. Wir nennen einige der neuen Begriffe der «Literaturwissenschaft»:

1. Das Kunstwerk enthält einen eigenen «Sinn», einen «Gehalt».
2. Das Werk ist «Ausdruck» eines Schöpfers.
3. Der Dichter ist das Urbild des schöpferischen Geistes.
4. Neben dem Dichter erkannte das 18. Jahrhundert auch in dem «Zeitgeist» und dem «Volksgeist» schöpferische Einheiten.
5. Das Dichtwerk ist ein «historisches» Dokument. In Verbindung mit der

neuen Auffassung von der Geschichte, die das 18. Jahrhundert entwikkelte, ergab sich als Forderung, zum vollen Verständnis eines Werkes seine geschichtlichen Voraussetzungen mit einzubeziehen. Herder gab mit seinem Aufsatz über *Shakespeare* ein Vorbild, wie die Kenntnisse von der Geschichte Griechenlands bzw. Englands für das Verständnis des griechischen bzw. elisabethanischen Dramas fruchtbar werden können.

Damit waren ganz neue Wege gewiesen und z. T. beschritten. Neben die ästhetische Wertung der Dichtung trat die geschichtlich-beschreibende Deutung, neben die Poetik eine wirkliche Literaturgeschichte. Die Fächer der allgemeinen und nationalen Literaturgeschichte sind von der Romantik als wissenschaftliche Fächer ausgebildet worden. Während Männer wie Young, Hume, Winckelmann, Herder u. a. die Bahnbrecher des neuen Denkens waren, gaben Mme de Staël *(De l'Allemagne)* und August Wilhelm Schlegel *(Vorlesungen über dramatische Kunst und Literatur)* zwar nicht die ersten und nicht die besten, aber die wirksamsten Anwendungen des neuen Denkens. An allen Universitäten wurden nach und nach Lehrstühle für Literatur eingerichtet; sie sind die Zentren der theoretischen Behandlung der Literatur, wenngleich gerade hierbei die Mitarbeit von Kritikern, Dramaturgen oder auch bloßen Liebhabern von größerer Bedeutung ist als bei fast allen anderen Wissenschaften. Und vor allem sind die Dichter selber zu nennen, die in Frankreich bis in jüngste Zeit den «zünftigen» Wissenschaftlern das Feld streitig machen.

Der Schwerpunkt der Arbeit lag im 19. Jahrhundert zunächst auf der Literaturgeschichte, während die Poetik, miskreditiert und kompromittiert durch die normativen Tendenzen des 18. Jahrhunderts, nur von wenigen Denkern gefördert wurde. Eine Zeitlang schien es, als falle Literaturwissenschaft und Literaturgeschichte zusammen. Innerhalb der Literaturgeschichte erwies sich der Begriff des Schöpfers, des Dichters, als der aufschlußreichste. Man braucht nur die meisten der heute noch repräsentativen Literaturgeschichten aufzuschlagen, um festzustellen, daß sie im Grunde aneinandergereihte Dichtermonographien sind. Der sogenannte Positivismus schränkte die praktische Arbeit hauptsächlich auf drei Sektoren ein: auf die kritische Ausgabe literarischer Texte, auf die Erforschung der Quellen und der Entstehungsgeschichte der Werke und auf die möglichst vollständige Erforschung der Lebensumstände der Dichter. Auf diesen drei Gebieten hat die Literaturgeschichte des 19. Jahrhunderts Hervorragendes geleistet. Eine Erweiterung der theoretischen Grundlagen und damit der Arbeitsweisen setzte sich mit der philosophischen Überwindung des Positivismus durch. Seit der Jahrhundertwende sind eine Fülle neuer Methoden verkündet und erprobt worden, so daß man den Widerstreit der Meinungen als Krise der Literaturgeschichte bezeichnete. Neben der Philosophie haben

Psychologie, Kunstwissenschaft, Soziologie, Biologie und andere Wissenschaften mehr oder weniger entscheidenden Einfluß ausgeübt. Der Widerstreit würde enden, wenn sich das Bewußtsein herrschend durchsetzte, daß alle Wissenschaft von der Dichtung in der «Schönen» Literatur einen Gegenstandsbezirk eigener Art als Kernbezirk besitzt, dessen Erforschung ihre eigenste und innerste Aufgabe ist. Tatsächlich hat in den letzten Jahrzehnten von neuem die Erforschung des eigentümlich Dichterischen eingesetzt. Die Poetik ist wieder gleichberechtigt neben die Literaturgeschichte getreten und als der innerste Kreis der Literaturwissenschaft erkannt. Der Literaturgeschichte erwachsen dadurch neue Aufgaben, und Emil Staiger hat wohl die Signatur der Zeit richtig gedeutet, als er in der Einleitung zu seinem Buch *Die Zeit als Einbildungskraft des Dichters* im Jahre 1939 sagte, daß die Literaturgeschichte «einer Erneuerung heute sehr bedürfe, daß sie in dem, was sie bisher getan, gesättigt sei, und, um zu dauern, gleichsam von vorn beginnen müsse».

VORBEREITUNG

KAPITEL I

PHILOLOGISCHE VORAUSSETZUNGEN

Bevor die wissenschaftliche Behandlung eines literarischen Textes beginnen kann, müssen einige Vorbedingungen erfüllt sein. Sie werden als philologische Voraussetzungen bezeichnet und sind allen Wissenschaften gemeinsam, die Texte als Grundlage ihrer Arbeit benutzen.

1. KRITISCHE AUSGABE EINES TEXTES

Wie immer ein Text erforscht werden soll, – die erste Voraussetzung ist, daß er selber als zuverlässig gelten kann. Die darin liegenden Forderungen werden nicht sichtbar, wo es sich um einen eben erschienenen Druck handelt. Der neue Roman, den man im Laden kauft, ist von dem Drucker nach dem Manuskript des Autors gesetzt worden. Der Autor selber hat während des Korrekturlesens alle Fehler beseitigt (wobei er von der Druckerei und dem Verlag unterstützt wurde) und die ihm nötig scheinenden Änderungen eingefügt. So wie der Roman nun vorliegt, ist er in jedem Wort und jedem Interpunktionszeichen vom Autor gewollt und damit authentisch. Ein zuverlässiger Text, so läßt sich definieren, ist ein Text, der den Willen des Autors repräsentiert.

Die Dinge liegen schwieriger, wenn es sich um Texte handelt, deren Autoren tot sind, die aber immer wieder gedruckt werden. Wer in den Laden geht und eine möglichst billige Ausgabe von Grimmelshausens *Simplicius Simplicissimus* kauft, der glaubt, nun den richtigen Text in Händen zu haben. Aber schon bei einigem Nachdenken muß er zu dem Schluß kommen, daß sich verschiedene Personen zwischen ihn als Leser und den Dichter gestellt haben. Da ist zunächst ein Mann, der für den letzten Druck die Orthographie modernisiert hat. Nun ist es ja für das rechte Verständnis wie für die theoretische Beschäftigung gewöhnlich von geringem Belang, in welcher Orthographie sich das Werk dem Auge darbietet. Bedeutsamer ist schon die Frage der Interpunktion. Hier können die Ersetzung eines Kommas durch einen Punkt und ähnliche Änderungen, durch die der letzte Herausgeber die Lektüre zu erleichtern suchte, den Sinn eines Satzes verändern. Der verständliche Wunsch, die Lektüre eines Werkes zu erleichtern und es selber dadurch am Leben zu erhalten, kann aber noch weiter gehen. Es kommt vielleicht dazu, daß veraltete Sprachformen und Wörter, die das heutige Publikum nicht mehr versteht, durch gängige Formen und Wörter ersetzt werden. Oder es kann sein, daß der Setzer selber mißverstand und änderte; man kann sich leicht vorstellen, was geschah, wenn ein späterer Drucker eine solche Ausgabe zugrunde legte und nun weiter mißverstand und änderte. Gedankenlosigkeit und falsch angewendete Gedankenfülle tragen gleichermaßen zu der Verderbnis der Texte bei.

Oft dringen die Fehler schon bei Lebzeiten und unter den Augen des Dichters ein. So fand sich in den Ausgaben von Goethes Werken seit 1800 die Zeile aus dem *Veilchen:*

Es sank und starb und freut sich noch

in der Fassung:

Es sang und starb und freut sich noch ...

Man muß sich allen Ausgaben gegenüber mit Mißtrauen wappnen, die nach abgelaufener Schutzfrist herausgebracht werden und ihre Textgestaltung nicht rechtfertigen.

Die Rettung scheint zu sein, daß man auf die erste Ausgabe zurückgeht, die ja dem Willen des Dichters am nächsten steht. Nun kann nicht jeder, der den authentischen Text eines Werkes lesen will, die erste Ausgabe kaufen. Es genügt, einen Neudruck zu lesen, der den authentischen Wortlaut bietet. Eine solche Ausgabe heißt eine «KRITISCHE» Ausgabe.

Es tauchen freilich im Fall des Simplizissimus wie bei fast allen älteren Werken gleich neue Fragen auf. Kann der erste Druck als authentisch gelten? In früheren Jahrhunderten lasen die Dichter gewöhnlich nicht selber die Korrektur. Nachdem sie das Manuskript zur Veröffentlichung übergeben hatten, war dessen Schicksal ihrer Obhut entzogen. Es ist in jedem Fall damit zu rechnen, daß der Drucker Änderungen vorgenommen hat, sei es aus Sorglosigkeit oder aus Absicht. Dazu kommen die Änderungen, die die Zensurbehörden verlangten. Nicht der Dichter, sondern der Drucker hatte mit ihnen zu verhandeln. So kommt eine kritische Ausgabe bei älteren Texten meist nur annäherungsweise an den Willen des Dichters heran.

Beim Simplizissimus tauchen noch besondere Schwierigkeiten auf. Es sind nämlich gleich zwei Ausgaben mit der Jahresangabe 1669 erhalten. (Der gleiche Fall liegt bei dem portugiesischen Nationalepos, den *Lusiaden* vor; erst vor wenigen Jahrzehnten konnte die eine der beiden Fassungen von 1572, die sogenannte Ausgabe E, einwandfrei als kommerzieller Betrug enthüllt werden.) Beim Simplizissimus tritt die zunächst für authentisch gehaltene und als A bezeichnete Fassung in einem sprachlichen Gewande auf, das der damals üblichen Schriftsprache entspricht, die andere (B) ist stark dialektisch getönt. Man sah in ihr eine Verballhornung der Ausgabe A, bis sich dann ergeben hat, daß vielmehr B die rechtmäßige Ausgabe ist und A aller Wahrscheinlichkeit nach ein unrechtmäßiger Nachdruck, von dem sich ein geschäftstüchtiger Verleger nicht ohne Grund größeren Absatz versprach, als er der dialektgebundenen Fassung beschert sein konnte. Daß diese Spekulation richtig war, beweist die Tatsache, daß Grimmelshausen für die späteren Auflagen seines Romans trotz allen Scheltens auf den Nachdrucker dessen sprachlich überarbeitete Fassung zugrunde legte.

Aus den früher genannten Gründen kann sich der Herausgeber einer kritischen Ausgabe nicht einfach mit dem Abdruck der ersten Ausgabe begnügen. Eine solche Wiederholung, und geschehe sie in faksimilierter Form, das heißt buchstaben- und formgetreu, ist noch kein kritischer Text. Andererseits muß der kritische Herausgeber alle vorgenommenen Änderungen, und sei es die Korrektur eines offenbaren Druckfehlers, in einem sogenannten «KRITISCHEN APPARAT» angeben und begründen und somit dem Leser die Möglichkeit zur eigenen Prüfung und Entscheidung an die Hand geben. Wäre außer dem ersten Druck die Handschrift des Dichters erhalten – beim Simplizissimus ist das wie bei fast allen Werken des 17. Jahrhunderts nicht der Fall (zu den wenigen Ausnahmen gehören Spees *Trutznachtigall* und, wie erst vor kurzem festgestellt wurde, wichtige Böhme-Texte) –, so hätte der Herausgeber auch alle anders lautenden Stellen der Manuskriptfassung in dem Apparat anzuführen.

Unser Simplizissimus-Beispiel führt noch gleich vor eine weitere Frage. Es waren mehrere vom Dichter gewollte und dabei abweichende Ausgaben vorhanden. In den letzten Jahrhunderten ist es bei wichtigeren Werken fast die Regel, daß zu Lebzeiten des Dichters mehrere Auflagen erscheinen und daß der Dichter die Gelegenheit benutzt, um mehr oder weniger umfangreiche Änderungen vorzunehmen. Es hat sich der Brauch eingebürgert, die Druckfassungen mit großen lateinischen Buchstaben zu bezeichnen (A, B, C ...) und handschriftliche Fassungen mit Minuskeln (a, b, c ...). (Am Anfang des kritischen Apparats findet sich immer eine Liste der angewandten Bezeichnungen und eine Darlegung der Grundsätze, nach denen die Ausgabe hergestellt wurde; der Benutzer tut gut, beides eingehend zu studieren, bevor er mit der Ausgabe arbeitet.)

Sind mehrere authentische Ausgaben vorhanden, so kommen als Grundlage für den kritischen Text nur zwei in Betracht: die letzte Ausgabe, die der Dichter selber betreut hat, die sogenannte Ausgabe «LETZTER HAND», die also seinen endgültigen Willen darstellt, und die erste Ausgabe, die editio princeps. Denn mit ihr hat sich das Werk von seinem Autor gelöst, mit ihr beginnt es sein eigenes Leben und beginnen seine Wirkungen. Im allgemeinen räumt man der Ausgabe letzter Hand die Vorzugsstellung ein, als Grundlage des kritischen Textes zu dienen. Es ist das eine Auswirkung

jenes weltanschaulichen Leitbegriffs vom «Dichter», der dem 19. Jahrhundert
mehr bedeutete als sein Werk und dessen «reiferer» Wille deshalb als maßgebend angesehen wurde. Welche Ausgabe auch als Grundlage gewählt
wird, der Herausgeber hat die Pflicht, in dem kritischen Apparat die Abweichungen aller handschriftlichen und gedruckten Fassungen anzugeben.

Im Fall des Simplizissimus, und er steht damit nicht allein, waren freilich
die Abweichungen der letzten Fassung von der ersten, die der Dichter ver-
stoßen hatte, so erheblich, daß ein vollständiger kritischer Apparat nicht
mehr recht lesbar geworden wäre, zumal Grimmelshausen inzwischen noch
einmal beträchtlich eingegriffen und modernisiert hatte. Es empfahl sich
daher, die erste Ausgabe in einem besonderen Neudruck der wissenschaftlichen Forschung zugänglich zu machen.

Einer der sorgsamsten Verbesserer seiner Werke war Conrad Ferdinand
Meyer. Es gibt viele Gedichte von ihm, die in vier, fünf, sechs verschiedenen Fassungen vorliegen. Damit ist ein reiches Material vorhanden, um die
innere Entwicklung des Künstlers zu erforschen und zugleich die Eigen-
macht und Entfaltungskraft lyrischer Motive zu beobachten.

Aus der französischen Lyrik ist von K. Wais ein nützliches Bändchen zusammengestellt worden: *Doppelfassungen französischer Lyrik von Marot bis
Valéry* (Romanische Übungstexte, Halle 1936).

Auch Romanschriftsteller haben oft an den gedruckten Werken geändert.
Gerade bei den bekanntesten Romanen des 19. Jahrhunderts muß man sorg-
sam auf eine zuverlässige Ausgabe achten. Manzoni z. B. hat seine berühmten *I Promessi Sposi* sprachlich gründlich überarbeitet; die maßgebenden
Ausgaben sind die von S. Caramella (Scrittori d'Italia) bzw. Bd. II der Gesamtausgabe (Le opere di A. M.; Edizione del Centenario 1827-1927, Soc.
Ed. Dante Alighieri). Gottfried Keller war mit der ersten Fassung seines
Grünen Heinrich später so unzufrieden, daß er die Hand verfluchte, die sie
ans Licht ziehen würde. Die Forschung hat sich darum nicht gekümmert
und durch die Neuherausgabe der vom Buchmarkt verschwundenen ersten
Fassung nicht nur ein literarisches Werk gerettet, das manche Kenner höher
bewerten als die zweite Fassung, sondern ein Vergleichsmaterial bereitge-
stellt, das wichtige Aufschlüsse über die geistige und künstlerische Entwicklung Kellers erlaubt.

In Frankreich ist Flaubert einer der sorgsamsten Arbeiter gewesen. Fast
alle seine Werke haben schon bis zum ersten Druck hin die mannigfaltig-
sten Wandlu igen durchgemacht. Die erste Fassung der *Education sentimentale*, die freilich wenig Zusammenhang mit dem Roman hat, ist 1912
veröffentlicht worden, und auch vor kurzem erst haben wir genauere Kenntnis von den Vorarbeiten und Entwicklungsstufen der *Madame Bovary* bekommen. Die Ausgabe von Mlle G. Leleu: *Madame Bovary, Ebauches et*

fragments inédits, 2 Bde., Paris 1936, verschafft die intimsten Einblicke in die Werkstatt des großen Künstlers.

Für eine praktische Arbeit, die etwa die Textgeschichte eines Werkes mit dem Ziel untersuchen will, Aufschlüsse über die Entwicklung des Künstlers zu erhalten, empfiehlt sich folgende Arbeitsweise: Die Untersuchung erfolgt von Schicht zu Schicht, das heißt es werden zunächst alle Änderungen von der 1. zur 2., sodann alle Änderungen von der 2. zur 3. Fassung untersucht u.s.f. Jede Änderung wird auf einem besonderen Zettel im vollen Wortlaut notiert und gleichzeitig, etwa in der oberen rechten Ecke, die Kategorie angegeben, die für die Änderung mutmaßlich ausschlaggebend war (Konzentrierung, Rhythmus, Klang, Variation, größere Anschaulichkeit u.ä.). Auf diese Art ordnen sich die vielen Beispiele jeder Schicht in wenige Gruppen. (Es kann sehr wohl sein, daß dabei das gleiche Beispiel in verschiedenen Gruppen auftaucht; oft sind z. B. klangliche und rhythmische Gründe zusammen wirksam.) Darauf beginnt die Untersuchung jeder Gruppe. Denn es genügt ja nicht festzustellen, *daß* klangliches Gefühl die Änderung bewirkte, sondern es muß versucht werden, das klangliche Empfinden des Autors genauer zu bestimmen, ebenso sein rhythmisches Empfinden u.s.f. Soweit es nur angeht, muß dann aus den verschiedenen Gruppen die einheitliche, gemeinsame Haltung erschlossen werden, die hinter ihnen steht. Damit ist dann die Grundlage gegeben, die die Nachzeichnung der Entwicklung des Autors erlaubt. Daß es auf jeder Stufe Fälle geben wird, die sich der Einordnung in eine größere Gruppe widersetzen, ja die den ermittelten Kategorien widersprechen, ist kein Anlaß zur Besorgnis. Der Untersuchende sollte darauf verzichten, sie mit Gewalt einer der Kategorien unterzuordnen, wie er überhaupt die Ausdeutung mit größter Beweglichkeit und Schmiegsamkeit vornehmen muß. Fast läßt sich sagen: je mehr isolierte oder gar widersprechende Beispiele er findet, desto besser, das heißt desto mehr darf er annehmen, seinem Thema adäquat gearbeitet zu haben. Denn schließlich ist die Umarbeitung, die ein Künstler an seinem Werk vornimmt, kein mechanischer Prozeß, der genau berechnet werden kann. Das Ziel der Untersuchung ist erreicht, wenn es gelingt, die einheitliche Haltung zu ermitteln, die hinter den Änderungen jeder Stufe steht.

Es wird deutlich geworden sein, was die kritische Ausgabe eines neueren Textes bietet: sie erlaubt uns, die Entwicklungsgeschichte eines Textes von dem Manuskript (evtl. von ersten Skizzierungen an) bis zu der letzten, vom Dichter gewollten Fassung kennenzulernen und durch sie hindurch die Entwicklung des Autors selber.

Anders liegt der Fall bei den Ausgaben mittelalterlicher Texte. Da besitzen wir nur in Ausnahmefällen eine «authentische», d. h. vom Dichter besorgte Fassung. Gewöhnlich haben sich nur spätere Abschriften erhalten, die mehr oder weniger geändert haben. Während die kritische Ausgabe eines neueren Textes sein Werden nach vorwärts begleitet, muß die kritische Ausgabe eines mittelalterlichen Textes rückwärts zur Fassung des Dichters aufzusteigen suchen, indem sie die erhaltenen Fassungen prüft, vergleicht und kritisch gegeneinander abwägt.

Die Handschriften, die sich von mittelalterlichen Werken erhalten haben, sind oft durch Jahrhunderte von der Entstehungszeit der Originale getrennt. Es ist also grundsätzlich damit zu rechnen, daß sie sich schon aus sprachlichen Gründen in reichem Maße Änderungen erlauben. Dazu kommt, daß ein mittelalterlicher Kopist nicht von dem gleichen Respekt vor dem Dichterwort erfüllt ist wie ein neuzeitlicher Herausgeber. So ist denn die kritische Ausgabe alter Texte ein schwieriges Unterfangen und verlangt von dem Herausgeber genaueste Kenntnis des sprachlichen Zustandes zur Zeit des Originals wie der erhaltenen Handschriften.

Als ein Beispiel, wie ein kritischer Text aussieht und zu lesen ist, geben wir einige Verse Walthers von der Vogelweide in der Ausgabe von Carl von Kraus (10. Ausgabe, Berlin/Leipzig 1936) mit dem kritischen Apparat, der sich am Fuß der Seite (63) findet:

> 45, 37 Sô die bluomen ûz dem grase dringent,
>   same si lachen gegen der spilden sunnen,
> 46, 1 in einem meien an dem morgen fruo,
>   und diu kleinen vogellîn wol singent
>   in ir besten wîse di si kunnen,
>   waz wünne mac sich dâ gelîchen zuo?
> 5   ez ist wol halb ein himelrîche.
>   suln wir sprechen waz sich deme gelîche,
>   sô sage ich waz mir dicke baz
>   in mînen ougen hât getân,
>   und tæte ouch noch, gesæhe ich daz.

* 37 = 1*A*, 66 *B*, 155 [161] *C*, 182 *E*, 6 N. dringen *BE*. 38 Also si *N*. lachent *AN*. der spildem *N*, der spilenden *E*, dem spilnden *C*. sunden *N*. 1 an *ACEN*, gen *B*. 2 die *C*. vogelliu *A*, vogeline *N*. wol *fehlt EN*. singen *BE*. 3 Die aller besten wise die sie chunnent *N*. 4 Waz *fehlt C*. wunen *N*. mac *AEN*, kan *BC*. genozen *AN*. 6 so *AE*. Nu sprechent alle was *BC*, Nuo sprechet waz *N*. 7 ich lihte waz mir baz *EN*. 9 ouch *fehlt E*.

Die Zahlen links am Rande des Textes gehören zu einer durchlaufenden Zählung, die man aus der ersten kritischen Walther-Ausgabe durch Lachmann beibehalten hat und deren Zeilenangaben sich im Apparat wiederholen. Ein Blick etwa von der Zeile 38 nach unten belehrt, daß hier für den Herausgeber Fragen entstanden, da einige Handschriften im Wortlaut der Zeile abweichen. So hat die mit N bezeichnete Handschrift statt «same si» die Fassung «also si», während wir andererseits den Schluß ziehen dürfen und müssen, daß alle anderen Handschriften mit dem im Text abgedruckten Wortlaut übereinstimmen. (Der Großbuchstabe bei «Also» soll, wie die Einleitung des Herausgebers belehrt, nicht sagen, daß das Wort in der Handschrift (N) groß geschrieben wurde, sondern ist nur ein praktischer Hinweis darauf, daß es sich um das erste Wort in der fraglichen Zeile handelt.)

Die erste Angabe des Apparats, der Stern bei der Zahl 37, besagt, daß ein neues Gedicht beginnt; das Gleichheitszeichen läßt sich mit den Worten übersetzen: «es ist in folgenden Handschriften überliefert». In unserm Falle findet sich das Gedicht in den Handschriften A, B, C, E, N, wobei die vorangesetzten Zeilen angeben, als wievielte Strophe von Walther sich die zitierte in der Handschrift findet. Hätten wir das ganze Gedicht mit dem Apparat wiedergegeben, so hätte der Leser mit Leichtigkeit festgestellt, daß die Reihenfolge in den Handschriften C und E von der in den anderen abweicht, ja, daß beide sogar eine Strophe einfügen, die nach Aussage der anderen Handschriften zum nächsten Gedicht gehört.

In seiner Vorrede hat der Herausgeber erklärt, was unter den Abkürzungen A, B, C, E, N zu verstehen ist. (Die verwendeten Abkürzungen gelten im übrigen für alle kritischen Ausgaben, die eine der hier gemeinten Handschriften bei der Textherstellung benutzen; denn in ihnen sind nicht nur die Lieder Walthers enthalten.) A ist also für alle Ausgaben des deutschen Minnesangs die sogenannte Kleine Heidelberger Liederhandschrift, die noch im 13. Jahrhundert geschrieben wurde und 151 Strophen Walthers enthält. B ist die sogenannte Weingartner Handschrift, die 112 Strophen Walthers bietet. C ist die berühmte Große Heidelberger oder Manessische Handschrift, die reichste und schönste des deutschen Minnesangs. E ist die Bezeichnung für eine Würzburger, jetzt in München befindliche Handschrift des 14. Jahrhunderts, N schließlich eine Handschrift aus Kremsmünster, die nur sechs Walthersche Strophen enthält.

Wie man sieht, schließt sich der kritische Text, der also den mutmaßlichen Text Walthers rekonstruieren möchte, keiner Handschrift genau an. Aber man erkennt auch, daß der kritische Text der Handschrift A mehr Vertrauen schenkt als den andern, von denen besonders N durch größere Abweichungen auffällt. Im übrigen hat der Herausgeber in der Einleitung alle Arbeiten aufgeführt, die sich mit dem Wert der Handschriften und ihren Beziehungen untereinander beschäftigen. Seine Ausgabe beruht auf einer langen und reichen wissenschaftlichen Tradition.

Kamen für das Lied Walthers 5 Handschriften in Frage, so sind beim Nibelungenepos 11 vollständige Handschriften und mehr als 20 Fragmente erhalten, die alle mehr oder weniger voneinander abweichen. Nicht kleiner sind die Textprobleme, vor die die französische *Chanson de Roland* stellt. Generationen von Philologen haben sich um die Erschließung dieser wie anderer Texte bemüht, leidenschaftlichste Kämpfe sind um die Bewertung der einzelnen Handschriften, um die Grundsätze der Textherstellung wie um Konjekturen im einzelnen geführt worden. (Unter einer Konjektur versteht man einen von dem Erforscher gegen allen Befund der Überlieferung vermuteten Wortlaut.) Im allgemeinen kann der heutige Benutzer die Früchte dieser Arbeit ernten und findet, jedenfalls für die bedeutendsten Werke, kritische Ausgaben, denen er weitgehend Vertrauen schenken darf.

Die Reihe der Beispiele sei mit dem berühmtesten Problem beschlossen, das es in der ganzen Literaturgeschichte gibt: dem Problem der Shakespeareschen Dramen. Die kritische Herstellung hat den Scharfsinn von ganzen Forschergenerationen beansprucht, und jede endgültige Lösung geriet doch wieder ins Wanken. Die Schwierigkeit liegt zunächst darin, daß keine der erhaltenen Fassungen als «authentisch» gelten kann. Die Fassungen gehören vor allem zu zwei Gruppen: den seit 1594 erschienenen, nach ihrem Format benannten «QUARTOS», und den seit 1623 erschienenen «FOLIOS». Die Schwierigkeiten steigern sich, da deren jeweilige Vorlagen Soufflierbücher, Rollenhefte, Nachschriften nach Aufführungen gewesen sind, also meist unzuverlässige Grundlagen. Schließlich liegt darin eine besondere Schwierigkeit für die Herstellung eines endgültigen Textes, als es sich um Dramentexte handelt, die von einem Autor stammen, der in der Welt des Theaters lebte, für bestimmte Aufführungen schrieb und gar nicht auf einen endgültigen Text bedacht war, der ein literarisches Eigenleben führen sollte. Als Meisterleistung kritischer Editionstechnik galt seinerzeit *The Cambridge Shakespeare*, der 1863–1866 von W. G. Clark und W. Aldis Wright herausgegeben war. Neuere Untersuchungen wie die von J. M. Robertson (*The Shakespeare Canon*, London 1922–32) und John Dover Wilson (*The manuscript of Shakespeare's Hamlet and the problems of its transmission*, Cambridge 1934) haben Zweifel an der Richtigkeit einiger Grundsätze geweckt, nach denen jene Ausgabe hergestellt war. So tritt ihr nun die neue Ausgabe *The Works*. Ed. by Sir Arthur Quiller Couch und John Dover Wilson (Cambridge 1921 ff.) zur Seite.

Wenn auch die Forscher wiederum Einspruch erfahren haben, so bedeutet das nicht, als bewege sich die Wissenschaft noch immer auf schwankendem Boden. Die Aufgabe der Textherstellung ist im wesentlichen bereits durch den Cambridge-Shakespeare gelöst, und tröstlich klingt das Wort eines Kenners wie L. L. Schücking: «... daß die gesamte, auf diesem Gebiet neuerdings von kritischen Köpfen geleistete philologische Kleinarbeit, so bewunderungswürdigen Scharfsinn sie oft verrät und so dankens-

wert sie für die Herstellung eines «sauberen» Textes erscheint, doch vom
Gesichtspunkte der sogenannten «höheren» Kritik, das heißt der auf Sinnes-
zusammenhang und Gedankengehalt im großen abgestellten Betrachtung
von sehr untergeordneter Bedeutung bleibt.»

2. ERMITTLUNG DES AUTORS

Nach der Herstellung eines kritischen Textes stellt sich als zweite Vorbe-
dingung die Ermittlung des Autors. In den meisten Fällen, vor allem in der
neueren Literatur, wird dabei kein Problem auftauchen, da sich der Autor
auf dem Titel selbst nennt. In anderen Fällen wird der Versuch, ihn zu ermitteln, aussichtslos sein. Es ist müßig, bei Volksliedern, bei Märchen, oft
auch bei mittelalterlichen Dramen u.s.f. nach dem «Verfasser» zu fragen.
Solche Werke sind so sehr für eine Gemeinschaft und aus einer Gemeinschaft heraus geschaffen, daß ihre Anonymität geradezu wesensgemäß ist.

Man hat darüber hinaus in neuester Zeit den Grundsatz aufgestellt: jedes
Kunstwerk ist ein in sich geschlossenes Ganzes und kann nur aus sich selbst
heraus verstanden werden. Die Kenntnis eines Autors kann einer adäquaten
Aufnahme keinerlei Hilfe bieten. Das Ideal, so wurde schließlich geäußert,
wäre eine Literaturgeschichte «ohne Namen». Wir werden auf diese sehr
erwägenswerten Thesen noch öfter stoßen, die zu einem guten Teil der
heute üblichen Methoden quer liegen. Sie sind offensichtlich eine Reaktion
auf jene Neigung des 19. Jahrhunderts, Kunstwerke «historisch» zu nehmen, das heißt als Dokumente, als Ausdruck von etwas anderem, wobei
denn die Kategorie der schaffenden Künstlerindividualität eine der wichtigsten ist. Es ist ja nicht bloße Neugier, die nach dem Dichter fragen läßt.
Unsere Welt wäre unsagbar leerer und ärmer, wenn es außer dem Hamlet
und King Lear, außer der Divina Commedia, außer dem Werther und dem
Faust nicht auch noch die Dichtergestalten Shakespeare, Dante, Goethe
gäbe. Und mit einer seltsam tiefreichenden Befriedigung lernt man, daß für
die neueste Forschung Homer wieder Homer ist, daß er gelebt hat und für
uns weiterleben kann. Die Verteidiger jener Thesen werden antworten,
daß sie die Erforschung und Verlebendigung der Dichtergenies für berechtigt, für schön und notwendig hielten. Aber daß das alles Zweig einer besonderen Wissenschaft sei, etwa der Anthropologie, in der man ebenso die
großen Musiker und Maler und auch die anderen großen Schöpfer studieren
könne, daß aber dem Kunstwerk und seinem Verständnis damit nichts ge-
holfen sei.

Wir werden dem Problem der Autonomie des Kunstwerks und seiner Bezüge zur Wirklichkeit, insbesondere der seines Dichters, noch oft begegnen.

Hier genügt der Hinweis, daß die rechte Erfassung eines Werkes sehr oft von der Kenntnis seines Verfassers abhängt. Als kurzes Beispiel kann jener Fall dienen, der seit 1908 in Portugal lebhafteste Diskussionen ausgelöst hat. Bis dahin galt die berühmte Ekloge des 16. Jahrhunderts *Crisfal* unbezweifelt als Werk Cristóvão Falcãos. Da erschien ein Buch, das diese Autorschaft als Legende hinstellte. Christóvão Falcão sollte danach aus der Literaturgeschichte verschwinden und dafür die Gestalt des Bernardim Ribeiro wachsen, der als Autor des Crisfal ausgegeben wurde. Delfim Guimarães, der Verfasser jenes Buches, suchte im folgenden Jahre 1909 seine These in einem zweiten Buch noch weiter zu festigen, die ein heftiges Für und Wider auslöste. Es kommt hier nicht auf die einzelnen Argumente und ihre Widerlegungen an. (Man kann sich darüber in der *História da Literatura Portuguesa*, herausgegeben von A. Forjaz de Sampaio, unterrichten, deren entsprechender Abschnitt, Bd. II, S. 221 ff., von Manuel da Silva Gaio geschrieben ist, oder im Vorwort zu der Ausgabe des *Crisfal* von Rodrigues Lapa.) Uns kommt es nur auf die Feststellung an, daß man je nachdem, wie man sich entscheidet, den Crisfal und die berühmte *Carta* des gleichen Autors verschieden nehmen muß. Delfim Guimarães verlangt notwendigerweise eine allegorische Interpretation des Gefängnisses und der heimlichen Hochzeit, die in dem «Brief» eine solche Rolle spielen. Denn Bernardim ist ja nicht fünf Jahre lang Gefangener gewesen. Ebenso muß der Crisfal anders gelesen werden, je nachdem, ob man an autobiographische Beziehungen glaubt oder nicht. Die Worte bekommen z. T. ein ganz anderes Gewicht, wenn sie von einem Autor stammen, der wirklich wegen seiner Liebe im Gefängnis gesessen hat, der wirklich von der Geliebten getrennt wurde und für den wirklich das Kloster Lorvão der Zwangsaufenthalt der Geliebten wurde. Nun ist es ja gewiß kein Argument *für* die Autorschaft Falcãos, daß uns ein Text mit autobiographischem Gehalt gewichtiger und interessanter erscheint. Grundsätzlich haben neuere methodische Strömungen zweifellos recht, die in der Art, wie in einem Kunstwerk überall nach biographischen Bezügen herumgeschnüffelt und überall nur das Abbild von Modellen gesucht wird, etwas Verdächtiges und Gefährliches sehen. Bei einem solchen Vorgehen wird eine adäquate Erfassung des Kunstwerks gewöhnlich eher beeinträchtigt als gefördert.

In dem besonderen Fall des Crisfal tritt indessen vor solche grundsätzlichen Fragen ein literarhistorisches Faktum. Es ist höchst auffällig und noch nicht restlos geklärt: die Schäferdichtung – zu allen Zeiten und in allen Ländern – enthält deutlichste Bezüge zu der Situation der Zeit und des Dichters. Schon Vergils Eklogen sind voller Anspielungen. Das setzt sich in der Schäferdichtung der Renaissance kräftig fort. Wer in Tassos *Aminto* die Huldigung an den Herzog von Ferrara und die Anspielungen auf Personen und

Ereignisse am Hof nicht versteht, der mag von dem Werk noch so begeistert sein –, adäquat aufgenommen hat er es nicht.

Diesen Wirklichkeitsbezug der Schäferdichtung formt eine große Gruppe von europäischen Romanen dann geradezu zum Wesenszug aus: in den sogenannten SCHLÜSSELROMANEN soll der Leser die «personnages déguisés» durchschauen. Schon Petrarca hatte zu seinem *Carmen bucolicum* Erläuterungen gegeben und gesagt: «Die Natur dieser Dichtungsgattung ist derart, daß ihr verborgener Sinn vielleicht erraten, aber, wenn der Verfasser nicht seine eigene Erklärung gibt, nimmer mehr verstanden werden kann». Bei Petrarca freilich handelte es sich wie bei den allegorischen Dichtungen des Mittelalters und auch in Boccaccios lateinischen Eklogen um moralische Transzendenz, nicht um Verschlüsselung der Wirklichkeit. Man kann nicht behaupten, daß die Eklogen und Schäferspiele der Renaissance und der Folgezeit als Schlüsseldichtungen genommen werden sollten oder in dem Wirklichkeitsbezug auch nur eine starke Wirkungsquelle gehabt hätten. Daß der Crisfal Wirklichkeitsbezug hat, gehört zum Wesen der Gattung. Aber er war vielleicht nicht so eng und aufdringlich, wie manchmal angenommen wird. Und es wäre falsch zu glauben, daß er deswegen entstanden wäre (als spontaner Ausdruck seelischer Qualen) oder deswegen so begeistert aufgenommen wäre. Seine Wirkung und sein Wert beruhen auf seinem Rang als Kunstwerk, nicht auf der Einkleidung biographischer Erlebnisse.

Der berühmteste Streit der neueren Literaturgeschichte ist der um die Autorschaft Shakespeares. Obwohl er für die ernsthafte Forschung als erledigt gelten darf, versuchen noch immer tüftelnde Dilettanten die Autorschaft Lord Bacons oder Lord Rutfords oder eines anderen Zeitgenossen zu erschließen. Andererseits bietet das Elisabethanische Drama noch der Fragen genug. Hier sind trotz aller Arbeit die Verfasser noch vieler Tragödien und Komödien unbekannt. In der englischen Literaturgeschichte von Legouis und Cazamian heißt es anläßlich des Elisabethanischen Dramas: «The unknown remains vaster than the known.» Und die *Cambridge History of English Literature* widmet einen ganzen Abschnitt den *Plays of Uncertain Authorship Attributed to Shakespeare*. Gelänge die Lösung aller noch offenen Fragen, so würde wohl unser Bild von jener Zeit erheblich anders aussehen.

Auch in der spanischen Literaturgeschichte gibt es noch berühmte Probleme der Autorschaft. Die in ganz Europa so erfolgreiche *Celestina* umfaßte bei ihrem ersten Druck von 1499 16 Akte und ebenso in dem Druck von 1501, der aus Sevilla stammt. In dem Sevillaner Druck aus dem nächsten Jahre umfaßte sie 21 Akte. In vorgesetzten Versen wurde Fernando de Rojas als Autor der letzten 20 Akte bezeichnet, während der erste, umfangreichste, dem Juan de Mena oder dem Rodrigo de Cota zugeschrieben wurde. Schon manchmal waren in der Folgezeit Zweifel an diesen Angaben geäußert worden. Ausführlich begründete dann Menéndez y Pelayo die These der einzigen Autorschaft Fernando de Rojas für das ganze Werk. Unter den Argumenten führte er u. a. an (*Estudios y Discursos de Crítica Histórica y Literaria*, Ausgabe 1941, Bd. II, 243 f.): «Es wäre das außerordentlichste literarische und darüber hinaus psychologische Wunder, wenn ein Fortsetzer sich derart in die fremde Konzeption einleben und sich so mit dem Geist des ursprünglichen Autors und den von ihm geschaffenen menschlichen Figuren identifizieren könnte.» Wie man sieht, sind die tiefsten ästhetischen und psychologischen Fragen an dem Problem der Autorschaft beteiligt. Im übrigen ist die These von Menéndez y Pelayo nicht durchgedrungen und das Wunder also da. Gründlich syntaktische Beobachtungen haben doch wieder zu der Annahme getrennter Autoren für den ersten Akt und das Folgende geführt. Das Wunder der Zusammenstimmung ist eher noch größer geworden, seit die Akte 17–21 als Fortsetzung durch einen Dritten wahrscheinlich gemacht worden sind (vgl. E. Eberwein, *Zur Deutung mittelalterlicher Existenz*, Bonn u. Köln 1933).

Noch weniger einhellig ist die Meinung der Forscher bei einem der berühmtesten Romane der Weltliteratur, dem *Lazarillo de Tormes*. Die drei verschiedenen Ausgaben von 1554 erschienen anonym; 1605 wurde zum ersten Male ein Autor angegeben: der general de la orden de San Jerónimo, Juan de Ortega. Zwei Jahre darauf wurde die Autorschaft einem anderen zugeschrieben, dem Diego Hurtado de Mendoza. Diese Zuordnung bürgerte sich ein, bis dann am Ende des 19. Jahrhunderts ihre Haltlosigkeit nachgewiesen wurde. Seitdem sind manche Prätendenten aufgestellt worden, von denen Sebastián de Horozco die meiste Anerkennung fand. Wieder hängt in manchem die Interpretation des Werkes von dem jeweils angenommenen Autor und den «autobiographischen» Bezügen ab. Wieder sind letzte Prinzipien als Argumente ins Feld geführt worden. Forscher wie A. Morel-Fatio (*Etudes sur l' Espagne*) und F. de Haase (*An Outline of the History of the Novela Picaresca in Spain*) haben den Grundsatz vertreten, daß der Verfasser die Erlebnisse seines Helden selber durchgemacht haben müsse. Der früher so gern gehegte Glaube an die Erlebnisechtheit der Troubadour-Lyrik findet beim pikarischen Roman sein Gegenstück. Es gibt deren viele.

Das 16. und 17. Jahrhundert stecken in allen Ländern noch voller Rätsel. So ist in jüngster Zeit die Autorschaft des bedeutendsten französischen Romans des 17. Jahrhunderts, der *Princesse de Clèves*, fraglich geworden. Bisher galt er als Werk der Mme de la Fayette. Zwar hatte sie ihn nicht unter ihrem Namen veröffentlicht; aber die Zuordnung schien unbezweifelbar, und auch die Fragen nach der Mitarbeiterschaft des Segrais und des Herzogs von La Rochefoucauld schienen im großen und ganzen beantwortet, für den ersten negativ, für den zweiten positiv. Da erschien im Mercure de France am 15. Februar 1939 ein Aufsatz von Marcel Langlais mit dem erregenden Titel: *Quel est l' auteur de la Princesse de Clèves?* Als wahrscheinlicher Autor wurde Fontenelle hingestellt, eine These, der ein Gelehrter wie Baldensperger zugestimmt hat (Baldensperger: *Complacency and Criticism: La Princesse de Clèves*. The American Bookman, Fall 1944), die aber sonst wenig Zustimmung gefunden hat.

In Deutschland ist erst vor kurzem ein neuer Dichter entdeckt worden, der von seinem Entdecker rangmäßig neben den bedeutendsten Erzähler der Epoche, neben Grimmelshausen, gestellt wurde (R. Alewyn, *Johann Beer*, Leipzig 1932). Die Romane des neuen Autors waren im einzelnen fast alle bekannt. Sie haben jetzt einen ungleich bedeutenderen dokumentarischen Charakter und gleichsam ein neues Gesicht bekommen. Daß der Autor sich so lange versteckt halten konnte, liegt daran, daß er verschiedene Pseudonyme gebrauchte, eine in der Zeit übliche Praxis. Auch Grimmelshausen ist der Literaturgeschichte erst seit dem 19. Jahrhundert als Gestalt bekannt. Selbst aus neuerer Zeit gibt es ein berühmtes Pseudonym, das noch nicht mit letzter Sicherheit aufgelöst worden ist. Einer der interessantesten Romane der deutschen Romantik erschien unter dem Titel: *Nachtwachen. Von Bonaventura.* Bonaventura ist ein deutliches Pseudonym. Unsere Vorstellungen von Brentano, Schelling, E. T. A. Hoffmann, Caroline Schlegel müßten weitgehend geändert werden, wenn die Hypothesen recht hätten, die in einem der Genannten den Autor sehen. Demgegenüber besitzt freilich der Nachweis von Franz Schultz noch die größte Wahrscheinlichkeit, daß hier einem kleinen Dichter namens Wetzel einmal ein großer Wurf geglückt sei.

Man kann drei verschiedene Techniken im Gebrauch des PSEUDONYMS unterscheiden: 1. den Gebrauch eines völlig anderen Namens an Stelle des eigentlichen. Manche berühmte Namen der Literaturgeschichte sind solche Pseudonyme: Molière (Jean-Baptiste Poquelin), Novalis (Friedrich von Hardenberg), George Eliot (Mary Ann Evans), Jeremias Gotthelf (Albert Bitzius) u.a.m.; 2. Das ANAGRAMM. Hierbei entsteht der neue Name aus einer anderen Kombination der in dem Namen enthaltenen Buchstaben. Ein kunstvolles Anagramm verwendete der Barockdichter Kaspar Stieler, der sich den Dichternamen Peilkarastres beilegte; ein Anagramm ist auch der Name Voltaire statt Arouet l(e) j(eune). 3. Das KRYPTONYM. Dabei werden die Anfangsbuchstaben der eigenen Namen zu einem neuen zusammengesetzt, mit dem sich der Autor halb versteckt und halb vorstellt. Crisfal ist ein solches Kryptonym, das aus Cristóvão Falcão gebildet wurde.

In Lexika sind in fast allen Ländern die Ergebnisse der Forschung bei der Identifizierung anonym und pseudonym erschienener Werke zusammengestellt worden.

EXKURS:
BESTIMMUNG DES VERFASSERS AUS DEM TEXT

Eine an den Universitäten mancher Länder beliebte Prüfungsaufgabe ist die Ermittlung des Verfassers lediglich aus dem Text eines Werkes. Gewiß bezweckt diese Aufgabe im letzten Sinne nicht die adäquate Interpretation des Kunstwerks als Kunstwerk. Die Haltung als Rätsel-Lösender, die der Untersuchende hier einnehmen muß, ist eine grundsätzlich andere als die Haltung dessen, der eine Dichtung als solche erfaßt, und die Suche nach verräterischen Indizien muß zwangsmäßig die Einheit, den Gefügecharakter des Werkes, weithin zerstören. Dennoch ist die Aufgabe sinnvoll, da sie in eine Situation führt, in die der Literarhistoriker oft genug gerät. Zugleich gibt sie dem Untersuchenden Gelegenheit, neben seinem Scharfsinn literarisches Fingerspitzengefühl, Belesenheit, Kenntnis des wissenschaftlichen Handwerkzeuges und Fertigkeit in dessen Handhabung zu beweisen. So begreift sich die Beliebtheit der Frage nach dem Verfasser als Prüfungsaufgabe wie als anregende Unterhaltung bei Zusammenkünften literarisch Interessierter.

Wenn wir bisher auch noch nicht das Handwerkszeug des Literarhistorikers und dessen Handhabung kennengelernt haben, so mag es doch das Ziel der Verfasser-Ermittlung rechtfertigen, wenn im folgenden ein kurzes Beispiel gegeben und durchgeführt wird. Freilich ist eine Einschränkung dabei gleich angebracht: in den seltensten Fällen wird die Ermittlung bis zum Verfasser gelangen. Aber die Untersuchung hat sich schon als sinnvoll erwiesen, wenn es gelingt, die Zeit bzw. die literarische Bewegung oder Strömung zu bestimmen, der das Werk angehört. So kann also das Beispiel zugleich als Veranschaulichung der im nächsten Abschnitt zu besprechenden Fragen der Datierung dienen. Der Leser mag sich zunächst selber an dem Text erproben:

Das Rosenband

Im Frühlingsschatten fand ich sie;
Da band ich sie mit Rosenbändern:
Sie fühlt' es nicht und schlummerte.

Ich sah sie an; mein Leben hing
Mit diesem Blick an ihrem Leben:
Ich fühlt' es wohl und wußt' es nicht.

Doch lispelt' ich ihr sprachlos zu
Und rauschte mit den Rosenbändern:
Da wachte sie vom Schlummer auf.

> Sie sah mich an; ihr Leben hing
> Mit diesem Blick an meinem Leben,
> Und um uns ward's Elysium.

Die Indizien, die ein Text bietet, lassen sich schematisch in vier Gruppen ordnen: 1. Inhaltliche Indizien. Vom Stoff und bestimmten Motiven bis hin zu Anspielungen auf historische Gestalten und Ereignisse oder Bezeichnungen technischer Gegenstände (Eisenbahn, Auto u. s. f.) werden sich Anschlüsse gewinnen lassen; 2. Formales. Die Wahl bestimmter Vers- und Gedichtformen; eine besondere Erzählweise (Briefroman, Ich-Erzählung), lyrische Einlagen in Erzählungen und Dramen (Chor!), auch negative Indizien wie Meidung des Monologs u. s. f. sind oft aussagekräftig; 3. Sprachlich-Stilistisches. Veraltete Formen, Wörter und Konstruktionen helfen an der Bestimmung der Epoche, auch wo sie als gewollt erkennbar sind; stilistische Beobachtungen des Wortschatzes, des Gebrauchs von Metaphern und Bildern, der Adjektivation, des Satzbaues, des Rhythmus, der Erzählhaltung (Einstellung zum Publikum u. ä.) werden oft allein ausreichen, um Epoche, Strömung oder sogar den Dichter zu ermitteln; 4. Gedanklich-Gehaltliches. Von den einzelnen Gedanken bis zum innersten Sinn des ganzen Werkes und der in ihm enthaltenen Einstellung zur Welt wird sich Material für die Aufgabe gewinnen lassen.

Stellen wir uns nacheinander auf die vier angegebenen Standpunkte und mustern von da aus das Gedicht, so erlaubt gleich der erste eine wichtige Feststellung. Das Motiv von der Auffindung der schlafenden Geliebten durch den verliebten Dichter, das in unserem Fall die konkrete Situation des ganzen Gedichts bildet, hat kräftigen Aussagewert. Es ist eines der traditionellen Motive innerhalb der sogenannten Anakreontik, jener literarischen Strömung, die im 17. und 18. Jahrhundert durch fast alle europäischen Literaturen plätschert.

> Beglückter Schmerz, der in den Hain mich führte!
> Dort schläft im Klee
> Die Ursach' meiner Pein, die schöne Galathee ...,

so beginnt ein Gedicht Ewalds von Kleist *(Galathee)*, und es ließen sich viele ähnliche anführen.

Formal fällt zunächst die dreizeilige Strophe auf. Daß hier ein bewußter Verskünstler am Werke ist, zeigt ihr kunstvoller Bau: die ersten beiden Zeilen gehören eng zusammen, während die dritte durch ihre Bedeutungsbeschwerung ihnen das Gleichgewicht hält. Dieser Tatbestand ist wichtig; er verrät, daß der Dichter sich von der üblichen Anakreontik etwas entfernt. Denn die ist überwiegend liedhaft, hier aber wird nicht gesungen oder geträllert, sondern hier wird gesprochen. Es ist, wie der Stil näher ausweisen wird, gar nicht einmal ein so leises, intimes Sprechen; man meint im Verlauf fast etwas Feierliches, Hymnisches in diesem Sprechen zu spüren, auf jeden Fall eine immer weitere Entfernung vom Liedhaften.

Auffällig ist weiterhin die Reimlosigkeit. An sich pflegt ja die Anakreontik das gereimte Lied. Andererseits war aber die «klassische» Herkunft der Anakreontik ein Grund und eine Rechtfertigung für reimlose Verse, gerade in Deutschland. Der vierhebige trochäische Vers hieß sogar «anakreontischer» Vers und wurde von Goetz, Gleim, Utz reimlos verwendet (vgl. A. Heusler, *Deutsche Versgeschichte*, Bd. III, § 1009). Der Kampf um den Reim gehört zu den Kennzeichen des zweiten Drittels des 18. Jahrhunderts: es waren die Vertreter der jüngeren Generation, die ihn bekämpften. Unser Gedicht, in dem er sogar in einem Versmaß fehlt, über dem nicht die Autorität der Antike schwebt, erweist sich damit als Gedicht eines «Modernen» um die Mitte des 18. Jahrhunderts.

In diese Zeit weisen auch die sprachlichen Beobachtungen, etwa das persönlich konstruierte «Rauschen» oder das «Lispeln» im Sinne eines vertraulichen Sprechens (das freilich nach dem Zeugnis des Grimmschen Wörterbuches (GDW) seit dem 16. Jahrhundert begegnet). Die Zusammensetzungen «Frühlingsschatten» ,«Rosenband» erinnern an die Bereicherung der dichterischen Sprache, die besonders durch Klopstock und gerade mit diesem Zug erzielt war (das zweite Wort ist nicht vor Klopstock belegt, das erste Wort wird im GWD nicht aufgeführt). Das Rosenband unseres Gedichts findet ja ein deutliches Echo in dem Rosenband, mit dem Goethe das Ende seines Gedichts *Kleine Blumen, kleine Blätter* knüpft. Auf das 18. Jahrhundert weist ferner das adverbielle «sprachlos», während die Wendung «mein Leben hing ...» auf die Luthersprache zurückgeht (vgl. 1. Mose 2, 24: darum wird ein Mann ... an seinem Weibe hangen; 44, 30: ... an des Seele seine Seele hanget). Dagegen gehört «Elysium» wieder der dichterischen Sprache gerade des 18. Jahrhunderts an; in diesem Falle liegt dem Leser wohl die tonstärkere Wiederholung durch Schiller: «Freude, Tochter aus Elysium» im Ohr. Aber auch Goethe, um nur noch ihn zu nennen, schrieb eine Ode *Elysium*. Deren Kehrreim «Uns gaben die Götter auf Erden Elysium» und ihre Schlußzeile: «Ach, warum nur Elysium» wirken wie ein bewußter Bezug auf unser Gedicht. An sich kann die Verwendung dieses Wortes in einem anakreontischen Gedicht nicht überraschen, in dem Cupido, Venus (Cythere) und andere Gottheiten aufzutreten und Liebender und Geliebte griechische Namen zu tragen pflegten. Und doch fällt die Art seiner Verwendung hier auf; wir betreten damit den vierten Standpunkt.

Es ist unserem Gedicht eigentümlich, daß im Unterschied zu dem spielerischen, scherzhaften Ton in der europäischen Anakreontik Situation, Gestalten, Geschehnisse, Empfindungen seltsam ernst genommen werden. Die weite Distanz, aus der heraus sonst gesprochen wird und in der sich das Spielerische entfalten kann, ist hier offensichtlich verkürzt. Die spielerische Haltung ist durch eine andere ersetzt, die echte Empfindungen echt ausdrücken will. Schon daß Sprecher und Geliebte keine griechischen Namen tragen, daß weder Cupido noch Venus auftreten, zeigt den Verzicht auf fremdes Kostüm und literarische Szenerie. Liegt in diesem negativen Befund schon etwas Positives, so offenbart sich das noch kräftiger in der verwendeten Raumangabe: man meint in «Frühlingsschatten» etwas Frisches, Ausdrucksvolles, Neu-Empfundenes zu spüren.

Wenn hier weiterhin gesagt wird: «Mein Leben hing an ihrem Leben», so klingt das ganz anders, als wenn sonst die Anakreontiker sterben oder siechen und nur von der Geliebten errettet werden können. Die Geliebte selber hat alle Koketterie der Chloen und Galatheen verloren: auch ihr Leben hängt an dem des Geliebten. Hier sind zwei Menschen gleichermaßen in ihrer Tiefe ergriffen, hier fehlt, wie das Schmachten und Klagen auf der einen Seite, so auf der anderen die Sprödigkeit, Herrschsucht und Lenkung durch den Verstand, der Blicke als Kampfmittel zu verwenden weiß. Hier ist alles Offenbarung des Innern und als solches so gewichtig, weil sie nicht vom Denken begleitet ist. In der Welt dieses Gedichts gibt es im Menschen etwas Wesentlicheres als Denken und Vernunft. Wir dürfen es als Seelengrund bezeichnen, obwohl das Wort Seele nicht gebraucht wird. Der Seelengrund aber enthüllt sich unmittelbar: nicht einmal durch Worte, bei denen immer noch das Denken beteiligt wäre, sondern im Blick. Zwar ist die sprachliche Gestaltung der unmittelbaren Offenbarung auf seiten des Sprechers etwas zwiespältig geworden; wenn er von sich sagen muß, daß er nur fühlte, aber nicht wußte, – so stellt sich dadurch doch wieder etwas von der weiten Distanz im Sprechen her, die gerade überwunden werden sollte. Aber dafür entschädigt die vierte Strophe. Der Ausdruck, der in dem Blick der erwachenden Geliebten liegt, hat etwas von jener echten Verkündigung, die die alten Griechen glauben ließ, der erwachende Dionysos, wie er sich auch sonst zu entziehen wisse, stehe dem ihn in diesem Augenblick befragenden Menschen Rede und wahre Antwort.

Aus dem gegenseitigen Geständnis der Seelen entsteht ein Zustand, der als Elysium bezeichnet wird. Man spürt wieder die Echtheit des Ausdrucks, die Vollgültigkeit dieser Entzückung und Entrückung. Zugleich zeigt sich gerade an dieser Stelle, wie sehr unser Gedicht im Vergleich zu anderen anakreontischen Gedichten entsinnlicht ist: es gibt hier keine sinnliche Erfüllung, wie es keine sinnlichen Reize und Reizungen gibt; alles ist Seelenleben, echtes, innerstes Seelenleben.

Damit hat die Analyse des Gehalts bedeutsame Ergänzungen zu den bisherigen Feststellungen geliefert. Unverkennbar ist die anakreontische
Grundlage: das Motiv, auch das Lispeln, Rauschen, die Rosenbänder gehören dazu, und wir beobachteten sogar einen Rückfall in die Distanzhaltung.
Aber ebenso deutlich ist nun auch das Neue; die Überwindung der Distanz,
die Ersetzung der spielerischen Haltung durch eine «Ausdruckshaltung»
(die sich schon im Formalen ankündigte), die Entsinnlichung, die Beseelung und Verseelung.

Man möchte fast zu dem Schluß kommen, daß dieses Gedicht ein Denkmal jener großen und tiefen Umformung ist, die sich in der Lyrik um die
Mitte des 18. Jahrhunderts vollzieht und die an den Namen Klopstock geknüpft ist. Der – von Kleinigkeiten abgesehen – künstlerische Wert des
Gedichts läßt dabei lieber an Klopstock selber als an einen der Mitstreben-
den denken.

Unser Gedicht ist von Klopstock; es ist ein Denkmal in jenem großen
Umformungsprozeß, den Günther Müller in seiner *Geschichte des deutschen
Liedes* so eindringlich beschrieben hat, wobei er dem «Rosenband» den ge-
bührenden Platz zuweist.

Aber wir wollen nicht verkennen, daß die Ermittlungen, die bis zu dem
Dichter zu kommen glaubten, dadurch wesentlich erleichtert wurden, daß
es sich um ein Gedicht aus einer Übergangzeit handelt (mancher Leser
wird wohl auf Grund seiner Belesenheit den Umweg über die Analyse nicht
gebraucht haben). Und wir dürfen weiterhin nicht verkennen, daß selbst so
die Nennung des Dichters mit Zurückhaltung zu erfolgen hat. Unser Gedicht könnte auch von einem der vielen Nachfolger sein, die gerade in dieser
Art Anakreontik und Seelengedichte verschmelzen. Hölty, Jacobi, Salis,
Matthisson und viele andere sind die Träger dieses Liedtypus durch das
ganze Jahrhundert hindurch und jüngere noch weit in das 19. Jahrhundert
hinein. Und nichts – um die Fragwürdigkeit der Verfasser- und Zeitbestimmung kraß herauszustellen –, nichts widerspricht in dem Text an sich der
Möglichkeit, daß das Gedicht von einem viel späteren Dichter aus Spiel-
freude, Wahlverwandtschaft oder anderen Motiven heraus geschrieben
worden ist. Wir werden noch in der Schallanalyse eine Forschungsweise
kennenlernen, die verheißt, den Kreis des Irrens enger zu ziehen. Aber
auch da gilt noch die warnende Feststellung, daß die Bestimmung eines
Autors aus dem Text allein selten zu letzten, zwingenden Schlüssen führen
kann.

3. DATIERUNGSFRAGEN

Für alles literarhistorische Arbeiten ist es von Wichtigkeit, das Erscheinungsjahr bzw. die Zeit der Abfassung eines Werkes zu kennen. Die Feststellung von Abhängigkeiten, von Zusammenhängen und Entwicklungen hängt weithin von der richtigen Datierung ab. Begreiflicherweise hat die Literaturgeschichte des Mittelalters, die meist mit undatierten und vom Original durch beträchtliche Zeitspannen getrennten Abschriften zu arbeiten hat, dabei größere Schwierigkeiten zu überwinden als die neuere Literaturgeschichte. Denn diese arbeitet überwiegend mit Drucken, die nur selten der Jahresangabe entbehren.

In den letzten Jahrzehnten hat z. B. die Epoche der vor- und frühhöfischen Epik auf Grund neuer Datierungen ein anderes Aussehen bekommen, die Diskussionen um die Datierung wichtigster Denkmäler der sächsischen und salischen Kaiserzeit sind noch in vollem Gange, und wenn man vor einiger Zeit für den *Parzifal* eine Umarbeitung um 1235 behauptet hat, so zeigt sich darin eine Unsicherheit selbst bei den größten Werken.

Wie leicht die unreflektierte Anwendung von Begriffen, die aus der neueren Literaturgeschichte vertraut sind, in älteren Zeiten zu Irrtümern führt, zeigte sich bei der Datierung der Werke Hartmanns von Aue. Dessen Absage an eitle, weltliche Dichtkunst im Anfang des *Gregor* schien die Annahme einer «inneren Entwicklung» vom weltlichen zum geistlichen Dichter zu rechtfertigen, und so setzte man die beiden Ritterromane *Erec* und *Iwein* an den Anfang, die beiden Legenden *Armer Heinrich* und *Gregor* an das Ende seiner dichterischen Laufbahn. Wenn heute die Reihenfolge Erec, Gregor, Armer Heinrich, Iwein einhellig anerkannt wird, so geschieht das auf Grund angestellter Beobachtungen vor allem der Hartmannschen Sprache, gegen deren Beweiskraft nichts anderes stichhält.

Lieferten in diesem und manchem anderen Fall sprachliche Untersuchungen das entscheidende Material, so ist gerade in jüngster Zeit die Untersuchung von Metrik und Handhabung des Verses verfeinert und in umfangreichem Maße zur Lösung von Datierungsfragen benutzt worden. Der im 19. Jahrhundert so lebhaft geführte Streit um den Wert der beiden Handschriftenfamilien A und B des *Nibelungenliedes*, der einwandfrei zugunsten von B beendet zu sein schien, ist in geringem Umfang wiederaufgelebt, indem sich die Metrik von A in mancher Hinsicht als altertümlicher und damit originalnäher erwies als die von B. Mit metrischen Gründen hat man auch die Datierung des umfangreichen dramatischen Werks von Lope de Vega und Calderón durchzuführen gesucht; manche neue Ergebnisse werden freilich noch lebhaft diskutiert.

Für die Dramen Shakespeares ist die Aufgabe dank jahrzehntelanger eindringender Forschungen in gewissen Grenzen gelöst. Für jedes Drama war wie bei der Textherstellung die Entstehungszeit von neuem zu bestimmen, und es fehlte dabei nicht an Überraschungen. So schien z. B. die festliegende Datierung des *Tempest* als letztes Drama und nach 1610 einen Augenblick ins Wanken zu kommen, als man unter den Dramen des Nürnbergers Jakob Ayrer ein Drama, *Die schöne Sidea*, von 1595 fand, das eine dem Tempest ähnliche Fabel besitzt. Da nun feststand, daß seit 1593 die sogenannten «Englischen Komödianten» auch in Nürnberg auftraten und daß Ayrers Werk und seine Bühne in manchem von ihnen beeinflußt wurde, lag es nahe, ein ähnliches Verhältnis zwischen jenen beiden Dramen anzunehmen. Aber es sprach zu viel für die spätere Datierung des *Tempest*, und so nimmt man an, daß Shakespeare seinerseits durch die heimkehrenden Komödianten von dem Stoff des Ayrerschen Dramas gehört hat –, falls nicht beide auf eine gemeinsame Quelle zurückgehen. Diese letzte Annahme gewinnt an Wahrscheinlichkeit, da eine der Novellen aus der Sammlung *Noches de invierno* des Spaniers Antonio de Eslava (1609) sich stofflich eng mit den beiden Dramen berührt; die Forschung sieht sich auch hierbei wieder letzten Endes auf die italienische Novellistik gewiesen.

Bei Dramen, Romanen, Erzählungen jüngerer Zeit werden selten besondere Probleme auftauchen. Die Veröffentlichung folgt meist der Abfassung, und sonst erlauben Briefe, Tagebücher und andere Zeugnisse des Dichters oder aus seinem Freundeskreise gewöhnlich genaue Schlüsse auf die Entstehungszeit. Schwieriger ist die Bestimmung bei lyrischen Gedichten, da ja die Dichter nicht immer den Ehrgeiz gehabt haben, jedes entstandene Gedicht gleich in einer Zeitschrift oder Zeitung zu veröffentlichen. Selbst die Chronologie der veröffentlichten Sammlungen kann, wie viele Beispiele zeigen, über die Chronologie der einzelnen Gedichte täuschen. Die Fälle sind nicht selten, da ein Dichter neue Verse nicht in die nächste erscheinende Sammlung, sondern eine wesentlich spätere einrückt.

Als ein Beispiel diene jener Fall, der nicht nur als Irrtum der Forschung, sondern wegen seiner methodischen Ausblicke Beachtung verdient. Im Mai 1773 sandte Goethe an Kestner, den Bräutigam der Lotte Buff in Wetzlar, sein großes Gedicht *Der Wanderer* mit den Worten: «Du wirst in der Allegorie Lotten und mich und, was ich zu hunderttausendmal bei ihr gefühlt, erkennen.» So wurde denn das Gedicht als erste Spiegelung des Lotte-Erlebnisses, als «lyrischer» Werther ohne tragischen Konflikt gelesen und schien in dieser Interpretation schlüssig zu sein. Insbesondere für die «biographische» Methode war alles auf das beste geklärt: der Gedanken- und Gefühlsgehalt, der Bezug der Figuren zu realen Urbildern, die Entstehung aus konkretem, biographischem Anlaß. Das Gedicht stützte geradezu die

These von dem Erlebnis-Anstoß, den biographischen Konfessions-Charakter der Dichtungen. Da stellte sich überraschenderweise heraus, daß Goethe das Gedicht schon geschrieben und vorgelesen hatte, bevor er nach Wetzlar ging und Lotte kennenlernte! Die Deutung des Gedichts mußte sich dementsprechend verschieben; zugleich fiel auf das ewige Problem der Literaturwissenschaft: das Verhältnis von Dichtung und Wirklichkeit neues Licht. Die bequeme Annahme, daß ein adäquates biographisches Erlebnis die Grundlage für Dichtungen sei oder sein solle, indem es als Beweis der Echtheit deren Wert verbürge, erweist sich schon in diesem einen Beispiel als fragwürdig.

Aber oft haben die Versuche, genau zu datieren, nicht nur gegen die Sprödigkeit des Materials oder mißverständliche Äußerungen bzw. offene Irrtümer des Verfassers zu kämpfen, sondern auch noch – wie bei der Frage nach dem Autor – gegen bewußte Irreführung.

Die berühmteste und fruchtbarste Fälschung der neueren Literaturgeschichte sind die *Fragments of Ancient Poetry* (1760) *Fingal* (1762) und andere, die dann unter dem Sammeltitel *The Works of Ossian* herausgegeben wurden. Der Herausgeber war jedesmal Macpherson. Wenn es auch nicht an einigen Grundlagen fehlte, so war doch der Anspruch, den der «Übersetzer» Macpherson für sie erhob, ungerechtfertigt. Die Begeisterung für die eigene Vorzeit führte damals – und nicht nur in England – zu mancherlei Fälschungen. Tragisch waren die Folgen der Aufdeckung im Fall des jungen Thomas Chatterton. Er hatte Schriften veröffentlicht, die er in der Kirche von Bristol gefunden haben wollte und die aus dem 15. Jahrhundert stammen sollten. Der Selbstmord des achtzehnjährigen Dichters, zu dem die Aufdeckung beitrug, hat wiederholt zu poetischer Gestaltung gereizt.

Eine andere Epoche, die aus der Begeisterung für die nationale Vergangenheit zahlreiche Fälschungen hervorbrachte, war der Humanismus. Aus der portugiesischen Literaturgeschichte ist der Streit um die sogenannten *Reliquias da poesia portuguesa* bekannt. Man hielt sie zunächst für echte Texte aus dem 8. bis 11. Jahrhundert, bis sie dann als Fälschungen des 17. Jahrhunderts nachgewiesen wurden. Aber auch dann gab es noch Gelehrte, die sie mindestens für das Mittelalter retten wollten. Etwas Ähnliches wiederholte sich in Deutschland vor einigen Jahren mit der sogenannten *Uralindachronik*. Der Glaube an ihre Echtheit war schon lange erschüttert, aber gegenüber neueren Versuchen, sie doch wieder als alt auszugeben, mußte die ganze Frage noch einmal aufgerollt werden. Die dann auch gedruckte Rede, in der Arthur Hübner endgültig die Fälschung nachwies, ist um der dabei angewendeten Methoden willen für alle ähnlich gelagerten Fälle von Bedeutung.

In weite Zusammenhänge führt das Datierungsproblem, wo es sich um die vermuteten Vorstufen erhaltener Werke und schließlich um das Alter

ganzer Gattungen handelt. In Lansons *Histoire de la Littérature française*
findet man eine Darstellung der *Origines de l'épopée française*, die sich glatt
liest. Von der 11. Auflage aber folgt dieser Darstellung ein Satz, der gewissermaßen alles durchstreicht: «Voilà ce que l'on enseignait hier sans
hésitations.» Und daran schließt sich eine völlig andere Behandlung des
gleichen Themas. Vor der elften Auflage waren nämlich, von 1908 an, die
Untersuchungen Bédiers über die *Légendes épiques* erschienen, die eine Revolution bedeuteten: die angenommene Epik vor dem Rolandslied erwies
sich als Trugbild, die Chanson de Roland war nicht Schlußglied einer langen
Kette oder Krönung einer langen und langsamen Entwicklung, sondern als
chanson de geste Neuschöpfung eines Dichters.

Weniger revolutionär war der Wandel in der Datierung einer anderen
Gattung, der Ballade, die in der mittelalterlichen Literatur vieler Völker
eine bedeutende Rolle spielt. Ihre begeisterten Entdecker im England und
Deutschland des 18. Jahrhunderts rückten sie in ferne Vorzeiten und sahen
in ihr den Ausdruck ursprünglicher Volksdichtung. Auch die Romantiker
meinten in den Balladen urtümliche Denkmäler der Nationalliteratur zu besitzen. Die Frage verwirrte sich durch den offenbaren Zusammenhang mit
der Epik, zu der, wie man zunächst meinte, die Balladen die Vorstufen seien.
Heute herrscht weithin die entgegengesetzte Anschauung. Man nimmt gewöhnlich an, daß die erhaltenen Balladen aus den Epen abgeleitet sind. Aber
die Verhältnisse liegen nicht in allen Ländern gleich. So hat man für die
deutschen Balladen behauptet, daß für ihre Ausbildung im Mittelalter das
heimische alte Heldenlied von prägender Bedeutung gewesen sei. Ein Beweis dabei ist, daß tatsächlich alte Heldenlieder wie die von Hildebrand und
Ermenreich am Ende des Mittelalters als Balladen auftauchen. Die alten
spanischen Romanzen reichen selten über das 14. Jahrhundert hinauf; man
denkt sie sich heute aus der Epik und aus den Chroniken abgeleitet. Auch
die so reich vertretene skandinavische Balladendichtung sieht man jetzt als
«Kind der Ritterzeit» an, während die englischen Balladen noch jünger sind
und nur vereinzelt, wie etwa die Chevy-Chase-Ballade, bis ins 15. Jahrhundert zurückreichen.

Von einer kritischen Ausgabe darf man genaue Angaben über das Erscheinungsjahr und die Entstehungszeit des dargebotenen Werkes erwarten.

4. HILFSMITTEL

Wer sich an das Studium eines literarischen Werkes oder Problems macht,
wird in den meisten Fällen die philologischen Vorfragen wie Datierung,
Identifikation, Erstellung eines kritischen Textes schon erledigt finden. Er

benutzt die Arbeit von Forschergenerationen und stellt sich nun selber in die Tradition der Wissenschaft. Denn das Ziel gerade des Universitäts-Unterrichts ist ja nicht nur zu vermitteln, was von anderen ermittelt worden ist, sondern zu befähigen, selber dem Fortschritt der Wissenschaft zu dienen. Die Anleitung zum eigenen Forschen gehört zum Studium, und die Prüfungsarbeit soll sinngemäß den Beweis für die Fähigkeit dazu erbringen.

Oft verraten Prüfungsarbeiten schon durch ihre Sprache, daß der Verfasser dieses Ziel nicht erreicht hat und daß er sich auf falschem Wege befindet. Eine Arbeit, die in subjektiven Klassifikationen schwelgt wie unsterbliches Werk, herrlich, unvergänglich u.s.f. zeigt schon in ihrem Stil eine ungemäße Denkweise. Das Forum der Wissenschaft ist etwas anderes als der Festsaal oder die Zeitungsspalte. Die wissenschaftliche Sprache stellt, unbeschadet aller individuellen Abtönungen, eine eigene Sprachschicht dar. Darüber hinaus besitzt jede Wissenschaft ihre eigene Terminologie, ihre eigene Fachsprache. Man darf sogar sagen, daß eine Wissenschaft soweit besteht, wie sie eine eigene Terminologie besitzt. Erst dadurch werden Probleme und Erkenntnisse übermittelbar und entsteht die wissenschaftliche Tradition. Ein Laie versteht wenig von einem medizinischen oder technischen Fachartikel, und was ein dolus eventualis ist, das wird kein Nichtjurist wissen und braucht es auch nicht; für den Fachmann aber ist mit der Anwendung dieses einen Terminus unter Umständen ein verwickelter Sachverhalt aufgeklärt. Die termini technici sind konzentrierte Forschungserkenntnisse, die eine Generation der andern weiterreicht. Daß die Wissenschaften letzten Endes nicht ein Dasein für sich selbst und um ihrer selbst willen führen, daß sie den Kontakt mit weiteren und weitesten Kreisen suchen sollen und dabei dann auch ihre Fachsprache auflockern müssen, das gehört in andere Zusammenhänge. Es beeinträchtigt jedenfalls nicht die Strenge, mit der jede Wissenschaft ihre eigene Terminologie ausbilden und gebrauchen muß.

Das Erlernen der Fachsprache ist für den Studenten am Beginn seines Studiums überaus schwierig und lästig. Auch das größte pädagogische Feingefühl des Lehrers kann da nicht alle Schwierigkeiten beseitigen. Und doch ist die Forderung unerläßlich, daß sich der junge Student von Beginn an um volle Einsicht in die Bedeutung jedes Fachausdrucks und den mit ihm gemeinten Sachverhalt bemüht.

Die Wörterbücher der eigenen und die fremder Sprachen, Fremdwörterbücher und Enzyklopädien werden ihm in vielen Fällen, wo das direkte Fragen nicht möglich ist, ein Stück weiterhelfen. Für die Literaturwissenschaft (wie für andere Wissenschaften) ist darüber hinaus noch mehr getan. Im Jahre 1938 begann Jean Hankiss die Vorarbeiten zu einem *Dictionnaire des notions d'historie littéraire*, das alle französischen, deutschen, englischen, spanischen und italienischen Fachausdrücke aufführen und erläutern soll. Aus den anderen Sprachen werden die Fachausdrücke aufgenommen, die keine Entsprechung in einer der genannten Sprachen haben. Es ist zur Zeit ungewiß, ob und wann das so wichtige Vorhaben durchgeführt werden kann. Aber es fehlt nicht an bereits vorliegenden Hilfsmitteln (in der Bibliographie ist einiges genannt).

Jede neue Untersuchung stellt sich in die Tradition der Wissenschaft. Dazu gehört aber, daß der Verfasser, bevor er sich an die eigene Arbeit macht, den Stand der Wissenschaft in bezug auf seine Probleme kennt, schon um vielleicht nutzlose Doppelarbeit zu vermeiden. Denn die «neuen» Arbeiten sind nicht so ganz selten, die etwas ermitteln, was den Wissenschaftlern, nur nicht dem Verfasser bereits längst bekannt war, und Originalität beweist sich in der Wissenschaft nicht dadurch, daß man sich um die bisherige Forschung nicht kümmert. Wer eine Arbeit unternimmt, hat also zunächst die zu seinem Thema erschienenen Veröffentlichungen zusammenzustellen und zu lesen. Es ist eine Pflicht der Dankbarkeit und der Ehrlichkeit, am Schluß der Arbeit in einer besonderen Bibliographie oder aber in den Anmerkungen die benutzten Vorarbeiten anzugeben. Um das Nachprüfen zu erleichtern, müssen diese Angaben möglichst vollständig sein, das heißt sie sollen enthalten: den Namen des Autors, bei häufigeren Namen auch den Vornamen, den genauen und vollständigen Titel, den Erscheinungsort und das Erscheinungsjahr. Handelt es sich um Reihenveröffentlichungen, so tut man gut, auch den Reihentitel und die Bandzahl anzugeben; die bibliothekarische Nachfrage nach einem solchen Werk wird dadurch erleichtert. Bei Zeitschriftenaufsätzen (oder Beiträgen zu Festschriften, Schulprogrammen u.s.f.) ist es unbedingt nötig, neben dem Titel des Aufsatzes auch den der Zeitschrift (der Festschrift, des Schulprogramms u.s.f.), das Erscheinungsjahr und nach Möglichkeit auch die Bandnummer der Zeitschrift anzugeben. Bezieht man sich auf eine bestimmte Stelle, wie es ja in Anmerkungen der Fall zu sein pflegt, so ist die entsprechende Seitenzahl der zitierten Arbeit zu bezeichnen. Ein f. hinter der Seitenzahl bedeutet: die angegebene Seite und die folgende, ein ff.: die angegebene und die folgenden. Bezieht man sich in den Anmerkungen mehrmals auf die gleiche Arbeit, so braucht man nicht die Angaben alle zu wiederholen; es genügt eine kurze, unmißverständliche Kennzeichnung, etwa durch den Autornamen mit beigefügtem l.c. = loco citato und nun folgender Seitenzahl. Ebenso ist es notwendig, bei Zitaten aus literarischen Texten die Ausgabe genau anzugeben, nach der zitiert wurde. Grundsätzlich werden in wissenschaftlichen Arbeiten die kritischen Ausgaben benutzt.

Bei der Fülle von wissenschaftlichen Studien ist es schwierig, sich eine möglichst vollständige Bibliographie anzulegen. Gewöhnlich enthalten die großen Literaturgeschichten reiche Literaturangaben. Wenn das auch nicht ausreicht, so helfen doch die dort genannten einschlägigen Arbeiten schon ein Stück weiter, da sie ja jeweils eine eigene Bibliographie enthalten, die schon spezieller ist. Aber man darf sich nie darauf verlassen, daß ein Vorgänger schon alle in Betracht kommenden Arbeiten gefunden habe. Einmal wird seit dem Erscheinen des letzten solcher Beiträge einige Zeit verstrichen sein, in der mancherlei erschienen sein kann, zum andern wird die eigene Arbeit besondere Fragen stellen, die eine bibliographische Umsicht auf noch ganz anderen Gebieten verlangt.

Der sicherste, freilich sehr umständliche und zeitraubende Weg wäre, die nationalen Bücherverzeichnisse nachzuschlagen, in denen die gesamte Buchproduktion eines Landes aufgeführt wird. In allen Ländern mit lebhaftem Buchhandel und wissenschaftlicher Tradition gibt es solche Verzeichnisse, die vielfach wöchentlich erscheinen, aber auch in Halbjahrs- und Mehrjahrsbänden zusammengefaßt werden.

Doch die Inanspruchnahme dieser Nationalbibliographien wird nur für die letzten Jahre notwendig, da freilich unumgänglich, sein. Denn es gibt in fast allen Ländern einmalige und periodische Verzeichnisse der Fachliteratur, das heißt also der Arbeiten zur jeweiligen Literaturgeschichte. Die periodischen Verzeichnisse hinken naturgemäß etwas hinterher; der Band, der alle Arbeiten zur deutschen Literatur aus dem Jahre 1930 nennt, wird nicht 1930 oder 1931 erschienen sein. Es handelt sich also nur darum, den Zeitraum zwischen dem letzten periodischen Verzeichnis der Fachliteratur und der Gegenwart mit Hilfe jener Nationalbibliographien zu überbrücken.

Die Zusammenstellung der wissenschaftlichen Literatur wird weithin durch die laufenden Bibliographien erleichtert, die in den Fachzeitschriften enthalten sind; denn in ihnen ist gewöhnlich die ausländische Produktion mit berücksichtigt. Es ist ja grundsätzlich damit zu rechnen, daß zu irgendeinem Problem in einer Nationalliteratur die ausländische Forschung wichtige Beiträge geleistet hat. Von Zeitschriften oder besonderen Institutionen werden in steigendem Maße Fachbibliographien herausgegeben, die thematisch vielfach nicht nur eine Nationalliteratur umfassen, sondern z. B. die gesamten romanischen Literaturen oder die Gesamtheit der neueren Literaturen. Sie sind um so wichtiger, als sie meist nicht nur die Buchproduktion, sondern auch die in Zeitschriften veröffentlichten Arbeiten einschließen.

Eine besondere Gruppe von Hilfsmitteln stellen die Werke dar, die zugleich biographisch ausgerichtet sind; hier findet man also alle Werke eines Schriftstellers aufgeführt, oft mit allen von ihm betreuten Auflagen, die kritischen Ausgaben und alle Arbeiten, die sich mit dem jeweiligen Schriftsteller beschäftigen. Für weite Strecken etwa der deutschen oder französischen Literatur sind beim Arbeiten Werke wie Goedekes *Grundriß* oder Lansons *Manuel bibliographique* unentbehrliche Hilfsmittel.

An sie schließen sich als eigene Gruppe die rein biographisch ausgerichteten Dichterlexika und die umfassenden biographischen Lexika an. Ihre praktische Bedeutung liegt weniger in dem, was sie zu dem jeweils behandelten Dichter zu sagen haben, da man dazu schnell über ein reicheres Material mit ausführlichen Monographien u.s.f. verfügen wird. Aber oft stößt man bei der Arbeit auf die Namen unbekannter Dichter, Schriftsteller, Philosophen, Theologen u.s.f., über die man sich nun mit Leichtigkeit und zuverlässig in den großen biographischen Lexika unterrichten kann.

Ein Wort muß noch zu den wissenschaftlichen Zeitschriften gesagt werden. Sie sind im Laufe der Zeit von immer größerer Bedeutung geworden; in ihnen pulst, so darf man feststellen, das Leben der Wissenschaft heute am kräftigsten. Durch ihre Beiträge führen sie einmal die Forschung an den verschiedensten Stellen ständig weiter. Sie bringen weiterhin personelle und sachliche Nachrichten aus der wissenschaftlichen Welt (Nekrologe, Berufungen, Berichte über die Arbeit der Akademien, gelehrter Gesellschaften und anderer Institutionen, Ankündigung großer Arbeitsvorhaben u.s.f.). Sie enthalten schließlich außer den erwähnten Bibliographien wichtige Buchbesprechungen. In jüngster Zeit hat sich der Brauch eingebürgert, in Aufsatzform Sammelreferate über den Stand der Forschung zu bestimmten Gestalten oder Problemen zu veröffentlichen. So ist also die Kenntnis und laufende Lektüre der Zeitschriften für den unerläßlich, der sich eingehender mit der Wissenschaft von der Dichtung beschäftigen will. Der Rahmen der Zeitschriften ist verschieden weit gespannt; es gibt Zeitschriften für eine Nationalliteratur, für eine bestimmte Epoche (etwa das Mittelalter), für Literaturwissenschaft, für Geistesgeschichte, für vergleichende Literaturgeschichte, für das Gesamtgebiet der romanischen oder der germanischen Literaturen und schließlich für die Gesamtheit der germanisch-romanischen Literatur. In den Fachbibliographien findet man Verzeichnisse der bestehenden Zeitschriften. Der junge Student tut gut, sich die wichtigsten dort angegebenen Abkürzungen einzuprägen, da sie international üblich und zum Verständnis bibliographischer Angaben nötig sind.

ERSTER TEIL
GRUNDBEGRIFFE DER ANALYSE

Das einzelne literarische Werk stellt an den Betrachter die Aufgabe, es richtig zu verstehen. Es stellt dem Literarhistoriker die weitere Aufgabe, dieses Verständnis in der Form einer Interpretation zu vermitteln. Im zweiten Teil werden die Arbeitsweisen zu besprechen sein, die diese Aufgabe zu lösen suchen.

Die Arbeitsweisen setzen ein bestimmtes Wissen voraus, nämlich die Kenntnis elementarer Sachverhalte, die mit der Seinsweise des Werkes als eines literarischen Werkes gegeben sind. Vier Arbeitsweisen verbinden sich, um das letzte Ziel der vollständigen Interpretation zu erreichen. So gliedert sich notwendigerweise auch der erste Teil in vier Kapitel; jedes von ihnen lehrt das Handwerkszeug kennen und gebrauchen, das die spätere Arbeit dann handhabt.

In gewollter Vereinzelung werden hier die Grundbegriffe behandelt, in denen die elementaren Sachverhalte ergriffen worden sind. Aber es geschieht in dem dauernden Bewußtsein, daß diese Behandlung nur eine Vorbereitung ist. Viele Bezeichnungen für die elementaren Grundbegriffe gehören nicht nur der literaturwissenschaftlichen Fachsprache an, sondern zugleich der täglichen Sprache. Darin liegt für den Anfänger eine Schwierigkeit, da die Bedeutungen oft erheblich voneinander abweichen.

KAPITEL II

GRUNDBEGRIFFE DES INHALTS

1. DER STOFF

Wer die *Maria Stuart* liest oder in einer Aufführung sieht, der merkt bald, daß nicht alles, was da geschieht, eigene Erfindung des Dichters ist. Im Grunde bereitet schon der Titel darauf vor. Er sagt dem durchschnittlich Gebildeten, daß sich der Dichter auf etwas bezieht, was außerhalb seines Werkes vorhanden ist. Es ist kein Zeichen für mangelnde Originalität, wenn ein Dichter den Inhalt seines Werkes nicht selber erfindet, sondern von außen borgt. Gerade beim Drama wird man feststellen, daß die Erfindung des Stoffes eine Ausnahme darstellt. Fast alle griechischen Dramen dramatisieren Mythen, die jedem vertraut waren; das griechische Drama setzte solche Kenntnisse geradezu voraus, um richtig verstanden werden zu können. Von Shakespeares Dramen haben nicht nur die Historicals einen Inhalt, der außerhalb des Werkes lebt, sondern auch fast alle seiner anderen Dramen. Bei ihnen handelt es sich vielfach um «literarische» Quellen. Beim spanischen Drama ist die Quellenforschung noch lebhaft an der Arbeit und entdeckt dauernd neue inhaltliche Abhängigkeiten. Bei dem klassischen französischen Drama ist diese Arbeit ziemlich beendet und hat zu dem Ergebnis geführt, daß nahezu alle Dramen bereits vorhandene Inhalte dramatisieren. Ähnlich ist es mit den Dramen Goethes und Schillers. Beim Epos scheint zum Wesen schlechthin zu gehören, daß es sich auf etwas bezieht, was außerhalb des Werkes vorhanden ist. Der Roman dagegen verlangt offensichtlich in seinem Inhalt mehr von der eigenen Phantasie seines Autors; immerhin gibt es auch da viele Werke, wie etwa historische Romane (und Erzählungen), die in dieser Hinsicht wieder Verzicht üben. Und bei der Erzählungsliteratur des 19. Jahrhunderts, am deutlichsten bei der französischen Romantik, stellt man geradezu überrascht fest, daß der Dichter sogar da den Anschein der Verarbeitung erwecken will, wo er selber erfunden hat. All das weist darauf, daß für die dichterische Seinsweise und für den künstlerischen Rang eines Werkes der erzählbare Inhalt an sich von geringem Belang ist. (Am Anfang der Menschheits-Literatur steht ein Werk, das man im Schutt bei Babylon gefunden hat: es ist eine Klage, daß alle poetischen Themen eigentlich schon verbraucht seien!) So stellt sich die Forderung, daß überall da, wo es um literarische Bildung geht, der Inhalt nicht überbetont werden sollte. Wenn in dem Schulunterricht Wert auf

Inhaltsangaben gelegt wird, so rechtfertigt sich das aus bestimmten und gewichtigen pädagogischen Gründen; aber für eine literarische Bildung ist damit allein noch sehr wenig getan.

Was außerhalb eines literarischen Werkes in eigener Überlieferung lebt und nun auf seinen Inhalt gewirkt hat, heißt STOFF. Der Stoff ist immer an bestimmte Figuren gebunden, ist vorgangsmäßig und zeitlich und räumlich mehr oder weniger fixiert. Selbst das «Es war einmal ...» des Märchens ist eine zeitliche Festlegung.

Mit der Definition des literarischen Terminus Stoff ist gesagt, daß einen Stoff nur solche Werke haben, in denen sich Vorgänge vollziehen und Figuren auftreten, also Dramen, Epen, Romane, Erzählungen u.s.f. Ein lyrisches Gedicht hat in diesem Sinne keinen Stoff.

Der Stoff kann in der verschiedensten Art existieren, das heißt: es gibt die verschiedenartigsten Stoffquellen.

Bis ins 18. Jahrhundert überwiegen in der Literatur die literarischen Quellen. In der Dramatik begegnen viele Stoffe, die nur in dramatischer Formung leben. Goethes Iphigenie geht auf die des Racine und Euripides zurück und hat auf Gerhart Hauptmann gewirkt, um nur einige Bearbeiter dieses Stoffes zu nennen. Der Amphitryon-Stoff hat nach Plautus und Molière noch manchen Dramatiker gereizt. Wenn Shakespeare die italienische Novellistik ausbeutete, so benutzte er gleichfalls literarische Quellen.

Vielfach haben Chroniken den Stoff geliefert. Diese Quelle fließt besonders im 19. Jahrhundert reichlich. Aber auch in älteren Zeiten haben sich Dichter von daher anregen lassen, sei es für das Ganze oder für Teile ihres Werkes. Die Beziehungen zwischen den *Lusiaden* des Camões und den portugiesischen Chronisten der Entdeckungsfahrten haben mit Recht die Aufmerksamkeit der Forschung erregt. Neben die Chroniken stellen sich geschichtliche Werke aller Art, Tagebücher, Biographien, Autobiographien u.s.f. Die Verfasser der historischen Romane des 19. Jahrhunderts haben gewöhnlich eingehende geschichtliche Studien getrieben. Die Personalunion zwischen Geschichtsforscher und Romanschreiber ist nicht selten; in der deutschen Literaturgeschichte gibt es ein eigenes Kapitel «Professorenroman», zu dem die romanschreibenden Universitätsprofessoren wie Felix Dahn, Georg Ebers, Wilhelm Heinrich Riehl u. a. gehören.

Eine wichtige Quelle für die Dichter des 19. und 20. Jahrhunderts sind die Zeitungen. Zacharias Werner, der mit seinem 24. *Februar* das Schicksalsdrama prägte, kam durch eine Zeitungsnotiz zu seinem Stoff. Von daher kamen auch für Gottfried Kellers *Romeo und Julia auf dem Dorfe*, für Flauberts *Madame Bovary* und Strindbergs *Fräulein Julie* die ersten Anregungen.

In undurchdringliches Dunkel verlieren sich die Fälle, wo mündliche Erzählungen und Mitteilungen den Stoff lieferten. Wie oft mögen Erzählungen der Eltern oder der Großeltern einem jungen Dichter unvergeßliche Gestalten und Geschehnisse in das Herz gesenkt haben. Die Mutter und Großmutter verdienen in dieser Hinsicht einen Ehrenplatz in der Literaturgeschichte. Bewahrt doch schon jeder von uns die Erinnerung an solche Erzählungen, an denen ihm zuerst das Phänomen eines fremden menschlichen Geschicks aufgegangen ist. Es ist fast ein Zufall, wenn wir einmal wie bei zwei Meisterwerken des 19. Jahrhunderts, George Eliots *Adam Bede* oder Gerhart Hauptmanns *Die Weber*, von solcher Herkunft wissen. Auch für Theodor Storms Schaffen ist die Geschichtenerzählerin seiner Kinderzeit, Lena Wies, von größter Bedeutung geworden. Noch schwieriger zu erfassen, aber von noch größerem Reiz sind die Fälle, in denen eigene Beobachtungen und eigene Erlebnisse dem Dichter den Stoff geliefert haben. Als ein besonderer Antrieb wirkt für die Forschung dabei wieder der entscheidende Ordnungsbegriff: die Bezogenheit Werk–Autor. So ist denn gerade für die größten Dichter ein unendlich reiches Material zusammengetragen worden, das die stoffliche Abhängigkeit der Dichtungen von dem Leben des Autors beweisen soll.

Die so häufige Unselbständigkeit der Autoren in der Stoffindung kann nur einen Laien und einen künstlerisch unempfänglichen Menschen irre machen. Wenn Paul Albrecht sein Leben der Aufgabe widmete, alle Abhängigkeiten Lessings aufzudecken (neben den stofflichen auch die gedanklichen und sprachlichen), so war das an sich ganz lohnend und nützlich. Daß es aber in der Meinung geschah, damit Lessing als unschöpferischen kleinen Geist brandmarken zu können, ja als geistigen Dieb, das richtete den Verfasser selbst, aber nicht seinen Gegenstand. Albrecht gab seinem sechsbändigen Werk den Titel *Lessings Plagiate*. Wäre jede stoffliche Übernahme ein Plagiat, so gäbe es kaum einen Dichter, der nicht eines solchen Vergehens schuldig wäre. Und rechnete man wie Albrecht alle gedanklichen und sprachlichen Anleihen hinzu, so wären wir alle ständig Plagiatoren. Gewiß ist es nicht überall leicht zu bestimmen, wo die Grenze der erlaubten Anleihen und Übernahmen überschritten wurde und das Unerlaubte beginnt. Die Musikgeschichte hat es darin vielleicht noch schwieriger. Wenn Beethoven plötzlich ein Motiv aus Händels Messias verwendet, so liegt an sich der Tatbestand eines Plagiats vor. Trotzdem wird man darin nichts Strafbares sehen und nicht meinen, daß Beethoven an einem unproduktiven Tage mit fremden Federn dem Fluge der eigenen Phantasie habe aufhelfen wollen. Gerade die leichte Erkennbarkeit läßt das Plagiat in solchem Falle eher als gewollten Hinweis und als Huldigung verstehen. In der Literaturgeschichte ist der Fall des Plagiats häufig genug. Aber man muß sich bewußt sein, daß der Begriff des geistigen Eigentums und seines Schutzes recht jung ist und daß frühere Zeiten darin anders urteilten als wir. Trotz der

Strenge unserer Auffassungen gibt es wohl keinen großen künstlerischen Erfolg, der nicht sofort eine Welle von geschäftstüchtigen Nachahmern auf den Plan gerufen hätte, die die Grenzen des Erlaubten oft überschreiten. Aber auch die Großen selber sehen sich oft genug beschuldigt, und entsprechende Prozesse pflegen von Zeit zu Zeit die literarische Welt in Spannung zu versetzen. Die Erforschung stofflicher Abhängigkeiten, die Quellenforschung, ist in letzter Zeit etwas in Verruf gekommen. Nicht deswegen, weil sie zu dem bedauerlichen Schluß geführt hat, daß der Erfindungsreichtum der Dichter geringer sei, als man gewöhnlich meint. (Übrigens sind gerade die älteren Zeiten, die noch keineswegs an literarischer Überproduktion litten, darin gebundener als die neueren.) Was die Quellenforschung mit dem Odium der Stoffhuberei belastet hat, war das Sich-zufrieden-Geben mit den bloßen Feststellungen stofflicher Bezüge. Tatsächlich ist damit nichts für die künstlerische Erfassung und noch sehr wenig für die literarhistorische getan. Die eigentliche Arbeit müßte jetzt beginnen. Warum ergriff der Dichter diesen Stoff, was reizte ihn? Wie und wozu verarbeitete er ihn? Man pflegt manchmal verächtlich von dem «Rohstoff» zu sprechen, den der Dichter vorgefunden und dem er erst Leben eingehaucht habe. Dabei wird übersehen, daß es sich, mit Ausnahme der Fälle, wo auf eigene Beobachtungen und Erlebnisse zurückgegriffen wurde, um durchweg bereits geformten Stoff handelt. Ein beliebiger Zeitungsbericht kann in sich ebenso bündig sein wie ein Kunstwerk, das ihn als Stoffquelle benutzt. Die Änderungen werden damit um so aussagekräftiger für die neuen Formkräfte, die am Werke sind. Die sorgfältige Analyse der Art, wie die Quelle im Ganzen oder in Einzelheiten benutzt wird, die eingehende Beobachtung und Ausdeutung aller Änderungen versprechen reiche Erkenntnisse für das Werk einerseits und darüber hinaus für das Wesen des Poetischen, andererseits für die Erkenntnis des Dichters, der Strömung, der Epoche. Die heute vielfach übliche Verachtung der Quellenforschung erklärt sich als Reaktion auf die geistlose Praxis früherer Zeiten. Sie erscheint aber als Ungerechtigkeit und Engstirnigkeit gegenüber den reichen Möglichkeiten, die sich von dem gesicherten Boden der Stofforschung aus ergeben. Welche neuen Einsichten selbst noch für Goethe zu gewinnen sind, haben zur Überraschung auch der Literarhistoriker die eingehenden Untersuchungen Ernst Beutlers gezeigt; es sei nur auf die Studien *Die Kindsmörderin* oder *Das ertrunkene Mädchen* gewiesen *(Essays um Goethe)*.

In den kritischen Ausgaben findet man im Vorwort oder im kritischen Apparat die stofflichen Quellen des Werkes angegeben. Eine Zeitlang waren Arbeiten beliebt, die die GESCHICHTE EINES STOFFES in der Literatur behandelten und seine vielfachen Bearbeitungen besprachen. Aber bei der untergeordneten Bedeutung, die das Stoffliche in der Dichtung hat, bleibt der Sinn und das Recht solcher Bücher doch meist sehr begrenzt. Liegt der Schwerpunkt wirklich auf den Wandlungen, die der Stoff als solcher durchmacht, so mag vielleicht so etwas wie seine «Geschichte» entstehen. Aber das Interesse ist dann von etwas Außerliterarischem in Anspruch genommen, und die einzelnen Werke können nicht mehr als eigene, in sich geschlossene Kunstwerke vor den Blick treten. Wird aber der Versuch gemacht, ihre Ganzheit in der Untersuchung zu erhalten, so zeigt sich das stoffliche Band, das zusammenhalten soll, als überaus locker, und das Buch löst sich in gesonderte Kapitel auf. Als Materialsammlungen behalten die Arbeiten beider Blickrichtungen ihren Wert.

2. DAS MOTIV

Das Wort Motiv gehört zu dem alltäglichen Vokabular, und zwar in den verschiedensten Bedeutungen. Unter dem Motiv zu einer Handlung versteht man die Antriebe. In einem anderen Sinne spricht man beim Photographieren von einem Motiv. Die Formqualität, die hier schon in dem Begriff liegt, tritt noch beherrschender hervor, wenn der Musiker von einem Motiv spricht. Er meint damit eine zusammengehörige und charakteristische Folge von Tönen, die indessen sofort auf höhere, umfassendere Ganzheiten weist, wie Thema oder Melodie.

In der literaturwissenschaftlichen Sprache begegnet das Wort außerordentlich häufig. Es wurde geradezu zum Zentralbegriff der Märchenforschung. Man beobachtete nämlich, je besser man die Märchen der verschiedensten Völker kennenlernte, daß nicht nur dieselben Märchen als Ganzes hier und da auftauchten, sondern daß sich kleine Züge wiederholten. Sie stellten Einheiten dar, die in den verschiedenartigsten Zusammenhängen erschienen. Man ging gelegentlich sogar so weit, das Märchen als kaleidoskopartige Zusammensetzung solcher selbständigen und verschieden einkleidbaren Einheiten hinzustellen.

Wir geben einige Beispiele für solche Einheiten. Es kommt jemand, der lange abwesend war, zurück. Keiner erkennt ihn. Aber er zeigt die Hälfte eines Ringes, der bei seinem Abschied in zwei Teile zerbrochen war, und diese Hälfte paßt genau in die andere, die ein Zurückgebliebener bewahrt hat. Und nun ist er als der und der erkannt und beglaubigt. Oder man sucht jemanden, von dem man nur einen Schuh in der Hand hat. Keinem oder keiner paßt er, soviel Proben man auch anstellt, bis er endlich einem Mädchen wie angegossen sitzt, von der ihre Umgebung nichts Besonderes erwartet hatte. Und nun ist sie als die Gesuchte erkannt und beglaubigt. Oder jemand sieht sich vor eine unlösbare Aufgabe gestellt. Da tritt ein übernatürliches Wesen zu ihm und gibt ihm einen oder mehrere magische Gegenstände, mit deren Hilfe dann die Lösung der Aufgabe gelingt.

Diese Einheiten bezeichnet man als Motive. Wo man sie in einem Märchen oder sonst einem literarischen Werk trifft, sind sie ausgefüllt. Da handelt es sich um diesen Ritter, der ins Heilige Land gefahren war, und diese seine Frau, die diesen bestimmten Namen hat, und diesen bestimmten Ring, den sie beim Abschied geteilt hatten. Aber man erkennt das Motiv auch wieder, wo es sich um andere Gestalten und Örtlichkeiten und Gelegenheiten handelt. Ein Stoff ist, so sahen wir, örtlich und zeitlich und gestaltenmäßig festgelegt. Der Stoff von *Romeo und Julia* ist die Geschichte dieses Jünglings namens Romeo und dieses Mädchens namens Julia, die die Kinder dieser Eltern sind, in dieser italienischen Stadt leben und das und das Geschick haben. Das Motiv, so erkennen wir andererseits, ist gerade nicht festgelegt und ausgefüllt. Wir erfassen es erst, wenn wir von der jeweiligen individuellen Festlegung abstrahieren. Was dann als Motiv übrigbleibt, ist von einer bemerkenswerten strukturellen Festigkeit. Es ist eine typische Situation, die sich immer wiederholen kann. Ein Stoff kann und wird viele Motive in sich bergen. So ist in dem Romeo-und-Julia-Stoff die Liebe zwischen den Kindern verfeindeter Geschlechter ein Motiv. Wir finden es in unzähligen literarischen Werken und damit individuellen Zusammenhängen. Ebenso ist der mißverstandene scheinbare Tod ein Motiv, dem wir seit Pyramus und Thisbe immer wieder in der Literatur begegnen.

Die einzelnen konkreten Ausfüllungen in dem jeweiligen Motiv bezeichnet man als Zug. Die Märchenforschung hat beobachtet, daß solche Züge oft typisch mit dem Motiv gekoppelt bleiben. So etwa der Zug in unserem ersten Beispiel bei der Wiedererkennung durch den Ring, daß sie gerade am Hochzeitstage der zurückgebliebenen Ehefrau vor sich geht. Oder bei dem Motiv des mißverstandenen Scheintodes ist der Zug häufig, daß der Liebespartner den zur Rettung unternommenen Scheintod des anderen mißversteht.

Das Motiv ist eine sich wiederholende, typische und das heißt also menschlich bedeutungsvolle Situation. In diesem Charakter als Situation liegt es begründet, daß die Motive auf ein Vorher und Nachher weisen. Die Situation ist entstanden, und ihre Spannung verlangt nach einer Lösung. Sie sind somit von einer bewegenden Kraft, die letztlich ihre Bezeichnung als Motiv (Ableitung von movere) rechtfertigt.

Es kommt gelegentlich vor, daß die mit einem Motiv gegebene handlungsmäßige Spannung in dem Werk nicht gelöst wird, daß die Handlung eine andere Richtung nimmt. Man spricht dann von einem blinden Motiv. Es tritt vielfach im Eingang von Dramen und Filmen auf, um Spannung zu erwecken oder absichtlich auf falsche Fährten zu lenken. In dem portugiesischen Drama *Frei Luiz de Sousa* von Almeida Garrett findet sich am Ende des I. Aktes ein blindes Motiv: das Anzünden des eigenen Hauses durch Manuel de Sousa. Es ist, wie deutlich betont wird, ein Fanal, eine Herausforderung der Machthaber. Es weist also handlungsmäßig deutlich über sich hinaus, aber die entsprechenden Erwartungen werden nicht erfüllt. Der politische Aspekt verschwindet völlig, es ist mit keinem Worte mehr davon die Rede. Damit soll nicht gesagt sein, daß es unbegründet wäre und daß ein blindes Motiv nicht wichtige Funktionen für das Ganze ausüben könne. Im *Frei Luiz de Sousa* ist die theatralische Wirksamkeit eine dieser Funktionen (freilich nicht die entscheidende). Damit erkennen wir eine besondere Qualität des Motivs überhaupt an: außer seiner strukturellen Einheit als typische und bedeutende Situation, außer seiner jeweiligen konkreten Erfülltheit und außer seinem über sich hinausweisenden Charakter eignet ihm ein besonderer Gehalt, der seine Verwendung in bestimmten Gattungen begünstigt. Das Erkennen durch den passenden Schuh, so fühlen wir, ist ein typisches Märchenmotiv. Wir sind in der echtesten Märchenstimmung, die gar keine Bedenken aufkommen läßt, daß ja unzählige Menschen die gleiche Schuhgröße haben: im Märchen paßt er nur einer, und umgekehrt: wem der Schuh paßt, der ist der Gesuchte. Dagegen scheint das Motiv der feindlichen Brüder auf den ersten Blick durch seine Gespanntheit eine Wahlverwandtschaft zum Drama zu haben. Das Drama des Sturms und Drangs hat es tatsächlich mit Vorliebe verwendet, und schon im Werk Shakespeares ist es ja nicht selten. Aber es wäre doch eine vorschnelle Verallgemeinerung, das Motiv der feindlichen Brüder deswegen als schlechtweg dramatisch hinzustellen. In der Geschichte des Romans spielt es eine kaum geringere Rolle; es genügt, auf namhafte Werke wie R. S. Stevenson: *The Master of Ballantrae*, Machado de Assis: *Esáu e Jakob*, Friedrich Huch: *Pitt und Fox* zu weisen, denen sich viele andere anreihen ließen; als Gegensatz von Zwillingsschwestern findet es sich etwa bei W. v. Scholz: *Perpetua*.

Das Sturm-und-Drang-Drama zeichnet sich indessen durch die Angliederung weiterer gemeinsamer Motive an das Brudermotiv und die Auffüllung mittels gleicher Züge aus. Eng begrenzt ist auch die Zahl der im Schicksalsdrama fest miteinander gekoppelten Motive; man hat folgende Hauptmotive ermittelt: Verwandtenmord, Heimkehr eines Totgeglaubten, Blutsünde, Weissagung eines Verbrechens oder Unglücks, Familienfluch.

Ein beliebtes Motiv in der Ballade des 18. Jahrhunderts ist die Begegnung eines Liebenden mit dem Geist des gestorbenen Partners. Wir nennen nur die englischen Balladen von *Fair Margaret and sweet William* und *William's Ghost*, die in der Sammlung des Percy zu finden waren, Höltys *Adelstan und Röschen*, Bürgers *Lenore* (vgl. weiterhin Moncrif, *Les constantes amours d'Alix et d'Alexis*; Gleim, *Marianne*; Goethe, *Der untreue Knabe*

u. a. m.). Immer entfaltet sich das Motiv in der gleichen Richtung: der noch Lebende stirbt auch. Hingegen ist die Motivation des Motivs verschieden: bald ist die Geistererscheinung Rache für Untreue, bald ist sie durch maßlose Klage des Überlebenden bedingt, bald treibt das gegebene Treueversprechen den Toten aus dem Grabe. Wenn Brentano dem Motiv eine von dieser so festen Tradition völlig abweichende Behandlung gibt *(Auf dem Rhein)*, so fühlt man sich versucht, schon darin die Bekundung einer machtvollen dichterischen Substanz zu sehen.

Nun wird man nicht erwarten dürfen, daß jedes Motiv von sich aus einen klaren Gattungscharakter enthält. Aber eine weitergehende Forschung in dieser Richtung verheißt doch noch mancherlei Erkenntnisse.

Untersucht man mit dem Blick auf den Handlungsverlauf die Motive in einem literarischen Werk, so stellt man bald fest, daß sie von verschiedener Bedeutung sind. Es gibt Motive, die im Zentrum eines Werkes stehen, von denen aus das ganze Werk organisiert ist. Der Romanist Petriconi bezeichnet sie als «Themen» und hat an einem Beispiel (dem Thema von der «verführten Unschuld») die Fruchtbarkeit einer in diesem Sinne vergleichenden Methode gezeigt. Tatsächlich verschwinden hier die Bedenken, die sich gegen «Stoffgeschichten» einstellten: die themengleichen Werke ordnen sich mit innerer Notwendigkeit aneinander. Die äußere Gleichheit im Stoff ist keineswegs vonnöten. Petriconis Darstellung überrascht geradezu durch den überzeugenden Aufweis von Zusammengehörigkeiten, sie überrascht weiterhin durch den reichen Gewinn, den sie für die Deutung des einzelnen Werkes einbringt, wenn es in solchem Rahmen gesehen wird (die Germanisten haben mancherlei von der Interpretation der «Gretchentragödie» zu lernen), und sie überzeugt davon, daß mit der erkannten Gleichheit des Zentralmotivs innere Zusammenhänge in der Literaturgeschichte erfaßt werden. Es scheint uns freilich nötig, die Begriffe Motiv (bzw. Zentralmotiv) und Thema zu trennen. Das Motiv ist das Schema einer konkreten Situation; das Thema ist abstrakt und bezeichnet als Begriff den ideellen Bereich, dem sich das Werk zuordnen läßt. Das Zentralmotiv von Goethes Stella ist der «Mann zwischen zwei Frauen», als Thema könnte man angeben «die menschliche Liebe» oder «der liebende Mensch». Die nicht zentralen Motive eines Werkes lassen sich nicht selten noch sondern, in Motive, die mit dem Zentralmotiv gekoppelt sind, und solche, die reine Füllmotive sind.

Bisher wurden die Motive nur unter dem Gesichtspunkt der Handlungsführung abgewogen. Es gibt aber offensichtlich noch andere Aspekte, unter denen sie betrachtet werden müssen.

Tieck führt uns in seiner *Genoveva* auf das Schlachtfeld von Poitiers; er läßt das Weib des Heerführers der Mauren auftreten, die ihrem Gebieter verkleidet gefolgt ist. Aus Liebe zu ihm und bedrängt von der Leidenschaft eines christlichen Heerführers ersticht sie sich neben der Leiche ihres Geliebten. Dieser Selbstmord aus Liebestreue ist handlungsmäßig eines der vielen Füllmotive des Tieckschen Dramas. Aber man spürt, daß es für das Ganze des Werkes «irgendwie» bedeutsamer ist als manches Motiv, das seinen festen Platz im Handlungsverlauf hat, etwa das der Hexe, die mit ihrem Zauberspiegel dem Grafen Siegfried die Untreue Genovevas vorgaukelt. Wir kommen zu diesen anderen Aspekten der Motive am schnellsten, wenn wir die Frage nach den lyrischen Motiven stellen. Denn solange wir das Über-sich-Hinausweisen des Motivs nur als Fortgang des Geschehens beobachteten, blieben wir notwendig im Umkreis der Dramatik und Epik als der pragmatischen Gattungen, das heißt der Gattungen, für die ein sich abwickelndes Geschehen kennzeichnend ist.

Man spricht tatsächlich auch bei der Lyrik von Motiven. Als solche nennt man z. B. das Strömen des Flusses, das Grab, die Nacht, der Sonnenaufgang, der Abschied u. s. f. Damit es freilich echte Motive sind, müssen sie als bedeutsame Situationen erfaßt sein. Ihr Über-Sich-Hinausweisen besteht nun nicht in einer handlungsmäßigen Fortführung der Situation, sondern darin, daß sie einer menschlichen Seele zum Erlebnis werden und in ihren Schwingungen sich innerlich fortsetzen.

Wenn es in Hölderlins *Heimat* heißt:

> Am kühlen Bache, wo ich der Wellen Spiel,
> Am Strome, wo ich gleiten die Schiffe sah,
> Dort bin ich bald; ...

so handelt es sich bei den Schiffen um ein Bild, das flüchtig im Zuge mit anderen Bildern auftaucht. In dem folgenden Gedicht Meyers ist es zunächst ausgeführter und in sich geschlossener:

Zwei Segel

> Zwei Segel erhellend
> Die tiefblaue Bucht!
> Zwei Segel sich schwellend
> Zu ruhiger Flucht!
>
> Wie eins in den Winden
> Sich wölbt und bewegt,
> Wird auch das Empfinden
> Des andern erregt.
>
> Begehrt eins zu hasten,
> Das andre geht schnell,
> Verlangt eins zu rasten,
> Ruht auch sein Gesell.

Aber der Unterschied liegt nicht nur in der stärkeren Bildhaftigkeit. Obgleich der Betrachtende nicht die eigenen Empfindungen ausspricht, ja als «Ich» gar nicht hervortritt, zeigt die sprachliche Gestaltung, und zwar in immer steigendem Maße, die «Beseelung» des Bildes. Die erste Strophe ist noch ganz objektiv; in der zweiten bedeuten schon die Worte «das Empfinden des andern» eine Vertiefung des rein Sichtbaren. Und in der dritten Strophe geraten wir immer tiefer in einen seelisch durchströmten Raum, bis schließlich der Gleichtakt der Bewegungen als Gleichgestimmtheit zweier «Gesellen» erscheint. Das Bild ist zum Motiv geworden. Aber es zeigt sich ein weiteres. Indem sich kein erlebendes Ich hervordrängt, sondern die Entfaltung ganz in den Umkreis des gegenständlichen Vorgangs beschlossen bleibt, bekommt es über den Motivcharakter hinaus zugleich einen deutlichen Symbolcharakter.

EXKURS: DAS MOTIV DER NACHT IN VIER GEDICHTEN

Als eine anschauliche Probe für das Auftauchen des gleichen Motivs stellen wir aus verschiedenen Literaturen und Zeiten vier Gedichte zusammen; es handelt sich um das Motiv der Nacht.

Addison: Hymn

The spacious firmament on high,
With all the blue ethereal sky,
And spangled heavens, a shining frame,
Their great Original proclaim.
Th' unwearied Sun from day to day
Does his Creator's power display;
And publishes to every land
The work of an Almighty hand.

Soon as the evening shades prevail,
The Moon takes up the wondrous tale;
And nightly to the listening Earth
Repeats the story of her birth:
Whilst all the stars that round her burn,
And all the planets in their turn,
Confirm the tidings as they roll,
And spread the truth from pole to pole.

What though in solemn silence all
Move round the dark terrestrial ball;
What though nor real voice nor sound

Amidst their radiant orbs be found?
In Reason's ear they all rejoice
And utter forth a glorious voice;
For ever singing as they shine,
«The Hand that made us is divine».

Marquesa d'Alorna (portugiesische Dichterin [1750–1839], die ihre Lands-
leute auf die englische und deutsche Vorromantik wies und damit eine Bahn-
brecherin für die portugiesische Romantik wurde):

Como está sereno o Céu,
como sobe mansamente
a lua resplandecente,
e esclarece este jardim!

Os ventos adormeceram;
das frescas águas do rio
interrompe o murmurio
de longe o som de um clarim.

Acordam minhas ideias,
que abrangem a Natureza,
e esta nocturna beleza
vem meu estroincendiar.

Mas se à lira lanço a mão,
apagadas esperanças
me apontam cruéis lembranças,
e choro em vez de cantar.

Wie ist der Himmel so heiter,
wie steigt so sacht
der leuchtende Mond
und erhellt den Garten!

Die Winde schliefen ein;
es unterbricht das Murmeln
der Wasser fern am Fluß
der Klang des Horns.

Und meine Gedanken erwachen
und umfassen die Natur,
die Schönheit dieser Nacht
entzündet meinen Geist.

Doch wenn ich zur Leier greife,
so weisen mich erloschene Hoffnungen
auf grausame Erinnerungen,
und ich weine, statt zu singen.

Joseph v. Eichendorff: Mondnacht

Es war, als hätt' der Himmel
Die Erde still geküßt,
Daß sie im Blütenschimmer
Von ihm nun träumen müßt'.

Die Luft ging durch die Felder,
Die Ähren wogten sacht,
Es rauschten leis die Wälder,
So sternklar war die Nacht.

Und meine Seele spannte
Weit ihre Flügel aus,
Flog durch die stillen Lande,
Als flöge sie nach Haus.

Baudelaire: Recueillement

Sois sage, ô ma Douleur, et tiens-toi plus tranquille.
Tu réclamais le Soir; il descend; le voici:
Une atmosphère obscure enveloppe la ville,
Aux uns portant la paix, aux autres le souci.

Pendant que des mortels la multitude vile,
Sous le fouet du Plaisir, ce bourreau sans merci,
Va cueillir des remords dans la fête servile,
Ma Douleur, donne-moi la main; viens par ici,

Loin d'eux. Vois se pencher les défuntes Années,
Sur les balcons du ciel, en robes surannées;
Surgir du fond des eaux le Regret souriant;

Le Soleil moribond s'endormir sous une arche,
Et, comme un long linceul traînant à l'Orient,
Entends, ma chère, entends la douce Nuit qui marche!

Vier Gestaltungen des gleichen Motivs, doch die Unterschiede springen in die Augen. Sie liegen einmal in dem, was man als gegenständliche Entfaltung des Motivs bezeichnen könnte. Bei Addison sind es vor allem die Gestirne, die sichtbar werden: Mond, Sterne, Planeten –, wobei als Besonderheit auffällt, daß das kopernikanische Weltbild noch nicht gilt; in anderen Literaturen zeigt sich die gleiche Verzögerung um Jahrhunderte. Als Vorgängliches hebt sich die Bewegung der Gestirne heraus, weiterhin ihr Scheinen und vor allem ihr Sprechen. Schon die Bewegung, sodann das «von Pol zu Pol» weisen darauf, daß es sich hier nicht um die Gestaltung aus einem bestimmten Erlebnis heraus handelt, daß vielmehr die Grenzen der sinnlichen Erfahrung überschritten werden und der Gedanke an der Ausmalung des Bildlichen hilft. Demgegenüber entfalten die drei anderen Gedichte die Gegenständlichkeit von dem bestimmten Standpunkt eines erlebenden Ich aus. Bei Addison fehlt dieses Ich bezeichnenderweise; der Fluchtpunkt ist die «Reason».

Bei der Marquesa d'Alorna wird an Gegenständlichkeit der heitere Himmel, der leuchtende Mond, die Windstille, das Wasserrauschen, der Schall eines Horns erlebt. In Eichendorffs Gedicht sind es ebenfalls taktile, akustische und optische Empfindungen, die in der zweiten Strophe an dem Erleben der Nacht teilhaben; in der Eingangsstrophe ist indessen mit anderen Schichten der Seele erlebt worden: zu der Gegenständlichkeit dieses Gedichts gehört mehr als eine Reihe sinnlich erlebbarer Naturgegenstände. Soweit diese dann erscheinen, sind sie weniger differenziert und umgrenzt als in dem portugiesischen Gedicht, zugleich ist die Landschaft ungleich weiter und offener.

Bei Baudelaire endlich legen sich mehrere Erlebnisschichten übereinander. Der Schauplatz ist zunächst die Stadt; wir verlassen sie dann und finden uns in einer weiten Landschaft, über der sich der Himmel spannt. Überall vollzieht sich etwas; das Gedicht ist das bewegungshaltigste von den drei neueren (Addison bleibt freilich in dieser Hinsicht unerreicht). Bei der Marquesa d'Alorna schafft gleich der Eingang die Statik: Como está sereno o Céu; bei Eichendorff fügt sich am Ende der zweiten Strophe alles zu einer Zuständlichkeit zusammen: «So sternklar war die Nacht». Bei Baudelaire sind so, wie die Erlebenden eine räumliche Bewegung vollziehen, auch die Gegenständlichkeiten in räumlicher Bewegung: von dem «descendre» des Abends geht es über das «pencher», «surgir», «s'endormir», «traîner» bis zu dem «marcher» der Nacht. Diese Gegenständlichkeiten aber sind von ganz anderer Art als die Naturgegenstände bei der Marquesa d'Alorna und auch bei Eichendorff. Soweit solche überhaupt in den Blick treten, sind sie nur eine Ortsbestimmung für Wesen ganz eigener Art: den Henker «Plaisir», die gestorbenen Jahre, das Bedauern.

Die Frage nach der Gegenständlichkeit lenkt zwangsmäßig auf die andere: was denn eigentlich erlebt wird.

Bei Addison schließen sich alle Stimmen zusammen zu einer Botschaft, die verkündet wird und die das Ohr der «Reason» aufnimmt: zu dem Lobpreis des göttlichen Schöpfers. Die Dinge, die in der Nacht da sind, werden gar nicht in ihrer Eigentlichkeit erlebt (die gibt es in der Welt dieses Gedichtes nicht). Es gibt auch keinen nächtlichen Stimmungswert. Nacht ist hier überhaupt kein Gegensatz zu Tag, wie es in den drei anderen Gedichten so deutlich empfunden wird. Nacht-Sein heißt hier vielmehr, daß besondere Dinge da sind wie Mond, Sterne, Planeten, die jetzt das Lob des Schöpfers verkünden, das am Tage der blaue Himmel und die Sonne verkündet haben. Im Grunde, so müssen wir geradezu sagen, ist die Nacht hier gar nicht als geschlossenes Motiv erlebt, als Phänomen mit eigenem Wesen. Sie ist der Schauplatz, die Fläche, über die der Chor der Sprechenden schreitet.

Völlig anders ist es bei der Marquesa d'Alorna. Hier schließt sich alles als Nacht zusammen, als diese nächtliche Schönheit. Es wäre zu wenig, wollte man sagen, daß hier eine Einheit rein ästhetisch erlebt würde. Denn zuvor wird das Sein der Nacht als «Natur-Sein» empfunden. Damit aber kommt in die anfänglich so ausgesprochene Statik ein dynamischer Zug. Natur-Sein heißt in der Welt dieses Gedichtes von Bewegung erfüllt sein, und so fließen denn im Erlebnis die Kräfte aus der Natur auf das Ich über und wecken in ihm schöpferische Begeisterung. Aber zwischen Mensch und Natur zeigt sich nun eine Kluft. Der Mensch kann nicht völlig einschwingen, sich nicht gänzlich hingeben. Er ist mit Geschichte beladen, mit Erinnerungen und Erfahrungen, die nun aufbrechen und sich als ungleich mächtiger offenbaren denn die Schönheit der Nacht. Der Gegensatz von Nacht- und Ich-Erlebnis ist das eigentliche Anliegen des Sprechenden.

Es hat sich herausgestellt, daß die einzelnen Sinneserfahrungen bei Eichendorff viel weniger Kontur hatten als bei der Marquesa d'Alorna. Die Dinge selber sind unbestimmter: das «so» in II,4 darf zum Beispiel gar nicht in seiner «üblichen» Bedeutung als logische Folge genommen werden, sondern nur als Ausdruck einer unbestimmten Bezogenheit. Weiterhin besteht ein Unterschied zwischen beiden Gedichten darin, daß es hier nicht erst im Verlaufe des Gedichts zu dem Einheitserlebnis der Nacht kommt, sondern daß dieses Erlebnis vorangeht, im Grunde schon mit dem Titel gegeben ist. Die erste Strophe aber offenbart nun auch, daß es sich hier nicht um ein ästhetisches Natur- bzw. Landschaftserlebnis handelt. Wir erleben den mythischen Vorgang eines Brautkusses zwischen Himmel und Erde, so daß allen folgenden Einzelerlebnissen der 2. Strophe der Himmelsbezug immanent ist. Diesem mythischen Geschehen, das die Besonderheit dieser sternklaren Nacht ist, gibt sich nun das erlebende Ich völlig hin. Es waltet hier keine Getrenntheit mehr zwischen Natur und Mensch. Und es gibt im Menschen Schichten, die aktiv dem Ruf des Himmels, der da ergeht, antworten: die Seele des erlebenden Menschen folgt dem Ruf, der Mensch erlebt eine Entrückung, eine «Ekstasis», wenn wir das Wort in seiner Grundbedeutung nehmen. Es ist, als ob die Seele «nach Haus» flöge. Das Zu-Hause der Seele ist aber die himmlische Heimat. So ist das Erlebnis der Nacht nicht ein bloßes Naturerlebnis, wie bei der Marquesa d'Alorna, sondern ein im Grunde religiöses Erlebnis. Wie bei Addison, müssen wir sagen; aber der tiefe Unterschied besteht darin, daß dieses religiöse Erlebnis nur dadurch zustande kommt, daß die Naturgegenstände und Vorgänge, daß die Nacht in ihrer Besonderheit erlebt wird.

Während in den beiden letzten Gedichten das Ich des Erlebenden erst gegen Schluß hin sinnfällig wird, tritt es bei Baudelaire gleich am Anfang entgegen. Es tritt sogar in einer seltsamen Gespaltenheit entgegen: als mahnender, zeigender, führender Sprecher und als die zu ihm gehörige «Douleur», die eine eigene Wesenheit mit eigener Körperlichkeit darstellt. Der Raum dieses Gedichtes ist ein seltsam groß-dimensionaler, mythischer Raum, durch den fast wie antike Götter die Naturphänomene des «Soir», des «Soleil», der «Nuit» schreiten, aber auch großgestaltige Seeleninhalte wie «Douleur», «défuntes Années», «Regret» und wiederum Lebensmächte wie das «Plaisir». Die Nacht ist ein mythisches Wesen: mehr wird von ihr direkt nicht gesagt, während die Marquesa d'Alorna und Eichendorff ihr Wesen genauer aussprachen. Aber bei Baudelaire wird doch noch mehr gegeben; wenn nicht durch die Worte, so doch durch die Gestaltung. Alles Vorangehende, was in dem Raum dieses Gedichtes da ist, wirkt doch nur wie eine Vorbereitung auf die Heraufkunft der Nacht; man spürt eine Steigerung (wozu die Sonettform wunderbar beiträgt): die Nacht erscheint gleichsam als Herrscherin, allen anderen Wesen überlegen. Sie übt keine Gewalt; aber ihre Attribute (douce, long linceul) verheißen Zuflucht, Geborgenheit, Recueillement.

So ist die Wirkung der Nacht, die in den beiden anderen Gedichten so sinnfällig wurde und hier scheinbar nicht ausgesagt wird, im Grunde doch mitgestaltet. Wieder erweist sich der Titel als höchst bedeutsam, der geradezu das geheime Zentrum des Gedichts nennt. Zum andern vollzieht sich während des Gedichts ein deutlicher Wandel im Verhältnis zwischen dem Ich und seinem Schmerz. Der ist im Anfang unruhig, fordernd, er wird gemahnt. Dann kommt es zu einem vertraulichen Bei-der-Hand-Nehmen, und schließlich heißt es «ma chère». Das Nahen der Nacht hat den Schmerz beruhigt, hat Ich und Schmerz versöhnt und zu inniger Gemeinschaft geführt.

Bei Addison war die Nacht ein Schauplatz, auf dem etwas erlebbar wurde – und zwar für die Reason –, was selber nicht Nacht war. Bei der Marquesa d'Alorna erwies sich das Nachterlebnis, so eigen und stark es war, doch nicht als fähig, den Menschen ganz in seinen Bann zu ziehen. Bei Eichendorff gab

sich der Mensch völlig hin; aber gerade durch die Intensität des Nacht-
erlebens wurde etwas sichtbar, was hinter der Nacht lag und durch sie hindurch wirkte: die himmlische Heimat der Seele. Bei Baudelaire gibt es nichts
jenseits der Nacht, sondern nur diesseits und unter ihr: in der vorletzten
Zeile wird der Blick gezwungen, die Grenzen dieses Raums abzuschreiten.
Und wenn die Welt auch mannigfaltiger und gegensätzlicher war als in
irgendeinem der anderen Gedichte, so gerät doch alles in den Bann der douce
Nuit, die sich naht.

Es wäre verfehlt, wollte man die beobachteten Verschiedenheiten in
der Behandlung des Motivs zu Aussagen über nationale Verschiedenheiten der Auffassung erweitern. Ebensowenig kann die Analyse in Anspruch nehmen, etwas Sicheres über die Zeiten ausgesagt zu haben, in
denen die Gedichte entstanden: den Klassizismus (Addison), die Vorromantik (Marquesa d'Alorna), die Romantik (Eichendorff), den Symbolismus (Baudelaire). Und sie darf nicht einmal beanspruchen, etwas über die
Dichter festgestellt zu haben. Der Vergleich blieb völlig im Umkreis der
Gedichte und diente nur ihrer besseren Interpretation. Im Grunde erreichte der Motivvergleich nur einige Schichten an ihnen, aber nicht ihre
Ganzheit.

Und trotzdem wird man erkennen, daß diese Arbeitsweise fruchtbar werden kann für jene weiteren Aufgaben, wenn für ein hinreichend umfang-
reiches Material gesorgt ist. Der Philosoph Dilthey, dem die Literaturwissenschaft so viele Anregungen dankt, sah in der Motivforschung die er-
tragverheißendste Methode der vergleichenden Literaturgeschichte. Auch
für die Persönlichkeit des Dichters ist man auf diesem Wege zu bedeutsamen
Ergebnissen gekommen. Es zeigte sich, daß sich in dem gesamten Werk einiger Dichter bestimmte Motive wiederholten. So hat man z. B. versucht,
Wilhelm Raabes «Motive als Ausdruck seiner Weltauffassung» auszudeuten,
und besonders verlockend mußte dieser Weg bei einem Dichter wie Shakespeare erscheinen, bei dem nur über die Werke der Zugang zu seiner Persönlichkeit möglich ist.

Aber die Motivforschung kann auch vor zu schnellem Ausbrechen aus
den dichterischen in die persönlichen Bereiche bewahren. Denn die Motivik
Shakespeares gehört zunächst nicht zur Persönlichkeit und Weltanschauung
William Shakespeares, sondern zur Motivik des elisabethanischen Dramas.
Und Petriconi hat an dem Zentralmotiv von Goethes Gretchentragödie gezeigt, daß es zunächst ebenfalls in eine literarische Tradition gehört und die
ausschließliche Herleitung aus persönlichen Erlebnissen mehr als fragwürdig
ist. Wir gelangen schon hier zu grundsätzlichen Feststellungen: Dichten geschieht nicht in einem leeren Raum und einzig bestimmt von der Persönlichkeit und Weltanschauung des Dichters, sondern vollzieht sich in einem er-

füllten Bereich. Nach den «großen» Stoffen, die sich auf dem Felde der Dramatik als lebenskräftig erwiesen haben, stellt sich in den Motiven eine weitere Schicht dichterischer Formgebilde dar, die ständig weiterwirken. Gewiß ist es auch von da aus möglich, zur Geschichte zu kommen: Petriconi weist nach, daß das Motiv der verführten Unschuld erst in einem ganz besonderen geistigen Klima, wie es das 18. Jahrhundert schuf, zum wirklichen Zentralmotiv großer Werke werden konnte. Der holländische Germanist Herman Meyer hat in seiner Amsterdamer Antrittsvorlesung *De Levensavond als Literair motief* (1947) in gleichem Sinne die Frage gestellt, ob das Motiv des Lebensabends nicht als geistiges Kennzeichen des «poetischen Realismus» angesehen werden mußte. Petriconis Untersuchung scheint die Verheißung zu bestätigen, mit der Herman Meyer schloß: «Die Untersuchung des literarischen Motivs kann, wenn sie mit der nötigen Umsicht betrieben wird, zur Lösung dieser und entsprechender, in letzter Instanz kulturmorphologischer Fragen noch sehr viel beitragen.»

3. LEITMOTIV, TOPOS, EMBLEM

Es hätte nahegelegen, die sich wiederholenden zentralen Motive in einem Werk oder in dem Gesamtwerk eines Dichters als Leitmotive zu bezeichnen. Der Begriff LEITMOTIV gehört tatsächlich zu der Fachsprache der Literaturwissenschaft; das Wort selber ist teils als Fremdwort, teils als Lehnfremdwort aus der deutschen in die anderen Sprachen gedrungen. Es ist auch dem Laien als Bezeichnung für eine bestimmte Technik in den Opern Richard Wagners und der Wagnerianer vertraut. Bei der Aufnahme in die literarische Fachsprache veränderte es seinen Inhalt. Von einigen Forschern wird es noch in dem Sinne genommen, den man vermuten durfte. Daneben aber findet es sich häufig genug als Bezeichnung für einen viel engeren Sachverhalt.

Man kennt, zumal aus Romanen und Erzählungen, das wiederholte Auftauchen eines Gegenstandes an bedeutsamer Stelle. In einer der Novellen von Emil Strauß fällt der Blick immer wieder auf einen Schleier, der der Erzählung sogar als Titel diente. (Es ist der berühmte «Falke», den Heyse nach der Untersuchung einer Novelle des Boccaccio von jeder guten Novelle verlangte.) In Prousts Roman *A la recherche du temps perdu* kehrt ein kleines musikalisches Thema an mehreren Stellen wieder. Aufs kunstvollste hat Goethe seinen Roman *Die Wahlverwandtschaften* mit solchen Wiederholungen ausgestattet. Man erkennt hier deutlich ihre verbindende Funktion, es sind technische Mittel des Aufbaus. Es sei etwa auf das Trinkglas mit den Initialen E und O gewiesen.

Noch bekannter ist die Erscheinung aus dem komischen Roman. Hier dient sie weniger dem Aufbau als der Starre der komischen Figur. Bei Fielding, Dickens u. a. sind bestimmte Personen, wie man gesagt hat, mit Visitenkarten ausgestattet, die sie bei ihrem jedesmaligen Erscheinen vorzeigen. Das können feste Wendungen sein wie die ewige Redensart von Mrs. Micawber: «I never will desert Mr. Micawber», es kann sich zu kleinen wiederkehrenden Vorgängen steigern wie der Empfang «kleiner Ehrengaben» durch Mr. Dorrit oder der nie endende Streit von Miss Trotwood mit den Eseln. Man hat für diese Erscheinung nun den Namen Leitmotiv gebraucht. Dabei handelt es sich hier nicht einmal um echte Motive. Denn gerade in der Starre, in der Abgegrenztheit, in der Tatsache, daß sie sich nicht in die Zusammenhänge fügen, sondern sie durchbrechen, liegt ihr Wesen und ihre komische Wirkung. Aus diesem Mißbrauch erwächst eine nur um so stärkere Verpflichtung, die Ausdrücke Motiv und Leitmotiv bei der eigenen Anwendung genau zu bestimmen.

In das Gebiet der Motivforschung reicht eine Arbeitsweise, die in jüngster Zeit von dem Romanisten Ernst Robert Curtius zu einer selbständigen Methode ausgebaut ist. Curtius nennt sie TOPOSFORSCHUNG. Topoi sind «feste Clichés oder Denk- und Ausdrucksschemata», die aus der antiken Literatur stammen und über die mittellateinische Literatur in die nationalsprachlichen Literaturen des Mittelalters und weiterhin die der Renaissance und des Barocks dringen. Hier schwillt der Strom der Tradition durch die Zuflüsse mächtig an, die aus der unmittelbaren intensiven Beschäftigung mit der antiken Literatur kommen.

Das Material, das bisher vorgelegt ist – und viel steckt bereits in den Kommentaren und Anmerkungen, die der Gelehrtenfleiß im 19. Jahrhundert zu mittelalterlichen Dichtwerken gegeben hat –, ist bereits erstaunlich. Oder vielmehr erstaunlich doch nur für eine romantisierende Auffassung vom Dichter und vom Dichten, die überall an ein völlig undeterminiertes Schaffen aus den Gefühlserlebnissen der individuellen Seele glaubt. Durch die Erforschung des Minnesangs und der Barockdichtung war diese Vorstellung in den letzten Jahrzehnten schon gründlich berichtigt worden; die Toposforschung bringt als Nebenertrag dafür nochmals eine wirksame Bestätigung. Es gibt einen Schatz poetischer Bilder, geprägter Formeln und technischer Darbietungsweisen, die man lernt und die auch der größte Dichter nicht verschmäht. Wer die antike Herkunft und rhetorische Vermittlung dieses poetischen Materials nicht kennt, der kommt zu schweren Mißdeutungen, und wer sich in solche Praxis des literarischen Lebens nicht einleben kann, der findet nie den rechten Zugang zu weitesten Strecken der Literaturgeschichte.

Im übrigen ebnet die Toposforschung, die also auf die literarische Tradition aus ist, keineswegs die individuellen Unterschiede zwischen den Werken und zwischen ihren Gestaltern ein. Mit Recht sagt María Rosa Lida, eine Forscherin, die sich auf diesem Felde bewährt hat: «Die Motive, die mit der Renaissance in die neueren Literaturen dringen, werden von dem Empfinden des Individuums in diesem bestimmten Zeitpunkt durchtränkt: vom Willen des Individuums und nicht von der schulmäßigen Tradition hängt die Wahl eines Themas oder einer üblichen Form ab; individuell ist die Gestaltung eines Zusammenhangs, in den z.B. ein ererbter Vergleich gefügt, oder der neue Sinn, mit dem ein überlieferter Rahmen gefüllt wird; individuell und aussagekräftig ist die Verkürzung oder Erweiterung eines Motivs, seine voll geglückte oder seine mißglückte Gestaltung; und wie jede der einzelnen Verwendungen auf den schaffenden Dichter weist, so ist ihre Gesamtheit aufschlußreich für den Geist der Epoche, zu der sie gehören.»

So darf man geradezu sagen, daß erst die Bedeutung der «Tradicionalidad literaria» die Möglichkeit verschafft, das Eigene der Dichter früherer Zeiten zu erfassen. Der Begriff der Tradicionalidad literaria ist von Menéndez Pidal geprägt, und es geschieht Curtius kein Unrecht, wenn man feststellt, daß er zu klarer Methodik ausgebaut hat, was bereits von anderen, besonders von Erforschern der mittelalterlichen Dichtung und von der deutschen Barockforschung der letzten dreißig Jahre in den Blick und oft genug in den Griff bekommen war.

Die Toposforschung hat zwei Aspekte. Sie erforscht einmal die literarische Tradition bestimmter gegenständlich festgelegter Bilder, Motive oder auch gedanklicher Prägungen; sie verfolgt zum anderen die Tradition bestimmter technischer Darstellungsweisen. Der zweite Aspekt wird uns später beschäftigen. Für den ersten seien kurz einige Beispiele aufgeführt. So ermöglichte die Untersuchung der Formel *Puer senex* durch Curtius interessante Feststellungen über die Auffassung von den Lebensaltern; zugleich wurde das Paradoxe der Formulierung aufschlußreich für das stilistische Klima, in dem sie Verwendung fand. Eine andere Untersuchung von Curtius galt dem Topos *Natura mater generationis*, an dem besonders die Umformungen durch christliche Denker interessant waren. Für die Literaturgeschichte wurde noch aufschlußreicher die Tradition der *amönen Landschaft*. Eine fertige Landschaftsszenerie wird da durch die Jahrhunderte weitergereicht, zu der bestimmte Kulissen gehören: die Wiesen, das Bächlein, die sanften Lüfte, der Gesang der Vögel u.s.f. Ohne Kenntnis von der Tradition dieses Topos, der manchmal schon zum echten Motiv wird, besonders in der Lyrik des 17. Jahrhunderts, greifen alle Untersuchungen ins Leere, die aus solchen Szenen das Naturgefühl des jeweiligen Dichters bestimmen wollen.

Für die spanische und portugiesische Dichtung sind zwei Studien wichtig, die María Rosa Lida vorgelegt hat: die Tradition des *Ruiseñor* (Nachtigall) und die des *Ciervo herido y la Fuente* (der verwundete Hirsch und die Quelle). Beide Male war von besonderem Reiz, die christliche Auffüllung und Umdeutung dieser zunächst mit antiker Mythologie und Ethik beladenen Bilder zu verfolgen.

In der spanischen Lyrik des Siglo de Oro dient der Topos vom verwundeten Hirsch an der Quelle immer wieder zur Umschreibung der Not der einsamen christlichen Seele. Das späteste Beispiel, das die Verfasserin bringt, sind die Verse der Sor Juana Inés de la Cruz:

> Si ves el ciervo herido
> que baja por el monte acelerado,
> buscando, dolorido,
> alivio al mal en un arroyo helado,
> y sediente al cristal se precipita,
> no en el alivio, en el dolor me imita.

Wenn du den verwundeten Hirsch siehst,
der rasch den Berg herabeilt,
um, schmerzerfüllt,
dem Leiden Linderung zu suchen in einem eisigen Bach,
und wie er sich lechzend in das kristalle Wasser stürzt,
so gleicht er mir, nicht in der Linderung, doch in dem Schmerz.

Man darf mit Recht erwarten, daß der große, traditionelle Schatz an Denkformeln, Bildern und Motiven für die Dichtung seit dem 18. Jahrhundert keine Rolle mehr spielt. Und doch versinkt er wohl nicht völlig. Es ist, als wäre die Bedeutungsfülle mancher dieser Topoi so groß und geschlossen und emotional durchtränkt, daß sie nicht mehr verlorengehen können. Es ist nicht rhetorische Tradition, die sie am Leben erhält und vielleicht gar nicht immer die Belesenheit des modernen Dichters. Die Wege werden sich selten feststellen lassen. Aber die Prägungen erhalten sich, und wir geben nur ein kleines Beispiel, ein Gedicht von C. F. Meyer, um zu zeigen, wie sich die Tradition jenes Bildes von dem verwundeten Hirsch an der Quelle fortsetzt.

Im Walde

Es flimmert in den Ästen,
Der Birke Stamm erblinkt,
Nun weiß ich, daß im Westen
Die Sonne purpurn sinkt.

Dort muß ein Meer von Gluten
Der Abendhimmel sein,
Hier rinnt ein stilles Bluten
Um mich auf Moos und Stein.

Man kann sagen, daß dieses Gedicht überhaupt nicht verständlich wird, wenn man es nicht auf dem Hintergrund jener Tradition sieht. Der Dichter hat das wohl gefühlt und das Gedicht noch zweimal umgeformt. Wir geben die letzte Fassung:

Abendrot im Walde

In den Wald bin ich geflüchtet,
Ein zu Tod gehetztes Wild,
Da die letzte Glut der Sonne
Längs den glatten Stämmen quillt.

Keuchend lieg' ich. Mir zu Seiten
Blutend, siehe, Moos und Stein –
Strömt das Blut aus meinen Wunden?
Oder ist's der Abendschein?

Wohl weiß der Leser nun, daß es sich um ein zu Tode gehetztes Wild handelt, das an der Waldesquelle verblutet. Aber noch bleibt manches dunkel, vor allem der Antrieb, der zur Gestaltung des Motivs drängte: erst aus der Geschichte des Topos erschließt sich der Kern, nämlich der geheime Bezug auf die Qual eines einsamen Ich.

Von allen Seiten und aus allen Literaturen kommen in jüngster Zeit die Beiträge zur Toposforschung, die E. R. Curtius nun in rechten Fluß und in ein einheitliches Strombett gebracht hat. Es ist zu hoffen, daß dadurch endlich auch ein Gebiet aufgeschlossen wird, das zum Schaden für die Literaturgeschichte des Humanismus und des Barocks vernachlässigt worden ist: die EMBLEMATIK.

Unter einem Emblem versteht man ein Zeichen, dem ein bestimmter Sinn zugeordnet ist. Von unschätzbarer Bedeutung für die Dichtung wurden die *Emblemata* des italienischen Humanisten Alciatus, die zuerst 1531 in Augsburg gedruckt wurden. Man sagt nicht zuviel, wenn man sie ein Grundbuch der europäischen Dichtung zwischen Renaissance und Vorromantik nennt. Allein aus dem 16. Jahrhundert sind heute fast 100 Ausgaben bekannt, und kaum übersehbar ist die Zahl ähnlicher Sammlungen, die dadurch angeregt worden sind. Aus dem deutschen Bezirk seien die Sammlungen von Gabriel Rollenhagen, *Nucleus Emblematum select.*, Köln 1611-13, und Joachim Camerarius, *Symbolorum et Emblematum IV Partes*, Nürnberg 1590-1604, genannt; aus dem spanischen die *Emblemas morales*, die Juan de

Orozco 1589 und sein Bruder Sebastián (Covarrubias) 1610 herausgaben. Die Sammlungen des Engländers Francis Quarles und des Holländers Jacob Cats, beide aus dem 17. Jahrhundert, wurden geradezu Hausbücher des Bürgertums.

Alciatus gibt Dutzende von grobgeschnittenen Bildern, deren Bedeutung durch lateinische Verse erklärt wird. Später wurden den Versen lateinische Prosakommentare zugefügt, in denen mit großer Gelehrsamkeit zahllose Belege aus klassischen Schriftstellern beigebracht werden – eine wertvolle Vorarbeit für die Toposforschung.

Man findet da etwa ein seltsames Tier abgebildet. Aus den Begleitversen wird deutlich, daß es ein Chamäleon sein soll; der Sinn aber spricht sich schon in der Überschrift aus: in adulatores. Das Chamäleon ist hier ein Sinnbild der Schmeichelei. Oder es findet sich das Bild eines im Wasser stehenden Mannes, der zu den fruchtbeladenen Zweigen eines Baumes über ihm aufschaut. Es ist Tantalus, der hier als Sinnbild der avaritia erscheint, wozu nun aus Petronius Arbiter, Horaz, Cornelius Gallus, P. Papinius Statius u. a. Zitate gebracht werden. In dieser Art sind unzählige antike Sagen emblematisch moralisiert worden.

Mit der Emblematik waren die Dichter der Barockzeit und war das gebildete Publikum innig vertraut. Jede entsprechende Anspielung in der Dichtung wurde verstanden, und die Dichtung war voll davon. Wir geben nur zwei späte Proben. Bei dem deutschen Dichter Christian Günther finden sich in einem Gedichte auf seine Geliebte die Verse:

> Ein grünes Feld
> Dient meinem Schilde
> Zum Wappenbilde,
> Bei dem ein Palmenbaum zwei Anker hält.

Bei dem portugiesischen Dichter Barbosa do Bocage (1765–1805) beginnt die zweite Strophe seines Gedichts *O Ciúme* (Eifersucht) mit den Zeilen:

> Alterosas, frutíferas Palmeiras,
> Vós, que na glória equivaleis aos Louros,
> Vos, que sois dos Heróis mais cobiçadas
> Que áureos Diademas, que reais Tesouros,
> Escutai meus tormentos, meus queixumes ...

> Hochstrebende, fruchttragende Palmen,
> Ihr, die an Ruhm dem Lorbeer gleicht,
> Ihr, von den Helden heftiger begehrt
> Als goldene Diademe, als königliche Schätze,
> Hört meine Qualen, meine Klagen ...

Der moderne Leser versteht nicht recht, warum Günther gerade einen Palmenbaum in sein Wappen setzen will – für Deutschland immerhin ein recht ungewöhnlicher Baum –, warum ferner die Palmen gerade die begehrtesten Bäume bei Bocage sind, und warum der Dichter gerade zu Palmen seine Klage spricht. Die Antwort gibt die Emblematik. Bei Alciatus findet man etwa das Bild einer Palme. Die Begleitverse schließen mit der «Gnome, quae complectitur totius Emblematis sententiam»:

> ...: mentis
> qui constantis erit, praemia digna feret.

Die Palme ist das Sinnbild der constantia, der Treue. Deshalb wählt Günther sie in sein Wappenbild, und alle damaligen Leser verstanden den feinen Sinn im Gedicht Bocages, daß der Dichter seine Klagen über die untreue Geliebte gerade den Palmen sagt. Viele Feinheiten in den Dichtungen selbst noch so später Zeit werden erst verständlich, wenn man mit der Emblematik vertraut ist.

4. DIE FABEL

Das Wort Fabel dient einmal als Bezeichnung jener lehrhaften Tiererzählungen, als deren mythischer Ahnherr Äsop gilt. Die Literaturwissenschaft gebraucht es daneben noch in einem anderen Sinne.

Wenn man den «Inhalt» eines erzählbaren Werkes, eines Dramas, Romans, einer Ballade wiedergibt, so ist die Wiedergabe kürzer als das Werk selber. Die Inhaltsangabe richtet ihr Augenmerk einseitig auf den Geschehnisverlauf und zieht aus allen Teilen des Werkes, aus Beschreibungen, Gesprächen, Reflexionen u.s.f. nur das heraus, und zwar als Bericht, was für das Gefüge der Handlung wichtig ist. (In dem Zwang zur Konzentrierung und Vereinseitigung liegt der pädagogische Wert der in der Schule gepflegten Inhaltserzählungen, während ihr Wert für die künstlerische Erziehung, wie wir sahen, gering ist.)

Versucht man den Handlungsverlauf auf die letztmögliche Knappheit zu bringen, auf sein reines Schema, so enthält man eben das, was die Literaturwissenschaft als die FABEL eines Werkes zu bezeichnen pflegt. Man erkennt bei dem praktischen Versuch dazu, daß man oft genug die Ordnung des «Inhaltes» umkehren muß. Das Werk beginnt vielleicht und aus Gründen, die dann der Erörterung wert sind, in der Mitte des Verlaufes und holt den Anfang später nach. Die Verarbeitung der Fabel gehört zu den technischen Fragen, die jeder Autor zu lösen hat. Weiterhin enthüllt sich beim Versuch, die Fabel zu ermitteln, daß alle individuelle Festlegung und alle räumliche und zeitliche Fixierung für das Schema der Handlung belanglos ist. Es wiederholt sich, nur jetzt im größeren Rahmen des ganzen Werkes, das gleiche, was sich bei der Herausarbeitung des Motivs vollzog.

Die Fabel in diesem Sinne ist einer der ältesten Begriffe der Literaturwissenschaft. Aristoteles bezeichnet sie als «Mythos», Horaz als «Forma». Durch die Erklärungen der Horazkommentatoren zu dieser Stelle wurden Name, Begriff und Definition der Fabel von Generation zu Generation vermittelt. Zu den dort gegebenen Erklärungen der Fabel als eines zusammenfassenden und gliedernden Schemas der Handlung möchte man vom modernen Standpunkt aus nur hinzufügen, daß in der Fabel bereits die Zentralmotive sichtbar werden.

Es fehlt nicht an Selbstzeugnissen der Dichter für die Wichtigkeit, die die Findung der Fabel für das Zustandekommen ihrer Werke hatte. So berichtet Balzac im Vorwort zur *Physiologie du mariage*, daß sich die Erregungen, in die ihn das Wort adultère aus dem Code civil versetzt hatte, erst in Schaffensenergie umsetzen konnten, als sich ihm die Fabel von zwei Eheleuten aufdrängte, die nach jahrzehntelanger Ehe zum ersten Male von Liebe zueinander ergriffen werden. Die Fabel entstand hier also in einer plötzlichen Intuition, und so wird es häufig sein.

Goethe berichtet Ähnliches von der Entstehung seines *Werther*. Ihm schwebte schon längere Zeit ein Held vor, der, mit der feinsten Empfindung begabt, das Leben gewissermaßen von den tiefsten Schichten der Seele aus lebt. Goethes eigenes Erleben in der Natur und Kunst und eigenes Liebeserleben lieferten dabei einigen Stoff. Aber es wollte kein Werk daraus werden, da es noch am Schema des Verlaufes fehlte. Da hörte Goethe vom Selbstmord des jungen Jerusalem aus gekränktem Ehrgefühl und unglücklicher Liebe, und nun war, wieder in einer plötzlichen Intuition, die Fabel konzipiert und der Roman gesichert. Goethe selber hat die Fabel formuliert: «... darin ich einen jungen Menschen darstelle, der mit einer tiefen reinen Empfindung und wahrer Penetration begabt, sich in schwärmende Träume verliert, sich durch Spekulationen untergräbt, bis er zuletzt durch dazwischentretende unglückliche Leidenschaften, besonders eine endlose Liebe, zerrüttet, sich eine Kugel vor den Kopf schießt.» Die Ausdrücke: «verliert», «untergräbt», «bis zuletzt» bezeugen deutlich genug den Gefügecharakter der Fabel. Zugleich zeigt die Fabel, die man nicht besser formulieren könnte, als Goethe es getan hat, daß man den Roman als den Roman des empfindungsreichen Menschen, nicht als den einer unglücklichen Liebe zu lesen hat. Die Liebe zu einer bereits Versprochenen ist ein gekoppeltes Motiv, aber nicht das Zentralmotiv oder gar das Thema.

In einem anderen Fall ist uns von einem Werk Goethes, das zu seinem «größten Teil bis aufs letzte Detail im Geiste durchgearbeitet» war, wenig mehr als die Fabel erhalten. In Italien kam Goethe der Plan zu einem Nausikaa-Drama. Während der Reise nach Sizilien gab sich Goethe dem Werk ganz hin, von dem er später sagte (in dem *Aus der Erinnerung* überschriebenen Kapitel der *Italienischen Reise)*: «Es ist mir selbst nicht möglich, abzusehen, was ich daraus würde gemacht haben, aber ich war über den Plan bald mit mir einig. Der Hauptsinn war der, in der Nausikaa eine treffliche, von vielen umworbene Jungfrau darzustellen, die, sich keiner Neigung bewußt, alle Freier bisher ablehnend behandelt, durch einen seltsamen Fremdling aber gerührt, aus ihrem Zustand heraustritt und durch eine voreilige Äußerung ihrer Neigung sich kompromittiert, was die Situation vollkommen tragisch macht. Diese einfache Fabel sollte durch den Reichtum der subordinierten Motive und besonders durch das Meer- und Inselhafte der eigentlichen Ausführung und des besonderen Tons erfreulich werden.» Im weiteren gibt Goethe noch das Schema für die einzelnen Akte.

Goethe verwendet den Begriff häufig und fast immer im gleichen und strengen Sinne; dahingegen verwendet ihn Schiller in seiner Selbstrezension der Räuber in einem Sinne, der ungefähr dem von ausführlicher Inhaltsangabe nahekommt. Erst später nähert er sich dem Goetheschen Sprachgebrauch (vgl. die berühmte Wendung von der «poetischen Fabel» in dem Brief an Goethe vom 4. April 1797).

Auch die dem Renaissancedrama vorgesetzten Argumente oder Prologe bieten gewöhnlich eher den Inhalt als die wirkliche Fabel.

Wir gebrauchten oben anläßlich des Werther das Wort THEMA, das ebenfalls in den älteren Poetiken mit aller wünschenswerten Klarheit als Begriff erfaßt worden ist. Das Thema des Werther ist der «empfindsame» junge Mensch, das der Ilias der Zorn des Achill, das der Odyssee die Heimkehr des Odysseus, das der Lusiaden die Entdeckung des Seeweges nach Indien. Sehr deutlich trennt Storm in einem Brief an den Verleger G. Westermann, vom 6. Oktober 1876, die Begriffe Thema und Fabel: «Den Titel der Novelle, deren Thema ich seit länger im Kopfe trage, könnte ich Ihnen zwar angeben, könnte Ihnen auch die Fabel skizzieren – sie wird jedenfalls heißen: Carsten Curator – ...»

Da die Lyrik keinen Geschehnisinhalt hat, kann es in ihr keine Fabel geben. In allen pragmatischen Formen aber, also in den Formen der Dramatik und Epik, ist sie zwangsmäßig da. Indessen ist ihre Bedeutung verschieden. Im Drama ist sie, wie man leicht erkennt, von der größten Bedeutung. Es wird kaum einen echten Dramatiker geben, der die Fabel seines Dramas nicht klar umfaßt hätte, bevor er sich ans Schreiben macht. Die Sturm-und-Drang-Dramatiker haben es wohl gelegentlich ohne Fabel versucht und einzelne Szenen aufs Papier geworfen, die sich ihrer Phantasie aufdrängten. Aber sie haben diese Sorglosigkeit bezahlen müssen, ihren Dramen fehlt nun vielfach die Geschlossenheit, für die also eine feste Fabel Voraussetzung ist. Auch später noch sind manche Dichter aus Begeisterung für eine bloße Figur, einen dramatischen Helden, zum Drama gekommen. Aber die Geschichte des Dramas hat eigentlich nur die Richtigkeit jener Einsicht bestätigt, die Aristoteles schon vor Jahrtausenden gehabt hat: daß der «Mythos» in der echten Tragödie wichtiger ist als die Charaktere.

Innerhalb der Formen der Erzählkunst braucht wohl die Novelle eine klar erfaßte Fabel. Es gehört zum Wesen dieser Form, daß in ihr alles auf den Fortgang einer Handlung bezogen ist. Anders liegen die Dinge schon beim Epos, das ja Episoden weiten Raum gibt, die nicht unmittelbar zum Fortgang der Handlung beitragen. Der Roman verhält sich in dieser Hinsicht nicht einheitlich. Es gibt Romane, die den Leser mit der Spannung des Fortgangs in Atem halten. Die heroisch-galanten Romane des 17. Jahrhunderts, aber auch die historischen Romane Walter Scotts und seiner Nachfolger drängen auf ein Ende zu. Bei solchen Geschehnisromanen wird der Autor sich vorher die Fabel genau gebildet haben. (Es wird bei H. Walpole nicht anders gewesen sein, obwohl er am 9. März 1765 an W. Cole schrieb, er habe sein *Castle of Otranto* unter dem unmittelbaren Eindruck eines Traumes zu schreiben begonnen, «without knowing in the least what I intended to say or relate».) Dagegen drängen sich Nebenhandlungen und Episoden wohl meist erst während des Schreibens auf. Im Gegensatz zum Drama und zur Novelle ist beim Roman die Beziehung zwischen Werk und Fabel locker genug, um solche Erweiterungen ohne Schaden, ja geradezu zum Vorteil aufnehmen zu können.

In verschiedenen Ländern erwachte im 19. Jahrhundert der Wunsch, in dem Roman nicht ein nacheinander sich vollziehendes Geschehen darzustellen, sondern in erster Linie ein Nebeneinander, etwa den Zustand der «Gesellschaft» in einem bestimmten Zeitpunkt. Der Gesellschaftsroman oder der noch umfassendere Zeitroman (der mehr als den Sektor der Gesellschaft umfaßt) ist tatsächlich ein neuer Romantypus des 19. Jahrhunderts. Thackeray, Zola, Fontane, Eça de Queiroz sind seine bekanntesten Vertreter.

Um zu einem Ende zu kommen, braucht der Romanschriftsteller auch hier so etwas wie eine Fabel. Aber ihre Bedeutung ist sehr gering, da sie ja mit ihrem Verlaufen in der Zeit der eigentlichen Absicht fortläuft, die auf den Zustand gerichtet ist. Sie ist hier eher ein notwendiges Übel. Es überrascht nicht, daß der Autor, dem ja das Thema völlig klar ist, seinen Roman beginnt, ohne den Verlauf der Geschichte zu wissen, ohne eine Fabel zu haben. So hat sich zum Beispiel Thackeray bei seinem Meisterwerk *Vanity Fair* auf das Meer hinausbegeben, ohne eine feste Route zu haben und ohne sich Gedanken zu machen, wo er schließlich landen wollte. Theodor Fontane hat für *Frau Jenny Treibel* eine schlichte Liebesgeschichte als Fabel gewählt, die eigentlich nur einige Nebengestalten in Bewegung setzt, aber es ihm ermöglichte, sein eigentliches Anliegen, die Darstellung der Berliner Gesellschaftskreise im letzten Viertel des 19. Jahrhunderts, zu einem Ende zu bringen. Eça de Queiroz, ein etwas nervöserer portugiesischer Geistesverwandter Fontanes, ist sorgsamer auf seine Fabeln bedacht gewesen. Aber auch hier erkennt man, daß ihre Tragfähigkeit nicht sehr beansprucht wird. In den *Maias*, einem Lissaboner Gesellschaftsroman, hat Eça für die Fabel eine Anleihe bei dem Schicksalsdrama gemacht.

Die Erfassung der Fabel trägt dazu bei, ein Werk durchsichtig und verständlich zu machen. Sie wird weiterhin wichtig für die Probleme des dichterischen Schaffens, der literarischen Technik sowie endlich der literarischen Gattungen.

KAPITEL III
GRUNDBEGRIFFE DES VERSES

Strenger erfaßt als die Begriffe des Inhalts sind die meisten der Begriffe, die auf die formalen Eigenschaften literarischer Werke bezogen sind. Die Phänomene selbst sind zu einem guten Teil klarer umgrenzt und greifbarer.

1. VERSSYSTEME

Soweit wir in der Literaturgeschichte des eigenen oder irgendeines fremden Volkes zurückgehen, stoßen wir auf jene seltsam gebundene Form der Sprache, die wir als Vers bezeichnen. Was der Vers eigentlich ist, was ihn konstituiert, welches seine Ursprünge sind (Herkunft aus dem Tanz bzw. einem festlichen Schreiten beim Kult?), wie er sich realisiert, wie sich jeweils ein Verssystem zu der Sprache verhält, diese und andere Probleme machen die Wissenschaft vom Verse zu einem eigenen Zweig der Literaturwissenschaft. Sie führen zum Teil aus dem rein Sprachlich-Literarischen hinaus. Einige Schwierigkeiten werden bereits sichtbar, wenn man etwa deutsche Verse neben französische Verse einerseits und griechische Verse andererseits stellt. Die Bestimmungen, die für die einen gelten, treffen für die anderen keineswegs zu; verschiedene Systeme des Verses stehen sich gegenüber.

Als eine allgemeine Bestimmung des Verses läßt sich angeben: Der Vers macht aus einer Gruppe der kleinsten artikulatorischen Einheiten (den Silben) eine geordnete Einheit. Diese Einheit weist über sich hinaus, das heißt sie verlangt nach einer korrespondierenden Fortsetzung.

Die Ordnung in der Verseinheit realisiert sich, wie wir bereits andeuteten, auf verschiedene Weise. Ein französischer Leser ist daran gewöhnt, daß die Ordnung in einer festen Silbenzahl besteht und daß einige Akzente festliegen. Ähnlich ist es in den anderen romanischen Sprachen. In den klassischen Sprachen hingegen realisiert sich die Ordnung als geregelte Folge von langen und kurzen Zeiteinheiten. Die Silben werden gleichsam zunächst gemessen und in die beiden Kategorien der Kürze und Länge gebracht. Die Verszeile enthält dann mehrere kleinere Einheiten in sich, die jeweils in bestimmter Art aus Längen und Kürzen zusammengefügt sind. Der Hexameter enthält, wie der Name besagt, sechs «Metra», die jeweils aus einer Länge und zwei Kürzen gefügt sind, wobei noch von grundlegender Bedeutung ist, daß zwei Kürzen einer Länge gleichwertig sind und mithin im Verse durch eine «lange» Silbe sprachlich verwirklicht werden können. Von ganz anderer Art ist wiederum der germanische Vers. Hier werden die Silben «gewogen», das heißt nach dem Stärkegrad der Betonung in die beiden Kategorien der betonten und unbetonten Silben gebracht. Der Vers stellt sich als geregelte Folge von betonten und unbetonten Silben dar. Damit entstehen auch hier innerhalb der Verszeile kleinere Einheiten, die man als Takte bezeichnet. Aber einmal brauchen sich diese Takte nicht zu gleichen, zum anderen werden sie als solche nicht hörbar. Sie sind nur bei einer schematischen Nachzeichnung des Verses auf dem Papier vorhanden. Der Vers wird durch die Zahl der betonten Silben, das heißt der HEBUNGEN bestimmt. Was unbetont ist, heißt SENKUNG.

Zur Verdeutlichung der drei Systeme mögen drei kurze Proben dienen:

> 1. Habe nun, ach! Philosophie,
> Juristerei und Medizin ...

Das Schema dieser Zeilen wäre, wenn x́ das Zeichen für eine betonte, x das für eine unbetonte Silbe ist:

$$x́ \; x \; x \; x́ \; x́ \; x \; x \; x́$$
$$x́ \; x \; x \; x́ \; x \; x \; x́ \; x$$

Man kann auf dem Papier vor oder hinter jedem Akzent einen Taktstrich ziehen. Aber es wäre eine Willkürlichkeit. Und man erkennt gleich, daß die Takte völlig verschieden sind: die Senkungen variieren zwischen 0, 1 und zwei Silben. Entscheidend ist, daß die Zeilen immer vier Hebungen haben. Diese vier Hebungen sind, wie man hört, einigermaßen aufeinander abgestimmt: man erkennt nicht nur deutlich, welches die betonten und welches die unbetonten Silben sind, sondern hört einigermaßen gleichstarke Akzente. Solche Gradunterschiede, wie man sie gelegentlich in der Prosa bei den Akzenten hören kann, wo es ja auch betonte und unbetonte Silben gibt, lassen sich im Vers nicht feststellen.

> 2. Car nous voulons la Nuance encor,
> Pas la Couleur, rien que la Nuance!
> Oh! la nuance seule fiance
> Le rêve au rêve et la flûte au cor!

Der Verscharakter besteht einmal in der gleichen Zahl der in jeder Zeile verwendeten Silben. In diesem Fall handelt es sich um Neunsilber, da das Französische wie das Portugiesische nur die Silben bis zum letzten Akzent zu zählen pflegen. (Das Italienische und Spanische zählen die unbetonten Schlußsilben mit; der italienisch-spanische *endeca-sillabo* wird im Französisch-Portugiesischen als *décasyllabe* bezeichnet.) Innerhalb der Zeile zählen die Silben mit, deren stummes «e» in der Prosa nicht gesprochen wird; *nuance* ist also in der dritten Zeile dreisilbig, *seule* zweisilbig. Andererseits wird ein auslautender Vokal vor dem anlautenden Vokal des folgenden Worts nicht gesprochen, so daß also *Le rêve au* zusammen drei Silben bilden.

Man hört beim Vortrag, daß zwei Akzente an immer der gleichen Stelle wiederkehren: die vierte und die neunte Silbe sind in jeder Zeile betont. Es gibt natürlich noch mehr betonte Silben; in der letzten Zeile etwa sind vier Akzente hörbar, aber der Platz dieser weiteren Akzente liegt nicht fest. Es besteht ein allgemeiner Unterschied in der Akzentuierung zwischen germanischen und romanischen Versen: die Hebungsschweren sind im romanischen Vers grundsätzlich nicht so stark wie im germanischen. Da also betonte und unbetonte Silben weniger deutlich voneinander abgehoben sind, spielen im romanischen Vers andere Gliederungsmittel (Klang, Melodie) neben der dynamischen Betonung eine größere Rolle als im germanischen Vers.

3. Arma virumque cano Trojae qui primus ab oris

Das Schema dieser Zeile ist, wenn – das Zeichen für eine Länge, ⌣ das für eine Kürze ist:

$$ \_ \,\cup\,\cup\, \_ \,\cup\,\cup\, \_ \,\overline{\cup}\, \_ \,\overline{\cup}\, \_ \,\cup\,\cup\, \_\,\cup $$

Wie man sieht, wiederholt sich sechsmal das Metron— ⌣ ⌣ . In zwei Fällen sind in der zitierten Zeile die beiden Kürzen durch eine Länge ersetzt worden (Tro-, qui). Eine Länge wird nicht nur den Silben mit einem langen Vokal zuerkannt, sondern auch den kurzvokaligen, die mit Doppelkonsonanz schließen.

Für den Vers überhaupt ist entscheidend, daß die gehobenen Sprechteile (Längen bzw. akzentuierte Silben) in einigermaßen regelmäßigen Abständen wiederkehren. Das Optimum des Abstandes liegt nach den Ergebnissen der experimentellen Forschung bei nicht ganz einer Sekunde. In dieser Regelung der Abstände liegt der entscheidende Unterschied zur Prosa.

Aus den Proben wird die Verschiedenheit, aber zugleich die Analogie zwischen dem «antiken» und dem «germanischen» Verssystem deutlich geworden sein: die Funktionen, die dort von den Längen und Kürzen ausgeübt werden, sind hier von Hebungen und Senkungen übernommen worden. Dem antiken Quantitäts-System steht das germanische Qualitäts-System gegenüber. Die Analogie ließ es als möglich erscheinen, den antiken Vers in den germanischen Sprachen nachzubilden: die Längen waren durch betonte Silben, die Kürzen durch unbetonte Silben wiederzugeben, wenn man nicht sogar den Ehrgeiz hatte, zugleich Längen und Kürzen nachzubilden. Grundsätzlich ist natürlich die Nachbildung der antiken Metren auch in den romanischen Sprachen möglich: es würden dann a priori alle Akzente festgelegt sein.

Der Vers der heutigen germanischen Sprachen ist übrigens kein reiner Vertreter der germanischen Metrik, sondern bereits das Ergebnis eines Ausgleichs mit dem antiken Verse. Geschichtlich waren dabei die carmina rhythmica der frühmittelalterlichen Hymnik vermittelnd. Während die altgermanische Metrik die größten Freiheiten in der Füllung der Senkungen duldete, wurden nun auch im germanischen Verse mit gleichen Takten gebildet.

2. DER VERSFUSS

Unter einem JAMBUS versteht die antike Metrik den aus einer kurzen und einer langen Zeiteinheit gefügten Takt. Im Germanischen erscheint er als Folge einer unbetonten und einer betonten Silbe:

> Befiehl du deine Wege
> x x́ x x́ x x́ x
> To be or not to be that is the question
> x x́ x x́ x x́ x x́ x x́ x

Der TROCHÄUS besteht in der Antike aus einer langen und einer kurzen Einheit. Er erscheint in den germanischen Sprachen als Fügung aus einer betonten und einer unbetonten Silbe:

> Rückwärts, rückwärts, Don Rodrigo
> x́ x   x́ x   x́ x x́ x
> Go and catch a falling star
> x́ x   x́ x x́ x   x́

Unter einem DAKTYLUS versteht man den aus einer Länge und zwei Kürzen bzw. aus einer betonten und zwei unbetonten Silben zusammengesetzten Takt:

> Hab' ich den Markt und die Straßen doch
> x́ x x   x́   x x x x   x
> This is the forest primeval. The murmuring
> x́ x x x́ x x x́ x x x́ x x

Ein ANAPÄST verbindet zwei Kürzen mit einer Länge bzw. zwei unbetonte mit einer betonten Silbe.

> Übers Jahr, übers Jahr, wenn der Frühling dann kommt
> x x x́ x x x́ x x x́ x x x́
> while the sound whirls around
> x   x x́   x x x́

Die griechische Metrik kennt noch andere Metra: so den Creticus (–⏑–),
den Baccheus (⏑––), den Choriamb (–⏑⏑–), den Jonicus (⏑⏑––). Am
verhängnisvollsten davon wurde für die deutsche Metrik der Spondeus
(– –). In der Antike tritt er z. B. auf, wenn in den Daktylen des Hexameters
die zweisilbige Senkung durch eine «Länge» ersetzt wurde (– ⏟). Nun kann
man gewiß A. W. Schlegels Klage darüber verstehen, daß wir im Deutschen
genötigt sind, «im Hexameter Trochaen statt der nachdrücklicheren Spondeen
zu gebrauchen». Aber der Ausweg, den er und Voß empfahlen, hat in die
deutsche Verskunst etwas Fremdes gebracht. Eine einsilbige Senkung im
Deutschen schien ihnen dann der antiken Länge zu entsprechen, wenn sie
betont war. Ein deutscher Spondeus entstand mithin, wenn man Wörter wie
«Freiheit», «darstellt» so in den Hexameter brachte, daß die erste, betonte
Silbe in die Senkung, die zweite Silbe auf eine metrische Hebung kam:

| d̄ie Frei- | heit . . .

Sendete, aber sie selbst zum | Ra̅ub dar- | ste̅llte den Hunden.

A. W. Schlegel hörte die Härte durchaus. Aber er hoffte, daß diese Über-
nahme aus der griechischen Metrik möglich sei, hätten sich doch auch die
Römer und die Spanier in der Verskunst trotz anfänglicher Widerstände
Griechisches bzw. Italienisches angeeignet. Auch da galt ihm: «Über das
Genießbare wird der Geschmack des deutschen Publikums auf die Dauer entscheiden». Wir dürfen heute sagen, daß er entschieden hat, und zwar gegen
Voß und A. W. Schlegel und Platen. Ihre Spondeen klingen uns undeutsch,
und Heusler hat das Wort von der «Spondeenkrankheit» geprägt, die durch
sie in den deutschen Vers gekommen sei. Durch A. W. Schlegel ließ sich
Goethe bei der Überarbeitung der Hexameter in *Hermann und Dorothea* davon anstecken.

3. DIE VERSZEILE

Um eine Verszeile zu bestimmen, zählt man in den romanischen Sprachen
die Silben bis zum letzten Akzent. Die gebräuchlichsten Silbenzahlen sind
zu festen Namen für die entsprechenden Zeilen geworden (Endecasillabo,
Settenário u. s. f.); daneben finden sich auch einige besondere Namen. Der
zwölfsilbige Vers heißt Alexandriner, wenn er nach der sechsten Silbe eine
deutliche Pause hat; festliegende Pausen im Verse heißen Zäsuren. Der
Alexandriner baut sich also aus zwei Halbversen auf. Sein Name erklärt sich
aus der französischen mittelalterlichen Alexander-Epik, in der er gebraucht
wurde. Er ist in den romanischen Literaturen, besonders in der französischen, sehr beliebt. Wie auf die zwölfte, so fällt auch auf die vor der Zäsur
stehende sechste Silbe ein Akzent:

Als erstes Beispiel geben wir die ersten Zeilen aus drei verschiedenen Strophen der Edward-Ballade:

(a) Why does your brand sae drop wi'blude
(b) Your hawk's blude was never sae red
(c) And what will ye do wi' your tow'rs and your ha'

In *a* findet sich eine regelmäßig jambische Zeile. In *b* dagegen fehlt nach der ersten Hebung die Senkung, während nach der dritten Hebung eine zweisilbige Senkung begegnet. In *c* sind alle Senkungen mit zwei Silben gefüllt. Wenn wir die zitierten Zeilen bestimmten, müßten wir sagen: es handelt sich um vierhebige Verse mit wechselnd 0- bis zweisilbiger Senkung; die Verse endigen männlich und haben Auftakt. (Von Auftakt spricht man, wenn vor der ersten Hebung eine oder mehrere unbetonte Silben vorhanden sind. Bei Zeilen mit gleichen Taktarten ist die Frage nach dem Auftakt schon durch die Angabe der Taktart beantwortet.)

Als zweites Beispiel diene die erste Strophe eines Gedichtes, das aus Kenntnis der Volkslied-Metrik entstand:

> Es war ein König in Thule
> Gar treu bis an das Grab,
> Dem sterbend seine Buhle
> Einen goldnen Becher gab.

Die Verse sind verhältnismäßig «regelmäßig»; fast durchweg handelt es sich um dreihebige Jamben, wobei Zeile 1 und 3 weiblich, Zeile 2 und 4 männlich endigen. Aber es gibt doch einige «volkstümliche» Unregelmäßigkeiten; so begegnet in der ersten Zeile eine zweisilbige Senkung (nig in), in der vierten ein zweisilbiger Auftakt (einen).

Aber auch antike Verszeilen sind bei der Nachbildung in den germanischen Sprachen zu unregelmäßig gefüllten geworden. Der antike Hexameter gab die Möglichkeit, in der Senkung zwei Kürzen durch eine Länge zu ersetzen. Im Germanischen erscheinen damit in der Senkung bald ein, bald zwei unbetonte Silben. Der Hexameter bestimmt sich infolgedessen als sechshebiger Vers mit ein- oder zweisilbiger Senkung (nach der 5. Hebung ist die Zweisilbigkeit Norm), ohne Auftakt, aber mit weiblichem Ausgang. Seit Klopstocks Messias ist er in der deutschen Literatur der bevorzugte epische Vers; in der englischen Literatur hat er keine solche Vorzugsstellung. Fehlt hinter der dritten und sechsten Hebung die Senkung, so ist aus dem Hexameter der Pentameter geworden. Die beiden zusammenstoßenden Hebungen sind durch eine Zäsur getrennt.

4. DIE STROPHE

Die gegebene Bestimmung des Verses hob den Drang nach korrespondie-
render Fortsetzung hervor. Eine einzelne Verszeile löst in uns wohl ein
rhythmisches Erlebnis aus, wie es übrigens auch viele Titel vermitteln (Pa-
radise Lost, Buch der Bilder, Orlando furioso); aber zum echten Verscharakter fehlt für unser Gefühl noch etwas. Es bedarf des Fortgangs, des
Ausschwingens der Bewegung, der Wiederkehr. Tatsächlich bedeutet ja versus ursprünglich das Furchenpaar, die Kehre, die der pflügende Bauer vornimmt.

Die Fortsetzung kann geschehen, indem immer die gleiche Zeile wiederkehrt. Das ist etwa der Fall beim Epos in Hexametern oder beim Drama in
Blankversen. Der Dichter muß hierbei gerade darauf bedacht sein, jede Zeile
nicht als zu straffe, geschlossene Einheit wirken zu lassen. Die regelmäßige
Wiederkehr identischer Einheiten ermüdet und wirkt auf die Dauer monoton. Ein ästhetisches Grundgesetz verlangt bei allem in der Zeit sich Gliedernden nach Variation in den Elementen der Gliederung. Das einfachste
Mittel ist der ZEILENSPRUNG (Enjambement): der Sinn springt von einer
Zeile in die nächste hinüber und lockert so die Straffheit der Zeile.

Statt sich fortlaufend zu wiederholen, kann die Zeile nun als Teil in eine
höhere Gruppenordnung eingehen. Der einfachste Fall ist die Bindung
zweier Verse zu einer Gruppe. Diese Verbindung ist zum Beispiel bei dem
altgermanischen Verse üblich. Die neueren Literaturen, die alle den Reim
angenommen haben, benutzen ihn vielfach als Bindemittel für zwei aufeinanderfolgende Verszeilen. Wir erhalten damit als einfachste Versgruppe
den Reimpaarvers. Noch deutlicher ist das Aufgehen der Zeile in einer höheren Einheit bei der Strophe, die als solche Einheit ja auch durch die übliche Druckanordnung kenntlich wird. In den germanischen und romanischen
Literaturen ist die vierzeilige Strophe besonders in der volkstümlichen Literatur häufig, wobei dann je zwei Verse miteinander korrespondieren. In
den germanischen Literaturen ist dabei der Wechsel von dreihebigen und
vierhebigen Versen beliebt. Die so gebaute Strophe heißt VOLKSLIED-
STROPHE. Werden nur dreihebige (bzw. vierhebige) Verse verwendet, so
werden sie zumindest durch verschiedenen Ausgang differenziert. Ein Beispiel begegnete bereits in Goethes «König in Thule»:

> Es war ein König in Thule
> Gar treu bis an das Grab,
> Dem sterbend seine Buhle
> Einen goldnen Becher gab.

In der CHEVY-CHASE-STROPHE wechseln vier- und dreihebige Verse (mit überwiegend einsilbiger Senkung); der Ausgang ist indessen immer männlich. Die Strophe hat ihren Namen nach einer berühmten englischen Ballade. Sie hat dann auch die Kunstballade erobert. Als Beispiel diene die erste Strophe der Chevy-Chase Ballade:

> God prosper long our noble king,
> Our lives and safeties all;
> A woeful hunting once there did
> In Chevy-Chase befall.

Die meisten traditionellen Strophenformen sind romanischen Ursprungs. Bei der dreizeiligen Strophe der TERZINE ist durch die Reimbindung von Gruppe zu Gruppe der Strophencharakter nicht sehr stark ausgeprägt. Das Reimschema ist aba bcb cdc ... yzyz. Eine der berühmtesten Strophenformen ist die STANZE (Ottava rima). Sie ist in den romanischen Literaturen die bevorzugte Form für das Epos geworden (Ariost, Camões, Tasso). Auch in die germanischen Literaturen ist sie gedrungen, wobei der italienische Elfsilber meist durch den fünfhebigen Jambus wiedergegeben wird, allerdings mit der Freiheit männlicher oder weiblicher Zeilenausgänge. Im Englischen hat sich daneben noch eine andere Form durchgesetzt, die sogenannte SPENSERIAN-STANZA. Auf acht Zeilen mit dem Reimschema ababbcbc folgt noch eine neunte mit dem Reim c, die aber nun sechshebig ist im Gegensatz zu der Fünfhebigkeit der vorangehenden und dadurch den Abschluß stark betont. Der kräftige Abschluß kennzeichnet ja schon die echte Stanze: abababcc.

In der englischen Literatur sind die antiken Odenmaße seit dem Humanismus (Gruppe des Areopagus), in der deutschen Literatur besonders seit dem 18. Jahrhundert mit Eifer nachgebildet worden, wobei die Areopagiten sogar das messende Verssystem übernehmen wollten. Andere Dichter begnügten sich freilich mit einer sinnvollen Übertragung in das eigene System: die antiken Längen und Kürzen wurden durch betonte bzw. unbetonte Silben ersetzt. Wir geben die Schemata für die alkäische, asklepiadeische und sapphische Ode mit je einem Beispiel.

Alkäische Ode:

$$\smile - \smile - \smile - \smile \smile - \smile -$$
$$\smile - \smile - \smile - \smile \smile - \smile -$$
$$\smile - \smile - \smile - \smile - \smile$$
$$- \smile \smile - \smile \smile - \smile - \smile$$

O mighty-mouth'd inventor of harmonies,
O skill'd to sing of Time or Eternity,

> God-gifted organ-voice of England,
> Milton, a name to resound for ages.   (Tennyson)

Asklepiadeische Ode:

— ◡ — ◡ ◡ — — ◡ ◡ — ◡ —
— ◡ — ◡ ◡ — — ◡ ◡ — ◡ —
— ◡ — ◡ ◡ — ◡
— ◡ — ◡ ◡ — ◡ —

> Wenn der silberne Mond durch die Gesträuche blickt
> Und sein schlummerndes Licht über den Rasen geußt
> Und die Nachtigall flötet,
> Wandl ich traurig von Busch zu Busch.   (Hölty)

Sapphische Ode:

— ◡ — ◡ — ◡ ◡ — ◡ — ◡
— ◡ — ◡ — ◡ ◡ — ◡ — ◡
— ◡ — ◡ — ◡ ◡ — ◡ — ◡
— ◡ ◡ — ◡

> So the goddess fled from her place, with awful
> Sound of feet and thunder of wings around her;
> While behind a clamour of singing women
> Severed the twilight.   (Swinburne)

Die Nachbildung der antiken Odenmasse ist auch in den romanischen Sprachen versucht worden, gelegentlich sogar unter Übernahme des quantitativen Systems, das heißt also, indem man antike Kürzen durch kurze Silben, antike Längen durch lange Silben wiedergab. Aber wie in den germanischen Literaturen, wo Ähnliches versucht worden ist, hat sich das nicht durchsetzen können. In den romanischen sind im Grund auch die Versuche ergebnislos geblieben, die antiken Maße durch eine akzentgetreue Nachbildung zur Bereicherung der Formen zu verwerten. Romanisches Versempfinden sträubt sich gegen solche Festlegung aller Hebungen und Senkungen. In Italien zieht sich die Diskussion durch die Jahrhunderte: Leon Battista Alberti, Ariost, Trissino, Chiabrera, Carducci sind die bekanntesten unter den daran Beteiligten.

5. GEDICHTFORMEN

Feste Gedichtformen, bei denen also von vornherein der Bau des ganzen Gedichts festgelegt ist, gibt es nur wenige. Die meisten stammen wieder aus den romanischen Literaturen.

Das TRIOLETT besteht aus acht Zeilen. Der erste Vers kehrt (eventuell in ganz leichter Abwandlung) als vierter und siebenter, der zweite als achter wieder. Es dürfen nur zwei Reime verwendet werden, die sich folgendermaßen verteilen abaaabab. Als Beispiel sei ein *Triolet* von W. E. Henley gegeben:

> Easy is the Triolet,
> If you really learn to make it!
> Once a neat refrain you get,
> Easy is the Triolet.
> As you see! – I pay my debt
> With another rhyme. Deuce take it,
> Easy is the Triolet,
> If you really learn to make it!

Wie das Triolett, so stammt auch das RONDEAU aus Frankreich. Es besteht aus dreizehn Zeilen und zwei Teilen: am Schluß jedes Teils werden die Anfangsworte der ersten Zeile gleichsam als Refrain wiederholt. Wiederum dürfen nur zwei Reime verwendet werden.

Eng verwandt damit ist das gleichfalls von den Franzosen geschaffene RONDEL. Es besteht meist aus 14 Zeilen, verwendet in seinen drei Strophen nur zwei Reime und wiederholt die beiden ersten Zeilen (gelegentlich auch nur die erste) in der Mitte und am Schluß. Als Beispiel diene das bekannte *Rondel de l'adieu* von Edmond Haracourt:

> Partir, c'est mourir un peu,
> C'est mourir à ce qu'on aime:
> On laisse un peu de soi-même
> En toute heure et dans tout lieu.
>
> C'est toujours le deuil d'un vœu,
> Le dernier vers d'un poème:
> Partir, c'est mourir un peu.
>
> Et l'on part, et c'est un jeu,
> Et jusqu'à l'adieu suprême
> C'est son âme que l'on sème,
> Que l'on sème à chaque adieu:
> Partir, c'est mourir un peu.

Das Rondel begegnet bei verschiedenen französischen Symbolisten, zum Beispiel bei Mallarmé. In Portugal behauptete Eugénio de Castro, es als erster verwendet zu haben (Vorrede zu den *Oaristos*). Er stand dabei ebenso unter dem Einfluß des französischen Symbolismus wie in England Swinburne. Freilich bildete dieser die Form weiter zu dem von ihm so genannten

«ROUNDEL». Hier findet sich der Refrain, der aus den Worten des Eingangs besteht, als vierte und als abschließende elfte Zeile, und zwar so, daß er mit der zweiten Zeile reimt. Das Schema ist also aba(b) bab aba (b). Der gleichfalls vom französischen Symbolismus abhängige Arthur Symons nahm die neue Form freudig auf. Eine noch stärkere Umbildung vollzog Georg Trakl; die von ihm als «Rondel» überschriebenen Verse bewegen sich in einer spiegelbildlich angeordneten Gedichtstrophe:

> Verflossen ist das Gold der Tage,
> Des Abends braun und blaue Farben:
> Des Hirten sanfte Flöten starben,
> Des Abends blau und braune Farben;
> Verflossen ist das Gold der Tage.

Aus Italien stammt das MADRIGAL, das vor allem mit den Singspielen ins Ausland drang. Es ist eine Gruppe von 3 bis etwa 20 Versen, wobei die Zeilen verschieden lang und von verschiedenem Bau sind. Auch in der Reimstellung herrscht völlige Freiheit; es war üblich, reimfreie Zeilen (sogenannte Waisen) einzuflechten, während am Schluß meist ein Reimpaar verwendet wurde. Später ging man in den germanischen Literaturen dazu über, zwar nicht die Länge, wohl aber den Bau der Zeilen auszugleichen, gewöhnlich also nur jambische Zeilen zu verwenden. In dieser Form bestand dann kein Unterschied mehr zu den VERS LIBRES der Franzosen. In dem folgenden Beispiel von Michelangelo werden nur sieben- und elfsilbige Zeilen unregelmäßig vermischt, wie es in romanischen Madrigalen üblich war:

> Chondocto da molt'anni all'ultim'ore,
> Tardi conosco, o mondo, i tuo dilecti.
> La pace, che non ai, altrui promecti
> Et quel riposo c'anzi al nascer muore.
> La uergognia e 'l timore
> Degli anni, c'or prescriue
> Il ciel, non mi rinnuoua
> Che 'l uecchio e dolce errore,
> Nel qual chi troppo uiue
> L'anim'ancide e nulla al corpo gioua.
> Il dico e so per pruoua
> Di me, che'n ciel quel solo a miglior sorte
> Ch'ebbe al suo parto piu pressa la morte.

Das GHASEL stammt aus dem Arabischen und ist eine Zeitlang von deutschen Dichtern, die es aus dem Persischen kennenlernten, gepflegt worden. Das Ghasel («Gespinst») besteht aus etwa 3 bis 10 Verspaaren.

Nach dem ersten Reimpaar kehrt der gleiche Reim in allen geraden Zeilen
wieder, mit Vorliebe werden reiche Reime verwendet. Das folgende Beispiel ist von Platen:

> Der Strom, der neben mir verrauschte, wo ist er nun?
> Der Vogel, dessen Lied ich lauschte, wo ist er nun?
> Wo ist die Rose, die die Freundin am Herzen trug,
> Und jener Kuß, der mich berauschte, wo ist er nun?
> Und jener Mensch, der ich gewesen, und den ich längst
> Mit einem andern Ich vertauschte, wo ist er nun?

Die SESTINE, eine Erfindung des Provenzalen Arnaut Daniel, besteht
aus sechs sechszeiligen Strophen. Die Schlußwörter der sechs Zeilen aus
der ersten Strophe wiederholen sich am Schluß aller anderen, und zwar gewöhnlich in der Reihenfolge 6 1 5 2 4 3. Das Schlußwort der sechsten
Zeile einer Strophe wird also immer das Schlußwort der ersten Zeile der
nächsten Strophe, das der ersten Zeile dort zum Schlußwort der zweiten
Zeile u. s. f. Auf die sechs Strophen folgt eine Geleitstrophe aus drei Zeilen; jede Zeile enthält zwei der Wörter, und zwar folgt ihre Reihenfolge
der ersten Strophe.

Diese anerkannt schwierigste Form ist in der Renaissance häufig anzutreffen, zum Beispiel bei Petrarca, Gaspara Stampa, Comões, Bernardim Ribeiro u. a., ist aber auch danach von formfrohen Lyrikern immer wieder einmal benutzt worden.

Die GLOSSE besteht aus einem – meist vierzeiligen – Motto, das in vier
zehnzeiligen Strophen so glossiert wird, daß je eine Zeile die Schlußzeile
der Strophen bildet. Die ursprüngliche Reimverteilung ababacdccd wurde
schon in Spanien, dem Ursprungsland der Glosse, variiert.

Aus dem Italienischen stammt die Gedichtform, die von allen die wichtigste werden sollte: das SONETT. Es setzt sich aus zwei Quartetten und
zwei Terzetten zusammen, zwischen denen ein deutlicher Einschnitt liegt.
In seiner strengen Form läßt es für die Quartette und Terzette nur je zwei
Reime zu:

$$\text{abba abba cdc dcd.}$$

Für die Terzette haben sich freilich auch andere Reimanordnungen durch-
gesetzt (cdc cdc; cdd cdc u. s. f.); selbst drei Reime setzten sich durch (cde,
cde), während die Verwendung von vier Reimen in den Quartetten fast nur
bei französischen und deutschen Dichtern zu finden ist (abba cddc efg efg).
Eine Abart stellt die in England beliebte Form des sogenannten englischen
Sonetts dar. Hier baut sich das Sonett aus drei Quartetten auf, während den
Abschluß ein Reimpaarvers bildet. Am bekanntesten ist dieser Typ aus
Shakespeares Sonetten geworden (abab, cdcd, efef, gg).

In gewissem Abstand kann man diesen Gedichtformen die ODE anfügen, vor allem als strenge sogenannte «pindarische Ode». Bei dieser in der Renaissance und im Barock beliebten Form steht einer Strophe eine gleich gebaute «Gegenstrophe» gegenüber, die nun beide von einer dritten, aber verschieden gebauten Epistrophe oder Epode überwölbt werden. Die von Cowley in die englische Lyrik eingeführte und vom Klassizismus gern verwandte sogenannte «pindarische Ode» hat mit jener wenig gemein; hier herrscht vielmehr Freiheit im Bau der Strophen, der Zeilen und in der Reimverteilung.

6. DER REIM

Der Reim gehört nicht wesentlich zum Vers. Es können in der Prosa Reime auftauchen; andererseits gibt es Gedichte ohne Reim. Der antiken Dichtung sowie der altgermanischen ist der Reim fremd. Trotzdem ist er mehr als ein bloßer klanglicher Schmuck. Wir sahen bereits am Reimpaarvers, daß er die Bindung und Korrespondenz der Zeilen kräftig unterstützt.

(a) Endreim. Unter Reim schlechthin versteht man den Endreim. Ein (End)Reim liegt vor, wenn in zwei oder mehreren Wörtern der letzte betonte Vokal mit allem, was darauf folgt, klanglich identisch ist. Er kann also ein-, zwei- oder dreisilbig sein: Ruh/du; Bäume/Träume; Unberührbaren/Verführbaren. Ist der Klang vom vorletzten betonten Vokal an identisch, so spricht man von reichem Reim. Die Übereinstimmung auch der Konsonanten, die in der Tonsilbe vor dem Vokal stehen, gilt in den romanischen Sprachen nicht als anstößig; die Franzosen sprechen dann sogar von einem vollständigen Reim (entendu/tendu; éclatantes/tentes/flottantes; delírio/lírio). In den germanischen Sprachen spricht man in solchen Fällen von rührendem Reim (identical rime); er wirkt heute abstoßend und gilt als schwerer Fehler.

Der Endreim drang aus der frühmittelalterlichen lateinischen Hymnik in die europäischen Literaturen. Der im 18. Jahrhundert gegen den Reim geführte Kampf, bei dem man sich vor allem auf das Vorbild der Antike berief, ist ergebnislos geblieben. Die damals von Klopstock geschaffene Form der FREIEN RHYTHMEN hat sich zwar als eine mögliche Form durchgesetzt und später auch in den romanischen Literaturen eine gewisse Pflege gefunden. (Der «Freie Rhythmus» ist durch das Fehlen jeglicher metrischen Vorschrift gekennzeichnet: es gibt weder Reim, noch feste Strophen, noch feste Zeilen oder eine festliegende Füllung der Senkungen. Was von der Prosa unterscheidet, ist lediglich die Wiederkehr der Hebungen in annähernd gleichen Abständen.) Aber die Herrschaft des Reims ist im Grunde in der Lyrik unerschüttert.

Je nach der Stellung des Reims spricht man von

1. Reimpaaren, wenn zwei aufeinander folgende Zeilen miteinander reimen (aa bb cc dd ...);
2. Kreuzreim, wenn in einer Gruppe von vier Versen der erste mit dem dritten und der zweite mit dem vierten reimt (a b a b);
3. verschränktem Reim, wenn in einer Gruppe von vier Versen der erste mit dem vierten und der zweite mit dem dritten reimt (a b b a);
4. Schweifreim, wenn bei einer Gruppe von sechs Versen der dritte mit dem sechsten reimt, während der erste und zweite sowie der vierte und fünfte Vers paarweise reimen (a a b c c b).

Von Binnenreim spricht man, wenn eines (oder beide) der am Reim beteiligten Wörter im Inneren der Verszeile steht, von Schlagreim, wenn zwei aufeinander folgende Wörter reimen.

(b) Alliteration. Unter Alliteration versteht man die Übereinstimmung im Anlaut zweier oder mehrerer Wörter: In allen Büschen und Bäumen; where the wild wind blows. Die Alliteration war das Prinzip des germanischen Verses und band drei von den vier Hebungen einer Zeile. Seit der Einführung des Endreims hat sie nur noch klangliche Funktion.

(c) Assonanz. Unter Assonanz versteht man den Gleichklang nur der Vokale vom letzten Akzent an. Sie ist in der älteren französischen, spanischen und portugiesischen Literatur häufig. Die Versuche, sie in den germanischen Sprachen heimisch zu machen, die besonders von den Romantikern im Hinblick auf die spanischen Assonanzen unternommen wurden, sind nicht gelungen. Ebensowenig ist in der neuen französischen Lyrik der Versuch Ch. Guérins, den Reim durch die Assonanz zu ersetzen (*Song des Crépuscules,* 1895), von nachhaltigem Erfolg gewesen.

7. METRIK UND VERSGESCHICHTE

Die bisher behandelten Grundbegriffe gehören der Metrik an. Unter METRUM versteht man das Schema eines Gedichtes, das unabhängig von der sprachlichen Erfüllung existiert. Es gibt, mehr oder weniger vollständig, die Zahl der Silben für die Verszeilen an, die Taktart und die Zahl der Takte, die Lage der Zäsuren, den Bau der Strophe, die Stellung des Reimes, eventuell die Form des Gedichtes. Das Schema der sapphischen Ode zum Beispiel, das oben aufgezeichnet wurde, ist ihr Metrum.

Der Charakter als Schema besagt, daß es beliebig wiederholbar ist. Es gibt zahllose Gedichte in Alexandrinern, in fünffüßigen Jamben, in vierzeiligen Strophen mit Kreuzreim, in Stanzen, in Sonettform u. s. f.

Der Charakter als Schema besagt zugleich, daß für die Deutung des einmaligen, individuellen Werkes mit der Angabe der Metrik noch wenig Besonderes gesagt ist. Dafür lenkt gerade die Allgemeinheit der metrischen Phänomene den Blick von dem Einzelwerk fort zu der Mehrzahl von Werken mit den gleichen Erscheinungen. Als Analogie zu der Zweiheit von Literaturwissenschaft und Literaturgeschichte stellt sich auf dem engeren Felde des Verses die Zweiheit von Verswissenschaft und Versgeschichte dar.

Zur Versgeschichte gehören etwa Untersuchungen über den Bau des Alexandriners in zwei verschiedenen Werken, die sich bis zu einer Geschichte des Alexandriners überhaupt ausdehnen können. Entsprechende Untersuchungen ließen sich über den Hexameter und schließlich jede metrisch faßbare Zeile anstellen. Zur Versgeschichte gehören weiterhin Beobachtungen des Reims und der Reimtechnik bei mehreren Werken, Dichtern u.s.f. Zur Reimtechnik rechnet zum Beispiel die Tendenz zu neuen, auffälligen, unabgenutzten Reimverbindungen, wie sie für den Symbolismus kennzeichnend sind. Auch theoretisch haben sich die Dichter des Symbolismus über diese Fragen ausgesprochen. Von besonderem Interesse ist in fast allen neueren Literaturen die Beobachtung des Reims im frühen Mittelalter. Zu einem Teil vollzieht sich sein Eindringen vor unseren Augen, und überall hat er einen Kampf mit anderen Klangmitteln zu bestehen (Alliteration, Assonanz), bis er schließlich als reiner Reim die Dichtung beherrscht. Die Untersuchungen zum Reim interessieren gewöhnlich auch die Sprachwissenschaft in hohem Maße. Die mittelalterlichen Kopisten mochten noch soviel an der Rechtschreibung, an den Formen, ja am Wortschatz innerhalb der Zeilen ändern, an den Reimen werden sie sich nur selten vergriffen haben; in den Reimen spricht noch in Abschriften, die nach Jahrhunderten gefertigt wurden, das Original zu uns. Für die mittelalterliche Philologie sind die Reime eines der wichtigsten Mittel zur Datierung, Lokalisierung und Identifizierung eines Textes. Ähnlich ist es bei mündlich überlieferten, anonymen Gedichten. Wenn von Volksliedersammlern des 19. Jahrhunderts ein Text aufgezeichnet wurde (*Die Hasel*), in dem die Reime begegnen: Haselin/ Mägdelein; bin / Wein, so läßt sich seine Herkunft aus einer Zeit vermuten, da das lange i noch nicht zu ei diphthongiert worden war. (Freilich nicht mit Sicherheit, da er auch aus einem Dialekt stammen kann, der noch in neuerer Zeit an dem langen i festhielt.)

Von besonderem Interesse sind auch Untersuchungen zum Strophenbau eines Dichters, einer Epoche oder zur Geschichte einer bestimmten Strophe überhaupt. Der Strophenbau der Troubadourlyrik, die Aufnahme der antiken Odenschemen, die Auflockerung der Strophik durch die Romantik, die Tendenz zur Überwindung starrer Strophen in der jüngsten Lyrik, – all das sind Themen, deren Bearbeitung in vieler Hinsicht fruchtbar geworden ist bzw. Erfolg verspricht.

Fast immer zwingen versgeschichtliche Arbeiten dazu, den Blick auch auf das Ausland zu richten, da gerade hierbei der gegenseitige Austausch und Einfluß von Beginn an groß gewesen ist bzw. in der Antike und der mittellateinischen Metrik gemeinsame Einflußquellen vorhanden sind. Eine genaue Beobachtung, wie solche Einflüsse verarbeitet werden und sich mit dem heimischen Versgefühl auseinandersetzen, verheißt wertvolle Aufschlüsse über die Kräfte, die in den Nationalliteraturen wirksam sind.

8. SCHALLANALYSE

Als ein besonderer Wissenschaftszweig ist von dem Philologen Eduard Sievers die Schallanalyse ausgebildet worden. Ihr Beobachtungsfeld ist der «Schall» aller gesprochenen Sprache, also über das Rhythmische hinaus auch die Melodie, Artikulation u.s.f. Sie beschränkt sich nicht auf «literarische» Texte. Die Schallanalyse geht von dem Grundsatz aus, daß ein Text nur auf *eine* Art richtig zum Klingen gebracht werden könne und daß die entsprechenden Anweisungen in ihm selbst liegen. Schon vor Sievers war festgestellt worden, daß jeder Dichter, jeder Musiker, ja jeder Mensch zu einem bestimmten STIMMTYPUS gehöre und daß die Zahl der Stimmtypen beschränkt und verhältnismäßig klein sei. Der Stimmtypus ist also eine persönliche Konstante in allen sprachlichen Äußerungen eines Menschen und damit in gewissem Sinne aussagekräftig bei der Identifikation eines Textes. Sievers erweiterte die Schallanalyse noch, indem er die Spannung, mit der ein Text zu sprechen ist, festzulegen suchte. Er tat das mit Hilfe bestimmter Kurven (Taktfüllkurven). Die Schallanalyse verhieß besonders für die Philologie von Bedeutung zu werden, da sie versprach, Unstimmigkeiten in überlieferten Texten aufdecken zu können, Einschübe von fremder Hand, Lücken u.s.f. Wenn es Sievers auch nicht gelungen ist, seine von einer außerordentlichen Empfindlichkeit und einer ungewöhnlichen Begabung für alles Schallmäßige geleitete Arbeitsweise zu einer festen wissenschaftlichen Methode auszubilden, die übernommen werden könnte, so haben seine Arbeiten doch dazu beigetragen, die Aufmerksamkeit auf den lebendigen Klang der Sprache und der Dichtung zu lenken. Die etwas abgestumpften Ohren gerade auch der Literarhistoriker und der zu sehr mit den Augen aufnehmenden Verswissenschaftler sind hellhörig geworden für die Eigenheiten und Werte der lebendigen, gesprochenen Dichtung. Auch die Auflockerung der etwas erstarrten Phonetik durch die moderne Phonologie steht in Zusammenhang mit der Schallanalyse.

KAPITEL IV

DIE SPRACHLICHEN FORMEN

Der Vers ist eine Formqualität, die nur einem Teil der literarischen Werke eignet. In diesem Abschnitt ist eine Schicht von Formen zu behandeln, die mit dem Wesen eines literarischen Textes als eines sprachlichen Gebildes gegeben sind und darüber hinaus allen sprachlichen Äußerungen eignen: die sprachlichen Formen.

Es ist nicht das Ziel der literarwissenschaftlichen Arbeit, die in der Literatur verwendeten sprachlichen Formen zu ermitteln. Sie sind grundsätzlich nicht anderer Art als die auch in anderen sprachlichen Äußerungen verwendeten. Diesem Ziel geht vielmehr ein bestimmter Zweig der Sprachwissenschaft nach: die Grammatik. Das Ziel der literaturwissenschaftlichen Arbeit ist zunächst auf die Erfassung und Deutung eines literarischen Werkes gerichtet. Sie untersucht also nicht jede sprachliche Form als solche, sondern ihren Beitrag zum Aufbau des dichterischen Werkes. Sie fragt ständig danach, was die sprachlichen Formen in dieser Hinsicht leisten. Es geschieht in der Absicht, die Ganzheit des Werkes einsichtig zu machen. Sie strebt mithin zur Synthese. Der synthetische Begriff für die Ganzheit der erfüllten metrischen Formen ist der Rhythmus. Der synthetische Begriff für die Ganzheit, der alle sprachlichen Formen eines Werkes zugeordnet sind, ist der Stil. Ihm hat ein besonderes Kapitel in dem Abschnitt über die synthetischen Begriffe zu dienen. Hier geht es nur um die Nennung und Erläuterung der sprachlichen Formen an sich, mit denen dann die Stilforschung arbeitet. Im Grunde handelt es sich also in diesem Abschnitt um eine auf stilistische Zwecke ausgerichtete Grammatik.

Eine grundsätzliche Verschiedenheit ist eingangs zu nennen, die in der Einstellung zu den sprachlichen Erscheinungen zwischen Sprachwissenschaft und Stilistik besteht. Die Sprachwissenschaft wird sich bei einem Text auch und gerade für die sprachlichen Formen interessieren, die ungewöhnlich sind. Eine nur einmal, nur hier begegnende Erscheinung wird ihre höchste Aufmerksamkeit erregen. Die Stilforschung hingegen interessiert sich gerade für die sprachlichen Erscheinungen, die um ihrer Häufigkeit willen kennzeichnend sind für den Aufbau des Werkes als einer Ganzheit. «Die Kontinuität macht den Stil», hat Flaubert einmal gesagt. Die typischen Formen heißen Stilzüge. Die Stilzüge sind andererseits oft um so leichter zu erkennen und um so ausdrucksvoller und wirksamer, je mehr es sich um Erscheinungen handelt, die von der «üblichen» Sprache abweichen. Wenn in einem

Gedicht zum Beispiel der Artikel vielfach da fehlt, wo wir ihn an sich erwarten, so handelt es sich um einen leicht erkennbaren und ausdrucksvollen
Stilzug, dessen Ausdeutung vielversprechend ist.

Nun läßt sich einwenden, daß auch eine rein «phänomenologische» Stilforschung möglich ist, und man hat sie in der Tat verlangt. Wir brauchen
uns hier nicht in nähere Erörterungen einzulassen, wieweit eine solche, alle
historischen Zusammenhänge abblendende Betrachtungsweise möglich ist,
und ob sie nicht, schon um des Sprache-Seins willen, schließlich doch den
zeitlichen Horizont sichtbar machen muß. Hier genügt die Einhelligkeit in
der Meinung, daß die Erfassung des individuellen Stiles eines Werkes gefördert werden kann, wenn sie einmal vor dem Hintergrund des «Üblichen»,
«Normalen» der Sprache und zum andern im Vergleich mit entsprechenden
Werken der Zeit unternommen wird. Der Stil eines Sonetts von Gryphius
erschließt sich leichter, wenn man die Sprache des 17. Jahrhunderts und die
Sonettdichtung der Epoche kennt. Und über den Stil einer ganzen Sprache
wird man um so bündigere Aussagen machen können, je vertrauter man mit
anderen Sprachen ist.

Wir gliedern die Fülle der sprachlichen Formen in die Schichten der Lautung, des Wortes, der «Figuren» und der Syntax.

1. DIE LAUTUNG

Von den Formen der Lautung sind der Reim, die Alliteration und die Assonanz bereits besprochen worden.

Sinnfällig wird der Klang bei den sogenannten KLANGMALEREIEN.
Man versteht darunter sprachliche Bildungen, deren Klang einen bestimm-
ten Klang des Draußen wiedergibt: summen, rasseln. Die germanischen
Sprachen sind ungleich reicher an klangmalenden Wörtern als die romani-
schen; so dürften folgende Verse aus einem Gedicht der Annette von Droste-
Hülshoff der Übersetzung in eine romanische Sprache unüberwindliche
Hindernisse bereiten:

> Der schwankende Wacholder flüstert,
> Die Binse rauscht, die Heide knistert
> Und stäubt Phalänen um die Meute.
> Sie jappen, klaffen nach der Beute ...
> Die Meute, mit geschwollnen Kehlen
> Ihm nach, wie rasselnd Winterlaub.
> Man höret ihre Kiefern knacken,
> Wenn fletschend in die Luft sie hacken ...

Was bricht dort im Gestrüppe am Revier?
Im holprichten Galopp stampft es den Grund;
Ha, brüllend Herdenvieh! voran der Stier,
Und ihnen nach klafft ein versprengter Hund.
Schwerfällig poltern sie das Feld entlang,
Nun endlich stehn sie, murren noch zurück,
Das Dickicht messend mit verglastem Blick.
Dann sinkt das Haupt, und unter ihrem Zahne
Ein leises Rupfen knirrt im Thymiane ...

Man muß sich freilich bewußt bleiben, daß Klangmalereien die Geräusche des Draußen niemals genau nachbilden. In einer unbekannten Sprache hört niemand die Klangmalereien heraus und verstände sie. Die Sprachen streben offensichtlich nicht einmal nach der lautlichen Gleichheit, da sie die Möglichkeiten ihrer Phoneme gar nicht voll ausnutzen, sondern sich mit Hinweisen begnügen.

Lautmalend können auch Häufungen bestimmter Laute wirken. So wenn zum Beispiel durch harte Laute und geballte Konsonanten der Lärm eines Sturms, einer Schlacht wiedergegeben werden soll. In den folgenden Versen malt Camões das dumpfe Meeresbrausen durch Häufung der o- und u-Laute und besonders der ond- und und-Klänge:

No mais interno fundo das profundas
Cavernas altas, onde o mar se esconde,
Lá donde as ondas saem furibundas
Quando às iras do vento o mar responde,
Neptuno mora e moram as jucundas ...

Man kann an den Versen leicht beobachten, wie hier Wörter zu klingen beginnen, die uns sonst nur als nackte Bedeutungen geläufig sind (zum Beispiel quando).

Manchmal mag man im Zweifel sein, ob wirklich ein bestimmter Klang des Draußen wiedergegeben werden soll, oder ob nicht der Klang und die straffe bzw. weiche Artikulation eine Bewegung, einen visuellen oder einen anderen Eindruck des Draußen darstellen, das heißt symbolisieren soll. Man spricht in solchen Fällen von LAUTSYMBOLIK. Schon Plato besprach ihr Walten in der Sprachbildung überhaupt, als er den Unterschied im Klang von «mikros» und «makros» mit dem Unterschied der Bedeutungen in Beziehung setzte: es bedeute «i» das Kleine, Feine, «a» das Große, Gewaltige. Solche symbolischen Ausdeutungen der Laute, insbesondere der Vokale, sind oft unternommen worden. Noch weiter gingen die Bemühungen romantischer und nachromantischer Theoretiker und Dichter, den Vokalen bestimmte Farbqualitäten zusprechen zu wollen. Bekannt ist das Sonett *Voyelles* von Rimbaud, das beginnt:

> A noir, E blanc, I rouge, U vert, O bleu, voyelles,
> Je dirai quelque jour vos naissances latentes.

Wir brauchen hier nicht auf die Streitfrage einzugehen, wieweit das von Rimbaud ernst gemeint war. Tatsache ist, daß die bisher gemachten Zuordnungen von Vokalen und Farben sich gründlich widersprechen (was eine subjektive Konstanz nicht zu widerlegen braucht) und daß auch bei der lautsymbolischen Ausdeutung keine Einmütigkeit herrscht. Auch der eifrigste Verfechter einer Möglichkeit dazu wird zugeben, daß er nicht in jedem Augenblick des Sprechens und Hörens lautsymbolische Bezüge wahrnimmt. Eine feste Zuordnung ist schließlich schon darum nicht zu erwarten, weil das eine Schriftzeichen a unzählige verschiedene Lautnuancen deckt, und zwar schon in einer Sprache, ja sogar im selben Wort. Erst wenn ein Laut durch Häufung oder besondere Stellung sinnfällig wird, kann er lautsymbolische Wirkungen ausüben. Noch stärker als bei den Klangmalereien geben erst die Bedeutungen die Richtung auf das Symbolisierte an.

So symbolisiert Goethe die verführerischen Lockungen des Erlkönigs durch eine Häufung des «i»:

> Du liebes Kind, komm, geh mit mir!
> Gar schöne Spiele spiel ich mit dir;

so haben Renaissance- und Barockdichter die sanfte Bewegung der Bäche und die Lieblichkeit einer «amönen» Landschaft durch Häufung der Liquiden und Nasale symbolisiert, und in dem folgenden Beispiel mag man darüber hinaus in der Häufung des «i» in der 5. Zeile noch eine Symbolisierung des «Schimmerns» sehen:

> ... das wallende Gras
> Voll lieblicher Blumen, das sanfte Gezische
> Der mancherlei lieblich beblätterten Büsche,
> Das murmelnde Rauschen der rieselnden Flut,
> Der zitternde Schimmer der silbernen Fläche
> Durch grünende Felder sich schlängelnder Bäche. (Brockes)

Man wird dabei oft in Zweifel geraten, wieweit der Klang sich wirklich auf bestimmte Phänomene des Draußen richtet oder wieweit er eigenwertig ist bzw. die seelische Gestimmtheit steigert, in der die Bedeutungen aufgenommen werden sollen. Wie zwischen Onomatopöie und Lautsymbolik, so ist auch die Grenze zwischen Lautsymbolik und LAUTMUSIKALITÄT fließend.

In den folgenden Versen Eichendorffs hebt sich der Klang des L hervor:

> Nacht ist wie ein stilles Meer,
> Lust und Leid und Liebesklagen
> Kommen so verworren her
> In dem linden Wellenschlagen.

Man mag in den gehäuften «L» eine Symbolisierung des Wellenschlages sehen; aber hier zeigt sich doch, daß die theoretische Erfassung mit aller Behutsamkeit vorgehen muß und nicht zu sehr scheiden und vereinzeln darf. Auch wo es sich scheinbar um Symbolisierung handelt, sind die Laute nicht Vermittler und Wegweiser zu einer gegenüberstehenden festen Gegenständlichkeit. Sie selber rufen in entscheidender Weise alles Gegenständliche hervor und schaffen seine seelische Gestimmtheit, auf die es viel mehr ankommt als auf sichtbares Dasein und reale Beziehungen.

In der folgenden Probe aus Shelleys *Prometheus Unbound* wird es von Beginn an unmöglich sein, Lautsymbolisches abzusondern; hier wirkt der Klang rein als solcher.

> Here, oh, here:
> We bear the bier
> Of the Father of many a cancelled year!
> Sceptres we
> Of the dead Hours be,
> We bear Time to his tomb in eternity.

Wie bei Eichendorff ist der Klang in diesen Versen so mächtig und ausdrucksvoll, daß der Inhalt der Worte und Sätze darüber blaß wird. Die Klangmittel sind vor allem: der in kurzen Abständen folgende Dreireim (Here, bier, year ...), der noch durch den Binnenreim in der ersten Zeile gesteigert wird; die kräftigen Alliterationen, die vor allem die Akzente der Zeilen verbinden (here, here – bear, bier – time, tomb, (e)ternity. Weiterhin wirkt klanglich stark die geschlossene, steigende Reihe der betonten Vokale in Zeile 3: fa – many – can – year, der die fallende Reihe in Zeile 6 gegenübersteht: time – tomb – tern, eine Verdunkelung, die durch das vorangehende hours vorbereitet ist, während bis dahin alle Vokale hell waren.

2. DIE SCHICHT DES WORTES

Die Grammatik erfaßt in den Wortklassen sprachliche Grundformen. Es kann nicht das Ziel der literarisch-stilistischen Arbeit sein, den Bestand jedes Werks an Wortklassen aufzunehmen. Sie kümmert sich ja auch bei der Lautung nicht um jeden Vokal und jeden Konsonanten. Ausgangspunkt für die weitere Arbeit können nur solche Fälle sein, die für die Eigenart eines Werkes bedeutsam sind, die also Stilzüge darstellen.

Wir nennen einige Stilzüge, die durch besondere Verwendung der Wortklassen in einem literarischen Text erscheinen können.

Bei der Untersuchung der Drosteschen Sprache ist man auf die häufigen Fälle des fehlenden ARTIKELS aufmerksam geworden:

> Unke kauert im Sumpf,
> Igel im Grase duckt ...

> Bergwald mag und Welle nicht
> Solche Farbentöne hegen ...

> Wie, sprach ich Zauberformel? Dort am Damm –
> Es steigt, es breitet sich wie Wellenkamm ...

Ähnlich kann die Verwendung des bestimmten statt des «zu erwartenden» unbestimmten Artikels einen Stilzug darstellen. Er gehört zu dem so unverwechselbaren Rilke-Ton; das Gedicht *Auferstehung* etwa beginnt:

> Der Graf vernimmt die Töne ...

Noch in den *Sonetten an Orpheus* wirkt der gleiche Stilzug:

> Nur wer die Leier schon hob
> Auch unter Schatten,
> Darf das unendliche Lob
> Ahnend erstatten ...

Immer wieder werden Erscheinungen beschworen, die durch Gebrauch des bestimmten Artikels als bekannt gesetzt werden.

Das ADJEKTIV wird in manchen Texten offensichtlich gesucht, in anderen ebenso deutlich geflohen. Die übliche Unterscheidung der Adjektive deutet bereits verschiedene Wirkungen an; man spricht von charakterisierendem Adjektiv (der steile Abhang, der runde Tisch), von schmückendem (die geflügelten Worte) und von formelhaft verwendetem (das tiefe Tal, der grüne Wald).

In den romanischen Sprachen deutet vielfach schon die Stellung des Adjektivs auf die verschiedenen Funktionen, die es ausübt; mit der wechselnden Stellung ist eine Bedeutungsverschiedenheit verbunden. In den germanischen Sprachen steht das Adjektiv grundsätzlich vor dem Substantiv. Immerhin begegnet auch da manchmal eine Nachstellung des Adjektivs, das dann unflektiert bleibt. Diese Fügung eignet dem Volkslied und volkstümlicher Lyrik: Röslein rot, Mägdlein jung, Wiese grün; a garden green, my father dear, a harness good. Die Nachstellung findet sich gerade im Vers, ein Symptom der größeren syntaktischen Freiheit der Versdichtung.

Indessen muß man beim Adjektiv wie bei fast allen noch zu besprechenden Stilzügen auf der Hut sein. Man darf bei den Wortklassen (und anderen Sprachformen) nicht vergessen, daß es sich um Abstraktionen der Grammatik handelt. Eine Wortklasse bringt nicht eine eindeutige Leistung hervor, und eine Leistung ist nicht eindeutig an eine Wortklasse zu ihrer Realisierung gebunden. Es ist ein Grundgesetz für alles stilistische Arbeiten, daß sprachliche Formen mehrdeutig sein können und daß die gleiche Funktion durch verschiedene Formen geleistet werden kann. Ch. Bally hat es seinerzeit in *Le Langage et la vie* (Paris 1926, S. 121) so formuliert: «On sait que dans toutes les langues, un même signe a normalement plusieurs valeurs, et que chaque valeur est exprimée par plusieurs signes». Bally zeigt, wie verschieden zum Beispiel das «substantivierte Adjektiv» funktioniert. Dámaso Alonso zitiert Verse aus San Juan de la Cruz (*La poesía de San Juan de la Cruz*, Madrid 1942, S. 183):

> ¡ Oh noche que guiaste,
> oh noche, amable más que la alborada:
> oh noche que juntaste
> Amado con Amada,
> Amada en el Amado transformada!

> O Nacht, die du den Weg gewiesen hast,
> o Nacht, liebenswerter als die Morgenröte:
> o Nacht, die du vereint hast
> Geliebten und Geliebte,
> Geliebte, die zum Geliebten wurde!

Er bemerkt dazu: «Hier können uns die relativisch eingeführten Verben irren lassen. Tatsächlich aber haben diese Verben ausschließlich eine adjektivische Funktion (ebenso wie ,liebenswert'), und das Schema ist folgendes: O führende, liebenswerte, vereinende, verwandelnde Nacht! Es handelt sich um reinen Ausruf, ohne Verbum». Statt «función adjectiva» würden wir lieber sagen: «función atributiva», denn die deutsche Sprachwissenschaft sondert mit sachlich gebotener Strenge den morphologischen Aspekt (Adjektiv) vom funktionalen (Attribut).

Die Kraft, sich andere Wortklassen zu unterwerfen, zeigt sich auch beim SUBSTANTIV. Man hat einen Stil, der durch solche Vormacht des Substantivs gekennzeichnet ist, als nominalen Stil bezeichnet und ihm den Typ des verbalen Stils gegenübergestellt. (Über solche Typisierung wird später zu sprechen sein.) Die Sprache der Wissenschaft zum Beispiel wird als typisch nominal hingestellt, die des Expressionismus etwa als typisch verbal.

Eine auffällige Neigung, das Adjektiv zu substantivieren, zeigt die Sprache
des alten Goethe:

> Alles Vergängliche
> Ist nur ein Gleichnis,
> Das Unzulängliche,
> Hier wird's Ereignis,
> Das Unbeschreibliche,
> Hier ist es getan,
> Das Ewig-Weibliche
> Zieht uns hinan.

Bei manchen Werken der germanischen Sprachen zeigt sich eine Tendenz
zum Substantivieren der Infinitive. Wieder wäre die Sprache der Droste zu
nennen.

Im einzelnen können beim Substantiv besondere Bildungsweisen als Stilzug auffallen. So häufen sich in theoretischen Texten die Substantive auf
–ung (engl. –ty; franz. –ion; ital. –ione; span. –ión; portug. –ão).

Ausdrucksvolle, neue Zusammensetzungen (bei Substantiven und Adjektiven) waren einer der auffälligsten Stilzüge in der neuen poetischen Sprache,
die Klopstock im 18. Jahrhundert schuf. Wir führen nur einige Verse seines
Schülers Hölty an:

> Wann, Friedensbote, der du das Paradies
> Dem müden Erdenpilger entschließest, Tod,
> 　　Wann führst du mich mit deinem goldnen
> 　　　　Stabe gen Himmel, zu meiner Heimat?
>
> O Wasserblase, Leben, zerfleug nur bald!
> Du gabest wenig lächelnde Stunden mir
> 　　Und viele Tränen, Qualenmutter
> 　　　　Warest du mir, seit der Kindheit Knospe
>
> Zur Blume wurde. Pflücke sie weg, o Tod,
> Die dunkle Blume! Sinke, du Staubgebein,
> 　　Zur Erde, deiner Mutter, sinke
> 　　　　Zu den verschwisterten Erdgewürmen!

Zu dem Aufblühen dieses Stilmittels in der deutschen dichterischen Sprache
jener Zeit trug übrigens auch die nun engere Beziehung zur englischen
Dichtung bei. Die berühmten Zusammensetzungen zum Beispiel der von
Percy veröffentlichten englischen Balladen (lilly-white hands, live-long
winter-night) finden in den deutschen Balladen der Hölty, Bürger, Stol-
berg u. s. f. ihre genaue Nachbildung.

Leicht erkennbar und leicht ausdeutbar in ihrer Leistung sind in allen Sprachen die Diminutiva. Hier scheint einmal der Fall der Eindeutigkeit einer Form gegeben zu sein. Freilich liegen die Dinge nicht so einfach, wie die Bezeichnung selber besagt. Die Diminutiva wollen meist nicht die Klein-heit des Gegenstandes bezeichnen, sondern in erster Linie den Gefühlsanteil des Sprechenden ausdrücken; sie gehören weniger in die optische als in die emotionale Perspektive. Häufiges Stilmittel sind sie – neben der Kinderlite-ratur – in der volkstümlichen und in der mystisch-pietistischen Lyrik.

Im Symbolismus begegnet oft die Verdinglichung von Abstrakten: die Schale des Schreckens zerbricht, les plis jaunes de la pensée. Dergleichen ist auch in außerliterarischer Sprache häufig: mit wachsender Angst, die be-fleckte Ehre, ein durchschlagender Erfolg u. s. f. Es zeigt sich wiederum, daß mit der einfachen Feststellung noch wenig gewonnen ist.

Die Verdinglichung kann sich bis zur Personifikation steigern. Die Per-sonifikation von Dingen ist überhaupt ein häufiges Stilmittel; in der Alltags-sprache ist da viel latent, was von den Dichtern nun aktualisiert wird. Für die Kindersprache ist solche Beseelung schlechthin kennzeichnend.

Bei den VERBEN kann wie bei Substantiven und Adjektiven ihre Häufung, ihr Gewicht und ihre Herrschaftsstellung einem Text das Gepräge geben. Der Anfänger hüte sich, zu rasch die summarische Kennzeichnung «ver-baler Stil» anzuwenden. Mit ihr ist herzlich wenig gesagt; es handelt sich zunächst um einen Stilzug, der weitere Bearbeitung verlangt. So zeigt sich oft recht schnell, daß eine bestimmte Gruppe von Verben, etwa solche der Bewegung, vordringlich sind. Oder es handelt sich um Verben, die einem be-stimmten Sinn zugeordnet sind (Gesicht, Gehör) und die nun sogleich nach einer entsprechenden Untersuchung der Adjektive und Substantive verlangen.

Innerhalb der Schicht des Wortes ist schließlich noch der WORTSCHATZ an sich von Bedeutung. Gewöhnlich verraten sich bei hinreichendem Um-fang Werke des Barocks, der Romantik, der Mystik u. s. f. schon durch ihren Wortschatz. Wie die Stilwissenschaft, so ist auch die Sprachwissenschaft an diesen Beobachtungen interessiert. Wörterbücher zu Dichtungen bzw. Dichtern sind für beide ein wichtiges Material. Für die größten Dichter ist diese Aufgabe mehr oder weniger zuverlässig gelöst (Dante, Shakespeare, Cervantes, Corneille, Racine, Lessing, Goethe u. a. m.).

Dámaso Alonso hat in seiner Arbeit über *La lengua poética de Góngora* (Madrid 1935) dem kultistischen Wortschatz des Dichters besondere Auf-merksamkeit geschenkt. Ihm halfen dabei die zeitgenössischen und späteren Kritiken. Eine ähnliche Situation ergab sich um 1750 in Deutschland: in Schönaichs *Neologischem Wörterbuch* wurde der ganze Wortschatz angeführt, der diesem Aufklärer in den Dichtungen Klopstocks und der jungen Gene-ration tadelnswert schien. Viel von dem, was am Wortschatz des französischen Symbolismus als auffällig empfunden wurde, findet sich bei Jacques Plowert: *Petit glossaire pour servir à l'intelligence des auteurs décadents et symbolistes* (Vanier 1888).

Bei den «Lieblingswörtern» eines Dichters oder einer Epoche braucht es sich nicht immer um Neubildungen zu handeln. Neuere Stiluntersuchungen pflegen jedenfalls mit Recht diesem ganzen Fragenkomplex wieder ihre Aufmerksamkeit zu widmen. Wertvolle Ergebnisse haben sich eingestellt, sobald man eben nicht bei der Registrierung und Statistik stehenblieb, sondern sie als Ausgangspunkt der Arbeit wählte. Die Untersuchung wird dann schnell zur Feststellung bestimmter Sachbezirke geführt, die in einem Werk oder bei einem Autor auffällig häufig wiederkehren. Von da aus hat man dann weitere Schlüsse auf die Künstler-Persönlichkeit zu ziehen gesucht.

3. RHETORISCHE FIGUREN

Wenn man von den Sprachformen in der Schicht der Wörter zu den Sprachformen in der Schicht der Wortgruppen aufsteigt, so betritt man ein Gebiet, das traditionsbeladen ist. Schon die Antike hat sich hier um eine möglichst vollständige Erfassung bemüht, und zwar nicht vom grammatischen, sondern gerade vom stilistischen Standpunkt aus. In den antiken Theorien und Anweisungen zur Redekunst findet man eine ausführliche Behandlung des ganzen Gebietes. Diese Bemühungen waren von dem praktischen Zweck geleitet, die eine Rede schmückenden bzw. verunstaltenden Sprachmittel zu sammeln und lernfähig vorzuführen. Die Sprachmittel wurden als figurae rhetoricales, mitunter auch als flores rhetoricales bezeichnet. Die Lehre von den figurae, besonders in der Form, wie sie Quintilian ihr gegeben hatte, wurde eine feste Tradition; sie findet sich fast unverändert in den Rhetoriken und Artes dicendi des Mittelalters, des Humanismus und Barocks. Die Reihenfolge bzw. die Gruppenbildung variierte dabei; aber meist schloß man sich auch in diesem Fall an die Antike an, die zum Beispiel schon die beiden großen Gruppen der figurae verborum und der figurae sententiarum bzw. Tropen gesondert hatte.

Von den flores rhetoricales hat der GEBLÜMTE STIL des Mittelalters seinen Namen geholt; aber noch stilistische Untersuchungen des 19. Jahrhunderts pflegten ihre Beobachtungen an Hand der Liste der figurae durchzuführen. Sie begnügten sich freilich mit einer bloßen Feststellung der vorkommenden Sprachformen, bestenfalls mit einer Statistik, oder betrachteten sie, wie es die früheren Jahrhunderte getan und gelehrt hatten, als dichterischen Schmuck, obwohl doch die Vorstellung von der Poesie als einer geschmückten Rede längst überwunden war. Der Romantiker Coleridge sah in der bewußten Verwendung der Figuren zum Schmuck eine Gefahr für alle echte Dichtung: «Figures and metaphors ... converted into mere artifices of connection and ornament constitute the characteristic falsity in poetic style of the moderns». Er drückte damit aus, was Meinung aller Romantiker und schon der Vorromantiker war; Herder hatte in solchem Zusammenhang von der «toten Bildsäule des Stils» gesprochen, «die ohne Fehler und wahrhaftig eigene Schönheiten, ohne Leben und ohne Charakter dasteht».

Für die neuere Stilforschung besitzen die figurae keine Vorzugsstellung. Sie stehen bestenfalls auf einer Ebene mit den bisher besprochenen und den später zu besprechenden Stilzügen. (Einige Figuren wie Reim [Homoioteleuton] oder Personifikation [personificatio] sind bereits besprochen worden.) Was sie für die Konstituierung eines dichterischen Werkes leisten, bleibt in jedem einzelnen Fall zu untersuchen; mit ihrer Ausdeutung als «Schmuck» wird gewöhnlich wenig und häufiger Falsches gesagt sein. Aber wenn somit die Figuren auch in andere Bezüge gestellt werden, indem sie nämlich nicht mehr für den Redner und Dichter erklärt werden in der Meinung, daß er sie bewußt und zur Verbesserung seiner «Rede» verwenden solle, sondern wenn sie als sprachliche Grundphänomene den Linguisten und Stilforscher interessieren, so stellt sich doch auch hierbei ein Gefühl der Dankbarkeit gegenüber der Antike ein, die so ausgezeichnete Grundlagen geschaffen hat. Und schließlich ist ihre Kenntnis und die der traditionellen Bezeichnungen für den Literaturhistoriker unentbehrlich, der ältere Dichtungen zu untersuchen hat, die in der Atmosphäre der flores rhetoricales entstanden und genossen worden sind. Die im folgenden gewählte Anordnung gehorcht nur praktischen Zwecken; im übrigen begnügen wir uns mit einer Blütenlese aus den flores.

Unter PARONOMASIE (annominatio) versteht man das Vorkommen gleichklingender Wörter. Dazu gehören etwa die Fälle des «inneren» Objektes (to live a life, einen Gang gehen, al volver que volvió). Dazu gehören aber auch die Fälle, in denen klangähnliche, jedoch bedeutungsverschiedene Wörter zusammengestellt werden. Damit überschneidet sich die Paronomasie mit dem WORTSPIEL, das den Doppelsinn eines Wortes oder als CALEMBOURG (Kalauer) den lautlichen Gleichklang bzw. Anklang zweier verschiedener Wörter bzw. Gruppen ausnutzt. Ein großer Teil der Witze (Bon mot, scherzo, anecdota, joke u.s.f., es fehlt seltsamerweise an Übereinstimmung der Bezeichnungen in den verschiedenen Sprachen) beruht auf den «lösenden» Wirkungen des Wortspiels.

Als besondere Klangfigur führen die Rhetoren mitunter noch das POLYPTOTON an (oft freilich wurde es unter der Paronomasia mitbehandelt), die Wiederholung des gleichen Wortes in verschiedenen Flexionsstufen. Es findet sich in aller Dichtung. Häufiger Stilzug ist es bei Rilke; in dem folgenden

Beispiel (Sonette an Orpheus II,13) verbindet es sich, wie dies gewöhnlich
geschieht, mit anderen Klangfiguren:

> Sei allem Abschied voran, als wäre er hinter
> dir, wie der Winter, der eben geht.
> Denn unter Wintern ist einer so endlos Winter,
> daß, überwinternd, dein Herz überhaupt übersteht.

Die bisherigen Figuren arbeiten gerade mit der festen Verbindung zwischen äußerer Sprachform und Bedeutung. Bei der ANSPIELUNG muß erst
vom Hörer etwas hinzugetan werden, damit der Sinn voll verständlich wird.
Bei der Lektüre älterer Texte braucht der Leser zum Beispiel eine beträchtliche Kenntnis der antiken Mythologie, um alle Anspielungen zu durchschauen. Ebenso reicht die Bibelkenntnis des heutigen Lesers gewöhnlich
nicht aus, um alle entsprechenden Anspielungen in älteren Dichtungen zu
verstehen (ganz zu schweigen von der Feststellung unbewußter sprachlicher und begrifflicher Abhängigkeiten). Dem Ausländer wiederum werden
meist Anspielungen auf heimische Sprichwörter und Redensarten entgehen.
Je mehr mit einem Publikum, und zwar mit einem homogenen Publikum gerechnet wird, desto größer ist die Rolle der Anspielung in einem literarischen Text. Sie ist eines der vorzüglichsten Stilmittel, um die soziale Atmosphäre um ein Werk zu ermitteln. Als Beispiel sei der Anfang von Miltons
Sonett *On his Blindness* angeführt, der sich nur erschließt, wenn man das
Gleichnis der Bibel von den anvertrauten Pfunden genau kennt:

> When I consider how my light is spent,
> E're half my days, in this dark world and wide,
> And that one Talent which is death to hide,
> Lodg'd with me useless, though my Soul more bent
>
> To serve therewith my Maker, and present
> My true account, least he returning chide ...

Bei der UMSCHREIBUNG wird der eigentliche Gegenstand bzw. Sachverhalt nicht direkt ausgesprochen, sondern muß auf einem Umweg erschlossen
werden: Als sie ihn sah, fühlte sie die Hand Amors, das heißt wurde sie von
dem Pfeil getroffen, den die Hand Amors abgeschossen hatte, das heißt
wurde sie von Liebe ergriffen.

Mit der LITOTES lernen wir die erste Figur des uneigentlichen Sprechens kennen, bei dem also etwas andres zu verstehen ist, als die Sprachform
an sich meint. Bei der Litotes wird ein Positives durch die Verneinung des
Gegenteils ausgedrückt: wir haben nicht wenig gelacht.

Bei der IRONIE ist das Gegenteil von dem gemeint, was mit den Worten gesagt wird. Sie ist schon in der Alltagssprache häufig. Wendungen wie: das ist eine schöne Geschichte, du bist mir ein schöner Freund – werden von jedem gegen die Formulierung richtig verstanden, woran der Tonfall entscheidend mitwirkt. Die Dichtung ist deshalb gewöhnlich zurückhaltender im Gebrauch der Ironie bzw. muß noch auf andere Weise das richtige Funktionieren vorbereiten.

Als EUPHEMISMUS sondert man die Fälle ab, in denen etwas Unangenehmes, Schreckliches oder Peinliches gegenteilig bezeichnet wird. Bekannt sind die geographischen Euphemismen: Pontus Euxinus, Kap der guten Hoffnung.

Zu den häufigsten Figuren der Umgangssprache gehört die HYPERBEL: Tausendmal hab ich dir schon gesagt – im Schneckentempo – mit Blitzeseile. Viele durch Komposition entstehende Neubildungen werden wegen ihrer wirksamen Hyperbolik aufgenommen.

Zwischen SYNEKDOCHE und METONYMIE pflegt heute kein großer Unterschied mehr gemacht zu werden. In beiden Fällen ist eine Verschiebung vorzunehmen, sei es vom Teil auf ein Ganzes (Herd für Haus und Familie), vom Stoff auf das Produkt (Traube für Wein), von einem körperlichen Indiz auf den ganzen Träger oder eine Menschengruppe (weißes Haar für Alter, Blaustrumpf u.s.f.), vom Autor auf das Werk (Homer lesen), vom Urheber bzw. Mittel auf das Ergebnis (Zunge für Sprache, Hand für Handschrift) u.s.f. Aber auch das Umgekehrte kann der Fall sein, daß wir vom Allgemeinen zum Besonderen gehen müssen (Sterbliche für Menschen).

Als dichterischste Figur des uneigentlichen Sprechens gilt seit je die METAPHER, das heißt die Übertragung von Bedeutungen aus einem Bezirk in einen anderen, von Haus aus fremden. Angesichts der Wichtigkeit dieser Figur und der entstandenen Diskussion über ihr Wesen widmen wir ihr einen Exkurs, in dem sie mit ähnlichen Figuren eingehender behandelt wird.

Von der Metapher ist der Übergang zur KATACHRESE gleitend, unter der man die Verwendung eines nicht passenden Ausdrucks versteht. Diese Verwendung kann schlechthin fehlerhaft sein (er pflückte Kartoffeln; er trank die Suppe), kann aber auch besonderen Absichten dienen und nähert sich dann der Metapher: laute Tränen, ein welkes Licht. Eine Steigerung der Katachrese bildet das OXYMORON, die Verbindung zweier Vorstellungen, die sich eigentlich ausschließen. Im Petrarkismus des 16. und 17. Jahrhunderts, aber auch schon in der «geblümten» Dichtung des Mittelalters stößt man immer wieder auf Wendungen wie: die bittere Süße (der Liebe), ihre süße Bitterkeit, der lebende Tod, das tote Leben, die finstere Sonne. Nicht selten sind die Oxymora bei Shakespeare, wo sie im übrigen etwas anders funktionieren als im Petrarkismus:

beautiful tyrant, fiend angelical! *(Romeo and Juliet)*
His humble ambition, proud humility,
His jarring concord, and his discord dulcet,
His faith, his sweet disaster ... *(All's Well that Ends Well)*

Man hat dieses Stilmittel durch die mittelalterliche Literatur bis zur *Disciplina clericalis* des Petrus Alphonsus zurückverfolgt (Ex. II: Ex hac est michi mors et in hac est michi vita).

Aber auch in mystischer Sprache begegnen vielfach Wendungen wie: das unendliche Nichts, die leere Fülle u.s.f. Aus dem spanischen Mystiker San Juan de la Cruz sei angeführt:

que muero porque no muero ...	Ich sterbe, weil ich nicht sterbe ...
vivo sin vivir en mí ...	Ich lebe ohne Leben ...
y abatíme tanto, tanto	und ich stürze mich so tief hinab,
que fui tan alto, tan alto ...	daß ich so hoch stieg ...

Auch für die mystische Tradition hat man arabische Einflüsse erwogen.

Das Oxymoron stellt eine besondere Verschärfung der ANTITHESE, der Gegensätzlichkeit dar. Ihre Beliebtheit im Humanismus geht unmittelbar auf das Vorbild der griechisch-lateinischen Rhetorik zurück (vgl. Ed. Norden, *Die antike Kunstprosa*). Sie pflegt weiterhin angeführt zu werden, wo man Marinismus, Gongorismus, Kultismus, Euphuismus, Schwulststil u.s.f. zu bestimmen sucht. Aber auch nach dem 17. Jahrhundert findet sie sich besonders in der französischen Dichtung häufig, wobei sich der Alexandriner als vorzüglich geeignetes Versmaß erwiesen hat. Die folgenden Beispiele sind aus Victor Hugo:

Le sentier qui fuit où le chemin commence ...
La beauté sur ton front et l'amour dans ton cœur ...

J'aurais été soldat, si je n'étais poète ...
Et je sais d'où je viens, si j'ignore où je vais ...

Das Gegenteil der Antithese ist in gewissem Sinne die Verstärkung eines Wortes durch ein zweites mit ähnlicher Bedeutung. Bedeutungsgleiche Wörter heißen SYNONYMA. (Genau genommen dürfte man nur von bedeutungsähnlichen Wörtern sprechen, da es in der Sprache völlige Bedeutungsgleichheit nicht gibt.) Synonyme Doppelformeln weist bereits die tägliche Sprache auf: à tort et à travers, pêle-mêle; mit Leib und Leben, Haus und Hof; heart and hand, flesh and fell; sem eira nem beira; u.s.f. Sie sind, wie man sieht, meist klanglich gebunden. Obwohl sie ursprünglich und vor allem, wenn es sich um juristische Formeln handelt, als Zweiheit genommen wurden, funktionieren sie heute als Einheit.

In den Poetiken der Renaissance wurde die synonyme Doppelformel als besonderer Schmuck hingestellt. Sie ist tatsächlich in der Dichtung der Zeit sehr häufig. Es seien nur zwei Strophen aus Opitzens *Trostgedicht in Widerwertigkeit des Krieges* zitiert, in denen es von der Tugend heißt:

> Sie läßt sich sonderlich im Kreuz und Unglück sehen:
> Wann alles knackt und bricht, wann alle Winde wehen,
> Wann Sturm und Wetter kommt, da tritt sie dann herein,
> Macht, daß ein jeder schaut auf sie und ihren Schein ...
>
> Sie hält des Glückes Zorn für lauter Schimpf und Scherzen,
> Sie wird durch keine Qual, durch keine Leibes-Schmerzen
> Aus ihrer Burg verjagt: Sie gibt sich nimmer bloß,
> Kein Streit noch Widerpart ist ihrer Macht zu groß ...

Wieder reicht der Schmuckcharakter nicht zur Bestimmung der Funktion aus. Im einzelnen wäre zunächst zu fragen, wieweit es sich um bloße Zweigliedrigkeit des Ausdrucks handelt und wieweit um gewollte Synonymik. Selbst dann bliebe zu untersuchen, wieweit jedes Glied seine Selbständigkeit wahrt oder wieweit Verschmelzung eintritt. Unnötig ist der Hinweis, daß die Nebeneinanderstellung von Synonymen (wie natürlich auch die Zweigliedrigkeit der Aussage) sich auch in der Dichtung außerhalb des Humanismus findet. Daß rhetorische Haltung die Doppelformel begünstigt, ist gewiß; aber aus ihrem Vorkommen gleich auf rhetorische Haltung in dem jeweiligen Text zu schließen, wäre wieder eine jener vorschnellen Verallgemeinerungen, vor denen sich die Deutung sprachlicher Züge zu hüten hat.

Werden mehr als zwei gleichartige Glieder verbunden, so entsteht die REIHUNG. Wenn jedes Glied dabei seine Selbständigkeit wahrt, handelt es sich um die auch in alltäglicher Sprache übliche Aufzählung: Äpfel, Birnen, Pfirsiche und Pflaumen ... Etwas anderes aber als plane Aufzählung birgt folgende Schimpfkanonade eines Barockdichters:

> Poltergeist! irrwisch! und ewig verbannter!
> Mißgeburt! zauberer! mörder und drache!
> Tygerthier! luder und rothbarth und hache!
> Eselskopf! Rübezahl! bockfuß! verräther!
> Raben-aas! schindhund und teufels-geschlähter!

Die einzelnen aufgezählten Glieder verlieren ihre Selbständigkeit und heben sich nur noch als Wellen in einer großen, strömenden Bewegung heraus. Man spricht hier von Häufung. Manchmal vollzieht sich in ihr eine Steigerung, oft aber wird nur ein großer sprachlicher Wirbel erzeugt, der alles mit sich reißt. Berühmt geworden sind die turbulenten Worthäufungen bei

Rabelais, die von seinem deutschen Bearbeiter Fischart im 16. Jahrhundert noch überboten wurden. Man spricht von asyndetischen Reihungen, wenn die einzelnen Glieder sprachlich unverbunden bleiben, von syndetischer Reihung, wenn sie durch «und», «oder» bzw. ein anderes Bindewort sichtbar zusammengehalten werden. Die turbulenten Häufungen erscheinen meist asyndetisch.

Eine in gleichmäßigen Stufen sich vollziehende, symmetrische Steigerung heißt KLIMAX. Eine Strophe aus dem bereits genannten *Trostgedicht* des Martin Opitz ist so gemeint:

> Er hat das Vieh hinweg: Das Brot ist doch verblieben.
> Er hat das Brot auch fort: Der Tod wird keinen Dieben.
> Er hat dein Geld geraubt: Behalt nur du den Mut.
> Er hat dich selbst verwundet: Die Tugend gibt kein Blut ...

Als Klimax hat auch das berühmte veni, vidi, vici zu gelten. Petrarca ist mit dem Anfang eines Sonetts oft nachgebildet worden:

> Benedetto sia 'l giorno e 'l mese e l'anno ...

Der einfachste Fall einer Häufung ist die Wiederholung desselben Wortes: «Herr! Herr! Gott!». Aber auch die Konstruktion kann sich wiederholen; eine solche klare Gleichordnung von Satzteilen bzw. von ganzen Sätzen heißt PARALLELISMUS. Beispiele für parallel geordnete Sätze sind: Heiß ist die Liebe, kalt ist der Schnee. Oder: El cabello es oro endurecido, el labio es un rubí no poseído, los dientes son de perla pura. Die beiden Proben zeigen, daß die gleiche Erscheinung in jeweils ganz verschiedenem stilistischem Klima gedeiht.

Eindringlicher noch wird der parallele Bau, wenn er durch Wiederholung syntaktisch beherrschender Wörter unterstrichen wird. Man spricht dann von ANAPHER. Bürger hat sie ebenso wie die einfache Wiederholung in seiner *Lenore* ausgiebig benutzt:

> O Mutter! Was ist Seligkeit?
> O Mutter! Was ist Hölle? ...

> Wie flog, was rund der Mond beschien,
> Wie flog es in die Ferne!
> Wie flogen oben über hin
> Der Himmel und die Sterne!

Der Parallelismus unter weitestgehender Anaphorik ist ein Kennzeichen der portugiesischen *Cantigas de amigo*, einem Liedtypus des Mittelalters, der den Minnesang ins Volkstümliche wendet:

> – Ai, flores, ai, flores do verde pino,
> se sabedes novas do meu amigo?
> Ai, Deus, e u é?
> – Ai, flores, ai, flores do verde ramo,
> se sabedes novas do meu amado?
> Ai, Deus, e u é? ...

Nicht selten ist der Aufbau eines ganzen Gedichts durch Anaphern bestimmt, indem etwa jede Strophe gleich einsetzt. Die Erscheinung ist im
älteren Kirchenliede recht häufig; als Beispiel seien nur einige Strophen-
anfänge aus einem Liede des Angelus Silesius wiedergegeben:

> Liebe, die du mich zum Bilde ...
> Liebe, die du mich erkoren ...
> Liebe, die für mich gelitten ...
> Liebe, die mich hat gebunden ...
> Liebe, die mich ewig liebet ...

Der Anapher entspricht die EPIPHER: hier wiederholt sich das gleiche
Wort am Ende von Wortgruppen, Sätzen oder Perioden. Die zitierte Strophe
aus der Lenore enthält auch dafür Beispiele:

> O Mutter, was ist Seligkeit?
> O Mutter, was ist Hölle?
> Bei ihm, bei ihm ist Seligkeit,
> Und ohne Wilhelm Hölle!

Die Strophe liefert zugleich noch ein Beispiel für die EPANALEPSE, d.h.
die Wiederholung eines Wortes oder einer Wortgruppe am Anfang des Satzes:
«Bei ihm, bei ihm ...»

Werden zwei Satzteile oder Sätze, die eine Anapher enthalten, nicht parallel, sondern gleichsam als Bild und Spiegelbild angeordnet, so spricht
man von CHIASMUS. Der Name ist eine Ableitung aus der Bezeichnung des
griechischen Buchstabens X, der ein graphisches Bild der Konstruktion gibt.
Die Erscheinung ist wieder in der Barockdichtung häufig; ist aber darüber
hinaus, wie fast alle hier genannten Figuren, jedem nachdrücklichen, öffentlichen Sprechen eigen. Ein Sonett von Wordsworth beginnt:

> From low to high doth dissolution climb,
> And sink from high to low ...

Schiller verwendet den Chiasmus nicht selten als wirksamen Schluß von
Sentenzen; der Pentameter erwies sich dabei als vorzüglich geeignetes Metrum:

Analytiker

Ist denn die Wahrheit ein Zwiebel, von dem man die Häute nur abschält?
Was ihr hinein nicht gelegt, ziehet ihr nimmer heraus.

Witz und Verstand

Der ist zu furchtsam, jener zu kühn; nur dem Genius ward es,
In der Nüchternheit kühn, fromm in der Freiheit zu sein.

In dem folgenden Xenion schließt der Chiasmus eine parallele Reihe fest ab:

Humanität

Seele legt sie auch in den Genuß, noch Geist ins Bedürfnis,
Grazie selbst in die Kraft, noch in die Hoheit ein Herz.

Unter *Zeugma* versteht man eine Konstruktion, bei der ein Verb mehrere
gleichgeordnete, aber nicht gleichartige Objekte bzw. Sätze beherrscht. In der
Antike galt die Figur als Fehler. Aber die überraschenden Effekte, die sich mit
ihr erzielen lassen, machen sie zu einem gern benutzten Mittel der Komik.
So heißt es zum Beispiel im *D. Quijote:* deje la casa y la paciencia (ich ließ
Haus und Geduld). Bei Sterne und J. Paul findet es sich mehrfach: «Als Viktor zu Joachime kam, hatte sie Kopfschmerzen und Putzjungfern bei sich.»
  Die Frage nach dem Grad der Bewußtheit, mit der die angeführten Figuren verwendet werden, braucht nicht gestellt zu werden. Man kann damit
rechnen, daß in den Zeiten, da die Figuren ein Lehrgegenstand für den Dichter waren und die Qualität eines Werkes nach dem kunstvollen Gebrauch
der schmückenden Figur (und der Vermeidung der anstößigen) bestimmt
wurde, ihre dichterische Verwendung sehr bewußt war. Als Beispiel, an
dem die verwendeten Figuren noch einmal festgestellt werden sollen, sei
ein Sonett von Góngora gegeben. Es handelt sich dabei um eines, das zwar
weniger für die sprachliche Kunstfertigkeit dieses Dichters als für den gepflegten rhetorischen Stil der Barockzeit überhaupt kennzeichnend ist:

A Córdoba

¡ Oh excelso muro, oh torres coronadas
de honor, de majestad, de gallardía!
¡Oh gran río, gran rey de Andalucía,
de arenas nobles, ya que no doradas!

¡Oh fértil llano, oh sierras levantadas,
que privilegia el cielo y dora el día!
¡Oh siempre gloriosa patria mía,
tanto por plumas cuanto por espadas!

¡Si entre aquellas ruinas y despojos
que enriquece Genil y Dauro baña
tu memoria no fué alimento mío,

nunca merezcan mis ausentes ojos
ver tu muro, tus torres y tu río,
tu llano y sierra, oh patria, oh flor de España!

O aufragende Mauer, o Türme, gekrönt
Mit Ehre, Majestät, Anmut!
O großer Fluß, großer König Andalusiens,
Mit edlem, wenn auch nicht goldenem Strand!

O fruchtbare Ebene, o hohes Gebirge,
Die der Himmel auszeichnet und der Tag vergoldet!
O meine Heimat, immer berühmt
Durch deine Dichter wie durch deine Krieger!

Wenn zwischen jenen Ruinen und Trümmern,
Die der Genil bereichert und der Dauro netzt,
Die Erinnerung an dich nicht mein täglich Brot war,

Dann sollen meine fernen Augen nie verdienen,
Deine Mauer, deine Türme und deinen Fluß,
Deine Ebene und dein Gebirge zu sehen, o Heimat,
                                    o Blume Spaniens!

Vier parallele Anrufe, von denen jeder zwei Zeilen umfaßt, sorgen für sym-
metrischen Bau der beiden Quartette. Die ersten drei Ausrufe sind zweige-
teilt, der vierte bedeutet eine abschließende Zusammenfassung. Die erste
Zeile ist dabei chiastisch gebaut, die zweite enthält eine asyndetische Reihung (bei völliger Eigenwertigkeit jedes einzelnen Elements). Die dritte
Zeile weist als Schmuck Wiederholung, Alliteration und Metapher auf,
während die vierte mit ihrer Antithese zugleich eine Anspielung enthält.
    Die fünfte Zeile wiederholt den chiastischen Bau der ersten und birgt von
neuem eine Antithese, während die nächste Zeile parallelisiert. Die achte
Zeile ist bei anaphorischem Bau wieder antithetisch und verwendet wirksame Metonymien. Die beiden folgenden Zeilen sind in sich zweigliedrig,
die zehnte dabei chiastisch angeordnet. In der elften Zeile fällt die klangliche
Bindung auf, die bis in die nächste Zeile reicht. In den beiden letzten Zeilen
werden die angerufenen Gegenstände in der Reihenfolge ihrer früheren Nennung aufgezählt (über das «Summationsschema» vgl. u. S. 192); aber über
die Zusammenfassung patria setzt sich nun noch als Krönung eine Metapher.

Es scheint in diesen Versen kein Wort, keine Konstruktion zu geben, die
nicht mit äußerster Bewußtheit verwendet worden wäre.

Als Abschluß des Abschnitts über die «Figuren» und vor dem Aufstieg
zu den syntaktischen Formen hat der Exkurs über die Metapher und verwandte Erscheinungen seinen Platz.

EXKURS: BILD, VERGLEICH, METAPHER, SYNÄSTHESIE

Die wichtigste uneigentliche Sprachform ist die Metapher. Wir sondern sie
zunächst von Erscheinungen, die ihr nahestehen.

Im Gegensatz zur theoretischen Sprache ist die dichterische durch Bildhaftigkeit gekennzeichnet. Sie gibt nicht Meinungen und Erörterungen von
Problemen, sondern ruft Welt in dinglicher Fülle hervor. Da sie sich nicht,
wie alle andere Sprache, auf eine außerhalb der Sprache vorhandene Gegenständlichkeit bezieht, sie ja vielmehr erst selber schafft, wird sie alle Sprachmittel nützen, die ihr dabei helfen können. Selbst in einer literarischen Prosa,
einem Roman etwa, wird der Autor, sofern ihn nicht besondere Zwecke
anders beeinflussen, die trockene Angabe meiden. Statt zu sagen: um 8.50
fuhr er mit dem D-Zug ... wird er erst den Morgen (vielleicht einen trüben,
regnerischen Morgen) und die Bahnhofshalle mit den wimmelnden Menschen erstehen lassen. Aber solche Bildhaftigkeit ist mehr als bloße Gegenständlichkeit. Wenn in der täglichen Sprache die Feststellung gemacht wird,
daß ein Morgen trübe und regnerisch ist, dann aus dem Grunde, weil wir
uns dementsprechend verhalten werden, zum Beispiel in unserer Kleidung.
In der Dichtung verlieren die Adjektive diesen praktischen Bezug; sie gewinnen dafür aber über den anschaulichen zugleich einen Gefühlsgehalt, sie
bedeuten mehr als ihre begriffliche Bedeutung. Aber damit bleiben sie noch
innerhalb der dichterischen Sprache überhaupt, die nach Bedeutungsfülle
strebt. Zum Bild gehört noch mehr. Wir beobachten lebendige Texte.

Mörikes *Jägerlied* beginnt:

> Zierlich ist des Vogels Tritt im Schnee,
> Wenn er wandelt auf des Berges Höh':
> Zierlicher schreibt Liebchens liebe Hand,
> Schreibt ein Brieflein mir in fremde Land.

Die ersten beiden Zeilen enthalten ein Bild, auf das dann eine «Feststellung» erfolgt. Gäben wir den gedanklichen Gehalt der Strophe in Prosa
wieder, so ließe sich sagen: des Liebchens Schrift ist zierlicher als die Spur
eines Vogels. Dieser Gehalt wird Dichtung, indem der eine Sachverhalt
sich aufgliedert: die Beziehung der Spur des Vogels auf die Schrift wird zu-

nächst einmal gelöst: das Da-Sein von Vogelspur wird ein selbständiger Sachverhalt, entfaltet sich zu einem Bild, das sich als eigenes Satzgefüge darstellt.
Es bleibt den folgenden Zeilen überlassen, die gedanklichen Beziehungen
sprachlich auszudrücken und das selbständig gewordene Bild wieder einzu-
fangen. Solche Geschlossenheit und Selbständigkeit ist kennzeichnend für
das BILD.

> Já vinha a pálida aurora
> Anunciando a manhã fria
> E eu falava e eu ouvia ...
>
> (Schon kam die bleiche Morgenröte,
> einen kühlen Morgen ankündigend,
> Und ich sprach noch und lauschte ...)

Die adverbielle Zeitbestimmung, mit der dieses portugiesische Gedicht
Garretts beginnt: bei Tagesanbruch sprach ich noch ... hat sich wieder als
eigner Satz selbständig gemacht, der, wenn auch kein Bild, so doch eine
Skizze trägt. Selbst wenn die festen syntaktischen Beziehungen schon gegeben sind, werden sie in dem Maße gelockert (oder gar gesprengt), in dem
ein Bild entsteht. Man kann es an den ausführlichen «epischen» Vergleichen
beobachten, sobald sie sich ins Bildhafte entfalten; folgende Verse sind aus
Keats *Hyperion:*

> As when, upon a tranced summer-night,
> Those green-robed senators of mighty woods,
> Tall oaks, branch-charmed by the earnest stars,
> Dream, and so dream all night without a stir,
> Save from one gradual solitary gust
> Which comes upon the silence, and dies off,
> As if the ebbing air had but one wave:
> So came these words and went ...

In dem «So» und in der Pause davor vollzieht sich die Abrundung des Bildes
und zugleich die Anknüpfung an den Zusammenhang. Auch in den folgenden
Goetheschen Versen entzieht sich das Bild den syntaktischen Zusammenhängen:

> Kennst du das Land, wo die Zitronen blühn,
> Im dunkeln Laub die Gold-Orangen glühn,
> Ein sanfter Wind vom blauen Himmel weht,
> Die Myrte still und hoch der Lorbeer steht –
> Kennst du es wohl?
>   Dahin! Dahin ...

Entblättern wir die Strophe, so bleibt der Ausdruck des Wunsches übrig, mit dem Geliebten nach dem Süden zu ziehn. Wieder macht sich das Ortsadverb selbständig und weitet sich zum vorangestellten Bild. Der Schluß der Strophe stellt syntaktisch die Beziehung her (dahin!), aber der eigene Rahmen um das Bild gerät etwas aus den Fugen: spätestens in der dritten Zeile ist die Beziehung zu dem «wo» verlorengegangen. Die Halbzeile «Kennst du es wohl?» mit der langen Pause danach schließt das Bild als Ganzheit fest ab, indem es die Rahmenkonstruktion um das Bild wiederholt; zugleich schafft sie damit die Möglichkeit, das Bild syntaktisch einzufügen: diese beiden Funktionen wurden in den zitierten Versen Mörikes von dem einleitenden «zierlich» ausgeübt, in dem epischen Vergleich von dem «so» mitsamt seiner Pause, in den folgenden Versen aus Keats *Summer's Eve* fast einzig von den Pausen um das erste «far» –:

> Oh! how I love, on a fair summer's eve,
> When streams of light pour down the golden west,
> And on the balmy zephyrs tranquil rest
> The silver clouds, far – far away to leave
> All meaner thoughts ...

In allen diesen Fällen handelt es sich um Bilder innerhalb des Zusammenhangs. Das früher zitierte Gedicht *Zwei Segel* von C. F. Meyer zeigte, daß das «Bild» die Einheit eines ganzen Gedichts werden kann, und wir werden ihm noch als übersatzmäßiger Formeinheit in der Erzählkunst begegnen.

Wir haben die beiden Eigentümlichkeiten des dichterischen Bildes, seine Absonderung und seine Einfügung, in ihrem sprachlichen Erscheinen beobachtet. Aber es stellt sich zugleich die Frage, was die Sprache in den Bildern selbst leistet. Alle Beispiele ließen erkennen, daß die Worte eines Bildes nicht einzig Sichtbares hervorrufen. Vielfach verrät schon der Wortschatz innerhalb der Bilder andere Leistungen. So drückt etwa das «earnest» in dem Beispiel aus dem Hyperion eine innere, aber keine äußere Eigenschaft der Sterne aus. So entfalten gerade die Zusammenfassungen der Bilder mehr als Sichtbares: das «zierlich» bei Mörike, das «fair» in dem Sonett von Keats, das «tranced» in seinem Epos –, und welcher geradezu bedrängende seelische Ausdruck liegt in dem «still» und «hoch» des von Mignon entworfenen Bildes.

Eingehende und höchst wichtige Untersuchungen, die das alte Lessingsche Grenzproblem zwischen Dichtung und Malerei wieder aufgenommen haben, sind zu dem Ergebnis gekommen, daß bei der Aufnahme von dichterischer Sprache, die dauernd ihre Gegenstände hervorruft, diese Gegenstände vom Leser gar nicht sichtbar erzeugt werden. Die Einstellung zur Sprache ist eine grundsätzlich andere als die zur Malerei. Es würde ja tatsächlich eine Bildchaotik entstehen, wie sie der im schnellsten Tempo abgedrehte Film nicht erzeugen könnte, würden alle sprachlichen Hinweise und Andeutungen vom Leser oder Hörer verwirklicht, zumal sie dauernd in die heterogensten Bezirke springen. Damit ist nun freilich nicht gesagt, daß bildhafte Sprache wirkungslos und damit sinnlos sei. Der Leser empfindet sehr wohl die besondere Eigenheit und Wertigkeit anschaulicher Sprache. Aber die Anschaulichkeit ist eben nur eine Potentialität.

Etwas anders liegt es zweifellos bei den echten Bildern, wie sie eben besprochen wurden. Da war gerade für Einheitlichkeit, Zusammenklang und Abrundung gesorgt. Und zweifellos bleibt es hier nicht bei dem Zustand einer bloßen potentiellen Anschaulichkeit, sondern entstehen Bilder, oder, wie man vorsichtiger und richtiger sagen sollte: entsteht etwas Bildhaftes. Denn die einfachste Selbstbeobachtung kann darüber belehren, daß sich die so entstehenden Bilder auch nicht von ferne mit der Wirkung einer Malerei vergleichen können. Und die Probe aus dem Hyperion zeigte, wie leicht sich über das erste Bild ein zweites, doch recht andersartiges legen konnte, auf das sich der Hörer sofort einstellte: über das von den träumenden Eichen das von der Welle: das Wort «Bild» erweist sich, wo es auf Sprachliches angewendet wird, als nicht ganz ungefährliche Metapher.

Es wäre eine völlige Verkennung des Wesens dichterischer Sprache, wenn man meinte, sie lasse sich überhaupt in einen Wettbewerb ein. (Wir stehen hier vor ähnlichen Fragen wie bei dem Verhältnis von Sprachklang und Musik.) Die eigentliche Leistung der Bilder liegt gewiß zu einem Teil in ihrer verhältnismäßigen Sichtbarkeit, verhältnismäßig zu dem, was sonst die Sprache leistet. Aber viel machtvoller ist sie im Hervorrufen von Ausdrucksgehalt. Daß die Leistungen im einzelnen dabei recht verschieden sind und daß sich lyrische und epische Bilder auf verschiedene Ebenen stellen, kann hier nicht weiterverfolgt werden. Es ist auch so schon durchsichtig, warum das lyrische Bild so leicht zum Symbol werden kann.

Bilder erscheinen indes in der Dichtung nicht nur als Abrundung der jeweiligen Gegenständlichkeit. Die Kennzeichnung «bilderreiche» Sprache verwenden wir oft genug außerhalb der schönen Literatur, etwa für einen Vortrag, eine Rede, einen Zeitungsartikel. Ein Vortrag ist meist die theoretische Erörterung eines theoretischen Problems. Als solche hat er keine eigene konkrete Gegenständlichkeit. Die Bilder, die seine Sprache kennzeichnen, wie wir annehmen wollen, kommen tatsächlich auf einem Umweg herein: als VERGLEICHE. Der Vergleich kann nun aber auch ein wichtiger Stilzug dichterischer Sprache werden. Wir begegneten eben einem Beispiel in Keats Hyperion.

Es wäre nun in jedem einzelnen Falle zu untersuchen, was der Vergleich in seinem Zusammenhang wirklich leistet: was durch ihn und wie etwas «sichtbar» gemacht wird, wozu er dient und welche anderen Funktionen er darüber hinaus ausübt. Immer jedenfalls vereinigt er zwei klar gesonderte gegenständliche Bezirke, zwischen denen eine Beziehung besteht. Diese Gemeinsamkeit ist das «tertium comparationis».

Vergleiche können sich beziehen auf einzelne zuständliche Eigenschaften (groß wie ein Turm, schwer wie Blei), sie können sich auf Vorgängliches beziehen (er lief wie ein Hase, er kämpfte wie ein Löwe), sie können aber auch ganze Situationen und Abläufe in Beziehung setzen. Bei den sogenannten epischen Vergleichen handelt es sich meist um Vergleiche von Vorgängen. Daß das Epos ein günstiger Nährboden für sie ist, zeigte sich an Homer und bestätigte sich an den anderen Epen. Immerhin bleibt auch dabei zu untersuchen, ob sich wirklich eine Vielzahl von Beziehungen stiftet, oder wieweit der zunächst bezogene Vergleich eigenmächtig wird.

Man spricht von GLEICHNISSEN, wenn es sich um straff durchgeführte Analogien zwischen zwei Vorgänglichkeiten handelt. Die straffe Analogie entsteht durch die belehrende Absicht: die klare Einsicht in das Vergleichende belehrt über das Wesen des Verglichenen. Die bekanntesten Beispiele sind die Gleichnisse der Bibel (Das Himmelreich ist wie ein Sämann ...). Unter PARABEL im engeren Sinne versteht man eine literarische Form, die als Ganzes ein Gleichnis enthält. Die Fabel ist im Grunde eine spezielle Form der Parabel.

Vom Vergleich her hat man das Wesen der METAPHER zu verstehen gesucht. Metapher heißt Übertragung: eine Wortbedeutung wird in einem ihr von Hause aus nicht zukommenden Sinne verwendet. In der Wendung: das Meer des Lebens dürfen wir bei Meer nicht an das wäßrige, salzige Element denken. Man hat nun angenommen, daß die Metapher das Resultat eines vorangehenden Vergleiches sei, der gewissermaßen verkürzt in Erscheinung trete: die grammatischen Formen des Vergleichens (wie, als ob u. s. f.) seien unterdrückt worden. In dem genannten Falle hätte sich als Vergleich zu der Vorstellung Leben das Meer eingestellt, wobei die Bewegtheit, Gefährlichkeit und Unermeßlichkeit das tertium comparationis darstellten. Diese Auffassung, die man noch heute in Lehrbüchern der Stilistik finden kann, geht auf Quintilian zurück, der von der Metapher sagte: brevior est similitudo.

Tatsächlich sind viele Metaphern das Ergebnis klarer Vergleiche. Wenn in der Barockpoesie Wendungen wie Meer des Lebens, Korallenlippen, Kummerdisteln u. s. f. begegnen, so lassen sich die Denkbahnen genau verfolgen, die den Autor zu diesen Metaphern führten; die beiden Vorstellungsreihen wahren ziemlich deutlich ihre Selbständigkeit. Wie beim Wortschatz und beim Vergleich lassen sich auch bei der Metapher aus der systematischen Untersuchung der Gegenstandsbezirke Aufschlüsse gewinnen.

Bei den Barockdichtern liefert ein verhältnismäßig enger Bezirk die Metaphern; Blumen, Edelsteine, Gestirne, überhaupt Glänzendes, weiterhin Mächtiges, Erhabenes weisen auf den aristokratisch-höfischen Boden, auf dem solche schmuckfreudige Dichtung erwuchs.

Neuere Forschungen haben es indes fraglich gemacht, ob die Erklärung als verkürzter Vergleich wirklich das Wesen der Metapher trifft. Wohl gilt immer, daß eine Zweigliedrigkeit zugrundeliegt und daß die Metapher anderes meint als sie sprachlich besagt. (Sie gehört zu den figures de pensée und nicht zu den figures linguistiques.) Aber es gibt Metaphorik, bei der es schwerhält, vorangehende Vergleichstätigkeiten anzunehmen und bei der jene verhältnismäßige Autonomie der beiden Bezirke völlig aufgehoben ist. Wenn es bei Keats hieß:

> When streams of light pour down the golden west ...,

so erkennt man sofort, daß hier nicht zwei Gegenstände zur Deckung gebracht werden, bei denen der Autor Zeit zum Abstandnehmen und In-Beziehung-Setzen gehabt hat. Die Metaphorik scheint hier dem unmittelbaren Eindruck angesichts eines Vorgangs zu entspringen.

Vollends unmöglich aber ist es, in den folgenden Zeilen aus einem Gedicht G. Trakls die Bezirke zu sondern und überhaupt «Eigentliches» und «Uneigentliches» zu unterscheiden:

> Gesang des Abgeschiedenen
> Voll Harmonien ist der Flug der Vögel. Es haben die grünen Wälder
> Am Abend sich zu stilleren Hütten versammelt;
> Die kristallenen Weiden des Rehs.
> Dunkles besänftigt das Plätschern des Bachs, die feuchten Schatten
> Und die Blumen des Sommers, die schön im Winde läuten.
> Schon dämmert die Stirne dem sinnenden Menschen.

Während bei den Barockdichtern durch den Verstand zwei selbständige Elemente zu einer Mischung – im strengen physikalischen Sinne des Wortes – verbunden wurden, entstand in den letzten Beispielen in dem Glutstrom des Empfindens oder der Visionen eine Verbindung, die die Autonomie der Elemente aufhebt und aus ihnen ein Neues, Drittes macht.

Bei dieser Art der Metaphorik aber fühlt man, wie in der Metapher, dieser wichtigsten Art des uneigentlichen Sprechens, die Sprache zu gleiten beginnt und ihre Festigkeit verliert. Es ist kein Zufall, daß da, wo nach Festigkeit, Form, Plastik gestrebt wird, solche auflösende Metaphorik gemieden wird. So hat sich Goethe in seiner «klassischen» Zeit gegen die Metapher ausgesprochen und sie, wie so viele «klassische» Dichter, in seinen Werken tatsächlich zurücktreten lassen. In seiner Jugend und im Alter dagegen ver-

teidigte und gebrauchte er sie. Andererseits haben Romantiker und Symbolisten die auflösende Metapher gesucht, aus zwei grundsätzlichen Einstellungen heraus: aus letztem Mißtrauen gegen die Zuverlässigkeit sprachlich-
begrifflicher Festlegung und aus letztem Mißtrauen gegen die Zulässigkeit.
Ihnen war alles Seiende geheimnisvoll verbunden, so daß es keine festen
Grenzen zwischen den Dingen gab, und alles war in stetem Fluß und steter
Verwandlung.

Einige grundsätzliche Bemerkungen zur Sprache sind an dieser Stelle nötig. Der Glaube an die Sicherheit der sprachlich-begrifflichen Festlegung
und an die Möglichkeit eines «eigentlichen» Sprechens überhaupt steht ja
auf sehr schwachen Füßen. In unserer alltäglichsten Sprache erweisen sich
nicht selten die «eigentlichen» Bezeichnungen als «übertragene», und das
gleiche geschieht sogar in der wissenschaftlichen Sprache, die unter dem
Stilgesetz der Eindeutigkeit steht. In der Alltagssprache fallen einem Ausländer metaphorische Ausdrücke gewöhnlich leichter auf als dem mit ihnen
von Jugend auf Vertrauten. Als Beispiel für die latente Metaphorik der wissenschaftlichen Sprache greifen wir einen Satz beliebig heraus:

«Die Neigung, das geistliche Lied des 17. Jahrhunderts als den einzigen
wertvollen Ertrag der damaligen Lyrik anzusehen, war bis vor kurzem allgemein verbreitet.»

Da wir beim Lesen auf die Meinung des Satzes achten, bemerkten wir zunächst gar nicht, daß auf Schritt und Tritt Übertragungen und Verschiebungen aller Art stattgefunden haben. Bei näherem Zusehen enthüllt sich dann
einiges, zum Beispiel Neigung, Ertrag, verbreitet. Aber je genauer man zu-
sieht, desto mehr löst sich die Festigkeit der Bezeichnungen und gerät ins
Fließen: vor kurzem, damalig, anzusehen, schließlich selbst Lyrik und Lied
und sogar 17. Jahrhundert – alle diese Bedeutungen, scheinbar in ihren Woh-
nungen geborene Hauseigentümer, erweisen sich als zum Teil von weither
zugereiste Pensionsgäste, die die echten Eigentümer oft genug verjagt haben. Es überkommt einen die Verwunderung, wie die eindeutige, feste Meinung des ganzen Satzes denn doch möglich wird, der aus derart unfestem
Material besteht. Die Dichter aber, ewig unruhig, erregbar und Bezüge su-
chend und stiftend, beleben gern und häufig diese Bewegungen, von denen
die Welt der Sprache schon so erfüllt ist.

Die Metapher ist eines der wirksamsten Mittel, den Bedeutungsraum zu
weiten und den Aufnehmenden in Bewegung zu setzen. Zugleich wird gerade an der Metapher deutlich, daß es nicht nur auf die Bedeutung ankommt,
sondern daß gefühlsmäßige Wirkungen und Nebenvorstellungen aller Art
beteiligt sind. Ihnen ist es zu danken, daß das Wort Meer als Metapher für
Leben eintreten konnte.

Jedes Wort der Sprache nun enthält, in stärkerem oder schwächerem

Grade, neben seiner Bedeutung noch andere Schichten, die in ihm wirksam sind. Es genügt, dafür auf die Synonyma zu weisen, die gewiß auch leichte Bedeutungsverschiedenheiten enthalten, hauptsächlich aber durch den Gefühlsgehalt und die Nebenvorstellungen unterschieden sind. Und dieselben Wörter, in verschiedenen Zusammenhängen gebraucht, sind nicht dieselben. So klingt der Ton a verschieden, je nachdem er von Klavier, Geige, Orgel gespielt wird, obwohl es immer derselbe Ton a von 435 Schwingungen ist. Und sein «Gehalt» ist ein anderer, je nachdem ob er als Grundton in einem A-Dur oder in einem Septimenakkord zu E-Dur ertönt. So ist also mit der einfachen Feststellung, hier liegt eine Metapher vor, sehr wenig gesagt. Die stilistische Deutung hat zu untersuchen, wohin uns der Dichter in Bewegung setzt und welche Funktionen die Metapher ausübt. Weiterhin hat die Deutung dem Zusammenhang und dem Zusammenwirken der verschiedenen Metaphern nachzugehen.

Zum Abschluß seien zwei metaphernreiche Gedichte nebeneinandergestellt, an denen die Verschiedenheiten in der Leistung um so offenbarer werden, als die Gedichte thematisch gleich sind.

Hofmannswaldau: Die Welt

Was ist die Welt und ihr berühmtes Glänzen?
Was ist die Welt und ihre ganze Pracht?
Ein schnöder Schein in kurz gefaßten Grenzen,
Ein schneller Blitz bei schwarz gewölkter Nacht.
Ein buntes Feld, da Kummerdisteln grünen,
Ein schön Spital, so voller Krankheit steckt,
Ein Sklavenhaus, da alle Menschen dienen,
Ein faules Grab, so Alabaster deckt.
Das ist der Grund, darauf wir Menschen bauen,
Und was das Fleisch für einen Abgott hält.
Komm, Seele, komm, und lerne weiter schauen,
Als sich erstreckt der Zirkel dieser Welt ...

Hofmannsthal: Was ist die Welt?

Was ist die Welt? Ein ewiges Gedicht,
Daraus der Geist der Gottheit strahlt und glüht,
Daraus der Wein der Weisheit schäumt und sprüht.
Daraus der Laut der Liebe zu uns spricht
Und jedes Menschen wechselndes Gemüt,
Ein Strahl ist's, der aus dieser Sonne bricht,
Ein Vers, der sich an tausend andre flicht,
Der unbemerkt verhallt, verlischt, verblüht.

Und doch auch eine Welt für sich allein,
Voll süß-geheimer nie vernommner Töne,
Begabt mit eigner, unentweihter Schöne,
Und keines andern Nachhall, Widerschein.
Und wenn du gar zu lesen drin verstündest,
Ein Buch, das du im Leben nicht ergründest.

Von der Metapher her gewinnt man den leichtesten Zugang zu der sogenannten SYNAESTHESIE. Man versteht darunter die im sprachlichen Ausdruck vollzogene Verschmelzung mehrerer Sinnesempfindungen. Wenn es
bei Brentano einmal heißt:

Durch die Nacht, die mich umfangen,
Blickt zu mir der Töne Licht ...

so sind hier Empfindungen des Tastsinns, des Gehörs und des Gesichts in
einem Erlebnis miteinander verschmolzen. Auch bei dieser Erscheinung arbeitet die tägliche Sprache dem Dichter vor; wir sprechen von hellen und
dunklen Tönen, von warmen und kalten Farben u.s.f. Als Stilzug findet sich
die Synästhesie vor allem in romantischer und symbolistischer Dichtung.

4. DIE «ÜBLICHE» WORTSTELLUNG

Die Syntax ist die Lehre von den Bedeutungsweisen in einem Bedeutungsgefüge und von ihrer Anordnung. Die Bedeutungsweisen, die wir begrifflich unterscheiden, sind zuerst von den griechischen Grammatikern erfaßt
und von den lateinischen modifiziert worden. Sie haben sich im großen und
ganzen als zureichend für die Bestimmung der Bedeutungsweisen auch in
den jüngeren indogermanischen Sprachen erwiesen. Subjekt, Prädikat, Objekt, Attribut sind solche von der Antike bereits erfaßte Bedeutungsweisen.
Die Grammatiken der Nationalsprachen haben nur gelegentlich syntaktische
Begriffe neu fassen oder schärfer differenzieren müssen wie zum Beispiel die
Kategorien der Aktionsarten oder der Verbalabstrakte in den germanischen
Sprachen. Dagegen unterscheiden sich die Sprachen beträchtlich in den An-
ordnungen der Bedeutungsgefüge, unter denen der Satz die wichtigste ist.
Sie unterscheiden sich weiterhin in der Variationsfähigkeit bzw. in der Zu-
lassung verschiedener Möglichkeiten.

Die Sprachgeschichte hat dabei große Veränderungen innerhalb derselben
Sprache im Laufe der Geschichte beobachten können. Freilich war die Ge-
schichte der Syntax lange ein Stiefkind der Sprachwissenschaft; die üblichen
Sprachgeschichten lenken ihr Hauptaugenmerk auf die Laut- und Formen-

lehre. Unter den romanischen Sprachen hat das Französische im 16. und 17. Jahrhundert seine frühere Beweglichkeit zugunsten einer festen Ordnung eingeschränkt, so daß es heute als die im Satzbau strengste romanische Sprache gilt. Es ist von daher begreiflich, daß von allen Sprachen die Geschichte der französischen Syntax am intensivsten untersucht und mehrfach umfassend dargestellt worden ist. Ebenso wird von daher begreiflich, daß die Versuche, aus der Totalität der Sprachformen den Geist einer Sprache zu erfassen und damit diesem Lieblingsbegriff des 18. Jahrhunderts zuverlässigen Inhalt zu geben, gerade am Französischen unternommen worden sind.

Es ist kein Zufall, daß es oft Ausländer sind, die eine Nationalsprache als Stil deuten. Geschieht es an der eigenen Sprache, so wird dabei, wie man etwa an den Fußnoten von A. Dauzats *Génie de la langue française* ablesen kann, ausführlich auf andere Sprachen gewiesen. Im Vergleich, der sich dem Ausländer immer aufdrängt, hebt sich das Besondere einer Sprache am deutlichsten heraus, und das Besondere verheißt die schnellsten Rückschlüsse auf den in einer Sprache waltenden Geist. Aber schließlich spricht sich der «Geist» auch in den Formen aus, die, von einem größeren Sprachraum her gesehen, «üblich» sind.

Die stilistische Ausdeutung einer ganzen Sprache unterscheidet sich damit zunächst nur durch die Größe des Beobachtungsmaterials von der stilistischen Deutung eines Werkes. Auch da bieten sich als erste die syntaktischen Stilzüge zur Bearbeitung an, die nicht «üblich» sind; weiterhin verlangen aber alle syntaktischen Fügungen, die für das Werk typisch sind, nach Ausdeutung ihrer Leistungen, auch wo sie nicht vom Üblichen abweichen. Wenn wir zum Beispiel bei Góngora auf die Verse stoßen:

> paga en admiración las que te ofrece
> el huerto frutas y el jardín olores ...

so fällt eine solche Trennung des Artikels «las» von seinem Substantiv «frutas» als nicht üblich auf und verlangt Deutung, zumal sie wirklicher Stilzug ist, das heißt immer wiederkehrt. Wenn wir dagegen finden:

> de sucesión real, si no divina ...

so hat eine solche Konstruktion nichts Auffälliges – von dem größeren Sprachraum der spanischen Sprache her gesehen. Sie erregt aber in dem Augenblick die besondere Aufmerksamkeit des Stilforschers, da sie sich, wie es der Fall ist, als eine für Góngora typische Sprachform erweist.

Damit wird aber eine Schwierigkeit aller syntaktischen Arbeit deutlich. Denn, was ist das «Übliche»? Mit Hinsicht auf den Lautstand und die Morphologie, auch auf das Vokabular läßt sich mit einiger Sicherheit ausmachen, was das Übliche ist, so daß Abweichungen schnell erkennbar sind. In der

Syntax liegen die Dinge schwieriger. Ein Satz meint einen Sachverhalt. Das ist sein Wesen. Nun zeigt jede Beobachtung schon des alltäglichen Sprechens, daß der gleiche Sachverhalt auf die verschiedenste Art dargestellt werden kann. «Ein Mann kam plötzlich aus dem Haus», – dieser einfache Sachverhalt könnte auch erscheinen in der Fügung: Plötzlich kam ein Mann aus dem Hause. Oder: Aus dem Hause kam plötzlich ein Mann. Oder: Kam da plötzlich ein Mann aus dem Hause. All das sind mögliche Wortstellungen. Es ist nicht so, daß eine die übliche ist und die andern als Abweichungen auffällig würden. Welche Fügung im Augenblick des Sprechens gewählt wird, hängt von den Umständen dieses Augenblicks, der Situation, der Hörerschaft, dem Zusammenhang u.s.f. ab. Allgemein können wir sagen: hängt von der Perspektive ab, in der der Sachverhalt sprachlich dargestellt wird.

In älteren Darstellungen kann man lesen, daß Klarheit, Ausgewogenheit und Gefühlsausdruck die Dominanten der Wortstellung seien. Aber das reicht offensichtlich nicht hin, um die in einer Sprache üblichen Formen des Satzbaues zu verstehen. Außerdem ist zum Beispiel Ausgewogenheit eine Eigenschaft, nach der nur bestimmte Einstellungen streben, während andere sie vielleicht gerade meiden. Neuere Untersuchungen haben da weiterzukommen gesucht. Von ihnen ragt die Arbeit von E. Lerch über *Typen der Wortstellung* unmittelbar in das Gebiet der Stilforschung.

Lerch unterscheidet sieben Typen: die logische Wortstellung, die Kontaktstellung, die Anordnung nach der Konkretheit, die rhythmische, die impulsive, die auf den Hörer eingestellte und die impressionistische. Das Ziel von Lerch ist offensichtlich, nicht nur Typen des äußersten Satzbaues zu erfassen, sondern sie zugleich als Auswirkung innerer Triebkräfte, das heißt aber stilistischer Tendenzen zu deuten. Was herauskommt, ist freilich eine etwas bunte Musterkarte, wobei die Sonderung mitunter etwas künstlich anmutet. Andererseits kann die Liste nicht den Anspruch auf Vollständigkeit erheben. Der spanische, gerade um die Stilforschung sehr verdiente Forscher Dámaso Alonso hat als einen weiteren Typ den der archaisierenden Tendenz hinzugefügt. Er sagt in seinem Buch über Góngora (S. 180): «Ich glaube, daß man diese Liste (von Lerch) beträchtlich erweitern kann. Lerch hat vergessen, daß es gerade für die literarische Sprache noch andere Motive gibt, die neue Anordnungen hervorrufen können, vor allem die Neigung zum Archaisieren.»

Wir geben noch ein anderes Beispiel, bei dem es zweifelhaft ist, ob es von Lerchs Typen her erfaßbar wird. In einem portugiesischen Barocksonett findet sich folgende Strophe:

> Mais dura, mais cruel, mais rigorosa
> Sois, Lísi, que o cometa, rocha ou muro,

> Mais rigoroso, mais cruel, mais duro,
> Que o Céu vê, cerca o Mar, a Terra goza.
> (Härter, grausamer, starrer
> Bist du, Lysis, als der Komet, der Fels, die Mauer,
> Starrer, grausamer, härter
> Als alles, was der Himmel schaut, das Meer umschließt,
> die Erde trägt.)

Ein entsprechendes deutsches Beispiel findet sich in folgendem Epigramm von Opitz:

> Die Sonn, der Pfeil, der Wind, verbrennt, verwundt, weht hin,
> Mit Feuer, Schärfe, Sturm, mein Auge, Herze, Sinn.

Uns will scheinen, als ordne sich diese im Barock nicht gerade seltene Konstruktion keinem der von Lerch aufgeführten Typen zu. (Die Technik der geschachtelten Aufzählung stammt an sich wieder aus der Antike; der Fachausdruck für solche Verse lautet *versus rapportati*.) Hier wirken Kräfte auf die syntaktische Fügung, die gar nicht aus der Perspektive auf den Sachverhalt kommen. Nun hat Lerch auch einen solchen Typus: den rhythmischen. Aber auch der reicht nicht zur Erklärung aus. Diese Konstruktion entstand nicht um des Rhythmus willen. Man könnte in Versuchung kommen, als einen weiteren Typ den «ästhetischen» aufzustellen, bei dem also die Wortstellung von ästhetischen Tendenzen bestimmt wird. So hat auch Dámaso Alonso die bei Góngora so auffälligen Trennungen des Sùbstantivs von seinem Artikel oder Pronomen oder Adjektiv als «Ausdrucksmittel von ästhetischem Wert» bezeichnet. Aber diese Bezeichnung «ästhetisch» ist doch so unbestimmt, daß sie beinah nichtssagend wird. Der Deuter der Syntax Góngoras erlaubt sich diese Zusammenfassung auch nur, weil er vorher (S. 190f) so genau differenziert hat: das Hyperbaton (die Umstellung) war in Góngoras Händen «ein geeignetes Mittel, um in vielen Fällen der Sprache Biegsamkeit und Lockerheit zu geben und die luftige Fügung eines Satzes zu erlauben: hier erleichtert es ein Wortspiel oder eine momentane Anspielung, dort wirkt es als Nachahmung; manchmal stärkt es den klanglichen oder anschaulichen Wert eines Wortes, indem die Umstellung ermöglicht, es in das Spannungszentrum des Rhythmus zu bringen, in anderen Fällen wieder macht sie einen Vers zu einer wundervoll geschlossenen Einheit».

Aber mit dieser Fülle von Funktionen der gleichen syntaktischen Figur ist es noch nicht genug. Dámaso Alonso kommt zu der Feststellung (S. 211): «Góngora bevorzugt im einzelnen bestimmte Typen (der Umstellung), die durch ihre Häufigkeit seinen poetischen Stil kennzeichnen, aber schließlich zu Formeln werden, die bar alles Ausdrucksgehaltes sind. Es ist ein Beispiel für jenes allgemeinere Gesetz in gongorischer Poesie: die Tendenz zur Wiederholung derselben Formeln.»

Damit stehen wir auf syntaktischem Gebiet vor demselben Tatbestand wie in früheren Fällen: daß die Stilforschung nicht a priori mit einer eindeutigen und für immer festliegenden Funktion der sprachlichen Formen rechnen kann.

Ein anderes Problem, das sich in diesem Zusammenhang stellt, verlangt um seiner grundsätzlichen Bedeutung willen eine etwas ausführlichere Behandlung. Wir schieben deshalb über dieses Problem, das sich als «Syntax und Vers» formulieren läßt, einen Exkurs ein.

EXKURS: SYNTAX UND VERS

Es stellte sich heraus, daß die Fixierung des Begriffes «Üblich» in der Syntax Schwierigkeiten bereitet. Jeder kann an sich selbst die Erfahrung machen, daß er, wie einen anderen Wortschatz, so auch andere Satzfügungen gebraucht, je nachdem er zu den nächsten Angehörigen, zu Freunden, zu Unbekannten u. s. f. spricht oder, auch das in den verschiedensten Höhenlagen, schreibt. Es kommt hier nicht auf die Zahl und die Typen der Sprachschichten an. In allen Sprachen besteht, mehr oder weniger deutlich faßbar, ein grundsätzlicher Unterschied zwischen Schriftsprache und Umgangssprache, um zwei rohe Typen herauszugreifen. So schmeckt etwa in den romanischen Sprachen das Gerundium etwas nach Tinte. Im Deutschen ist in der Umgangssprache der Genitiv nahezu abgestorben, und zwar seit Jahrhunderten, während er in der Schriftsprache ein kräftiges Leben führt. Ähnlich ist es im Englischen mit dem sächsischen Genitiv. Besonders kraß war der Unterschied zwischen den beiden Schichten im Lateinischen. Solange man von der Syntax der lateinischen Literatur her schaute, gab es keine Brücke, die über den Abgrund zu der Syntax der neulateinischen Sprachen führte. Die Brücken führten vom gesprochenen sogenannten Vulgärlatein hinüber.

Der Bezirk nun, der in allen Sprachen gegenüber den anderen Schichten gerade in der Syntax (wie auch wieder im Wortschatz) eine auffällige Sonderstellung einnimmt, ist die Verssprache. Eine Geschichte der Syntax, die nur auf Grund von Versdenkmälern geschrieben würde, müßte ein seltsames Buch werden. (Das Fehlen ausreichender Prosadenkmäler für die älteren Zeiten ist wohl mit ein Grund, weshalb die historische Syntax so im argen liegt. Daß es für die französische Sprache darin besser steht, beruht zu einem Teil eben darauf, daß hier die literarische Prosa früher einsetzt als in anderen Literaturen.)

Die Beispiele für auffällige Konstruktionen, die wir aus Góngora und dem portugiesischen «Kultismus» brachten, sind nur in der Verssprache denkbar. Sie sind übrigens selbst da etwas Ungewöhnliches. Aber wohin wir auch in der Poesie greifen, überall stoßen wir auf Ungewöhnliches, wenn wir es vor den Hintergrund der Prosa stellen.

> Satt gehn heim von Freuden des Tags zu ruhen die Menschen,
> Und Gewinn und Verlust wäget ein sinniges Haupt
> Wohlzufrieden zu Haus.

So herausgegriffen fallen die Konstruktionen gewiß auf. Aber in ihrem Verszusammenhang gelesen, erregen sie weit weniger Aufmerksamkeit; in den meisten Fällen werden wir uns des «Unüblichen» in der Syntax der Poesie gar nicht bewußt. Wir nehmen die meisten freieren Konstruktionen der Verssprache ohne weiteres hin. Dieselben Konstruktionen, die in der Prosa außerordentlich auffallen würden, bei denen wir zu konstruieren begännen, um das Gefüge genau zu erfassen (man braucht sich nur die Konstruktionen Hölderlins als Prosakonstruktionen zu denken), verlangen im Vers viel geringere Aufmerksamkeit. Hier liegt ein schweres Problem, das noch nicht hinreichend geklärt ist.

Man fühlt sich vielleicht zu der Antwort gedrängt: die freieren Fügungen der Verssprache stehen im Dienste eines kräftigen Rhythmus. (Die Antwort, die sich bei schlechten Versen einstellt: die Umstellungen geschahen aus Reimzwang, hilft natürlich nicht weiter. Das vernichtende Urteil, das in der Feststellung liegt, besagt gerade, daß in echten Versen nicht der Reimzwang die treibende Kraft ist. Außerdem ist ja die ungereimte Poesie nicht a priori glatter und prosanäher in ihren Konstruktionen. Eher im Gegenteil.)

Aber die Beantwortung der aufgeworfenen Frage mit Hilfe des Rhythmus klärt doch nicht hinreichend. Wie kann es der Rhythmus seinerseits fertigbringen, daß wir den Konstruktionen nicht die letzte Aufmerksamkeit schenken, und daß sie doch funktionieren? Wie kann er gerade die freieren Fügungen herausfordern, von ihnen ablenken und dann doch zugleich ihr Verständnis leicht machen?

Es wird nicht bestreitbar sein, daß die «freieren» Fügungen rhythmusschaffend wirken. Aber man muß bei der Lösung des Problems wohl doch nicht zu starr auf den Rhythmus schauen. Die oben gebrachten Beispiele aus Góngora und dem portugiesischen Kultismus lassen erkennen, daß die dort auffälligen Konstruktionen nicht primär um ihrer rhythmischen Qualitäten willen so gefügt wurden.

Wenn wir versuchsweise wenigstens die Richtung angeben, in der uns die Lösung des Problems zu liegen scheint, so gehen wir gleichfalls von einem Fall aus, der nicht primär von rhythmischen Funktionen her zu verstehen ist. Es handelt sich, und wir wählen das nur als Ausgangspunkt, um die in der Poesie vieler Sprachen beobachtbare Tendenz, einen Genitiv vor das beherrschende Substantiv zu stellen. In der Prosa, zumal in außerliterarischer Prosa, ist in diesen Sprachen die Nachstellung des Genitivs «üblich». Für die Erscheinung selbst seien erst einige Beispiele gegeben:

Spanisch:

> Era de el año la estación florida ...
> ¿ ... de tus profetas santos
> la voz no suena ya?

Im Englischen findet sich nicht nur der sächsische Genitiv:

> ... The hero's harp, the lover's lute ...
> O wild West Wind, thou breath of Autumn's being ...,

auch der mit «of» vorgestellte Genitiv findet sich, wenngleich ziemlich selten:

> ·Of loud Dissent the mortal terror ...
> Of Nelson and the North
> Sing the glorious day's renown ...

Im Deutschen ist die Erscheinung im Vers überaus häufig:

> Nur durch der Augen Tür ...
> Des Morgens erste Strahlen ...

Aus dem Französischen einige Beispiele, die sich bei Baudelaire finden:

> D'un destin trop dur
> Epouvantable et clair emblème!
> Enviant de ces gens la passion tenace ...
> De l'horizon embrassant tout le cercle ...

Italienisch:

> Tu de l'inutil vita
> Estremo unico fior ...
> Di giganti un esercito ...

Portugiesisch: Se acaso de meu rosto a cor tostada ...

> Mas teme que dos Deuses a vingança
> venha punir ...   (Bocage)

> (Aber fürchte, daß von den Göttern die Rache
> strafen wird ...)

Wir bleiben etwas bei dem letzten Beispiel. Vergleichen wir die Konstruktion mit der prosaischen: que a vingança dos Deuses venha punir ..., so fällt als erstes auf, daß diese schneller, bzw. jene langsamer gesprochen wird. Dadurch intensiviert sich eine vom vorgestellten Genitiv ausgehende Wirkung: die Bedeutung «dos Deuses» wird jetzt ungleich eindringlicher, eigenwertiger, als wenn sie in die glattere Fügung der Prosa gestellt würde, wo sie sozusagen ganz im Umkreis und Schlagschatten von vingança bleibt. Bei der Vorstellung entsteht ein Überschuß an Bedeutung, der außerhalb des Satzzusammenhanges bleibt. Genau genommen tritt sogar eine kleine Bedeutungsveränderung ein. Nachgestellt gibt die Genitivpräposition die Beziehung zwischen den beiden Substantiven an. Vorgestellt gibt sie zugleich eine räumliche Herkunft an. Sie hilft an der Schaffung einer bildhaften Gegenständlichkeit, während sie in der Nachstellung nur logisch funktionierte.

Um noch weiter zu kommen, versuchen wir anzudeuten, was durch die rhythmische Qualität der Versfassung entsteht. Wir begnügen uns nicht mit der vagen Feststellung: durch den Rhythmus entstände ein angenehmer ästhetischer Eindruck. Wir müssen genauer hinhorchen und beobachten. Der Rhythmus setzt hinter vingança eine merkliche Pause; steht es doch am Zeilenende. Dadurch erfährt nun auch dieses Wort eine Bedeutungsintensivierung, wie sie bei «Deuses» durch die Vorstellung erzeugt wurde. Etwas Ähnliches widerfährt, wieder durch den Rhythmus, dem nach der Pause stehenden «venha». Hier geht die Bedeutungsbeschwerung so weit, daß es wieder zum Bewegungswort wird, während es in der Prosa nur noch als Futurbedeutung funktioniert. Liest man noch einmal die Prosafassung neben der Versfassung, so zeigt sich, daß durch die Vorstellung und den Rhythmus die geschlossene, enge, glatte Fügung der Prosa aufgelöst wird. Statt eines einheitlichen Höhenzuges ragen jetzt mehrere Gipfel auf: Dos Deuses / a vingança // venha / punir /. Wenn wir die Leistung im Bedeutungsmäßigen übertreibend wiedergeben, müßten wir sagen: aus dem Raum um die Götter her naht etwas, das ist die göttliche Rache; und sie eilt heran, und sie wird strafen ...

Der Prosasatz meint einen Sachverhalt. Dank der glatten sprachlichen Fügung erfassen wir ihn sofort als diesen Sachverhalt. Denken wir uns den Satz in einer alltäglichen Unterhaltung gesprochen, so würde der Angeredete sich nun auf Grund der Einsicht in den Sachverhalt irgendwie verhalten, er würde die Gefahr abzuwenden suchen u.s.f. Im Vers ist der Sachverhalt nicht so übersichtlich dargestellt. Aber es ist nun auch nicht so, daß der Rhythmus hilft, die sprachliche Fügung durchsichtiger zu machen. Er hilft ja, wie wir sahen, die Fügung lockerer zu machen. Insofern bewegte sich die obige Frage sogar auf falscher Fährte, die formuliert worden war: wie kann der Rhythmus die «freieren» Fügungen herausfordern und zugleich ihr Verständnis erleichtern? Er erleichtert nichts. Durch die besondere Fü-

gung (Vorstellung des Genitivs) und den Rhythmus wurden einzelne Satzglieder mit einem Überschuß an Bedeutung erfüllt, entstanden zwar nicht
plastische, immerhin aber schemenhafte und gefühlshaltige Bilder. Von
einem Götterraum, einer Rache, ihrem Kommen, ihrem Strafen. Das Verhältnis hat sich umgekehrt: die Satzglieder funktionieren jetzt nicht mehr als
bloße Teile eines Satzes, das heißt Sachverhaltes, sondern der Satzzusammenhang ermöglicht den Satzteilen besondere Wirkungen. Ein Satz in einem
Verse ist sozusagen weniger Satz als in der Prosa; er intendiert in geringerem
Maße einen Sachverhalt: seine Meinungskraft ist schwächer. Die Antwort auf die Frage: warum ist die syntaktische Fügung im Verse so ab-
weichend von der in der Prosa üblichen, und zwar soviel freier?, lautet nicht
oder nicht in letzter Instanz: weil dadurch Rhythmus geschaffen wird. Der
Rhythmus ist, unbeschadet aller Eigenwirkungen, die er gewiß ausübt, selber zugleich Mittel zum Zweck. Er hilft an der Schaffung jener ausdrucksvollen Gegenständlichkeit, an jener Intensivierung der Bedeutungen, wie
wir noch grob sagen wollen, die die wesentliche Leistung der Verssprache
ist. Ebenso wichtig wie das Dasein eines Bedeutungszusammenhanges ist
für die Verssprache das Zusammenstimmen, die einheitliche Registrierung
der gefühlshaltigen Gegenstände, in unserem Beispiel also das Zusammenklingen von: Fürchte du – aus dem Götterraum – Rache – Nahen – Strafen.

5. SYNTAKTISCHE FORMEN

Wir haben die Leistung des vorgestellten Genitivs an einem Beispiel ermittelt und lenken wieder in die Aufgaben zurück, die der gegenwärtige
Zusammenhang stellt: ohne schon eine stilistische Ausdeutung vorzunehmen, syntaktische Sprachformen vorzuführen, soweit das noch nicht bei den
«Figuren» geschehen ist.

Wie die stilistische Untersuchung in der Schicht des Wortes von den
grammatischen Kategorien der Wortklassen ihren Ausgang nehmen konnte,
so kann sie es in der Syntax von den von der Grammatik her erfaßten Bedeutungsweisen wie Subjekt, Prädikat, Attribut, Objekt, Umstandsbestimmung u.s.f.

Beim PRÄDIKAT hat man zum Beispiel beobachtet, daß Martin Opitz, der
am Beginn der Barockdichtung steht, auffällig oft das finite Verb vermeidet
und dafür als Prädikat die Kopula «sein» mit einer prädikativen Bestimmung
verwendet. Für seinen Satzbau ist damit die Form des logischen Urteils-
satzes typisch. Diese Beobachtung wurde der Ausgang zu der Feststellung
klassizistischer Stilzüge und schließlich eines «vorbarocken Klassizismus»
(R. Alewyn).

Die Transivierung an sich intransitiver Verben begegnet als auffälliger Stilzug in der Sprache Klopstocks, des jungen Goethe und des Sturms und Dranges:

> Gedanken Gottes, welche der Ewige,
> der Weise itzt denket! ...
> Wenn er Gedanken winkt!
> Stammelt dein hohes Lob ...

Sie findet sich aber auch zu anderen Zeiten und in anderen Sprachen. Bei der stärksten Begabung innerhalb des portugiesischen Symbolismus, Mário de Sá-Carneiro, begegnet der Vers:

> Nada me expira já, nada me vive ...
> (Nichts stirbt mich, nichts lebt mich ...)

Ein schwieriges Gebiet der Untersuchung ist der KONJUNKTIV. In allen Sprachen entzieht er sich einer letzten Festlegung, und die Diskrepanzen zwischen dem, was in den Grammatiken fixiert wird, und dem Gebrauch in den verschiedensten Schichten des sprachlichen Lebens sind beträchtlich. Es gehört eine genaue Kenntnis der Sprache und oft ein feines Gefühl dazu, die Eigenheit eines Autors im Gebrauch des Konjunktivs und die besonderen Wirkungen, die er mit ihm erreicht, klar zu erfassen. Dabei ist gerade der Konjunktiv für die Stilistik von mannigfaltigem Interesse; ist er doch der Modus, in dem sich die persönliche Stellungnahme zu den Sachverhalten und somit die Perspektive enthüllt. Es genügt, einige der zum Beispiel bei Rilke auffälligen Konjunktive zu ändern, um die Leistungskraft dieses Modus zu spüren:

> Erde, du liebe, ich will. O glaub, es bedürfte
> Nicht deiner Frühlinge mehr ...

Für Rilke ist kennzeichnend, daß er die «übliche» Umschreibung durch «würde» zugunsten des Konjunktivs meidet:

> Und wissend, wie sie seiner Trauer trügen ...
> Ist doch von ihrem Weiß und ihrer Röte
> Nicht mehr gegeben, als dir einer böte,
> Wenn er von seiner Freundin sagt ...

Die Untersuchung der ZEITSTUFEN wird besonders bei der Erzählkunst von stilistischer Bedeutung sein. Als Erzählzeit verwenden die germanischen Sprachen das Imperfekt. Nun finden sich in deutschen Erzählungen neben dem Imperfekt noch andere Zeitstufen. Daß für die Vorvergangenheit, d.h. also vor dem jeweils Erzählten liegende Geschehnisse und Zustände das

Plusquamperfekt gebraucht wird, scheint wenig Problematisches an sich zu haben. Stilistisch aber wird es sofort bedeutungsvoll, wenn z. B. Kleist beim Berichten der Vorvergangenheit (etwa im Anfang des *Erdbeben in Chili*) aus dem Plusquamperfekt in das Imperfekt hinüberwechselt. Der Zeitbezug als Vorvergangenheit geht damit verloren. Der Erzähler wird beim Erzählen so sehr von dem vorgestellten Geschehen ergriffen, daß er seine Vorherigkeit vergißt und es aus unmittelbarer Nähe heraus berichtet: ein bedeutsames Symptom für die Haltung des Erzählers überhaupt.

Neben dem Plusquamperfekt erscheint das Präsens. Die äußere Formengleichheit kann nicht über zwei völlig verschiedene Funktionen täuschen. Einmal kann das Präsens «echtes» Präsens sein, d. h. der Erzähler unterbricht seine Darstellung von vergangenen Geschehnissen und spricht aus seiner Erzählgegenwart heraus. So tut es z. B. der Erzähler von *Romeo und Julia auf dem Dorfe* in dem Augenblick, da die beiden verfeindeten und schon verkommenen Bauern aufeinander losprügeln: «Es ist nichts Anmutiges und nichts weniger als artig, wenn sonst gesetzte Menschen ...» Solcher Unterbrechungen gibt es in der Erzählung mehrere; sie bekunden den Abstand des Erzählers, die Sicherheit seines Standpunktes, die Umsicht und die Ruhe in seiner Erzählhaltung. Zugleich steigern sie die Gemeinschaft mit dem Leser, die schon von den ersten Sätzen der Erzählung geknüpft war. Demgegenüber ist das andere Präsens «unecht», man nennt es PRÄSENS HISTORICUM. Hier hat der Erzähler offensichtlich seinen Standpunkt der Rückschau aufgegeben und ist von dem Geschehen so gepackt, daß er sich als in der erzählten Gegenwart befindlich ansieht. In *Romeo und Julia auf dem Dorfe* begegnet das Präsens historicum nicht, und man erkennt leicht, daß es zu dem so festen Standpunkt des Erzählers nicht passen würde. Auffällig häufigen Gebrauch macht andererseits Knut Hamsum davon, und bei ihm gehört es in eine Reihe mit anderen Stilzügen, die alle auf die Unfestigkeit der Erzählhaltung weisen.

Schließlich erscheint neben dem Imperfekt das Perfekt. Wir geben dafür eins der bekanntesten Beispiele, das auch in den jüngsten Arbeiten zur Bestimmung der Stilwerte von Imperfekt und Perfekt wieder herangezogen ist. Der Schluß des *Werther* lautet: «Nachts gegen Eilfe ließ er ihn an die Stätte begraben, die er sich erwählt hatte. Der Alte folgte der Leiche und die Söhne, Albert vermocht's nicht. Man fürchtete für Lottens Leben. Handwerker trugen ihn. Kein Geistlicher hat ihn begleitet.» Der Sprung in das Perfekt wird um so auffälliger, wenn wir einen ähnlichen Schluß daneben stellen. Kleists *Findling* endet: «Als man dem Papst dies meldete, befahl er, ihn ohne Absolution hinzurichten; kein Priester begleitete ihn, man knüpfte ihn, ganz in der Stille, auf dem Platz del popolo auf.»

Kleist bleibt ganz im Bereich des erzählten Geschehens. Wenn der Erzähler des *Werther* in das Perfekt wechselt, so spürt man darin eine Distanzierung. «Das Perfekt stellt sich auf den Boden der Gegenwart und schaut von hier bewußt in einen anderen Raum zurück», so bestimmt H. Seidler in Übereinstimmung mit den Sprachwissenschaftlern seinen Bedeutungsgehalt (Allg. Stilistik S. 141). Wenn er freilich weiterhin seinen Stilwert an dieser Stelle dahin bestimmt, daß Goethe, «innerlich ergriffen» von dem gestalteten «Erlebnis» und davon bedroht, von solchem Versenken «überwältigt» zu werden, «sich mit herzhaftem Sprung auf den festen Boden der Gegenwart rettet», so ergeben sich Zweifel. Zunächst spricht hier nicht Goethe, sondern der Erzähler bzw. der berichtende Herausgeber der «Geschichte». Und welches «Erlebnis» gestaltet er hier denn? Was droht ihn zu überwältigen, so daß er sich «retten» muß? Der Gehalt des Stilzuges ist nicht aus Gemütsinhalten des Autors zu bestimmen (die man sich ja beliebig konstruieren kann), sondern aus der Sprachform, die dabei in ihrer Einbettung in den Zusammenhang gesehen werden muß. Der Erzähler entfernt sich (und den Leser) von dem Geschehen, indem er durch das Perfekt die Erzähl- (bzw. Lese-) Gegenwart als eigenen Standpunkt wieder wachruft. Es ist eine Abrundung des Werkes, das hier an sein Ende gekommen ist und das ein Vorleser mit dem letzten Satz aus der Hand sinken ließe. Zugleich aber steigert die Distanzierung die Einsamkeit Werthers: Albert, Lotte begleiten ihn nicht auf seinem letzten Gange, nicht die bestallten Hüter der Kirche, und auch wir, Erzähler und Leser entfernen uns von ihm und lassen ihn allein, wie er immer allein gewesen ist. Der letzte Satz umfaßt, indem er uns als Gegenwärtige trennt, noch einmal das ganze Geschehen und die ganze Gestalt. Es ist sofort hinzuzufügen, daß solche Wirkung nicht allein vom Perfekt ausgeht. Der Bau der letzten Sätze (neben ihren Aussagen), die Wortstellung, die Beschwerung des «ihn» durch die Anaphorik gerade am Schluß, gesteigert noch dadurch, daß das Pronomen «ihn» nicht grammatikalisch auf das entsprechende Nomen («Leiche») bezogen wird, sondern als Bezug die Gestalt Werthers hervorruft (ein prägnantes Beispiel für die hervorrufende Kraft dichterischer Sprache), all das wirkt mit der Zeitstufe mit, wie deren Wirkung ihrerseits dadurch erst voll und bestimmt wird.

Diese Erschwerung der Untersuchung, indem die ganze Stelle einbezogen und sogar ihr Platz im Ganzen des Werks beachtet wurde, war nicht zu vermeiden. Sie enthüllt vielmehr, daß wir uns mit der Beobachtung einzelner sprachlicher Formen noch in den Vorbezirken befinden und daß alle Bemühungen, die Leistungen solcher Formen zu bestimmen, wohl nützlich und notwendig, aber doch noch vorläufig sind: eine Vorbereitung erst zu der synthetischen Arbeit der Stilforschung, die sich ganz in das jeweilige Werk versetzen muß, es aber nicht von außen mit den hier gewonnenen Ergebnissen abtasten darf.

Auch außerhalb der Erzählkunst hat sich die Wichtigkeit der auf die Zeit-stufen gerichteten Beobachtungen gezeigt. So fiel zum Beispiel in Calderóns Dramen eine Neigung auf, statt eines zu erwartenden Präsens das Perfekt zu gebrauchen. Man hat diese Neigung freilich überhaupt am Spanischen wahr-genommen.

Aus der Lyrik genügt ein kurzes Beispiel, an dem die konstitutive Bedeu-tung der Zeitstufen zunächst nur erfühlt werden soll; die nähere Bespre-chung kann erst später erfolgen (s. S. 323). Es handelt sich um einige Zeilen aus Mallarmés *Apparition:*

> J'errais donc, l'œil rivé sur le pavé vieilli,
> Quand avec du soleil aux cheveux, dans la rue
> Et dans le soir, tu m'es en riant apparue
> Et j'ai cru voir la fée au chapeau de clarté
> Qui jadis sur mes beaux sommeils d'enfant gâté
> Passait, laissant toujours ...

Eine solche Überlagerung der Zeitstufen wirkt fast wie eine Vorausdeutung auf Proust, bei dem die zeitliche Schichtung noch viel verwirrender ist: «Il y a bien longtemps aussi que mon père a cessé de pouvoir dire à maman: ‚Va avec le petit‘. La possibilité de telles heures ne renaîtra jamais pour moi. Mais depuis peu de temps, je recommence à très bien percevoir, si je prête l'oreille, les sanglots que j'eus la force de contenir devant mon père et qui n'éclatèrent que quand je me retrouvai seul avec maman. En réalité ils n'ont jamais cessé; et c'est seulement parce que la vie se tait maintenant ...» Ein so sinnfälliger Stilzug muß sich jeder Bemühung um Prousts Stil als Ansatzpunkt aufdrängen; die Wendung «en réalité» in unserem Zitat weist zugleich darauf, daß es bei aller verwirrenden Fülle der Zeitstufen in dieser dargestellten Welt nicht an einer Ordinate fehlt.

Solche Beobachtungen der Zeitstufe leiten zu einem Fragenkreis über, der gerade in neuerer Zeit die Sprachwissenschaft angezogen hat: dem der Aktionsarten (und weiterhin der Aspekte). Die Verben der indogermanischen Sprachen gliedern durch besondere Formen einen Sachverhalt in eine zeit-liche Ordnung ein, die gleichsam ihren Mittelpunkt in der Gegenwart des Sprechenden hat. Das von da aus Vorherliegende erscheint als Vergangenheit, das Vorausliegende als Zukunft. Die Aktionsart erfaßt an einem Vorgang nun zugleich das Phasenhafte in der zeitlichen Ordnung des Vorgangs selbst, ob er z. B. als ein beginnender, andauernder oder sich abschließender erfolgt. Vielfach ist die Aktionsart ja schon mit der Bedeutung eines Verbums ge-geben, «blühen» z. B. meint einen Dauerzustand, ob der Vorgang nun in Ge-genwart, Vergangenheit oder Zukunft gelegt wird. Ebenso scheint «gehen» der Bedeutung nach ein Durativ zu sein. Aber sofort fällt dabei auf, daß im

Deutschen ganz verschiedene Aktionsarten damit angedeutet werden können. Diese Besonderheit des Deutschen wird vor allem beim Blick auf andere Sprachen merklich, also beim Übersetzen. «Er geht», das kann dreierlei besagen: 1. durative Aktionsart (er geht durch die Stadt); 2. inchoative (im Sinne von: er setzt sich in Bewegung); 3. perfektive (etwa im Gespräch: «Komm' doch heute Abend mit ins Theater! Fritz sagt, es soll glänzend sein. *Er* geht.»). Natürlich ist die Gleichlautung nur scheinbar; durch den Zusammenhang, durch die Intonation, die Betonung u. s. f. ist jedem Deutschen eindeutig verständlich, was gemeint wird, obwohl besondere semantische Formelemente fehlen (genauer gesagt: in der schriftlichen Fixierung fehlen). Die anderen Sprachen gebrauchen solche semantischen Formelemente oder überhaupt andere Verben (für die inchoative Aktionsart z.B. frz. partir, engl. to leave). Das Deutsche besitzt freilich in reichem Maße die Möglichkeit, durch Präfixe an der Verbform selber die Aktionsart anzudeuten. Wenn «blühen» als Simplex eine Dauer bezeichnet (Durativ), so bezeichnet das vorgesetzte «er-» den Beginn der Handlung (Inchoativ), das vorgesetzte «ver-» ihr Ende (Perfektiv). Wir geben als Beispiel, um den Blick auf die stilistische Bedeutung der Aktionsarten zu lenken, ein Gedicht von Goethe:

Trost in Tränen

Wie kommts, daß du so traurig bist,
Da alles froh erscheint?
Man sieht dirs an den Augen an,
Gewiß, du hast geweint.

«Und hab ich einsam auch geweint,
So ists mein eigner Schmerz,
Und Tränen fließen gar so süß,
Erleichtern mir das Herz.»

Die frohen Freunde laden dich:
O komm an unsre Brust!
Und was du auch verloren hast,
Vertraue den Verlust.

«Ihr lärmt und rauscht und ahnet nicht,
Was mich, den Armen, quält.
Ach nein, verloren hab ichs nicht,
So sehr es mir auch fehlt.»

So raffe denn dich eilig auf!
Du bist ein junges Blut.

In deinen Jahren hat man Kraft
Und zum Erwerben Mut.

«Ach nein, erwerben kann ichs nicht,
Es steht mir gar zu fern.
Es weilt so hoch, es blinkt so schön,
Wie droben jener Stern.»

Die Sterne, die begehrt man nicht,
Man freut sich ihrer Pracht,
Und mit Entzücken blickt man auf
In jeder heitren Nacht.

«Und mit Entzücken blick ich auf
So manchen lieben Tag;
Verweinen laßt die Nächte mich,
Solang ich weinen mag.»

Man kann sagen, daß das ganze Gedicht, äußerlich auf den Gegensatz zweier Sprecher gestellt, innerlich auf den Gegensatz zweier Aktionsarten gestellt ist. Auf der einen Seite stehen die inchoativen er- (erscheint, erleichtern, erwerben) und ent- (entzücken), zu denen auch die Zusammensetzungen mit auf- gehören (aufraffen, aufblicken), auf der anderen die perfektiven Kompositionen mit ver- (vertrauen, verlieren, verweinen). Nur wegen des vorangehenden dauernden Gegensatzes kann das verweinen so eindrucksvoll werden; es ist der Abschluß, das Zentrum in gewissem Sinne. (Zugleich zeigt der Schluß, daß die inchoativen Verben dem Tag zugeordnet sind, die perfektiven der Nacht, eine wunderbare bildhafte Konzentrierung des ganzen Gegensatzes und kosmische Bezüglichkeit echt Goethescher Art.)

Eine Merkwürdigkeit im Zeitgebrauch, die sich in den spanischen Romanzen findet, hat zu lebhaften Erörterungen Anlaß gegeben: es handelt sich um die Vermischung der Tempora, die bis zu folgenden Satzverbindungen gehen kann: «altos son y relucían» (hoch sind sie und leuchteten); «todas comen a una mesa, todas comían de un pan» (alle essen an einem Tisch und alle aßen von einem Brot). Als Probe für einen Zusammenhang geben wir den Anfang der Rodrigo-Romanze *El reino perdido*:

Las huestes de don Rodrigo
desmayaban y huían
cuando en la octava batalla
sus enemigos vencían.
Rodrigo deja sus tiendas

> y del real se salía,
> solo va el desventurado
> sin ninguna compañía;
> el caballo de cansado
> ya moverse no podía,
> camina por donde quiere
> sin que él le estorbe la vía.
> El rey va tan desmayado
> que sentido no tenía ...

Bei der Übereinstimmung zwischen Subjekt und Prädikat gibt es Fälle, in denen die Sprachen schwanken, und zwar zwischen der grammatisch- formalen und der logischen Übereinstimmung. So findet sich im Französischen c'est eux neben ce sont eux. Ähnlich findet sich in den meisten Sprachen neben «eine große Menge von Menschen kam» die Möglichkeit: «eine große Menge von Menschen kamen».

Auffälliger ist jener Fall, in dem der logische wie der formale Bezug beiseite geschoben wird zugunsten eines mehr emotionalen, der nun natürlich die Stilistik besonders interessiert. Es ist ein Fall, der zugleich die Mehrdeutigkeit einer Sprachfigur auf das klarste zeigt, gebraucht man doch zur Bezeichnung desselben Phänomens die sich ausschließenden Ausdrücke «Plural majestatis» und «Plural modestiae». Beidemal handelt es sich um die Ersetzung der logisch und formal zu erwartenden Einzahl durch den Plural. Aber zu den beiden sich widersprechenden Funktionen tritt noch eine dritte mögliche. Das «Wir», mit dem ein Erzähler sein Ich verdeckt, (Wir haben berichtet, daß ...) verstärkt die Verbindung mit dem Publikum, das der Erzähler neben sich stellt und gleichsam mitverantwortlich macht.

Eine reiche Verwendung des ATTRIBUTS wird immer ein bemerkenswerter Stilzug sein. Dabei ist die verschiedene Erscheinungsweise des Attributs zu berücksichtigen, das als Adjektiv, Substantiv, Relativsatz u.s.f. auftreten kann.

Bei der Wortstellung hatte schon die Antike eine «Figur» erfaßt: das HYPERBATON. Man versteht darunter eine von der üblichen abweichende Wortstellung. Aber einmal macht die Fixierung des «Üblichen» Schwierigkeiten; zum andern fallen unter diesen Begriff so viele Erscheinungen zusammen, daß er für die Stilforschung unpraktisch wird. Wir haben bereits einige Erscheinungen des Hyperbatons kennengelernt: die Vorstellung des Genitivs, die Trennung des Substantivs von seinem Artikel, Pronomen, Adjektiv, wie sie für den Gongorismus kennzeichnend waren. Weiterhin begegneten uns parallele Verschachtelungen.

Einer der am leichtesten erkennbaren syntaktischen Stilzüge, den man auch unter dem Hyperbaton aufzuführen pflegt, ist die Inversion, das heißt die Umstellung von Subjekt und Prädikat. Die einzelnen Sprachen verhalten sich in der Zulassung der Inversion verschieden, so daß also in einem Werk auffälliger Stilzug sein kann, was in dem einer anderen Literatur innerhalb des Geläufigen bleibt. Eine systematische Untersuchung und interessante Ausdeutung fanden die Inversionen in der Novelle des Cervantes *La Gitanilla.*

Bei der Satzverknüpfung unterscheidet man zwei Grundtypen: PARATAXE und HYPOTAXE. Parataxe ist die Nebenordnung von Sätzen, Hypotaxe die Unterordnung. In allen Sprachen ist volkstümliche Dichtung durch ein Vorwalten der Parataxe gekennzeichnet. Eine Probe aus einer portugiesischen Cantiga de amigo:

Foi-se o namorado,	(Es zog der Geliebte fort,
madre, e non o vejo;	Mutter, und ich sehe ihn nicht;
e vivo eu coitado,	und ich lebe in Kummer,
e moiro con desejo.	und sterbe vor Verlangen.
Torto mi ten ora	Falsch hat an mir gehandelt
o meu namorado ...	Mein Geliebter ...)

Aus einer englischen Ballade:

There were twa sisters sat in an bour;
There cam a knight to be their wooer.

He courted the eldest with glove and ring,
But he lo'ed the youngest abune a'thing.

The eldest she was vexèd sair,
And sair envie her sister fair.

Upon a morning fair and clear,
She cried upon her sister dear:

"O sister, sister, tak' my hand,
And let's go down to the river-strand."

She's ta'en her by her lily hand,
And led her down to the river-strand.

The youngest stood upon a stane,
The eldest cam' and push'd her in ...

Aber die Dinge liegen nicht so eindeutig, daß die Parataxe immer als ein Zeichen volkstümlichen Stils gelten könnte. Und völlig verfehlt wäre es, sie als Symptom geistiger Primitivität und eines Mangels an Ordnungs- und Gliederungsvermögen anzusehen, obwohl sie so funktionieren kann. Aber Cäsars Intelligenz war gewißlich nicht geringer als die des Titus Livius. Ebenso steht es bei der Hypotaxe. Sie kann wohl einmal der Beweis für geistige Straffheit und Fassungskraft sein, die in einem Sachverhalt Haupt- und Nebensachen und die Art der Bezüglichkeit klar zu unterscheiden weiß. Das Vorwalten der Hypotaxe in wissenschaftlichem Schrifttum läßt sich so deuten. Auch im schönen Schrifttum gibt es ähnliche Fälle. So deutete Spitzer den Satzbau Góngoras: «Die syntaktische Verknäuelung (allerlei untergeordnete Nebensätze, Appositionen, Paranthesen) ist also symbolisch für die Verworrenheit einer Welt, über die die Dichtung Herr wird: das Drama des Dichtens selber, dieses Herrwerdens über die Welt und des Ordnens der Welt, ist abgespiegelt in dem Sich-Verlieren des Dichters in seinem Satzlabyrinth, aus dem er sich herausfindet ... er behält fest die Leitung und Übersicht in der Hand». Dámaso Alonso hat dieser Deutung zugestimmt.

Aber umfangreiche Satzgefüge und Schachtelungen können auch aus anderen Antrieben kommen und ganz anders funktionieren. So hat man die komplizierten Sätze des Dramatikers Heinrich von Kleist als Zeichen eines gerade noch ungeordneten, dem Moment hingegebenen Sprechens gedeutet. Das fand eine Stütze in Kleists eigenem Aufsatz über *«Die allmähliche Verfertigung der Gedanken beim Reden»*. Wir geben ein Beispiel für solche Schachtelung aus Kleists *Penthesilea:*

> Ein neuer Anfall, heiß, wie Wetterstrahl,
> Schmolz, dieser wuterfüllten Mavorstochter,
> Rings der Ätolier wackre Reihen hin,
> Auf uns, wie Wassersturz, hernieder sie,
> Die unbesiegten Myrmidonier, gießend.

Ähnlicher Art ist folgendes Satzgefüge aus dem Schluß von J. Greens *Minuit:* «Il lui semblait, au contraire, que le sol, les buissons sauvages et les grandes roches qui déchiraient la brume, tout montait vers elle, d'une seule poussée, avec une vitesse atroce et un vaste balancement de droite à gauche, comme si la terre était ivre.»

Und lehrreich ist, daß man bei der genaueren Untersuchung von Prousts Hypotaxen auf das Nebeneinander zweier verschiedener Ausdruckstendenzen gekommen ist. Ein Teil der Hypotaxen wies durch seinen Bau auf «die Ruhe des Weisen, der die Welt von der Höhe aus sieht» (Spitzer), ein anderer aber gerade auf eine «Nervosität», die während des Sprechens noch sucht, sich verliert, und auf diesem Wege gleichfalls zu Hypotaxen kommt. Ein Beispiel für diese zweite Art aus dem Roman *Du côté de chez Swann:*

«Mais, quand d'un passé ancien rien ne subsiste, après la mort des êtres, après la destruction des choses, seules, plus frêles mais plus vivaces, plus immatérielles, plus peristantes, plus fidèles, l'odeur et la saveur restent encore longtemps, comme des âmes, à se rappeler, à attendre, à espérer, sur la ruine de tout le reste, à porter sans fléchir, sur leur gouttelette presque impalpable, l'édifice immense du souvenir.»

Gerade bei diesem «momentaneren», gleichsam aus geringerer Distanz erfolgenden Sprechen sind zwei besondere syntaktische Figuren nicht selten zu finden. Die erste ist das ANAKOLUTH. Mitten im Satz nehmen die Gedanken eine andere Richtung, so daß die begonnene Konstruktion nicht konsequent fortgesetzt wird. Man hat die Erscheinung als Mittel der Verlebendigung in Platons Dialogen beobachtet; sie ist begreiflicherweise im Drama häufig, wo in Erregtheit, in Leidenschaft gesprochen wird. Es genügen zwei Beispiele, die für Kleist geradezu typisch sind:

> Sie schlägt, die Rüstung ihm vom Leibe reißend,
> Den Zahn schlägt sie in seine weiße Brust ...
> Ich streck, in unaussprechlicher Bewegung,
> Die Hände streck ich aus ...

Die andere syntaktische Figur, die sich vor allem beim Sprechen aus dem Augenblick heraus einstellt, ist die ELLIPSE. Äußerlich gesehen, fehlt dabei ein Satzteil: «Eine schöne Geschichte!» statt «das ist eine schöne Geschichte!» Aber die Sprachphilosophien haben betont, daß es Ellipsen im eigentlichen Sinne gar nicht gibt. Es brauche nicht etwas ergänzt zu werden, da im Grunde nichts fortgelassen sei. Die Dinge liegen vielmehr so, daß andere Satzteile die Funktion des äußerlich fehlenden mit übernehmen. An dieser Stelle hat sich eine Diskrepanz zwischen der zu starr denkenden Schulgrammatik und der lebendigen Sprache offenbart. Die berühmten Einwortsätze des Typus «Feuer!», «Hilfe!» haben in den sprachphilosophischen Diskussionen der letzten Zeit eine große Rolle gespielt. Beispiele für Ellipsen findet man in der Literatur da häufig, wo die direkte Rede des Alltags wiedergegeben wird.

Immerhin muß man zugeben, daß es Ellipsen mit stiller Ergänzung gibt; sie kennzeichnen vor allem die Umgangssprache, wo ja Formeln wie «zwei zu zehn» richtig funktionieren, da sie aus der Situation ergänzt werden. Eine Ergänzung findet tatsächlich statt: die «zwei» können Fahrscheine oder Gläser mit einem Getränk oder Bonbons oder sonst etwas sein, und die zehn meint in jedem Land etwas Verschiedenes. So zeigt sich also schnell ein stilistischer Unterschied zwischen den Ellipsen in der Sprache eines Gesellschaftsdramas und – um nur einen anderen Typus gegenüberzustellen – der folgenden Ellipse aus der *Penthesilea:*

> Oh! – – deinen erznen Wagen mir herab:
> Wo du der Städte Mauern auch und Tore
> Zermalmst, Vertilgergott, gekeilt in Straßen,
> Der Menschen Reihen jetzt auch niedertrittst;
> Oh! – – deinen erznen Wagen mir herab: ...

Bei den SATZARTEN hat die Sprachwissenschaft die möglichen Formen und Funktionen erfaßt. Die stilistische Untersuchung der Satzarten wird unter Umständen ein Weg, der zu tiefliegenden, geradezu synthetischen Kraftzentren des Werkes führt. So hat man beobachten wollen, daß die Dichtung der Aufklärungszeit die kausalen und finalen Nebensätze in einer Häufigkeit verwendet, die in deutlichem Gegensatz zu ihrem Vorkommen in anderen Epochen steht. Man hat weiterhin den Versuch gemacht, den disjunktiven und antithetischen Satzbau in den Prosaschriften mancher Dramatiker als ein Symptom dramatischer Grundeinstellung zu deuten (E. Staiger). Die innere Form eines Gedichtes als Gebet wird sprachlich durch die Imperative offenbar werden, während die Erzählung den berichtenden Aussagesatz bevorzugt.

Solche Untersuchungen, die freilich bisher in verhältnismäßig geringer Zahl vorliegen, führen also in die verschiedensten Richtungen: zur inneren Form des Werkes, zum Persönlichkeitsstil, zur Frage nach dem Stil von Epochen und Gattungen u.s.f. Die Sprachgeschichte wird an diesen Themen mitarbeiten; verschiedene Arten von Satzgefügen entwickeln sich ja vor unseren Augen in historischer Zeit. In fast allen Sprachen verraten zum Beispiel die Konjunktionen, die kausale Nebensätze einleiten, ihre Herkunft aus anderen, meist temporalen Bezirken (puisque, comme, como, weil, da, since u.s.f.).

Eine erst in neuerer Prosa als beherrschender Stilzug auftretende Sprachform hat zu lebhaften Diskussionen unter den Sprachwissenschaftlern des 20. Jahrhunderts Anlaß gegeben, an denen auch die Stilistik teilgenommen hat. Es handelt sich um die sogenannte ERLEBTE REDE. Ch. Bally rechnet sie nicht zu den figures linguistiques, sondern zu den figures de pensée, bei denen also etwas anderes verstanden wird, als die Sprachform an sich besagt. Er hat freilich mit seiner Deutung des gesamten Phänomens Widerspruch erfahren.

Die erlebte Rede steht in der Mitte zwischen direkter und indirekter Rede. «Soll ich heute ins Theater gehen?» – so könnte ein Erzähler direkt den Gedanken einer seiner Gestalten wiedergeben und somit Gestalt und Leser in engen Kontakt bringen. Bei indirekter Wiedergabe behielte er selber die Zügel fest in der Hand und vermittelte sichtbar zwischen Leser und Gestalt: «Er überlegte, ob er am Abend ins Theater gehen sollte.» Die erlebte Rede nun steht in der Mitte: «Sollte er heute abend ins Theater gehen?» Der Standpunkt der Perspektive ist gleichsam in die Seele der Gestalt selber verlegt, der Leser nimmt fast unmittelbar an dem Innenleben teil. Aber wenn auch jedes Wort von der Figur gesagt bzw. gedacht zu sein scheint, so ist der Erzähler doch nicht ganz verschwunden: er bleibt in dem Gebrauch der 3. Person spürbar. Die erlebte Rede eignet sich dazu, wie man sieht, nichtausgesprochene Gedanken, Gedankenfetzen, die kleinen Regungen des Innenlebens darzustellen. Bei dem Interesse für «psychische» Vorgänge, das die Erzählkunst der letzten Jahrzehnte kennzeichnet, versteht man die Vorzugsstellung, die sie erlangen konnte. An sich ist sie von der Sprachgeschichte, auch in mittelalterlicher Literatur, sogar in der lateinischen, nachgewiesen worden. Ihre neuere Ausprägung soll vor allem durch Jane Austen erfolgt sein. Der entscheidende Anstoß kam aber erst mit dem Naturalismus. In Hermann Conradis *Adam Mensch* und Gerhart Hauptmanns *Apostel* findet sie sich in reichem Maße. (Zur gleichen Zeit wird auch der innere Monolog als Form der Darstellung erprobt, bei dem der Erzähler nun ganz in dem *stream of consciousness* der Figur untertaucht. Wenn vielfach geäußert wird, daß Dorothy Richardson und James Joyce diese Darstellungsweise aufgebracht hätten, so läßt sich dem entgegenhalten, daß schon A. Schnitzler ganze Erzählungen im inneren Monolog geschrieben hat [*Leutnant Gustl*, 1900]. Freilich noch nicht mit solcher weitgehenden Auflockerung im Sprachlichen, wie es dort geschieht, – vgl. etwa das letzte Kapitel des Ulysses –, und gewiß trifft es zu, daß für die Beliebtheit dieses Mittels in der modernen Erzählkunst erst James Joyce maßgebend geworden ist.)

Erlebte Rede und innerer Monolog sind nur kleine Symptome für die Unruhe, die seit dem 19. Jahrhundert, in schwächerem oder stärkerem Maße, über die Syntax gekommen ist, zumindest über die «literarische». Der Kampf gegen die Regeln der Grammatik und die Tradition endete im Expressionismus schließlich in einem Zerreißen aller sprachlichen Bindungen und in einem Gestammel, das nicht mehr Sprache war. Der Dadaismus ist für die Sprachentwicklung ungefährlich, weil bedeutungslos gewesen. Viel wichtiger und folgenreicher war der oft unbewußte Drang des vorangehenden Symbolismus, die dichterische Sprache von der Herrschaft einer zu «logisch» eingestellten Syntax zu befreien. Es ist bezeichnend, daß selbst in Frankreich die seit der Klassik herrschende strenge Ordnung in der Syntax aufgelockert wurde.

Wenn wir als Beispiel ein Gedicht von Mallarmé geben, so verzichten wir auf alle Ausdeutung. Die Meinungen gehen hier weit auseinander; man hat in der Syntax Mallarmés trunkene Gleichgewichtslosigkeit, impressionistische Verfallenheit an die Sinne, aber auch raffinierteste, «diabolischste» Logik sehen wollen. Über die verschiedenen Versuche unterrichtete das Ka-

pitel *Von Mallarmés Kunst* in der Monographie von Kurt Wais; hier kommt
es nur darauf an, den Blick auf die ungewöhnliche Syntax als solche zu lenken:

> O si chère de loin et proche et blanche, si
> Délicieusement toi, Méry, que je songe
> A quelque baume rare émané par mensonge
> Sur aucun bouquetier de cristal obscuri
>
> Le sais-tu, oui! pour moi voici des ans, voici
> Toujours que ton sourire éblouissant prolonge
> La même rose avec son bel été qui plonge
> Dans autrefois et puis dans le futur aussi.
>
> Mon cœur qui dans les nuits parfois cherche à s'entendre
> Ou de quel dernier mot t'appeler le plus tendre
> S'exalte en celui rien que chuchoté de sœur,
>
> N'était, très grand trésor et tête si petite,
> Que tu m'enseignes bien toute une autre douceur
> Tout bas par le baiser seul dans tes cheveux dite.

Unter den einzelnen Zügen hebt sich, besonders im letzten Terzett, die Neigung zu NOMINALEN KONSTRUKTIONEN deutlich hervor. Man hat gerade daraufhin die neuere französische und englische Syntax mehrfach untersucht.

Die gleiche Erscheinung tritt auch in anderen Sprachen auf; so gibt es bei
dem bereits genannten portugiesischen Symbolisten Mário de Sá-Carneiro
ganze Gedichte ohne ein Verbum in den Hauptsätzen. Wir geben noch einige Zeilen des Symbolisten Camilo Pessanha:

> Só, incessante, um som de flauta chora,
> Viuva, grácil, na escuridão tranquila,
> – Perdida voz que de entre as mais se exila,
> – Festões de som dissimulando a hora.

> (Allein, unaufhörlich, ein Flötenton weint,
> Verwaist, zart, im Dunkel ruhig,
> – Verlorne Stimme, abgesondert von den übrigen,
> – Klanggirlanden, die die Stunde verhehlen.)

Wer mit den üblichen grammatischen Begriffen etwa das «perdida voz»
als Apposition auffaßte, hätte sich den Weg zum wirklichen Verständnis
dieser Syntax verbaut. Man spürt angesichts solcher Sprache immer wieder,
daß sich die üblichen Begriffe der Grammatik nur so ungefähr anwenden
lassen und daß die gewohnten Gliederungen in Hauptsätze, Nebensätze u. s. f.

sich eigentlich nur äußerlich durchführen lassen. Der Begriff des Satzes selber kommt hier ins Wanken. Dabei klingen diese Gebilde nicht einmal an die bekannten untersatzmäßigen Gebilde an, die die Affektsprache des Alltags kennzeichnen, an die Ausrufe, Wünsche, Verwünschungen u.s.f.

Jene Sätze sind weniger bündig und weniger selbständig als in der uns vertrauten Sprache. Zugleich bleibt ihre Folge und innere Bindung zunächst völlig undurchsichtig. Äußere Sprachmittel der Bindung gibt es kaum; wie die Hypotaxen zurücktreten, so fehlen auch die koordinierenden, adversativen oder eine andere Beziehung ausdrückenden Partikel.

Damit werden wir zwangsmäßig auf den Exkurs zurückgeführt, der den Abschnitt einleitete: hier entfaltet sich jene Bilder hervorrufende Kraft der Verssprache vor allem durch die Syntax. Der Symbolismus erweist sich durch die Beobachtungen, die sich auf dem Felde der Syntax machen lassen, als eine mächtige, mit neuen dichterischen Mitteln arbeitende künstlerische Bewegung. Die Untersuchung gerade dieser syntaktischen Mittel verheißt wertvolle Aufschlüsse über sein Wesen.

Die Eigenheit der Syntax spiegelt sich oft schon in der von den Dichtern angewendeten Interpunktion. Es wäre – in jeder Literatur – eine lohnende Aufgabe, die Interpunktion des Symbolismus zu untersuchen und stilistisch zu deuten. Natürlich könnte das nur unter weitgehender Berücksichtigung des Auslandes, vor allem des französischen Symbolismus, geschehen. Schon bei ihm sind die traditionellen Bedeutungen der Interpunktionszeichen ins Fließen geraten. Wenn Mallarmé gelegentlich gänzlich auf die Zeichen verzichtete und nur noch den Punkt verwendete, so ist auch das ein Symptom für die Unruhe auf diesem Gebiet. Er fand übrigens im Ausland, zum Beispiel bei Stefan George, baldige Nachfolge; auch Binding schuf sich später seine eigene Interpunktion. (Bei ihrer ersten Begegnung erging sich George, zu Bindings wachsendem Erstaunen, mit Leidenschaft und Ausdauer über die Grundlosigkeit eines Kommas in einem Bindingschen Gedicht.)

6. ÜBERSATZMÄSSIGE FORMEN

Über dem Satz und dem Satzgefüge stehen die Periode und der Abschnitt. Sprachwissenschaft wie Stilistik haben sich mit diesen übersatzmäßigen Gebilden bisher wenig beschäftigt. Wie verschieden sich die Sprachen bei der Verbindung der Sätze verhalten, wird jeder gespürt haben, der einmal einen fortlaufenden Text aus einer romanischen Sprache in eine germanische übersetzt hat und umgekehrt. Änderungen des Subjekts, Einfügung von satzverbindenden Partikeln bzw. Fortlassungen sind nötig, soll die Übersetzung wirklichen Fluß haben. Auf deutschen Schulen wurde manchmal als Anlei-

tung zur Verfertigung französischer Aufsätze die Regel gegeben, daß innerhalb eines Abschnitts (Paragraphen) nach Möglichkeit in allen Sätzen das
gleiche Subjekt zu setzen sei. Das ist eine sehr grobe Faustregel. Gewiß
waltet im Französischen vielfach eine solche Tendenz. Als Probe geben wir
einen Abschnitt aus Anatole France (*La vie littéraire I*, Paris 1921, S. V):

«... La critique est la dernière en date de toutes les formes littéraires; elle
finira peut-être par les absorber toutes. Elle convient admirablement à une
société très civilisée dont les souvenirs sont riches et les traditions déjà
longues. Elle est particulièrement appropriée à une humanité curieuse, sa-
vante et polie. Pour prospérer, elle suppose plus de culture que n'en de-
mandent les autres formes littéraires. Elle eut pour créateurs Montaigne,
Saint-Evremond, Bayle et Montesquieu. Elle procède à la fois de la philosophie et de l'histoire. Il lui a fallu, pour se développer, une époque d'ab-
solue liberté intellectuelle. Elle remplace la théologie et, si l'on cherche le
docteur universel, le saint Thomas d'Aquin du XIXe siècle, n'est-ce pas à
Sainte-Beuve qu'il faut songer?»

Es wird vielleicht keine andere Sprache geben, in der die Übersetzung
dieses Abschnitts, hielte man in gleicher Weise dasselbe Subjekt durch, die
gleiche eindringliche Wirkung hervorriefe. Der Abschnitt würde unweiger-
lich trocken und monoton wirken. Aber natürlich ist damit erst herzlich wenig von den Tendenzen des Französischen bei der Aneinanderreihung der
Sätze erfaßt, und noch gar nichts für die Tendenzen anderer Sprachen oder
der Schriftsteller.

Aber es gilt andererseits, daß wir gar nicht in Sätzen und nicht in aneinandergereihten Sätzen sprechen, sondern in «Reden». Tatsächlich stößt eine
genaue Analyse von Abschnitten nicht nur auf eine bestimmte Art der Satzverbindungen, sondern auf Gebilde, die verhältnismäßig geschlossene Einheiten der Rede darstellen. Man bezeichnet diese niederen Einheiten des
Redens als REDEFORMEN. Sie haben die Kraft, die verschiedenen Sprachformen (und nicht nur die syntaktischen) zusammenzubinden und sich unterzuordnen. Die Redeformen stellen deshalb die Grenze dar, die diesem
Kapitel über die analytischen Grundbegriffe gesetzt ist, sie bilden, so wäre
besser zu sagen, die Brücke zu den Fragen des Aufbaus. Um in einem zusammenhängenden Text die Satzbindungen sichtbar zu machen, zugleich
aber um die konstituierende Redeform zu erkennen, die aus allen Sätzen
eine Einheit macht und den Fluß der Sätze bestimmt, analysieren wir einen
Prosaabschnitt.

EXKURS: ÜBERSATZMÄSSIGE
FORMEN IN EINEM PROSATEXT (IMMERMANN)

Als Text für die Analyse dient der Anfang des ersten Kapitels aus Immermanns *Münchhausen.*

«In der deutschen Landschaft, in welcher ehemals das mächtige Fürstentum Hechelkram lag, erhebt sich eine Hochebne, von braunem Heidekraute überwachsen. Hin und wieder sticht aus dieser dunklen Fläche ein spitziges Gestein hervor, mit weißstämmigen Birken oder dunkeln Tannen umsäumt. Nach Mitternacht rücken die Steinlager so nahe aneinander, daß sie für eine kleine Gebirgskette gelten können. Verschiedne Fußpfade laufen durch die Ebne, vereinigen sich aber in der Nähe der beiden höchsten Felsen zu einem breiteren Wege, der zwischen diesen Felsen sacht bergan führt. Nach einigen Windungen fällt derselbe in eine Straße, welche ehemals bepflastert gewesen sein mag, nun aber durch ausgerissene Steine und grundlose Geleise mehr das Ansehen eines gefährlichen Klippenweges erhalten hat. Nichtsdestoweniger ist diesem holprichten und halsbrechenden Wege bis auf die neusten Zeiten der Name der Schloßstraße verblieben. Denn man sieht oder sah, kurz nachdem man sie betreten, das Schloß, welches die Überschrift dieses Kapitels nennt, auf einem ziemlich kahlen Hügel liegen.

Je näher man demselben kommt oder kam, denn am heutigen Tage ist davon nur noch ein Trümmerhaufen übrig, desto deutlicher springt oder sprang die ungemeine Baufälligkeit des Schlosses in das Auge. Was zuvörderst die Pforte betrifft oder betraf, so standen zwar deren beide steinerne Pfeiler noch, und auf dem rechten hatte sich sogar der statuarische Löwe als Wappenhalter zu behaupten gewußt, während sein Partner von dem linken Pfeiler hinab in das hohe Gras gesunken war, allein das eiserne Pfortengegitter selbst war längst weggebrochen und zu andern Zwecken verwendet worden. Die Gefahr, welche hieraus für das Gebäude von räuberischen Überfällen zu besorgen stand, war aber nur bei trocknem Wetter vorhanden. Wenn es regnete (und es pflegt oft in jener Gegend zu regnen), so verwandelte sich bald der Burghof in einen undurchwatbaren Sumpf, auf welchem, wenn die Geschichte nicht Lügen berichtet, zuweilen selbst Schnepfen sich hatten betreten lassen.

Völlig entsprechend diesem Zugange war das Äußere und Innere des Schloßgebäudes selbst. Die Wände hatten ihre Tünche, ja zum Teil ihren Bewurf verloren. Nach einer Seite hin war die Giebelwand bedeutend ausgewichen und durch einen Balken gestützt worden, der aber am unteren Ende auch schon zu morschen begann und daher nur eine geringe Zuversicht gewährte. Ließ man sich nun durch diesen Anblick nicht abschrecken, in das Gebäude eintreten zu wollen, so bot die Türe immer noch ein großes Hindernis dar. Denn die Feder war in dem alten, verrosteten Schlosse längst untätig geworden, und die Klinke gab nur wiederholtem und gewaltsamem Drücken nach, bei welchem sie aber nicht selten aus ihrer Mutter fuhr und dem Klinkenden in der Hand sitzenblieb. Die Bewohner pflegten sich daher auch mehr eines nach und nach sehr erweiterten Loches in der Wand zum Ein- und Ausgange zu bedienen und dieses nur für die Nachtzeit durch vorgesetzte Tonnen und Kasten zu versperren.»

Die beiden ersten Sätze sind verbunden, indem das erste Subjekt (Hochebne) durch ein von einem Demonstrativ verstärktes Synonym wiederholt wird. Das Subjekt des zweiten Satzes (Gestein) erscheint seinerseits im dritten Satz fast wörtlich (Steinlager). So heben sich aus den drei ersten Sätzen, die eine Periode bilden, Ebene und Steinlager als Leitbegriffe heraus.

Die nächste Periode ist mit der vorangehenden durch die anfängliche Wiederholung der Leitbegriffe verbunden, wobei der bestimmte Artikel deutlich rückweisende Bedeutung hat (jene genannte Ebene, jene genannten Felsen). Ihr neues Subjekt ist «Weg», das als grammatisches oder inneres Subjekt die folgenden Sätze beherrscht und verbindet. Beziehungswörter (derselbe, dieser) verstärken noch die Bindungen. Der Weg, den wir zuletzt betreten haben, bekommt schließlich einen Eigennamen, der in der glücklichsten Weise die Beziehung zum Schloß herstellt, wobei die kausale Konjunktion «denn» auch den letzten, nur äußerlich selbständigen Satz fest in das Gefüge dieser zweiten Periode und damit des ersten Abschnitts einwebt.

So hat sich in ihm eine einheitliche Bewegung vollzogen, die von der Ebene zum Gebirge, zum Weg und mit dem Schloßweg zum Blick auf das Schloß geführt hat. Man könnte diesem ersten Abschnitt den zusammenfassenden Titel «Der Anmarsch» geben.

Der zweite Abschnitt führt uns nun in den Schloßbezirk. Aber wir bleiben zunächst an der Pforte stehen. Das erste Subjekt, das hinausgezögert und dadurch wirksam beschwert wird, ist ein Gesamteindruck: «die ungemeine Baufälligkeit des Schlosses». Damit ist der Leitbegriff für alles Folgende genannt, denn was nun in den einzelnen Sätzen beschworen wird, ist sichtbarer Beweis der Baufälligkeit und immer von dem gleichen Standpunkt am Tor gesehen.

Die Verknüpfung der einzelnen Sätze ist wieder sehr eng. «Was zuvörderst betrifft», so knüpft der zweite Satz, der uns an den Beobachtungspunkt dieses Abschnittes stellt, an den Gesamteindruck an. Die Orientierungen «rechts» und «links» helfen an der Gliederung und inneren Bindung des Satzes selbst. (Im ersten Abschnitt halfen die Himmelsrichtungen an der Orientierung). Der nächste Satz schließt sich unmittelbar an den letzten Teil des vorangehenden, auf den er mit «hieraus» noch deutlich verweist.

Seine eigenen Schlußworte «nur bei trockenem Wetter» stellen Haken dar, die im Anfang des folgenden Satzes ihre Gegenstücke haben: «wenn es regnete».

Der nächste Absatz faßt zunächst noch einmal den vorangehenden zusammen und gibt dessen Titel an: «die Baufälligkeit des Zugangs». Der Einsatz «völlig entsprechend diesem Zugange» verrät, daß weiterhin alles einzelne unter dem Gesamteindruck des Baufälligen stehen wird; er nennt aber zugleich das neue Beobachtungsfeld: das Äußere und Innere des Hauses. Im ersten Abschnitt waren wir in rascher und geradliniger Bewegung bis in Sicht des Schlosses gekommen. Im zweiten waren wir an der Pforte stehengeblieben. Jetzt im dritten schlendern wir langsam bis an die Tür des Gebäudes. (Im folgenden vierten Absatz wird wieder kurz innegehalten; das Thema sind «die Fenster», bis wir dann im fünften Abschnitt im Innern sind und «die Bewohner» antreffen.)

Die kurze Nachzeichnung hat gezeigt, wie gering die Eigenwertigkeit jedes sogenannten Satzes ist. Mancher Punkt erscheint geradezu als willkürlich und ließe sich durch ein Semikolon oder ein Komma ersetzen. Rück- und Vorausbeziehungen sorgen in jedem Fall für feste Einfügung der Sätze: erst in den Abschnitten, die sich unter syntaktischem Blickpunkt auch als Großperioden bezeichnen ließen, stoßen wir wirklich auf einheitliche und einigermaßen selbständige Gebilde. Jeder Absatz hatte dabei sein besonderes Beobachtungsfeld und seine einheitliche Perspektive. Aber es zeigte sich ebenfalls, daß noch die Abschnitte ihrerseits in deutlicher äußerer und innerer Beziehung standen. Das gegebene Zitat reicht an sich nicht aus, um die Dreigliedrigkeit erkennen zu lassen: «der Anmarsch» (Absatz 1); «das Gebäude» (unterteilt in «der Zugang» [Absatz 2]; «das Gebäude», [Absatz 3]; «die Fenster», [Absatz 4]); «die Bewohner» (Absatz 5 ff.). Äußerlich bestimmt die Bewegung von ... zu die Folge der Absätze, von der Weite in die Nähe; innerlich hatte schon der 1. Absatz, indem er, sobald das Schloß in Sicht rückte, von der Verfallenheit sprach, damit den einheitlichen Fluchtpunkt für alles Folgende angegeben. Noch die Absätze über die Bewohner werden innerlich auf ihn zulaufen.

Das Ganze, das so entsteht, und dessen Struktur nun durchsichtig geworden ist, stellt eine wirkliche Einheit dar, der gegenüber die drei Teile Anmarsch, Gebäude, Bewohner nur beschränkte Selbständigkeit haben. Dieses Ganze von klarer Formqualität erfassen wir als BESCHREIBUNG. Es ist, wie man leicht einsieht, eine gerade in der Erzählung beheimatete Form.

Daß es sich in unserem Fall um eine Beschreibung der Erzählkunst handelt, offenbart sich nicht nur in der ausgewogenen Anlage und der gemessenen Folge. (Man hätte übrigens schon nach der kurzen Textprobe alles Recht, auf einen Roman als umfangendes Werk zu schließen und nicht etwa eine drängende Novelle.) Der Erzählcharakter offenbart sich vor allem in dem Sichtbarwerden des Erzählers selbst. Es seien nur zwei Eigenheiten seiner Erzählhaltung angedeutet. Da ist einmal der Abstand zum Erzählten bzw. Beschriebenen, die Umsicht, die Freiheit des Geistes dabei, die sich vor allem darin kundtut, daß er von dem Augenblicklichen leicht und gerne in größere Zeiträume aufsteigt (zu anderen Zwecken verwendet worden; bei trockenem Wetter – wenn es regnete; nicht selten; die Bewohner pflegten u. ä.). Damit erweist sich zugleich die «Allwissenheit» als Eigenheit der Erzählhaltung. Zum andern aber fällt der Humor als kennzeichnend auf; er verwirklicht sich etwa durch das hartnäckige Nebeneinandersetzen zweier Zeitstufen bei den Verben (man sieht oder sah, kommt oder kam, springt oder sprang, betrifft oder betraf), durch die Art, wie die Stellung der beiden Löwen mit Ausdrucksgehalt aufgefüllt wird und andere Züge mehr.

7. REDEWEISEN UND REDEFORMEN

Wir lenken noch einmal den Blick auf die Beschreibung aus Immermanns *Münchhausen*. Unter den verwendeten Satzarten heben sich als bestimmend die Aussagesätze heraus. Sie sind kennzeichnend für den Vollzug des Beschreibens; alles Beschreiben vollzieht sich vorzugsweise in Aussagesätzen. Wir bezeichnen ein solches Vollziehen, dem bestimmte syntaktische Formen gemäß sind, als REDEWEISE. Eine andere Redeweise ist etwa das ERÖRTERN. Als zugehörige syntaktische Formen treten da Fragen und Antworten sowie Konditional- und Urteilssätze auf. Das BERICHTEN vollzieht sich wie das Beschreiben in Aussagesätzen, das BEFEHLEN in Befehlssätzen, das WERTEN in Ausrufesätzen («was für ein herrliches Wetter ist das heute!»).

Den Redeweisen stehen die Redeformen gegenüber. Sie setzen die Redeweisen, den Vollzug eines bestimmten Redens voraus. Sie sind damit einmal der Sinn, der Zweck des Redens. Aber sie sind mehr. Sie sind Formen. Sie runden das jeweilige Reden ab, so daß es von seinem Anfang an sein Ende kommt. Sie geben einem zusammenhängenden Stück Sprache Einheit: sie sind «Gestalten». Das Beschreiben rundet sich zu der Beschreibung (oder dem «Bild»), das Befehlen zum Befehl oder zur Bitte oder zum Gebet, das Berichten zum Bericht, das Erörtern zur Erörterung. Mit ihr ist das Verhör eng verwandt. Auch das Verhör entwickelt sich aus Frage und Antwort, nur daß es auf zwei Personen verteilt ist, von denen die eine als die autoritäthabende, als autorisierte gleichsam (und im juristischen Verhör auch tatsächlich) einen höheren Standpunkt einnimmt. Der Sinn des Verhörs liegt in der Feststellung begangenen Unrechts, es drängt auf die schließliche

Urteilssprechung hin. Damit wohnt ihm eine dramatische Gespanntheit inne, und in der Tat ist das Verhör eine in der Dramatik häufige Redeform. Es sei auf Kleists bohrende Verhöre gewiesen oder auf Grillparzers Dramatik. Ein dem Zuschauer kaum bewußt werdendes und dennoch höchst wirksames Beispiel findet sich am Ende des 3. Aktes von *Des Meeres und der Liebe Wellen*. Leander hat das Meer durchschwommen, den Turm erklettert und steigt durch das Fenster. Aber Grillparzer läßt ihn nun nicht, wie es jeder dramatische Stümper getan hätte, die Rolle des stürmischen Liebhabers spielen. Hero bannt ihn an seinen Platz: «Dort steh und reg dich nicht!» und beginnt ein regelrechtes Verhör (Was führte dich hierher? – Wer dein Genosse? – Wer hielt die Leiter dir? – – So war's mein Licht, die Lampe, die dir Richtung gab und Ziel?). Es kommt auch zu dem Urteilsspruch: «Drum geh und kehr nicht wieder!». Aber an dieser Stelle schlägt es um, und der Regisseur müßte wohl von dem nächsten Wort an Leander aus seinem «Bann» erlösen und Hero ihrerseits an ihre Stelle bannen. Denn jetzt beginnt Leander zu fragen, während Hero antwortet. Unabhängig von allem, was sie sagen, ist durch die Vertauschung der Rollen im Verhör die kommende Wendung der Dinge angedeutet. Die Umkehrung läßt Grillparzer freilich nicht sich ausspielen, den Abschluß der Szene so hinausschiebend: ein neues Geschehensmoment aus dem Draußen, das Nahen des Wächters, greift in das innere Drama zwischen den beiden Hauptgestalten ein.

Den Redeformen als gestalthaften Sinneinheiten begegnen wir überall im täglichen Leben. So enthält eine Zeitung in ihren verschiedenen Teilen fast alle Redeformen: den Bericht, die Beschreibung, die Erörterung, die Wertung –, und auf der letzten Seite enthalten die Reklamen der Firmen die Redeform der Aufforderung in sich. Andererseits kommt es beim mündlichen Gespräch des Alltags wohl zur Tätigkeit, das heißt zu den Redeweisen, vielfach aber nicht mehr zur einheitlichen Gestalt. Gespräche verlaufen oft im Sande oder setzen sich lediglich fort, indem ein Wort das andere gibt: keine übergreifende Form sorgt für die Fügung und Einfügung. Im Gegensatz zu dem ernsthaften Gespräch über …, bei dem wirklich etwas erörtert wird, finden sich in allen Sprachen Synonyma zu «Gespräch», in denen das Formlose des Sprechens mehr oder weniger deutlich ausgedrückt wird: plaudern, plauschen, schwatzen, klönen, tratschen, quatschen u.s.f. Demgegenüber ist literarisches Sprechen sinnvolles und gestaltgebendes Sprechen. So entfalten die Redeformen gerade in der Dichtung ihre volle Lebenskraft. Es genügte, an dieser Stelle erst einmal den Blick auf die Phänomene an sich zu lenken. Das folgende Kapitel über den Aufbau wird ihre Wirkung und Bedeutung im Gefüge der Dichtung schon besser verstehen lassen.

KAPITEL V

DER AUFBAU

Die Frage des Aufbaus wird im sprachlichen Bezirk überall da dringlich, wo sich durch das Sprechen eine irgendwie geartete Einheit ergibt. Ein loses Gespräch, bei dem ein Wort das andere gibt, strebt keiner Einheit zu. Anders ist es schon bei einem Brief. Gewiß plaudern viele Briefe nur von dem, was dem Schreiber in den Sinn kommt, und zur Einheit werden sie nur äußerlich durch die Begrenzung auf vier Seiten. Aber es gibt auch Fälle, wo ein Schreiber das Phänomen «Brief» als Einheit empfindet und die Ansprüche fühlt, die davon ausgehen. Der Brief ist seit der Antike immer wieder auch als literarische Form benutzt worden. Eine europäische Mode geradezu waren die von Ovid abgelernten HEROIDEN, das heißt fiktive Liebesbriefe bekannter Heroen. Abälard und Heloise, Äneas und Dido, Hero und Leander und andere berühmte Liebespaare haben vom 16. bis 18. Jahrhundert oftmals Briefe wechseln müssen. Aber über den Aufbau muß sich schließlich auch der Verfasser eines Berichts, eines Artikels, einer Untersuchung, eines Vortrags u.s.f. Gedanken machen und Entscheidungen fällen. Meist wird es da Anleitungen von den Sachen her geben. In der Dichtung aber, die ja ihre Sachen, ihre Welt selber schafft, entstammt auch der Aufbau, die Folge der Dinge, ihr Zusammenhang, Über- und Unterordnung, das ganze von einem Anfang einem Ende zustrebende sprachliche Gefüge in ungleich stärkerem Maße dem persönlichen Schaffen. Bei umfangreichen Werken wie Dramen, Epen u.s.f. wird der Anteil der Bewußtheit dabei beträchtlich sein. Aber Aufbau haben schließlich auch Gedichte, die sich «von allein» gefügt haben.

1. AUFBAUPROBLEME DER LYRIK

(a) Ein Beispiel (Verlaine)

Als Beispiel zur Einführung, an dem die Probleme des Aufbaus gezeigt werden sollen, dient ein Gedicht von Verlaine. Wir machen uns an die Erörterung des Aufbaus mit einem gewissen Bedauern, daß die pädagogischen Zwecke dazu zwingen, das Gedicht zunächst auseinander zu reißen. Aber es steht zu hoffen, daß, wenn die Untersuchungen nur weit genug dringen, das Gedicht sich dann wieder zusammenfügt und die Betrachtung es als Einheit erfaßt. Und es ist weiterhin zu hoffen, daß, wenn der Blick für die Einzelprobleme des Aufbaus geschärft ist, dann später andere Gedichte nichts von ihrer Einheit und ihrem Leben bei der Betrachtung verlieren. Man darf vielmehr die Überzeugung hegen, daß bei richtiger theoretischer Einstellung die Gedichte erst dann das geheimnisvolle Leben, das in ihnen pulst, ahnen und wirken lassen können. Das Gedicht, aus dem Zyklus *La bonne chanson*, lautet:

> La lune blanche
> Luit dans les bois;
> De chaque branche
> Part une voix
> Sous la ramée ...
>
> O bien-aimée.
>
> L'étang reflète,
> Profond miroir,
> La silhouette
> Du saule noir
> Où le vent pleure ...
>
> Rêvons, c'est l'heure.
>
> Un vaste et tendre
> Apaisement
> Semble descendre
> Du firmament
> Que l'astre irise ...
>
> C'est l'heure exquise.

Es gibt in diesem wie in jedem Gedicht verschiedene Schichten, die einen Aufbau haben. Wir stellen die Frage nach «dem» Aufbau zurück und betrachten zunächst die einzelnen Schichten.

Am leichtesten erfaßbar ist der äußere Aufbau. Das Gedicht wird aus drei Strophen gebildet. Jede Strophe besteht aus sechs Zeilen. Durch den Reim sind die sechs Zeilen so gegliedert, daß auf vier, durch Kreuzreim verbundene Zeilen ein abschließendes Reimpaar folgt. Diese offensichtliche Zweiteiligkeit der Strophen wird aber noch differenziert. Die äußere Druckanordnung setzt die letzte Zeile gesondert ab, die also wohl gewichtiger zu nehmen ist und als eigene Einheit funktionieren soll. Die Zeilen sind gleich, und zwar kurz: es sind Viersilber, wobei Zeile 2 und 4 männlich, die andern weiblich enden.

Diesen metrischen Kanevas lesen wir mit den Augen ab. Er könnte unendlich vielen Gedichten zugrunde liegen. Wenn wir aber hören, wie er bei

Verlaine ausgefüllt ist, mit diesem einmaligen Gedicht, dann hören wir nicht das Metrum, sondern etwas, was zwar daran gebunden ist, aber doch andererseits einmal und individuell ist, weil es nur mit den einmaligen Worten lebt: den Rhythmus. Wir wenden uns also zweitens dem Aufbau der Schicht des Rhythmus zu. Es ist eine künstliche Absonderung, die wir da vornehmen müssen. Denn der Rhythmus lebt nur mit den Worten. Wir haben also zunächst von allen Bedeutungen der Worte abzusehen. Das fällt noch leicht, wenn wir uns in die Rolle eines Hörers versetzen, der kein Französisch versteht, bei dem also für diese Trennung gesorgt ist. Aber ein solcher Hörer hört doch zugleich die Melodie, er hört den Klang. Wir müssen versuchen, auch das abzutrennen, um den Aufbau des Rhythmus allein zu erfassen.

In drei großen Wellen fließt der Rhythmus dahin, in dem Strombett der drei Strophen. Jede Strophe ist tatsächlich eine feste rhythmische Einheit. Aber die äußere Gliederung der Strophe in zwei Teile, in vier kreuzgereimte Zeilen und ein Reimpaar, wird vom Rhythmus verändert. Da bilden nämlich die beiden ersten Zeilen eine Einheit, hinter der eine merkliche Pause liegt, während die beiden Zeilen selber – die kleinsten rhythmischen Einheiten – wie ein Auf- und Abschwellen wirken. Darauf fügen sich die drei nächsten Zeilen zu einer Einheit, die sich aus drei gleichlaufenden kleinen Wellen, den Zeilen, zusammensetzt. Hinter ihr liegt, wie Druckbild und Interpunktion anweisen, eine weite Pause, die größer ist als die hinter Zeile 2. In merklich ruhigerem Tempo fließt die abschließende Zeile dahin, die damit allen vorangehenden das Gegengewicht hält. Wollten wir das rhythmische Bild graphisch schematisieren, so ergäbe sich etwa:

Aber es ist nicht so, daß die drei großen rhythmischen Wellen, die äußerlich durch die Strophen begrenzt sind, völlig gleich wären. In der dritten Strophe drängt jede Zeile ungeduldig weiter; die kleinen Einschnitte hinter Zeile 1, 3 und 4 sind noch kleiner, und ebenso verringert sich die bisher so merkliche Pause hinter Zeile 2 (die übrigens in der zweiten Strophe auch schon kleiner war als in der ersten). Nur die Pause hinter Zeile 5 dehnt sich wieder lang. Die letzte Zeile aber ist noch gedehnter als in den früheren Strophen und bedeutet somit ein fühlbares Ende der ganzen rhythmischen Bewegung.

Nach der Schicht des Rhythmus sei der Versuch gemacht, die Schicht des Klanges auf ihren Aufbau hin zu untersuchen. Tatsächlich läßt sich der Ver-

such durchführen: der Klang ist ein Gefüge mit eigenem Aufbau. Das Gedicht beginnt weich. Die stimmhaften Laute überwiegen, und Alliterationen steigern ihre Wirkung (lune-luit; blanche, branche, bois). Die Vokale
sind keineswegs so einhellig abgetönt. Wohl führen die offenen a-Klänge,
aber daneben glitzert es von den verschiedensten Tönungen, freilich fast
durchweg kurzvokalischen. Beinah möchte man sagen: das Flimmern des
Mondlichts wird hier in Klänge umgesetzt, von den Klängen sinnfällig gemacht. Bis dann der Reim, zum erstenmal auf einem langen Vokal, Halt und
Ruhe gibt.

Wieder setzt das flimmernde Spiel der Klänge ein; aber jetzt ist alles
doch dunkler, hintergründiger. Die dunklen Nasale (ang, ond, ent, ons) bestimmen den Klanggehalt. Auch der Halt auf dem langen -eure wirkt gebro-
chener als der auf dem klaren ée der ersten Strophe. Von jetzt an hüllt sich
das Gedicht ganz in den Schleier der weichen Nasale, bis, nach der leichten
Aufhellung «du fir(mament)», der überraschende und völlig neue Reim auf
dem langen i alles mit einem Lichtschimmer übergießt und die Bewegung
wie eine leuchtend aufsteigende Rakete steil in die Höhe führt.

Auch der Klang baut sich also in einem dreigeteilten Gefüge auf, wobei
jedesmal die langen Vokale des Reimpaares den Schluß kräftig markieren.
Und wie beim Rhythmus herrscht keine völlige Gleichmäßigkeit unter den
drei Teilen, sondern eine Steigerung zum letzten hin. Die klangliche Eigenheit und Ausdruckskraft des letzten Teiles ist vielleicht noch größer als die
rhythmische. Nicht immer wird in einem Gedicht die Schicht des Klanges so
fest und selbständig gefügt sein. Aber es darf nicht übersehen werden, daß
die Selbständigkeit doch nur scheinbar ist. Nicht zufällig drängten sich bei
der Erfassung des Klanges Hinweise auf die Schicht der Bedeutung auf:
tatsächlich würde ohne Aktualisierung der Bedeutungen von lune, luit u. s. f.
der klangliche Ausdrucksgehalt der ersten Strophe, den wir als glitzernd
bezeichneten, nicht so wirksam geworden sein. Zwar hat es in allen Sprachen Lobredner bestimmter Wörter gegeben, die im Klang schon alles ausgedrückt fanden. Aber wenn Dante an dem Wort «amor» und Luther an
dem Wort «Liebe» rühmten, daß der Klang allein schon die Bedeutung offen-
bare, so verfielen sie einer naheliegenden Täuschung. Erst durch die Verbindung des Klanges der Wörter mit den Bedeutungen, wie sie ja der
Sprache wesentlich ist, kommen die Klänge zur vollen Wirksamkeit. (Vgl.
Ch. Bally, *Le langage et la vie*, S. 117: «C'est que – on l'a déjà dit – les effets
phoniques ne se manifestent que s'ils sont favorisés par les facteurs séman-
tiques.»)

Das ist schließlich auch das Resultat jener Versuche, die in konsequenter
Fortsetzung romantischer Tendenzen angestellt worden sind: Gedichte aus
nur klingenden und völlig sinnfreien, das heißt sinnlosen Lautgruppen zu

bilden. Selbst bei sinnfreien kindlichen Abzählversen ist festzustellen, daß nicht nur Klang und Rhythmus aufbauend wirken (und zwar der Klang viel schwächer als der Rhythmus), sondern daß Bedeutungen zumindest schemenhaft geweckt oder unterlegt werden. Das Verhältnis von Klangwirkung und Wirkung der Bedeutungen ist in der Dichtung natürlich verschieden. In unserem Gedicht ist die Klangwirkung intensiv, und stellenweise haben auch hier die Bedeutungen einen etwas schattenhaften Charakter. Ihnen ist gleichsam Energie vom Klang entzogen worden.

Es bleibt als vierte die Schicht der Bedeutungen zu untersuchen. Denn wenn die Bedeutungen auch stellenweise nur schwach wirksam werden, so besteht doch ein einheitliches Bedeutungsgefüge und handelt es sich nicht, wie in manchen Kinderversen, um ein sporadisches Aufflackern von isolierten Bedeutungen. Wenn man von der Lyrik gesagt hat, daß sie kein in der Zeit ablaufendes gegenständliches Geschehen kenne, so darf das natürlich nicht heißen, daß jedes Gedicht sich nicht allmählich entfalte und mithin aufbaue. Was sich da aufbaut, ohne verlaufendes Geschehen zu sein, wird später untersucht werden.

In dem zitierten Gedicht läßt sich die Art der Entfaltung schnell erkennen. Sie vollzieht sich in drei Phasen. Diese drei Phasen entstehen nicht durch eine Veränderung im Standpunkt des Sprechenden oder durch neuartige Eindrücke oder durch einen zeitlichen Verlauf im Gegenständlichen (den es in der Lyrik gewiß auch geben kann) oder durch neue Einsichten, zu denen die Reflexion über die Gegenständlichkeit kommt. Es vollzieht sich hier vielmehr eine Intensivierung des Erlebens. Das allgemeine Aufbauprinzip ist das der Steigerung.

Aber bei genauerem Hinsehen beobachten wir, daß der Verlauf gar nicht einsträngig ist. Er vollzieht sich auf zwei Ebenen: auf der der äußeren, gegenständlichen Welt und auf der der inneren, seelischen Welt, an der zwei Menschen teilhaben, der Sprecher und die Geliebte. Gewiß sind beide Reihen nicht isoliert. Der zweite Vorgang, der in den drei Schlußzeilen der Strophen als seinem äußeren Strombett dahinfließt, empfängt seine Substanz von den Vorgängen in der Natur, ist gleichsam die Übersetzung dessen, was draußen vor sich geht, in menschliche Seelenempfindung. Äußerst fein sind dabei die Verbindungen. Es ist, als ob die voix in der Natur nun erst dem Menschen die Zunge lösen zu dem gehauchten Anrufe an die Geliebte. In der zweiten Strophe leitet wieder ein akustischer Vorgang in der Natur, das «pleurer» des Windes, zu der Sphäre der Menschen, die das Naturgeschehen als ihre Stunde erleben. In der dritten Strophe ist die Verschmelzung der beiden Reihen nahezu vollständig geworden, die Natur vermenschlicht und die Menschen in die größere Natur aufgelöst. Die Schlußzeile ist Ausdruck solcher Verschmolzenheit, die sich schon in den «Metaphern» vorbereitete: tendre, apaisement, descendre und dem transitiven Gebrauch von irise, das den astre zum Täter machte. Jeder der beiden Parallelvorgänge, der gegenständliche und der seelische, vollzieht sich in drei Phasen.

Von der Gegenstandswelt erlebt der Sprecher die Situation mit Augen und Ohren. Der Blick senkt sich in der zweiten Strophe und nimmt gleichsam nähere Gegenstände wahr. Zugleich unterscheidet das Ohr, das zunächst nur überall eine voix hörte, jetzt das pleurer des Windes. In der dritten Strophe vollzieht sich wieder eine Aufwärtsbewegung. Aber jetzt wird gar nicht primär mit Augen und Ohren erlebt und infolgedessen stellt sich auch keine engbegrenzte Gegenständlichkeit dar: ein apaisement wird empfunden. Zwar auch mit den Sinnen; nur grammatisch gesehen ist es ein Abstraktum, in dem Bedeutungsgefüge des Gedichts ist es auch konkret (es ist tendre, es descend). Die Gegenstände entgrenzen sich («firmament»; «astre» statt «lune»).

Auf der menschlichen Seite setzte sich das Erleben der Situation zunächst in eine allgemeine zärtliche Gestimmtheit um. In der zweiten Strophe steigert sich das: das Träumen erscheint als die innerlich zugeordnete Gestimmtheit, und zugleich wird das Ungewöhnliche, Besondere dieses Augenblicks empfunden. In der dritten Strophe steigert sich das noch zu dem Gefühl der heure exquise. Das Vorgangshafte auf der Seite des Gegenständlichen setzt sich auf der Seite des Menschen in das Erlebnis eines Seins um. Haben dort die Verben die Führung, so herrscht hier das urteilende «c'est». Das Eigene des erlebten Seins, dahin steigert sich der Vorgang auf der menschlichen Seite, ist seine besondere Zeitlichkeit: «heure exquise». Die Tatsache, daß es zu einer solchen Aussage, bewußt gemachten Aussage kommt, zeigt, daß die Verschmelzung der beiden Reihen doch nicht vollständig wird und der Mensch sozusagen seine Autonomie bewahrt. (Hier könnten Untersuchungen an motivgleichen Gedichten mit Erfolg einsetzen, die als letztes Ziel die dichterische Persönlichkeit Verlaines oder die Eigenheit des Symbolismus oder sogar nationale Eigenheiten anvisierten. Vgl. die «Nachtgedichte» oben S. 64 ff.)

Was die heure exquise eigentlich ist, worin die exquisité eigentlich besteht, das wird freilich nicht begrifflich faßbar ausgesagt. Es läßt sich nur umschreiben: als die in einem Naturvorgang erlebte Besonderheit eines Augenblicks. Das ist das eigentliche Zentrum des Gedichts, das geheimnisvoll verborgen bleibt, auf das doch vom ersten Wort an alles bezogen ist, dem sich das Gedicht in seinem dreistufigen Aufbau ständig nähert und das wir am Schluß nur mit den irrationalen Schichten, nicht aber mit dem Verstand erfassen.

Mit dieser Feststellung eines Zentrums und der Erkenntnis, wie der Aufbau sich ihm zuordnet, ist die Analyse des Aufbaus in der Schicht der Bedeutungen an ihren Abschluß gekommen. Es wäre Aufgabe einer vollständigen Interpretation, die sich freilich durch die Analyse des Aufbaus schon weit gefördert sieht, noch weiterzugehen. Sie müßte einmal die Rolle näher bestimmen, die der nur angesprochene, aber nicht sichtbar werdende Partner spielt; denn offensichtlich gehört seine Gegenwart mit zu dem inneren Raum des ganzen Gedichts. Sie müßte zum andern die zeitliche Auffassung, die sich im Zentrum besonders verdichtete, näher ermitteln. Die vollständige Interpretation des Gedichtes ließe sich natürlich nur von dem ganzen Zyklus *La bonne chanson* her durchführen, in dem das Gedicht seine feste Stelle und seinen vollen Sinn hat. (Mit der durchgeführten Interpretation, und zwar gerade seiner Zeitauffassung, wäre ein wichtiger Weg zum Verständnis des Symbolismus gefunden. Hat man doch gesagt, daß «das Bewußtsein für das Geheimnisvolle des Zeitablaufs eben die Voraussetzung für das lyrische Erlebnis des Symbolisten ist», L. Spitzer, *Stilstudien* II, S. 73. Und Thibaudet hat in seinem Buch über *La poésie de Mallarmé* dem «sentiment de la durée» ein eigenes Kapitel gewidmet. Wenn er da von der «durée idéale» spricht, wozu auch unser Gedicht auffordert, so stiften sich schließlich von der Dichtung her Beziehungen zu der – späteren – Philosophie Bergsons, in der der Begriff der «durée» zu einem der Zentralbegriffe wird. Einige Proben, um die Wichtigkeit der «besonderen Stunde» in der Dichtung des französischen Symbolismus anzudeuten: Baudelaire *(Crépuscule du Matin)*: C'était l'heure ... c'était l'heure (ähnlich im *Crépuscule du Soir*); Charles Guérin *(Il a plu)*: C'est l'heure choisie entre toutes ...; S. Rodenbach *(Vieux Quais)*: Il est une heure exquise à l'approche des soirs ...)

Wenn nun der Versuch gemacht wird, die vier Schichten, die getrennt auf ihren Aufbau hin untersucht wurden, zusammenzuschauen, so ist das kein Zusatz, sondern die notwendige Folge der Untersuchungen selbst. Denn es ergab sich, daß keine der Schichten in völliger Isolierung besteht: der Rhythmus hatte den äußeren Bau zur unentbehrlichen Grundlage und verband sich mit dem Klang, der wieder die Bedeutungen zu seiner vollen Entfaltung brauchte. Alle vier Schichten bedingen und tragen einander, wobei zu bemerken ist, daß die Schicht des äußeren Aufbaus in unserem Fall fast völlig untergeordnet ist. Sie entfesselt kaum eigene Wirkungen, sondern dient und verhilft den anderen zur vollen Entfaltung, von denen sie nahezu aufgezehrt wird. (Man darf vermuten, daß sie gar nicht selbständig konzipiert wurde, sondern sich von den andern Schichten her ergab. Die Reihenfolge der Schichten bei der Analyse spiegelt nicht etwa den Schaffensvorgang.) Nur an einer Stelle ist sie von eigener Wirkung. Die Zweiteiligkeit der Strophe (vier kreuzgereimte Zeilen und ein Reimpaar) wird durch den Reim an sich sinnfällig. Das aber wird von dem kräftigeren Rhythmus überdeckt, der hinter die zweite Zeile eine Pause setzt und die «äußere» Pause nach der vierten Zeile überströmt. Die leichte Diskrepanz zwischen beiden Schichten schafft keine störenden Gegensätze, sondern vielmehr ein Schweben, das zu dem Gedicht paßt; sie wird geradezu ein neues Mittel zu seiner Konstituierung.

Eine leichte Diskrepanz zwischen den Schichten des Klanges und des Rhythmus einerseits und der der Bedeutungen andererseits beobachteten wir auch am Schluß. Die Bedeutungen machen den Aufschwung des Rhythmus und vor allem des Klanges nicht recht mit, und das exquise wirkt als Bedeutung, so wunderbar es als Klang funktioniert, ein klein wenig zu reserviert, ein klein wenig zu bewußt, ein klein wenig manieriert für den, der ein völliges Verschmelzen, ein sich vollendendes Lied erwartet.

Aber sonst beobachteten wir bei aller Eigenkraft der Schichten eine bemerkenswerte Koordination der Wirkungen und des Aufbaues. Wieder läßt sich das nicht ohne weiteres verallgemeinern; wenn sich schon früher Zweifel einstellten, ob alle Gedichte ein so festes Klanggefüge besäßen, so muß hier durchaus offen bleiben, ob sich immer eine solche Koordination der Schichten im lyrischen Gedicht beobachten läßt. (Und ebenso muß unentschieden bleiben, ob die Koordination ohne weiteres als Maßstab der Wertung zu verwenden ist.) Eines aber läßt sich mit aller Bestimmtheit sagen und darf auch verallgemeinert werden: daß nicht etwa die Schicht der Bedeutungen die eigentliche Substanz des Gedichtes darstellt und nicht sie allein Aufbau hat. In dieser *chanson* sind die anderen Schichten wesentlich mitbeteiligt, wenn nicht gar führend bei dem Hervorrufen und Fügen der dichterischen Welt. Die durch das Zusammenwirken entstehende und sich allmählich entfaltende Substanz des lyrischen Gedichtes heißt in der Sprache der Literaturwissenschaft der LYRISCHE VORGANG. Ein weitergehendes Fragen nach dem Wesen des lyrischen Vorganges würde in andere Bereiche führen und vor die Probleme der Gattungen bzw. des Liedes bringen. Es genügt an dieser Stelle festzustellen, daß dafür die Untersuchung des Aufbaus geeignete Zugänge geschaffen hat. Ein Teil dessen, was sich ergab, zum Beispiel das Dasein eines geheimen Zentrums, das Vorwalten der irrationalen Sprachmittel wie Klang und Rhythmus, die Verschwommenheit der Bedeutungen und die Metamorphose der Bedeutungsenergien, die Verbundenheit und Verschmelzung von gegenständlicher und seelischer Sphäre, all das blickt schon auf das Wesen der Lyrik bzw. einer lyrischen Gattung. Zugleich darf noch einmal festgestellt werden, daß die vollständige Interpretation eines Gedichtes durch die genaue Erfassung seines Aufbaus wesentlich gefördert wird.

(b) Äußerer und innerer Aufbau

Ein anderes kleines Beispiel soll zeigen, wie wenig mitunter äußere und innere Gliederung zusammenstimmen. Als Beispiel sei Goethes *Mailied* gewählt:

Wie herrlich leuchtet
Mir die Natur!
Wie glänzt die Sonne!
Wie lacht die Flur!

Es dringen Blüten
Aus jedem Zweig
Und tausend Stimmen
Aus dem Gesträuch.

Und Freud und Wonne
Aus jeder Brust.
O Erd, o Sonne!
O Glück, o Lust!

O Lieb, o Liebe!
So golden schön,
Wie Morgenwolken
Auf jenen Höhn!

Du segnest herrlich
Das frische Feld,
Im Blütendampfe
Die volle Welt.

O Mädchen, Mädchen,
Wie lieb ich dich!
Wie blinkt dein Auge!
Wie liebst du mich!

So liebt die Lerche
Gesang und Luft,
Und Morgenblumen
Den Himmelsduft,

Wie ich dich liebe
Mit warmem Blut,
Die du mir Jugend
Und Freud und Mut

Zu neuen Liedern
Und Tänzen gibst.
Sei ewig glücklich,
Wie du mich liebst!

Äußerlich gesehen baut sich das Gedicht aus neun vierzeiligen Strophen auf. Aber schon beim Lesen merkt man, wie wenig streng die Strophengrenzen eingehalten werden. Zwischen Strophe 2 und 3, 3 und 4, 7 und 8, 8 und 9 sind die Pausen kaum noch merklich, während die merklichen Pausen der Gliederung (nach Rhythmus und Bedeutungen) nicht selten innerhalb der Strophen liegen (III, 2; IV, 1; IX, 2). Der Aufbau des lyrischen Vorgangs vollzieht sich in drei Phasen, die zwar nicht völlig gleich lang, wohl aber gleich geartet sind: jede Phase setzt mit einem Anruf ein und wendet sich dann zur Darstellung (Aussagesätze!). Der Ausruf der ersten Phase umfaßt die erste Strophe. Daran schließt sich die Darstellung bis III, 2. Auf den zweiten Ausruf, der drei Zeilen umfaßt und über die Strophengrenze gleitet, folgt bis ans Ende der fünften Strophe Darstellung. Der nächste Ausruf umfaßt wieder eine volle Strophe, während die Aussagen bis in die zweite Zeile der neunten Strophe gehen. Ein selbständiger Ausruf, jetzt in der Form eines Wunsches, schließt fest ab.

Die drei Phasen liegen nicht auf der gleichen Ebene. Eine Bewegung vollzieht sich in ihnen: wurde der erste Ausruf von der räumlichen Umgebung ausgelöst, so wendet sich der zweite stärker nach innen. Wesenszüge der Welt und des bewegten Ich, bedeutsame «Namen» werden ausgerufen. Der dritte Ausruf schließt sich an den letzten «Namen»; die Bewegung läuft jetzt zu den Empfindungen gegenüber einem bestimmten Du. Ihm gilt auch der Wunsch des Schlusses.

Es gibt viele Vertonungen des Mailiedes. Sie wirken fast alle quälend. Dieser Eindruck drängt sich vor allem dann auf, wenn sich der Musiker an den äußeren Aufbau hielt und strophig, zweistrophig oder dreistrophig komponierte. Der wahre Aufbau des lyrischen Vorgangs wird damit zerstört.

Das Verhältnis zwischen innerem und äußerem Aufbau ist in den beiden Gedichten von Verlaine und Goethe also durchaus verschieden. Goethe hat nach dem Mailied für viele Gedichte die feste Strophik aufgegeben, die er wohl für die innere Dynamik als Fessel empfand. (Er kehrte freilich bald danach wieder zu ihr zurück.)

Auch im 20. Jahrhundert besteht offensichtlich eine Tendenz gegen die feste Strophik. Gedichte, deren Bau irgendwie festgelegt ist wie zum Beispiel das Triolett, das Rondeau und Rondel, die Sestine u. s. f, werden weithin als spielerisch und unmodern betrachtet. Man kann die Wandlung der Einstellung auch an der klaren und kräftigen Form ablesen, die in den romanischen Literaturen eine Vorzugsstellung innehat, dem Sonett.

An den Sonetten der großen Renaissancedichter läßt sich beobachten, wie ein klarer Bauwille jedem Teil seine Funktion für das Ganze zuweist. Die Kunstwissenschaft hat von dem neuen Raumgefühl gesprochen, das gerade in der italienischen Renaissance lebendig wird. Man kommt fast in Versuchung, die beiden Künste aufeinander zu beziehen und in dem Sonett, das ja aus Italien stammt und mit der Renaissance seinen Siegeszug antritt, eine ausgesprochen «tektonische» Form zu sehen, die zu ihrer rechten Erfüllung einen tektonischen Bauwillen verlangt. Das Barock kümmert sich indessen vielfach nicht um die Ansprüche, die von der Form ausgehen. Oft ist die einfache Reihung das Bauprinzip, und lediglich am Schluß sucht eine Pointe den notwendigen Halt zu geben.

In allen Ländern läßt sich das beobachten; ebenso aber auch, daß mit der Romantik vielfach wieder die Strenge der Form erfüllt wird. Später tritt mit dem Symbolismus von neuem eine Erweichung ein.

Allgemein kann festgestellt werden, daß in der Lyrik der letzten Generationen der äußere Aufbau an Bedeutung gegenüber dem inneren verloren hat. Nicht nur im Sonett des 16. Jahrhunderts, sondern überhaupt in älterer Lyrik läßt sich das Umgekehrte beobachten: daß der innere Aufbau nur schwach ausgeprägt ist, dafür dem Metrisch-Strophischen das entscheidende Gewicht zufällt. Symptomatisch ist, daß bei der Überlieferung zum Beispiel des deutschen Minnesangs die Gedichte überaus oft auseinander gerissen worden sind; ein Zeichen für die Selbständigkeit der einzelnen Strophe und die Schwäche der Fügung. In äußerster Klarheit offenbart sich der Vorrang der äußeren Form bei den portugiesischen *cantigas de amigo*, die als eigener Typ durch die Aufbautechnik charakterisiert sind: jede gerade Strophe wandelt in der vorhergehenden nur den assonierenden Zeilenausgang, während jede «neue» ungerade Strophe mit der zweiten Zeile der vorangehenden ungeraden Strophe beginnt. Nach einer ansprechenden Vermutung läßt sich dabei an zwei Chöre denken, von denen einer die Stimmführung hat. In diesem Fall würde die Aufbautechnik wichtig für die Bestimmung der Herkunft bzw. der Anregungen. Auf den ersten Blick erkennt man Zusammenhänge mit der liturgischen Litanei.

Von einem «beau désordre» als maßgeblichem Aufbauprinzip hatten anläßlich der Ode bereits die Poetiken des 17. und 18. Jahrhunderts gesprochen. Berühmt sind Boileaus Zeilen:

> Son style impétueux souvent marche au hasard,
> Chez elle un beau désordre est un effet de l'art.

Es ist eine reizvolle Aufgabe zu untersuchen, wie die Dichter jener Zeit, die den Vorschriften der Theorie zu folgen suchten, ein solches Ziel realisierten. Und reizvoll ist es darüber hinaus, den Aufbau ihrer Oden mit dem neuerer

Odendichter zu vergleichen. Freilich muß dazu gesagt werden,daß die Ode, die im 17. und 18. Jahrhundert im Bannkreis Horazens gedieh, damals ein durchaus eigener Typ innerhalb der Lyrik war, während heute das Gefühl dafür einigermaßen verlorengegangen ist.

Das Mißtrauen, das in der neuesten Lyrik weithin gegen alle Formen herrscht, die mit deutlichen eigenen Ansprüchen auftreten, erstreckt sich auf den REFRAIN. Er bestimmt ja im Grunde den äußeren Aufbau von Formen wie Triolett, Rondeau, Rondell u.s.f.

Unter Refrain versteht man die regelmäßige Wiederkehr einer Zeile oder Wortgruppe an einer bestimmten Stelle der Strophen. Das Wort Refrain kommt aus dem Provenzalischen: refraingre ist das ständige Sich-Brechen der Wellen am Ufer. Aber damit kann natürlich nicht gesagt sein, daß das Phänomen selber aus der provenzalischen Dichtung stammt. Es begegnet im Altertum wie in der lateinischen Kirchendichtung. Wieweit das häufige Vorkommen des Refrains in den Volksliedern der europäischen Nationen von daher beeinflußt ist oder ob es völlig autochthon ist, wird noch diskutiert.

Wiederholt sich der entsprechende Vers (bzw. die Verse) wörtlich, so spricht man von FESTEM Kehrreim. Dabei kommt es vor, daß der Kehrreim gar keine innere Beziehung zu der Strophe und also keinerlei Funktionen für den Aufbau mehr hat. Er versteht sich dann nur aus der Lebensform des Gedichtes als Lied bzw. Tanzlied. So erklärt es sich zum Beispiel, daß manche der dänischen Balladen mit verschiedenem Kehrreim gesungen worden sind und daß andererseits der gleiche Kehrreim (I ror vel ud; Men Linden hun løves) in verschiedenen Balladen begegnet. Es ist geradezu ein Kriterium für ein junges Lied, wenn Strophe und Kehrreim fest aufeinander bezogen sind und der Kehrreim zu diesem Zwecke noch leicht variiert wird. (Die Frage des Kehrreims spielt in den Diskussionen über die Ursprünge der Gattungen Ballade eine Rolle.)

Bei leichten Veränderungen spricht man von FLÜSSIGEM Kehrreim. So hat Goethe in der *Ballade* (vom vertriebenen und zurückgekehrten Grafen) den Kehrreim: «Die Kinder, sie hören es gerne» in zwei Strophen der Situation entsprechend abgewandelt in: «Die Kinder, sie hören's nicht gerne.»

Der Kehrreim setzt nach jeder Strophe einen merklichen Halt und faßt den Stimmungsgehalt der Strophe zusammen. Das war der Grund, weshalb Goethe dieses Gedicht nicht unter die Balladen reihte, wohin es an sich gehörte, sondern an die Spitze der Gruppe *Lyrisches* stellte. Er tat es wohl auch im Blick auf die mit Kehrreim versehene, rein lyrische Form der romanischen «ballade», die im übrigen mit der Ballade der germanischen Völker nichts zu tun hat.

Der regelmäßig erklingende Kehrreim ist ein bedeutsamer Faktor im

Aufbau eines Gedichts. Steht er am Ende der Strophe, so drängt er zur Abrundung der einzelnen Strophe, und darin liegt der Grund, weshalb er in der strophenfeindlichen Lyrik des 20. Jahrhunderts verhältnismäßig selten ist. Und doch hat er gerade in diesem Zeitraum in gewandelter Erscheinungsform neue Kräfte entfaltet.

In dem Gedicht Verlaines *La lune blanche* war uns ein Aufbau des lyrischen Vorgangs auf zwei Ebenen aufgefallen. Diese Art ist in moderner Lyrik recht häufig, so daß man geradezu von einem Gedichttypus DER DOPPELTEN EBENE sprechen kann. Mitunter wechseln wie bei Verlaine Darstellung und lyrische Anrede an ein Du miteinander ab; in anderen Fällen überlagern sich Darstellung und Reflexion oder episches und lyrisches Sprechen oder Gegenwart und Vergangenheit. Nicht selten machen die Dichter durch wiederkehrende Klammern die zweite Blickrichtung schon äußerlich kenntlich. Man könnte an Zusammenhang mit dem Drama denken, bei dem ja in dem Aparte-Sprechen tatsächlich etwas morphologisch durchaus Entsprechendes vorliegt. Und doch ist es wohl richtiger, einem ursprünglichen Zusammenhang mit dem (flüssigen) Kehrreim nachzuspüren. Darauf weisen gerade die besten solcher Gedichte der doppelten Ebene. Oft genug zerreißen sie ja und wirken als selbstgefälliger Ausdruck eines schizothymen Sprechers. Wo aber beide Ebenen an dem Aufbau des lyrischen Vorgangs schaffen, da wird vielfach der flüssige Kehrreim als Kraftquelle spürbar. Als kurzes Beispiel geben wir ein Gedicht des Spaniers García Lorca, der diesen Typus immer wieder gepflegt hat (García Lorca ist einer der Meister des Kehrreims überhaupt wie Brentano, Rossetti und der Brasilianer Olavo Bilac):

Eco	Echo
Ya se ha abierto	Schon hat sich aufgetan
la flor de la aurora.	Die Blüte des Frühmorgens.
(¿ Recuerdas	(Denkst du
el fondo de la tarde?)	Der Tiefe des späten Tages?)
El nardo de la luna	Die Narde des Mondes
derrama su olor frío.	Verströmt ihren kühlen Duft.
(¿ Recuerdas	(Denkst du
la mirada de agosto?)	Des sommerlichen Anblicks?)

(c) Der Aufbau des Zyklus

Von besonderer Bedeutung wird die Untersuchung des Aufbaues noch bei der Aneinanderreihung von Gedichten, beim Zyklus. Das Verhältnis von Strophe zu Gedicht wiederholt sich hier in größerem Umfang als das Verhältnis von Gedicht zum ganzen Zyklus. Durch die Zusammenordnung zu einem Ganzen entsteht ein Mehr gegenüber einer bloßen Addition.

Als Vorstufe kann man die Aneinanderreihung gleichartiger Gedichte ansehen. Aber den Namen Zyklus verdient eine Sammlung an sich selbständiger Sonette sowenig wie etwa die unter einem gemeinsamen Titel zusammengefaßten Abschnitte aus einer Gedichtsammlung; auch die Gruppen La Mort, Révolte, Le Vin u.s.f. aus den *Fleurs du Mal* von Baudelaire, oder die Gruppen Liebe, Götter, Frech und Fromm u.s.f. aus C. F. Meyers Gedichtsammlung sind noch keine Zyklen.

Ein geschlossenes Ganzes und damit ein echter Zyklus kann dadurch entstehen, daß die Folge der Gedichte einer zeitlichen Folge entspricht, die zu einem Abschluß kommt. Wie man leicht erkennt, dringt mit einem solchen Handlungsverlauf in der Zeit ein episches Element in die Lyrik. In dieser Art sind zum Beispiel die durch Schuberts Vertonung bekanntgewordenen *Müllerlieder*; auch in den *Sonnetts from the Portuguese* der Elizabeth Browning findet man einen Aufbau, der von dem Charakter des Zyklus als Geschichte einer Liebe abhängt. Freilich gibt es bei diesem Zyklus noch andere und stärkere Kräfte, die den Aufbau bestimmen. Im Umkreis der reinen Lyrik bleiben die Zyklen, die um einen Mittelpunkt kreisen. Dabei kann es sich um ein bestimmtes Thema handeln, das von den verschiedensten Seiten her erörtert wird (wobei sich noch eine Vertiefung ergeben kann), oder um eine gegenständliche Größe, die von den verschiedensten Seiten beleuchtet wird; es kann sich auch um ein letztlich unsagbares geheimes Zentrum, ein motivisches Apriori handeln. Dann sind die Gedichte des Zyklus gleichsam das buntfarbige Spektrum, das als Abglanz die einheitliche Lichtquelle ahnen läßt.

Aufbauuntersuchungen von Shakespeares Sonetten, Novalis' Hymnen, Goethes Divan, von Rilkes Duineser Elegien, von den Zyklen der französischen Romantiker und Symbolisten u.s.f. sind reizvolle und fruchtbare Anliegen der literarhistorischen Arbeit. Beim Überblick über die verschiedenen Zeiten wird sich zugleich ergeben, daß die Tendenz zum Zyklus sich in neuester Zeit immer mehr gestärkt hat und in der Gegenwart geradezu ein Kennzeichen des lyrischen Schaffens ist. Seinem Werk vollwichtigen «Buchcharakter» zu geben, scheint für den heutigen Lyriker ein besonderer Ehrgeiz zu sein; aber natürlich reicht dieses literarsoziologische Moment nicht zur Erklärung aus.

Über den Zyklus hinaus kann überall da, wo ein Lyriker sein gesamtes lyrisches Werk selber geordnet hat, die Untersuchung des Aufbaus lohnend sein. Überraschend reiche Ergebnisse hat zum Beispiel W. Brecht für Conrad Ferdinand Meyer einsammeln können; die entsprechende Untersuchung trägt den kennzeichnenden Titel: *C. F. Meyer und das Kunstwerk seiner Gedichtsammlung* (1918).

2. AUFBAUFRAGEN DES DRAMAS

(a) Szene und Akt

Bei der Lyrik hatte uns der frühere Abschnitt über die metrischen Grundbegriffe befähigt, sogleich den äußeren Aufbau abzulesen. Beim Drama müssen wir die Grundbegriffe des äußeren Aufbaus erst noch kennenlernen. Es sind vor allem die Szene und der Akt. Beide sind dem mittelalterlichen Drama unbekannt, entstammen vielmehr der Theorie und Praxis des Humanismus, der sie seinerseits vom lateinischen Drama, insbesondere Seneca, übernahm. Nach der herrschenden Gewohnheit werden Anfang und Ende einer Szene durch den Zugang bzw. Abgang von Personen bestimmt, so daß innerhalb der Szene die gleiche Anzahl von Personen auf der Bühne ist. Wie man sieht, ist die so verwendete Szene rein äußerlich bestimmt; es kann sehr wohl sein, daß erst zwei oder mehr Szenen eine wirkliche Einheit innerhalb der dramatischen Handlung bilden. Tatsächlich gibt es Dramatiker, die den Begriff der Szene innerlicher fassen, das heißt als Teil der dramatischen Handlung, so daß Zugänge und Abgänge innerhalb einer Szene erfolgen können. Daß jene äußerlichere Praxis sich ausgebildet, erhalten und immer wieder durchgesetzt hat, liegt wohl in erster Linie in ihrer Zweckmäßigkeit für den Spielleiter begründet: er braucht eine Einteilung nach der Zahl der jeweils benötigten Schauspieler. Natürlich muß er darüber hinaus als der erste und wichtigste Interpret eines Dramas den inneren Aufbau der dramatischen Handlung erfassen. Aber er wird gewöhnlich, wegen der Notwendigkeit einer äußeren Szeneneinteilung, dem Dramatiker wenig danken, der die Szene nur vom inneren Aufbau her verwendet. Und wird für sich eine Szeneneinteilung da durchführen, wo der Dramatiker ganz auf sie verzichtet hat, wie es zum Beispiel bei Grillparzer und Gerhart Hauptmann der Fall ist. Offensichtlich bekundet sich in dem völligen Verzicht auf Szeneneinteilung ein anderer Bauwille als in den Dramen, die in kleineren Einheiten bauen.

Während die Szene, wie wir sahen, überwiegend als ein rein äußeres Einteilungsmittel dient, das in der Praxis des Theaterbetriebes seine Rechtfertigung findet, aber nicht auf den inneren Aufbau des Dramas bezogen ist, verhält es sich mit dem Akt anders. Genauer müßten wir sagen: ist er im Lauf der Entwicklung immer klarer als Teil der dramatischen Handlung konzipiert worden. Denn zunächst fehlte es nicht an einer wiederum nur äußeren Interpretation: der Akt war da der Teil des dramatischen Geschehens, der an dem gleichen Orte spielte. Diese äußere Einheit des Ortes gilt nicht mehr als maßgebend. Im zweiten Akt des *Bruderzwistes* verlangt Grillparzer zwei Verwandlungen, mithin drei Bühnenbilder. Nicht selten vollzieht sich der Übergang sofort, so daß pausenlos weitergespielt wird. Der Zwischenvorhang, der solchen schnellen Ortswechsel ermöglicht, ist seit dem 18. Jahrhundert üblich (wenn auch vorher schon bekannt); seit der gleichen Zeit ist der Ortswechsel innerhalb des Aktes üblich – und beides sind ja nur Spiegelungen der gleichen neuen Einstellung –, während das «klassische» Drama die Einheit des Ortes innerhalb des Aktes verlangte. Wieder zeigt sich, daß das richtige Verständnis eines Dramas nicht ohne Kenntnis der gleichzeitigen bzw. gemeinten Bühnenform erfolgen kann. Bei der Interpretation des Dramas besteht immer die Gefahr, daß Literarhistoriker und Kritiker Buchphilologie treiben und über dem lesbaren Wort vergessen, daß ein Drama für die Aufführung gedacht ist und nur in der Aufführung volles Leben hat.

Die Fälle der sogenannten BUCHDRAMEN, das heißt von Dramen, die ohne den Gedanken und den Wunsch einer Aufführung geschrieben wurden, sind verhältnismäßig selten. Sie begegnen vor allem im Sturm und Drang, in der Romantik und im Expressionismus. Es bleibt dabei im einzelnen zu untersuchen, wieweit der Verfasser nur die traditionelle Bühne ablehnte, so daß sein Drama späterhin durchaus bühnenwirksam werden konnte, oder wieweit er in jeder Aufführung eine Verkleinerung, Verengung und Verfälschung seiner Absichten sah. Bei Goethes *Faust II* oder Shelleys *Prometheus Unbound* gerät wohl immer eine Aufführung in Gefahr, hinter der Phantasiewelt, die die Werke brauchen und die der Leser sich schafft, merklich zurückzubleiben und so der Wirkung des Werkes zu schaden. (Über die Spannung zwischen «poetischem» Drama und Theater in den letzten hundert Jahren vgl. das ausgezeichnete Buch von R. Peacock.)

Der übliche Gebrauch von Szene und Akt ist durch den Humanismus bestimmt. Wenn die spanische *Celestina* 21 «Akte» umfaßt, so darf man dabei nicht an die Akte der späteren Zeit denken, sondern eher an die Szenen. Umgekehrt verwendet der Portugiese Gil Vicente einmal die «Szene» im Sinn unserer Akte. Daß seine *Comédia de Rubena* in drei «Szenen» geteilt ist, wurde auf dem Titelblatt des zweiten Buches der *Comédias* von 1521 besonders vermerkt. Ähnlich gebraucht sein deutscher Zeitgenosse Hans Sachs, den man oft zu leichtfertig mit ihm vergleicht, nur die Einteilung in Akte, eine Praxis, die ja auch bei den großen spanischen Dramatikern Lope, Tirso, Calderón u.s.f. üblich ist (Jordans).

Wie das klassische Drama der Spanier, so verwendet auch das portugiesische Drama, und zwar von den Anfängen bis zur Gegenwart, überwiegend drei Akte, während das französische, englische und deutsche Drama (es handelt sich hier um das ernste Drama) die Fünfaktigkeit bevorzugen. In Spanien schrieben sich Cervantes (in der Einleitung zu den Komödien) und Virués (vgl. Lope de Vega in dem *Arte nuevo de hazer comedias*) das Verdienst zu, die Einteilung in drei Jornadas durchgeführt zu haben. Die Literaturgeschichte hat nachgewiesen, daß diese Praxis schon bei Antônio Díez (*Auto de Clarindo*, ca. 1535) und Francisco de Avendaño (*Comedia Florisea*, 1551) begegnet. Beide Einteilungsprinzipien können sich auf klassische Autoritäten berufen. Der Kommentator des Terenz, Donat, kam zur Dreiaktigkeit im Aufbau des Dramas von einem Schema her, das sich aus Protasis (Einleitung), Epitasis (Verwicklung) und Katastrophe (Lösung) zusammensetzte. Horaz hatte demgegenüber die Fünfaktigkeit als das Gegebene angesprochen, die Seneca in seiner Dramatik durchsetzte. Auch auf diesem Gebiet offenbart sich also die eigene Auswahl und Verarbeitung der Antike auf der iberischen Halbinsel, deren Sonderrenaissance so heftig diskutiert worden ist.

Nach den Renaissancepoetiken wurde die Fünfaktigkeit verbindliches Gesetz für die französische Tragödie. Deren Autorität stärkte in England und Deutschland eine heimische, aus dem Humanismus stammende Tradition. Aber auch nach dem Verblassen der französischen Autorität blieb sie herrschend, so sehr, daß sie von den Theoretikern der drei Länder als in der Natur des Dramas selbst liegend angesehen wurde. Die maßgebende Theorie des 19. Jahrhunderts war Gustav Freytags *Technik des Dramas*. Freytag begründete die Fünfaktigkeit mit der sachgegebenen Fünfteiligkeit des Aufbaus: Einleitung, Steigerung, Höhepunkt mit Peripetie, Fallen der Handlung und Lösung (Katastrophe) waren nach ihm die natürlichen Teile der Gliederung. (Auch für die Renaissance war die Fünfzahl «natürlich» gewesen; der Italiener Castelvetro z. B. hatte in seiner Poetik auf die Fünfgliedrigkeit der Hand als nächste Analogie gewiesen.) Aber in dem Augenblick, da die Theorie meinte, das endgültige Wort gesprochen zu haben, wurde der Boden schwankend. Das naturalistische Drama der Ibsen, Gerhart Hauptmann u. s. f. verwendete mit gleicher Häufigkeit vier und drei Akte. Im neuromantischen Drama erlebte darüber hinaus der «Einakter» eine Blütezeit. Und schließlich fanden sich immer mehr Dramatiker, die die Akt-Einteilung aufhoben und in Szenen und «Bilder» gliederten, wobei die Bilder äußerlich durch Einheit des Orts bestimmt waren, in ihrer Zahl aber völlig willkürlich blieben. Der Literaturhistoriker kann das durch die Beobachtung ergänzen, daß schon zur Zeit der Romantik die Tradition im äußeren Aufbau häufig genug unterbrochen worden war. Kleist zum Beispiel verschmähte für seine Tragödie *Penthesilea* und sein Lustspiel *Der zerbrochene Krug* jede Akteinteilung; als Goethe sie dem Lustspiel für eine Aufführung aufzwängte, ergab sich, daß damit die Wirkung des Stückes aufs schwerste beeinträchtigt wurde. So heterogen waren der Bauwille des Dichters und der der dramatischen Tradition. Ebenso wurde ein guter Teil der Schicksalsdramen ohne Akteinteilung geschrieben. Selbst in Frankreich zeigt sich bei einem Dramatiker wie Victor Hugo und anderen die Unruhe, die die Dramatik in der Frage der Einteilung erfaßt hatte.

Die Frage der Akteinteilung ist ein jahrhundertealtes Problem. Eben weil der Akt, im Gegensatz zur Szene, seine Funktion im inneren Aufbau des Dramas ausübt. Trotzdem ist mit der bloßen Feststellung, ob und welche Akteinteilung gewählt wurde, noch wenig ermittelt. Bei einem fünfaktigen Drama zum Beispiel bleibt immer noch zu untersuchen, ob die Akte wirklich innere Einheiten des Ganzen sind, ob sie der von Freytag abschließend formulierten Gliederung entsprechen u.s.f. Man hat im betreffenden Fall von TEKTONISCHEM Aufbauprinzip gesprochen, oder auch von geschlossener Form, und davon das ATEKTONISCHE Aufbauprinzip bzw. die offene Form unterschieden. So gewiß die Einteilung in 5 bzw. 3 Akte noch nicht immer ein Zeichen für tektonischen Bauwillen ist, so gewiß deutet ein Vermeiden dieser Tradition auf anderen Stilwillen. Bei Kleist und manchen Romantikern und Neuromantikern hat man – nicht immer ganz überzeugend – musikalische Aufbauprinzipien nachzuweisen gesucht. Kleist selber legte das nahe, indem er einmal davon sprach, daß er im Generalbaß die tiefsten Aufschlüsse über das Wesen der Dichtung gefunden habe. Andere Zeitgenossen haben schon durch Titel und Untertitel die Erinnerung an die Musik beschworen. Auch die Dichtung spiegelt, wie groß das Erlebnis der Form *Symphonie* damals gewesen ist. Als eigenwertige Form, und nun als Großform, hat sie ja erst das 18. Jahrhundert geschaffen, nachdem der Name bis dahin gleichbedeutend mit Ouvertüre, Vorspiel, gewesen war. (An die Romantiker knüpfte 1852 Th. Gautier mit dem synästhesierenden Titel *Symphonie en blanc majeur* an; er fand damit nun seinerseits ein vielfaches Echo bei den Symbolisten. Rubén Darío, der mit seinen *Prosas Profanas* [1896] dem Symbolismus in Spanisch-Amerika Bahn brach, huldigte im Anfang seines Gedichts *Bouquet* dem «*poeta egregio del país de Francia*» und «*su Sinfonía en Blanco Mayor*». Er schrieb dann selber eine *Sinfonía en gris mayor*, wobei das «grau» wohl einen Nachklang der «*chanson grise*» in dem *Art poétique* Verlaines bildete; mit seiner *Sontina* folgte er den *Sonatines d'automne* von Camille Mauclair. Viel früher schon hatte Mallarmé eine Jugendarbeit *Symphonie littéraire* überschrieben, deren erster Teil Gautier gewidmet war; 1865 malte Whistler eine Symphonie in Weiß Nr. 2: Gautier ist der erfolgreichste französische Symphoniker geworden!)

Man hat musikalische Begriffe auch in die Fachsprache der Literaturwissenschaft einzuführen gesucht. Nun gibt es zweifellos Fälle, bei denen die Übertragung einmal berechtigt ist; so verdient etwa der von Günther Müller an der Lyrik eines Barockdichters (Abschatz) aufgewiesene Begriff der RONDOFORM volles Heimatsrecht in der Terminologie der Literaturwissenschaft. Aber grundsätzlich muß man sich vor leichtfertiger Vermengung der Form- und Aufbaubegriffe aus den verschiedenen Künsten hüten. Auch wo als letztes Ziel der theoretischen Beschäftigung die Erfassung eines Zeitstils vorschwebt, den man in den verschiedenen Kunstäußerungen einer Epoche aufspüren möchte, muß vorerst der Aufbau in den Werken jedes einzelnen Kunstgebietes, ja in jedem einzelnen Werk mit Sauberkeit ermittelt sein. Die Einheit des Epochenstils, die sich in allen Kunstäußerungen offenbaren soll, ist zunächst nur ein heuristisches Prinzip, aber keine gültige Tatsache. Vorschnelle Gleichsetzungen und Analogien verdunkeln die Problematik und verdächtigen solche Bemühungen.

(b) Aufbau der Handlung

Beim Drama wäre vorweg zu fragen, welches die den Aufbau bestimmende Substanz ist. «Die dramatische Handlung» wäre eine Antwort, die keineswegs allgemeine Geltung beanspruchen kann. Wir stehen da vor einer ähnlichen Lage wie in der Lyrik, als sich ergab, daß die Substanz des Gedichtes keineswegs mit der Schicht der bloßen Bedeutung identisch war. Die sich entfaltende Substanz wurde als lyrischer Vorgang bezeichnet. Die sich im Drama entfaltende Substanz heißt entsprechend der DRAMATISCHE VORGANG.

Robert Petsch hat in jedem Drama die Vordergrundshandlung von dem ideellen Hintergrund unterschieden. Er ist zu der Aufstellung dreier Typen gekommen: bei dem ersten Typ gibt es gleichsam fast nur die Vordergrundshandlung. Dahin gehören etwa Farcen, Fastnachtsspiele, historische Bilderbogen u.a. Bei dem zweiten, den er den klassischen nennt, weist die Vordergrundshandlung ständig auf den ideellen Hintergrund. Bei dem dritten Typ, den er den romantischen nennt, hat der Hintergrund die eigentliche Führung, während der Vordergrund von unselbständiger Fügung ist. Wie man sieht, sind hier die Substanzen recht verschieden, die sich entfalten. Mit den Typen von Petsch lassen sich andere Versuche verbinden, die man gemacht hat, um Aufbautypen zu ermitteln. So werden die Dramen des bloßen Vordergrundsgeschehens, Petschs erster Typus, sich sehr oft der sogenannten FADENTECHNIK bedienen: der Aufbau richtet sich nach den Strängen der verlaufenden Handlung. Der klassische Typ wird gewöhnlich von tektonischem Aufbau sein, während der dritte Typ sich sehr oft der WELLENTECHNIK bedienen wird: der Aufbau richtet sich nach der Stimmungsbewegung, nach der inneren Erlebniskurve. Tatsächlich findet man Beispiele für solche Wellentechnik besonders im romantischen und symbolistischen Drama.

Aber solche Typologien kann man erst aufstellen, wenn man das gesamte Material kennt, und sie werden erst sinnvoll, wenn man die Aufbautypen

vom Gattungshaften her verstehen kann. Der Anfänger muß sich zuerst an
der genauen Erfassung des Aufbaus eines Dramas erproben. Und dafür
braucht er die Kenntnis von mehr Aufbauelementen als Szene und Akt. Bei
jeder Aufbauanalyse eines Dramas ist zu fragen, wie der Autor die Exposition gegeben und eingeordnet hat, das heißt also die Situation der Personen und Umstände, samt der Vorgeschichte, von der die Handlung ihren
Ausgang nimmt. Sodann sind die erregenden Momente (initial inci-
dent) zu beobachten, denen die retardierenden Momente (moment
of last suspense) gegenüberstehen, die die Katastrophe aufhalten oder abzuwenden scheinen. So verwendete Goethe in der umgearbeiteten Fassung
der *Stella* die Erzählung vom Grafen von Gleichen als retardierendes Moment.

Des weiteren ist beim Aufbau zu untersuchen, welches die Haupt- und
Nebenszenen sind, wie die Höhepunkte liegen und vorbereitet werden, wie
die Akte in sich gefügt sind. Nicht selten bereichert sich das Material durch
den Vergleich verschiedener Fassungen; so läßt sich der Fortschritt in der
Meisterung der Aufbauprobleme bei dem portugiesischen Dramatiker Garret in der Art erkennen, wie er den Höhepunkt seines *Frei Luiz de Sousa*, das
heißt den Schluß des zweiten der drei Akte, in der endgültigen Fassung ver-
bessert hat.

Immer wieder aber ist die Warnung nötig, nicht die typische Aufbauform
eines bestimmten Dramas, etwa des «klassischen», als allgemeinen Maßstab
zum Werten und Urteilen zu benutzen oder sie als Vorurteil an jedes Drama
heranzutragen. Mit der Feststellung der fehlenden «Einheit der Handlung»,
mit der man für die Dramatik vor der französischen Klassik so leicht bei der
Hand ist, wird nur etwas Negatives gesagt.

Wenn die Einheit der Handlung für die ältere Dramatik noch gar nicht
die Bedeutung haben soll, die sie dann in der französischen Tragödie bekommt, wenn deshalb der Aufbau sich gar nicht nach der Handlung in der
Art richten will, wie man es von den späteren Dramen gewohnt ist, dann
hat das Werten mit solchen Maßstäben wenig Sinn; es muß darauf ankommen, den Aufbau von den positiven Kräften und Wesenszügen her zu verstehen. Auch die Feststellung, daß weithin im 16. Jahrhundert die Bindung
der Szenen weniger straff ist als in der späteren Dramatik, ist zunächst nur
eine negative Feststellung. Sie läßt sich übrigens auch für Shakespeare treffen. Es gibt bei ihm immer wieder Szenen bzw. Szenenteile, die nicht zur
«Handlung» gehören. Vielfach handelt es sich um rhetorische Prunkstücke,
womit ein erster Ansatz zur Deutung und zum Verständnis gewonnen ist.
Ein solches rhetorisches Prunkstück, in dem Shakespeare nun seine Meisterschaft an einer traditionellen Aufgabe zeigt, ist etwa im *Hamlet* die Ab-
schiedsrede des Polonius an den scheidenden Laertes. Sie ist weder mit der

Handlung noch mit den Personen verbunden, und nichts wäre verkehrter, als wenn sie, um die uns geläufige Vorstellung von der Einheit der Gestalt zu retten, ironisiert und als Geschwätz eines trottligen Alten gesprochen würde, wie man es erleben kann. Im *Othello* gibt es in der dritten Szene des dritten Aktes einen Lobpreis des guten Namens, der doppeldeutig schillert: im Munde Jagos wirkt er als weitausholende Vorbereitung für die folgende Verleumdung, zugleich ist er aber ein von Personen und Handlung gelöster «Lobpreis» im Sinne der rhetorischen laudatio, wie sie etwa Cicero in den *Partitiones Oratoriae* (I, § 10) beschreibt. Daß die ganze Sprache im älteren spanischen und portugiesischen Drama weniger verzahnt ist als in der späteren Dramatik, verrät sich schon in der Verwendung von Strophen. Denn dadurch wird die Verselbständigung von Szenen oder Szenenteilen begünstigt. So beginnen manche Stücke des Portugiesen Gil Vicente mit einer in sich geschlossenen Klage *(Comédia de Rubena, Comédia do Viúvo)*, gegenüber deren Eigenwertigkeit als «Klage» ihre Funktion als Teil der Exposition gering ist. Und doch wäre es wohl falsch, solche Teile als völlig selbständig aufzufassen, weil sie von der dramatischen Handlung ziemlich unabhängig sind. Es ist vielmehr so, daß sie erst von der Substanz des Stükkes, von seinem Gattungscharakter her voll zu verstehen sind und daß sie, wenn man darauf den Blick richtet, ihre Abgeschlossenheit verlieren und untereinander wie mit dem Ganzen Zusammenhang bekommen.

Es ist vielleicht grundsätzlich falsch, von einer «Entwicklung» zur Einheit zu sprechen. Es handelt sich eher um verschiedene Stiltypen bzw. Gattungen und nicht nur um den Aufstieg von primitiver Unzulänglichkeit zur Meisterschaft. Die Nachlässigkeit gegenüber der Handlungseinheit und das Fehlen eines straffen Aufbaus von da her muß durch eine positive Deutung vom Wesen des jeweiligen Dramas her verstanden werden, ob es sich um Gil Vicente und Hans Sachs oder das spanische Drama oder das der Stürmer und Dränger, der Romantiker und der Expressionisten handelt. Hier liegt ein reizvolles Problem der Literaturgeschichte, bei dessen Lösung keine Vorurteile einengen sollten.

3. AUFBAUFRAGEN DER EPIK

(a) Äußere Bauformen

Es lag in der Natur der Sache, das heißt in dem ständigen Über-sich-Hinausweisen und In-einander-Übergehen der Sprachmittel begründet, wenn bereits in früheren Abschnitten manches erwähnt wurde, was auch für den Aufbau in der Erzählkunst von Bedeutung ist. So zeigte sich zum Beispiel bei der Besprechung des Leitmotivs, daß ihm erhebliche Funktionen für den Aufbau zukommen können. Andererseits wird im nächsten Kapitel über die Darbietungsformen bei der Behandlung der Vorausdeutung und der Zeitgestaltung in der Epik manches zur Sprache kommen, was ebenfalls kompositorische Bedeutung hat.

An dieser Stelle beginnen wir wieder mit den Elementen des äußeren Aufbaus. Den Strophen in der Lyrik und den Szenen und Akten des Dramas entsprechen in der Epik Gesänge oder Abenteuer, Teile, Bücher, Kapitel und durch den Druck kenntlich gemachte Abschnitte größeren oder kleineren Umfangs. Daß diese äußeren Teile zugleich Teile eines inneren Aufbaus sind, beweist schon die Tatsache, daß zum Beispiel der komische Roman besondere Effekte aus der Störung der stillschweigenden Erwartung des Lesers zieht und etwa mitten in eine einheitliche Szene eine Kapitelgrenze legt. Dadurch wird, wie man bei Sterne mit Leichtigkeit beobachten kann, die auf den Gang des Geschehens gerichtete Aufmerksamkeit, letzten Endes sogar die Illusion gestört, und zwar durch den sich unvermittelt in den Vordergrund schiebenden Erzähler. Er hat dazu alles Recht.

Im einzelnen Falle bleibt zu untersuchen, in welchem Maße Gesänge, Kapitel u.s.f. als wirkliche Einheiten funktionieren. Wenn Gottfried Keller bei der Umarbeitung seines *Grünen Heinrich* die umfangreichen Kapitel der ersten Fassung in zwei, drei, vier Kapitel teilte, ohne dabei den Inhalt merklich zu verändern, so weist das auf ein verschiedenes Gewicht, das dem Kapitel in den beiden Altersstufen zuerkannt wurde, und auf verschiedenen Bauwillen des Autors selber. Neben dem persönlichen Bauwillen des Autors spielen bei der Kapiteleinteilung der Romane gewiß auch Geschmacksfragen eine Rolle. In der Gegenwart sind, jedenfalls bei den germanischen Völkern, offensichtlich längere Kapitel beliebt, während die romanischen Völker kürzere bevorzugen. (Übrigens ist in den germanischen Literaturen auch eine Vorliebe für den längeren Roman an sich spürbar. Als Kuriosum sei vermerkt, daß Charlotte Brontës erster Roman *The Professor* zunächst hauptsächlich deshalb abgelehnt wurde, weil er nur einen Band füllte und das Publikum an mehrbändige Romane gewöhnt war. 1894 erschienen in England nicht weniger als 184 dreibändige Erzählungen. Wenn es drei Jahre darauf nur noch vier waren, so liegt dieser jähe Absturz in der Erklärung der großen englischen Leihbibliotheken von 1894 begründet, daß sie in Zukunft keine dreibändigen Romane mehr abnehmen würden: ein sprechender Beweis für den Einfluß literarsoziologischer Faktoren auf die Produktion [vgl. Levin L. Schücking, *Die Soziologie der literarischen Geschmacksbildung*, 2. Aufl., Leipzig 1931, p. 66]. Immerhin hat jener Entschluß die Vorliebe für umfangreiche Romane auf die Dauer doch nicht ersticken können.)

Ein tektonischer Bauwille wird sich schon in der Gleichmäßigkeit bzw.

Symmetrie der Kapitelausdehnung bekunden. Wiederum zieht der Autor komischer Romane aus dem Spiel mit der Kapiteleinteilung mannigfache Effekte. So finden sich in Sternes *Tristram Shandy* Kapitel, die nur aus wenigen Wörtern bestehen. Und das 18. und 19. Kapitel des 9. Buches bieten sich zunächst nur als leere Blätter dar, ihr Inhalt wird später eingeflochten. Auf der gleichen Ebene liegt es, wenn Sterne *The Author's Preface* im 20. Kapitel des 3. Buches bringt: all my heroes are off my hands –, 'tis the first time I have had a moment to spare – and I'll make use of it, and write my preface. Solche Technik ist später wiederholt und ausgebaut worden. Immermanns Roman *Münchhausen* beginnt mit dem 11. Kapitel, bringt nach einigen Kapiteln einen Briefwechsel zwischen Autor und Drucker über dieses «Versehen» und holt dann die Kapitel 1 bis 10 nach.

Andererseits weist die Verwendung eines dem Kapitel vorgesetzten Mottos darauf, daß die Kapitel als beträchtlich eigengewichtige Teile gemeint sind. In vielen Romanen des 16. und 17. Jahrhunderts enthalten die Motti das «Argument» und bekunden damit, daß die Kapitel vom Romangeschehen her als Einheiten konzipiert wurden. Im bürgerlichen Roman des 19. Jahrhunderts, bei dem Walter Scotts Autorität diese Praxis belebt hat, findet man oft lyrische Verse, die den Leser auf die Tonlage des Kapitels einstimmen sollen. (Zum «bürgerlichen Stil» gehört es, daß es sich bei den Versen meist um Zitate aus bekannten Werken handelt.) Diese lyrische Einstimmigkeit widerspricht nicht der Möglichkeit, daß auch hier die Kapitel vom Geschehen aus als Einheiten gefaßt wurden; sie weisen aber darauf, daß in ihnen mehr enthalten ist als bloßes Geschehen. Und damit weisen sie die Betrachtung überhaupt auf die größeren Tiefen der Epik, auf den EPISCHEN VORGANG, von dem aus erst der Aufbau voll verständlich wird.

(b) Der epische Vorgang

Einer der großen Romanerfolge der letzten Zeit war des Amerikaners John Steinbeck *Früchte des Zorns*. In diesem Roman wird das Elend beschrieben, das eine aus ihrer Heimat vertriebene Farmersfamilie betrifft, die sich auf Grund von lockenden Verheißungen nach Kalifornien durchschlägt, um da eine neue, glücklichere Existenz zu finden. Aber vor jedem Kapitel, das eine neue Situation auf dem Leidensweg der Familie schildert, steht regelmäßig ein Kapitel, das auf einer anderen Ebene spielt bzw. aus einer anderen, viel weiteren Perspektive gesehen ist. Da wird von den Farmern überhaupt gesprochen und von den Eigentümern in Kalifornien, von den Spekulanten und den Börsen und Regierungsmaßnahmen und öffentlicher Meinung, kurz, von all den Kräften, die in dem Raum wirken, den die Familie als ihren Schicksalsraum durchschreiten muß.

Der regelmäßige Wechsel zwischen den beiden Ebenen kann als Zeichen eines strengen und klaren Bauwillens gedeutet werden, und die Strenge, mit der die weitere Perspektive auf die Schicksalskräfte und die engere auf die schicksalleidenden Menschen durchgeführt wird, läßt die Frage aufkommen, wieweit sich dieser Roman dem Epos annähert. Aber nicht darauf kommt es an dieser Stelle an. Sondern auf die schon durch die Erwähnung des Mottos vorbereitete Feststellung, daß es in der Epik noch mehr gibt als das bloße «Vordergrundgeschehen». Das, was sich zutiefst aufbaut, bezeichneten wir entsprechend den Ergebnissen bei der Lyrik und Dramatik als epischen Vorgang. Auf den ersten Blick leuchtet ein, daß an seinem Aufbau die Schichten etwa des Klanges und des Rhythmus in ungleich geringerem Grade beteiligt sind als beim Aufbau eines lyrischen Vorgangs. Ein Beweis dafür ist, daß Romane beim Übersetzen, das also die originale Schicht des Klanges und Rhythmus notwendigerweise zerstören muß, verhältnismäßig wenig leiden. Was aber kommt beim epischen Vorgang zu der nie fehlenden Vordergrundshandlung an Wesentlichem und spezifisch Epischem hinzu und wirkt auf den Aufbau? Es ist offensichtlich gerade die Ausweitung, das Hineinstellen der Menschen und Geschehnisse des Vordergrundes in einen weiten, gefüllten Raum, in eine größere Welt. Der Erzähler hat vollen Überblick nicht nur über die vergangene Zeit, sondern über den Raum; alles Geschehen, das er zu berichten hat, ist dauernd in eine größere Welt verflochten und von ihr umgeben.

Natürlich gibt es dabei Unterschiede, und die verschiedenen Abstufungen helfen an der Konstituierung der verschiedenen Gattungen innerhalb der Epik. So blendet zum Beispiel die Novelle sehr stark ab und zeigt sich, wie das Drama, in erster Linie an der Längsspannung, an dem Verlauf einer Begebenheit interessiert. Demgegenüber bietet das Epos die Fülle und Tiefe einer Welt, und auch der Roman ist durch solchen Weltgehalt gekennzeichnet. Nicht immer sind Vordergrundsgeschehen und Weltgehalt so klar getrennt und im Aufbau gesondert wie in dem zitierten Roman John Steinbecks. Im Roman ist sogar die Verschmelzung das Übliche. Deswegen ist die Analyse des Aufbaus einer Novelle viel einfacher, da der Aufbau klar von der einen Begebenheit und ihrem Verlauf bestimmt ist. Im Roman ist er von dem komplexeren epischen Vorgang her bestimmt. Die Analyse des Aufbaus darf sich daher nicht immer einzig von der Linie des Vordergrundgeschehens leiten lassen. Was von daher gesehen vielleicht bloße Episode ist, kann vom epischen Vorgang her geradezu Angelpunkt sein.

Das wird besonders deutlich bei eingelegten Erzählungen, die scheinbar mit dem Romangeschehen und seinen Figuren nichts zu tun haben. In Goethes *Werther* erzählt Werther seinem Freunde Albert die Geschichte von einem Mädchen, das von der Liebe so ergriffen worden war, daß es, als der Liebhaber es verließ, zerbrach und sich selber den Tod gab. «Das ist die Geschichte so manches Menschen», schließt Werther; wer den Roman kennt, der weiß, daß Werther hier im Grunde seine Geschichte erzählt hat, daß wir hier an einem der Angelpunkte des Buches stehen, daß hier eine typisch EPISCHE INTEGRATION vorliegt. Aber nicht nur als Integration der Geschichte Werthers hat die Geschichte von dem ertrunkenen Mädchen Bedeutung, sondern als ein ausgezeichnetes kompositorisches Mittel, die Geschichte Werthers in eine größere Welt zu stellen, sie als die Geschichte so manches Menschen empfinden zu lassen. In die *Wahlverwandtschaften* hat Goethe in ähnlicher Funktion die Geschichte von den *Nachbarskindern* eingeflochten. Solche Praxis geht bis auf die Antike zurück, und eines der berühmtesten Beispiele für die bedeutungsvolle eingelegte Erzählung begegnet in des Apuleius *Goldenem Esel*. Einer geraubten Braut wird die Geschichte von der Trennung und Wiedervereinigung von Amor und Psyche erzählt. Wieder ist diese scheinbar völlig selbständige und unverbundene Geschichte (die ja tatsächlich auch als Einzelgeschichte Leben gewonnen hat) eine Integration des Hauptmotivs und zugleich eine Ausweitung des Vordergrundes in eine größere Welt.

Zwei kurze Beispiele sollen den Blick für Verschiedenheiten in der epischen Ausweitung und damit für Verschiedenheiten in der Sichtung des epischen Vorgangs schärfen. Tiecks Erzählung *Der blonde Eckbert* beginnt mit einer kurzen Beschreibung der Figuren. Dann heißt es: «Es war schon Herbst, als Eckbert an einem neblichten Abend mit seinem Freunde und seinem Weibe Bertha um das Feuer eines Kamines saß. Die Flamme warf einen hellen Schein durch das Gemach und spielte oben an der Decke, die Nacht sah finster zu den Fenstern hinein, und die Bäume draußen schüttelten sich vor nasser Kälte. Walther klagte über den weiten Rückweg, den er habe, und Eckbert schlug ihm vor, bei ihm zu bleiben ...»

Es wäre schon zuviel, wollte man sagen, hier läge eine kurze Naturbeschreibung vor. Der Erzähler beschreibt nicht, sondern macht einige geradezu rein sachliche Angaben, die nirgends eigenwertig sind, sondern ganz «der Hauptsache» zugeordnet sind. Es ist auffällig, wie wenig der Erzähler der Versuchung nachgibt, die Natur lebendig zu machen und einen weiteren Hintergrund zu schaffen. Er konzentriert. Alle Angaben über die Natur dienen zur Motivierung der Tatsache, daß Walther diese Nacht auf dem Schlosse Eckberts bleibt. Und vielleicht läßt sich noch sagen, daß der Vorrang der Verben bei den Angaben (warf, spielte, sah hinein, schüttelten sich) auf Geschehen als eigentliche Substanzschicht der Erzählung weist. Von daher sind die Angaben geformt und bestimmt, aber sie bergen keine eigenen, etwa lyrischen Qualitäten, und sie schaffen keinen weiteren epischen Raum.

Auch Goethes *Werther*, der als Gegenbeispiel dienen mag, beginnt mit einer kurzen (Selbst-)Darstellung des «Erzählers» als der Hauptgestalt. Der eigentliche Beginn liegt im zweiten Brief mit der Beschreibung des Frühlings. Zu einem Teil hilft gewiß auch hier die Jahreszeit an der Ausfüllung des Vordergrundes, der nun freilich kein Geschehen ist, sondern eine Figur: die Gestalt Werthers. Aber eine genauere Betrachtung (wie sie zum Beispiel H. A. Korff im *Geist der Goethezeit* durchgeführt hat) zeigt, daß bei der Darstellung des Frühlings beträchtliche Überschüsse vorhanden sind, daß hier eine größere Welt sofort in Erscheinung tritt, in die die Welt Werthers eingebettet und auf die die Gestalt Werthers bezogen ist. Der eigentliche Beginn des Werkes ist «ein» Frühling oder sogar «der» Frühling. Und diesem Frühling folgt später ein Herbst, in den wieder die Situation Werthers eingeordnet ist. Der Aufbau ergreift nicht nur Werthers Geschichte, sondern zugleich jene weitere epische Welt der Natur, die in einem innerlich gleichen Rhythmus mit der führenden Substanzschicht schwingt und verläuft. Die beiden Werke weisen auf verschiedene Aufbauprinzipien einer «Erzählung» und eines «Romans». In Goethes *Wilhelm Meisters Lehrjahre* richtet sich die Gliederung überhaupt nach der größeren Welt, nach den Bezirken des Lebens. Die Gestalt des Helden und seine Geschichte sind demgegenüber untergeordnet; sie haben strukturell nicht mehr die Führung.

Es ist bezeichnend, daß sich bei Werken, deren Komposition man früher als schwach getadelt oder doch als locker empfunden hatte, die letzten Geheimnisse ihrer Struktur erst erschlossen, als man mit dem Blick das individuelle Vordergrundgeschehen und zugleich die größere Welt umfaßte. Das gilt in gewissem Maße für Vergils *Äneis*, bei der sich erst in jüngster Zeit die wahre Bedeutung der Rom-Idee auch für den Aufbau ergeben hat. Das gilt aber auch für die wegen ihrer lockeren Komposition früher oft getadelten Romane Flauberts. W. von Wartburg hat in einem Aufsatz *(Flaubert als Gestalter)* nachgewiesen, daß die Komposition der *Education sentimentale* durch das Nebeneinander zweier Handlungsreihen bestimmt ist: das Leben, das heißt besonders das Liebesleben Frédérics, in dem die vier Frauen Madame Arnoux, Rosanette, Madame Dambreuse und Louise die entscheidende Rolle spielen, und zweitens die Geschicke der französischen Nation in den Jahren 1840–52. Von Wartburg kommt zu dem Schluß: «Die beiden Linien der Entwicklung, zuerst nur lose verknüpft, laufen immer entschiedener aufeinander zu ... Von dem Augenblick an, da sie sich erreicht haben, bleiben sie verknüpft; zwischen den beiden Zeitpunkten, in denen Frédéric sowohl als auch die Nation ihr Schicksal selbst in die Hand nehmen und dann wieder kapitulieren, liegt die Möglichkeit des Erwachens zur freien, selbständigen Existenzgestaltung. Der zweite Zeitpunkt läßt den

Roman mit einer unendlichen Ernüchterung im persönlichen wie im öffentlichen Leben enden. Die Gliederung der *Education sentimentale* ... ist vertikal und läßt die beiden großen Themen in bestimmten Rhythmen nebeneinander herlaufen. Aber dieses ihr Nebeneinandergehen, das Überschneiden und Zusammentreffen schaffen doch auch für diesen zweiten großen Roman Flauberts eine deutlich erkennbare und vom Autor gewollte Struktur.»

(c) Epische Grundformen

Es wurde bisher vom äußeren Aufbau in Gesänge, Bücher, Teile, Kapitel
u. s. f. sowie von den großen Gliederungen des epischen Vorgangs gesprochen.
Aber es gibt nun noch besondere epische Grundformen, durch deren Zusammenfügung sich ein episches Werk aufbaut. Wir sind auf solche Phänomene
von der Sprache her gestoßen, als der Blick auf übersatzmäßige Formen, auf
die Redeformen fiel.

Vor der theoretischen Erörterung soll noch einmal das Wesen und Wirken solcher Formen an einem Beispiel gezeigt werden, das komplexer ist
als Immermanns *Beschreibung*. Wir wählen dazu den mit I überschriebenen
Teil von Storms *Im Sonnenschein*.

Er beginnt mit einer Orts- und Zeitangabe. Es folgt ein Abschnitt, der
zunächst die Beschreibung des wartenden Offiziers enthält. Ein Gedankenstrich bezeichnet auch äußerlich das Ende (hinter «nicht bemerkt sein»).
Eine kleine Szene schließt sich an: die Begegnung mit dem künftigen Schwager. Führend ist dabei der Dialog; es fehlt weiterhin nicht an kurzen Beschreibungen, während der Bericht nur spärlich verwendet wird. Darauf
folgt ein längerer Absatz («Die eine Flügeltür stand offen ...»), der vor
allem der Beschreibung des jungen Mädchens in dem Gartenpavillon dient.
Nach kurzem Bericht folgt wieder eine Dialogszene, die zwar nur schwach
bewegt ist, aber doch deutlich in den Schlußsätzen gipfelt: «Ich habe dich»,
sagte er. «Es darf nicht anders sein» – «Geh nun», sagte sie. «Ich komme
bald; ich laß dich nicht allein.»

Der nächste längere Abschnitt enthält Bericht, in den wieder viel Beschreibung gemischt ist. Eine kurze Beschreibung des sommerlichen Gartens unterbricht auch die folgende zweite, längere Gesprächsszene zwischen
dem Offizier und dem jungen Mädchen. Wie bei allen diesen Dialogen läßt
der Erzähler nicht nur den Gestalten das Wort. Er führt die Reden ein, er
begleitet sie mit Angaben über Gesten und Mienenspiel, er gibt dem
Dialog – der an sich ja auch eine Form des Dramas ist – völlig epischen
Charakter.

So entsteht denn aus Beschreibung, Gespräch, Bericht, die als solche
ziemlich klar gesondert sind, das Ganze dieses Teils. Die Verbindung ist

dabei durch den Garten als Raum, die beiden beherrschenden Personen (der Offizier tritt überhaupt nicht ab) sowie die Liebe als Gesprächsthema beträchtlich eng; dazu kommt noch das dauernde Durchschlagen des Beschreibens. Das Ganze ist eine Einheit, eine Liebesszene, die stark lyrisch getönt ist, auf jeden Fall eine Szene.

Es ist nicht zu erwarten, daß sich in jedem epischen Werk elementare Formen wie Bericht, Beschreibung, Gespräch so klar und geschlossen herausheben wie hier. Vielleicht ist eine solche klare Anordnung gerade für die Erzählung kennzeichnend, während das Durchschlagen der lyrischen Beschreibung kennzeichnend für Storm ist. (Bei Kleist schlägt dauernd Bericht durch.) Aus der Zusammenfügung der kleineren Formen ergab sich eine komplexere, übergreifende Form von deutlichem Gestaltcharakter, die als SZENE bezeichnet wurde; die Szene ist eine klar erkennbare epische Form.

Als Percy Lubbock im Jahre 1921 sein Buch *The Craft of Fiction* zum erstenmal veröffentlichte (noch immer eines der bedeutendsten Bücher über die Technik des Romans), da beklagte er darin das Fehlen fester Begriffe und Bezeichnungen für die epischen Grundformen. Er selber unterschied zwei Arten der epischen Darstellung, die er als SCENIC und PANORAMIC bezeichnete. (Es handelt sich also eher um Erzählweisen, Standpunkte der Perspektive, als um feste Formen.) R. Koskimies, der im Jahre 1936 seine *Theorie des Romans* veröffentlichte (wohl das instruktivste Werk über die Probleme des Romans), konnte von mancherlei Fortschritten der Forschung bei der Bestimmung der epischen Grundformen berichten. Er bezog sich vor allem auf die Untersuchungen von Robert Petsch. Den von Petsch ermittelten Formen wie Bericht, Beschreibung, Bild, Szene, Gespräch fügte Koskimies noch die von der französischen Forschung bestimmte Form des Tableaus an. Die Forschung ist noch bei der Arbeit; Begriffe wie Bild und Szene beweisen, daß diese Formen keineswegs ausgesprochen episch und keineswegs immer in diesem Bezirk beheimatet sind. So ist es auch nötig, jener Reihe zum Beispiel die Erörterung als Form der Reflexion anzufügen, die in der Epik nicht selten zu finden ist. Die Bemerkungen über Storms Erzählung ergaben weiterhin, daß die Formen nicht immer gleichwertig sind: Bericht, Beschreibung und Gespräch ordneten sich in unserem Falle der größeren Form «Szene» unter.

Zu dem Begriff der Szene ist zu bemerken, daß die Namensgleichheit mit der Szene im Drama nicht über die Eigenheit der epischen Szene täuschen darf. Übereinstimmung besteht in der Geschlossenheit (die in der Epik größer ist als im Drama), in der Nähe des Lesers zum Geschehen (durch direkte Rede tritt der Leser fast in unmittelbaren Kontakt mit der poetischen Wirklichkeit), und schließlich in dem klaren zeitlichen Nacheinander innerhalb der Szene, die sozusagen von zeitlich gleichem Gefälle ist und zwar einem der objektiven Zeit angenäherten Gefälle. Aber selbst vorherrschende direkte Rede verdeckt nicht die Tatsache, daß in der epischen Szene alles von dem Erzähler gestaltet und getönt ist, daß sie erzählt und nicht darge-stellt wird. Wer eine epische Szene vorliest, darf nie den Versuch machen, bei direkten Reden die Illusion völlig verschiedener Figuren zu erwecken; bei aller Differenzierung der Stimmen muß der eine Erzähler hörbar und bewußt bleiben. Wieweit der Autor selber für eine einheitliche Registrierung bei den direkten Reden gesorgt hat, ist eine Frage des Stils.

Wie die Szene, so ist auch das BILD eine Einheit, die mehrere Rede-formen unter sich begreifen kann; freilich wird immer die Beschreibung den Vorrang haben und oft genug allein ein Bild aufbauen. Kennzeichen sind Ge-schlossenheit, gegenständliche Fülle, zeitliche Entrücktheit bzw. Statik, und endlich ein besonderer Bedeutungsgehalt. Wie in der Lyrik kann das Bild leicht zum Symbol werden. Wegen der Statik und wegen der Tendenz, die Bewegung statt nach vorn in unauslotbare Tiefen zu lenken, spielt das Bild in der Epik eine verhältnismäßig geringe Rolle, ist aber andererseits, wo es in voller Leuchtkraft auftaucht, von besonderer Wirkung.

Immerhin ist auffällig, wie selten das Bild als Abschluß von Romanen be-nutzt wird (Beispiele u. a. Lamartine, *Raphaël*; Jean Paul, *Titan*; Eça de Queiroz, *A Cidade e as Serras*). In George Eliots *Mill on the Floss* mischt es sich mit einer anderen, ungleich häufigeren Form des Romanschlusses:

Near that brick grave there was a tomb erected, very soon after the flood, for two bodies that were found in close embrace; and it was visited at dif-ferent moments by two men who both felt that their keenest joy and keenest sorrow were for ever buried there.

One of them visited the tomb again with a sweet face beside him – but that was years after.

The other was always solitary. His great companionship was among the trees of the Red Deeps, where the buried joy seemed still to hover – like a revisiting spirit.

The tomb bore the names of Tom and Maggie Tulliver, and below the names it was written –

«In their death they were not divided.»

Das Bildhafte kommt erst zum Schluß wieder reiner heraus. Vorher wird es überdeckt von jener anderen Form, die man als summarischen Bericht oder, mit Percy Lubbock, als «panoramic» Bericht bezeichnen könnte. Er befrie-digt die Neugier des Lesers, der wissen will, was aus den anderen Figuren des Buches geworden ist. Ein solcher Bericht findet sich als Schlußform in vielen Romanen (Scott, *Kenilworth*; Stendhal, *Chartreuse de Parme* u.s.f.).

Eine andere beliebte Form an dieser Stelle ist die Mahnrede, in der der Erzähler durch Vordergrund und Hintergrund gleichsam in eine Schicht ewiger Werte durchstößt, die über der poetischen Welt leuchtete und nun bewußt verkündet wird (Immermann, *Münchhausen;* Raabe, *Hungerpastor* u.a.).

Auch das Schlußbild stößt oft als Symbol zu solchen ewigen Bedeutungen
vor. Am Ende von John Steinbecks Roman gelingt es freilich nicht ganz.
Einmal ist das Bild an sich (wie die Tochter nach einer wortlosen Verstän-
digung mit der Mutter einem vertierten Elenden die Brust reicht) von solcher Peinlichkeit, daß es der Leser nicht recht realisieren möchte; zum andern spürt er zu deutlich, daß hier als Abschluß ein kräftiges Symbol gesucht wurde, und diese merkliche Absichtlichkeit hindert ihn wiederum, sich
dem Bild und seinem Gehalt hinzugeben. Ergänzend muß gesagt werden, daß solche Kritiken nicht auf Grund von Übersetzungen gemacht werden dürfen; das Beispiel aus George Eliot ließ vielleicht schon erkennen,
wie stark denn doch an dem Aufbau des epischen Bildes die Schichten des
Klanges und des Rhythmus beteiligt sind.

Die französische Kritik spricht vom TABLEAU und besitzt damit neben
Szene und Bild einen dritten Begriff, der übrigens schon in anderen Sprachen als fremder, aber gültiger Fachausdruck verwendet wird. Der Dramaturgie ist das Tableau ja seit Jahrhunderten vertraut, besonders als Akt- oder
Dramenschluß. So ließ Goethe die Aufführungen seiner *Proserpina* im Jahre
1815 mit einem Tableau enden, wie er selbst sagte. Die Hinterbühne öffnete
sich und gab den Blick auf die Unterwelt mit Parzen, Pluto und den Gruppen der Seligen und Verdammten frei. Verteilung, Stellungen, Farbgebung
waren aufs sorgfältigste erwogen worden, und so bildete das Tableau den
stilvollen Abschluß einer Aufführung, die von der Idee des Gesamtkunst-
werkes her konzipiert war.

Auch als epische Grundform hat der Begriff nun neben oder vielmehr
zwischen Szene und Bild Heimatsrecht erworben. Mit der Szene verbinden
ihn die Bewegtheit und der zeitliche Verlauf in sich; mit dem Bild eine letztliche Statik und Unverbundenheit. Vielleicht darf man auch sagen: das Bild
ist stiller, intimer, während das Tableau einen «öffentlicheren» Charakter hat,
stofflich wie erzählungsmäßig. Es füllt sich deshalb leicht mit Pathos, und
seine Gefahr ist die Posenhaftigkeit, so wie die des Bildes die Rührseligkeit
ist. Man findet einen ähnlichen Unterschied in der Malerei: dem stilleren
Porträt steht das «öffentlichere» Gruppenbild gegenüber; hier etwa ein
Selbstporträt des alten Rembrandt, um hoch zu greifen, dort etwa Tizians
«Himmlische und irdische Liebe». Die Genremalerei und die meisten «historischen» Bilder würden der «Szene» entsprechen, aus der sie den «fruchtbaren»
Moment ergriffen hätten, der den Verlauf sichtbar macht.

Man hat im Tableau eins der wichtigsten Kompositionsmittel des reali-

stischen Romans gesehen und gemeint, daß die kompositorische Schwäche
solcher Romane gerade auf ihrer Neigung zum Tableau beruhe. So hat Thibaudet, der Deuter Flauberts, über seinen Dichter sagen können: «L'effort
réel et achevé de la composition porte donc chez lui plutôt sur les parties que
sur l'ensemble. La phrase est plus composée que le tableau, le tableau plus
composé que le livre.» Gerade im Widerspruch zu dieser These suchte
v. Wartburg in dem genannten Aufsatz die tiefere Struktur der *Education
sentimentale* und der *Madame Bovary* aufzudecken. Er sagt von dem zweiten
Roman: «So baut sich *Madame Bovary* auf als innerlich geschlossenes, har-
monisches, völlig symmetrisches Gebilde.» Bei dem Nachzeichnen ergab
sich noch als wichtige Tatsache, daß der äußere Aufbau nach Kapiteln und
Teilen nicht dem inneren Aufbau entspricht. Ein ähnliches Ergebnis wird
sich wohl bei der Aufbauanalyse vieler Romane herausstellen. Damit ergibt
sich, daß der Ausgang der Betrachtung vom Kapitel doch nur ein erster Behelf ist, so wie der Ausgang von der Strophe bzw. der Szene ein erster Behelf
bei der Betrachtung der Lyrik bzw. Dramatik war.

ZWISCHENTEIL

KAPITEL VI

FORMEN DER DARBIETUNG

Dieses Kapitel bildet den Übergang von den früheren, die jeweils nur isolierte Erscheinungen innerhalb einer Schicht des Werkes untersuchten, zu den späteren, deren Blickrichtung jeweils ganzheitlicher ist. Es behandelt die Darbietungsform des Werkes und somit einen Gesamtaspekt; aber es beschränkt sich dabei auf die Erscheinungen, zu denen der Autor in mehr oder weniger bewußter Entscheidung Stellung nehmen mußte. Bei einem Werk zum Beispiel, das sich als Erzählung darbietet, hat der Verfasser entscheiden müssen, wer der Erzähler sein solle: ob er selber sprechen will, ob er in einer Art Rolle sprechen will, oder ob er einen eigenen Erzähler einfügen will.

Es sind technische Fragen der Darbietungsform, die sich damit stellen. So könnte das Kapitel auch den Titel «Grundbegriffe der Technik» tragen, wenn nicht schon in früheren Zusammenhängen dauernd vom Technischen die Rede gewesen wäre. Die Handhabung vieler bereits behandelter Formen kann oder muß sogar bewußt sein. Es würden seltsame Gebilde entstehen, wollte ein Lyriker beim Gebrauch schwierigerer metrischer Schemata nicht die Akzente bzw. Silben prüfend nachzählen und nachklopfen, sei es auf den Schreibtisch, in die Luft oder, wie der Goethe der *Römischen Elegien*, «leise, mit fingernder Hand» auf den Rücken der schlafenden Geliebten. Die Technik des Strophenbaus, des Reims, des Leitmotivs –, das sind sinnvolle und berechtigte Fragestellungen. Die Barockdichter haben sehr bewußt ihre Metaphern aufgesetzt, so daß wir ihre Technik dabei untersuchen können. Und schließlich künden oft genug die Korrekturen, die die Dichter an ihren Werken vornehmen, von heller Bewußtheit und verraten uns ihre Technik. Ebenso steht es mit den Fragen des Aufbaus. Welcher Dichter gäbe sich nicht Rechenschaft, wo er am besten eine Kapitelgrenze setzt oder was er in den ersten und was in den zweiten und dritten Akt seines Dramas zu bringen hat.

Dieses Kapitel beschränkt sich demgegenüber auf Mittel der Gestaltung und Darstellung, die von der Darbietung her bestimmt werden und bei denen eine Entscheidung nötig war. Welche Lösung nun jeweils gewählt wurde, hängt von größeren Gesichtspunkten ab, und so werden sich mehrfach Ausblicke auf den Stil und die Gattung öffnen. Es läßt sich sogar nicht einmal behaupten, daß die Lösung in jedem Fall als bewußte Entscheidung gegeben wurde: es kann sehr wohl sein, daß die «Technik», die sich ein Dichter in der Zeit des Lernens erarbeitet hat, ihm so in Fleisch und Blut übergegangen ist, daß es nicht jedesmal einer neuen Besinnung und Abwägung bedarf.

Ein Einwand ist schnell abgewehrt. Die Romantik hat beim künstlerischen Schaffensvorgang das Unbewußte betont und deshalb alles Technische mit einem gewissen Makel behaftet. Noch heute ist die Auffassung nicht ganz selten, als schaffe der echte Dichter in einer Art Rauschzustand und verrate deshalb die merkbare Technik einen bewußt schaffenden und mithin unechten Dichter. Diese Vorstellung verbindet sich mit der anderen, als gebe es in der Dichtung nichts zu lernen und als werde der Dichter als solcher geboren. Dem steht mancherlei gegenüber. Einmal ist unbestreitbar, daß in der ganzen vorromantischen Zeit der Anteil des Bewußten beim Schaffen beträchtlich war; und unbestreitbar ist, daß «trotzdem» große Kunstwerke entstanden sind. Die Poetiken des Mittelalters, der humanistischen und späteren Zeit sind ja zu einem guten Teil Lehrbücher der Technik, und es wird viele Dichter gegeben haben, die sich an ihnen schulten. Es fehlt weiterhin nicht an Zeugnissen romantischer und nachromantischer Dichter, die erkennen lassen, wie intensiv und tagklar technische Fragen von ihnen durchdacht wurden; gerade von den größten Dichtern ist in dieser Hinsicht ein reiches Material hinterlassen worden. Endlich kann man aus der Lebensgeschichte nahezu aller Dichter entnehmen, daß sie zumindest in ihren Anfängen eine Zeit des angestrengtesten Lernens durchgemacht haben, eine Zeit, in der sie die Meister studierten und sich in den Besitz der technischen Mittel zu setzen suchten. (Bevor Jean Paul seinen ersten Roman schrieb, hatte er, wie er in der Vorrede zur *Auswahl aus des Teufels Papieren* angab, vierzigmal Sternes *Tristram Shandy* gelesen. Man braucht die Zahl nicht wörtlich zu nehmen – der Sachverhalt ist klar genug und ist beispielhaft.)

Es scheint an der Zeit, mit jenen Vorstellungen von der gänzlichen Unbewußtheit des dichterischen Schaffens und der Unnötigkeit eines Lernens Schluß zu machen. «La poesia medesima ... non compie l'opera sua senza autogoverno, senza interno freno, ‚sibi imperiosa‘ (per adottare il motto oraziano), senza accogliere e respingere, senza provare e riprovare, operando ‚tacito quodam sensu‘», sagt Benedetto Croce in seiner *Poesia* (S. 13,) der wahrlich nicht in den Verdacht kommen kann, das Eigene der «espressione poetica» und des dichterischen Schaffens zu verkennen. Es ist kein Zufall, daß gerade in jüngster Zeit und gerade von Dichtern der alte Gedanke der «Dichterakademien» wieder vorgebracht wird. Sogar zur Zeit der Romantik hatte Friedrich Schlegel in seinem *Gespräch über die Poesie* einen Gesprächspartner sagen lassen: «Bei den Alten gab es auch im eigentlichsten Sinne Schulen der Poesie. Und ich will es nicht leugnen, ich hege die Hoffnung, daß dies noch jetzt möglich sei.» Neuerdings hat Jules Romains

(Nouv. rev. franc. vom 1. Juni 1921) die Forderung nach «cours de technique poétique» erhoben, die die Cours poétiques von Valéry zu einem Teil erfüllten; Georges Duhamel hat in seiner *Défense des Lettres. Biologie de mon métier* die maîtres ermahnt, den Jüngeren praktische Ratschläge, Rezepte des Handwerks zu geben. Und ähnliche Stimmen ertönen auch aus anderen Ländern.

Wer sich als Dichter oder Forscher mit technischen Fragen der Dichtung beschäftigt, braucht es nicht im verborgenen zu tun und hat nicht nötig, sich deswegen zu entschuldigen. Er hat vielmehr allen Grund, die Notwendigkeit solcher Studien zu betonen, und kann mit gutem Recht behaupten, daß die Zügellosigkeit der Literatur, die übrigens in allen Ländern zu beobachten ist, zu einem guten Teil von der Mißachtung des Technischen, des Handwerklichen und damit der Tradition herrührt. Neben jener falschen Auffassung vom Dichter und dem dichterischen Schaffen stammt die Ablehnung aller Besinnung ja oft genug aus Bequemlichkeit.

Je nach der Darbietungsform gehört ein Werk der Lyrik, Epik oder Dramatik zu. Damit ist uns die Gliederung für die folgenden Erörterungen gegeben.

1. DARBIETUNGSPROBLEME DER LYRIK

Die Lyrik gibt sich als monologische Aussprache eines Ich. Dabei hat sich der Autor nun zu entscheiden, ob er die lyrische Rede als Ausdruck seines eigenen bzw. eines unbestimmten «Ich» erscheinen lassen will oder ob er sie einer bestimmten Figur in den Mund legt. Man nennt solche Gedichte, die sich als Aussprache einer bestimmten Gestalt geben, ROLLENGEDICHTE. Mit der Wahl als Rollengedicht entsteht sofort das weitere technische Problem, wie dem Leser die gemeinte Rolle sinnfällig werden kann. Meist wird der Dichter durch die Überschrift den nötigen Hinweis geben: Lied der Toten, The Maid's Lament, Hymn of Pan, Le vin de l'assassin, Le vin des amants, Palavra dum certo Morto u.s.f. Die genannten Beispiele stammen aus neuerer Lyrik; in älterer Lyrik sind Rollengedichte noch häufiger zu finden. Die Vorstellung, daß Lyrik im Wesen Selbstaussprache der Dichterseele ist, hat sie seit der Romantik etwas zurücktreten lassen. Eine Untersuchung der gewählten Rollen, sei es bei einem Dichter oder einer ganzen Strömung bzw. Epoche würde gerade für die älteren Zeiten zu wertvollen Schlüssen über die Beziehungen zwischen Werk und Publikum führen und die soziologische Seite des literarischen Lebens erhellen. Weithin hat die Literaturgeschichte mittelalterliche und auch noch spätere Gedichte als Ich-Ausdruck genommen, die in Wahrheit als Rollengedichte gemeint und genommen waren. Die Erforschung des Minnesangs hat da manchen Irrweg eingeschlagen; ähnlich geschah es mit der Lyrik des Petrarkismus, der Anakreontik u. s. f.

Wenn neuere Dichter durch einen entsprechenden Titel für die nötige Klarheit sorgen, so führt uns das auf das technische Problem des GEDICHT-TITELS überhaupt.

> Den Titel, ist ein alter Spruch,
> Zu machen ist das schwerst' am Buch,

so beginnt Rückert ein Gedicht, und sagt uns im Folgenden noch über den lyrischen Titel:

> Wie schwerer noch im Liederbuch
> Ist zu betiteln jeder Spruch:
> Es nehmen ein die Titel
> Vom Buch ein Drittelsdrittel ...

Mittelalterliche Gedichte kennen die Titelgebung nicht. Erst seit dem Humanismus ist der Brauch fest geworden, offenbar als Ausgleich dafür, daß ein Gedicht (gesteigert durch seinen Sprechcharakter) nicht mehr so fest in die Formen des Gemeinschaftslebens einbezogen war, die für eine Vor-Einstimmung sorgten. So fällt zu einem Teil dem Titel die Aufgabe zu, in dem Aufnehmenden die rechte Stimmung zu schaffen. Was im Theater der Gongschlag und das Erlöschen der Lampen besorgt: die Verzauberung auf die Welt der Dichtung hin, das muß in der Lyrik oft der Gedichttitel allein leisten. Zugleich aber soll er auf die besondere Welt dieses Gedichtes vorbereiten. Daß er dabei zu viel vorwegnimmt, wie es Lessing an manchen Dramentiteln tadelte, ist in der Lyrik kaum zu befürchten («Ein Titel muß kein Küchenzettel sein. Je weniger er von dem Inhalte verrät, desto besser ist er.» Hbg.er Dram. 21. Stück). In früheren Jahrzehnten pflegte man als Überschrift vielfach nur die Form bzw. Gattung anzugeben wie Lied, Ode, Sonett. Die gedankliche, rhetorische Art des Sprechens kündigt sich gelegentlich in den Überschriften an, die das Thema bezeichnen, über das gesprochen werden wird: Auf einen Brunnen, Lob der grünen Farbe, Über ihre Unempfindlichkeit, Auf ihre Augen, Die Künstler, A Contemplation upon Flowers, On the Death of ..., Himno de la Imortalidad, La Providência, A fugilidade da Vida humana u. s. f.

Als heimliche Zwiesprache und somit in ihrem Umkreis sehr eng festgelegt geben sich die Gedichte, deren Titel eine Anrede enthält: An den Mond, An Schwager Kronos, A nosso Senhor, A las flores, To Night, To Autumn, Au vent u. s. f. In solchen Fällen leistet also der Titel mehr für die Einstimmung auf die besondere Welt des Gedichtes als bei den blassen Angaben wie Lied, Sonett u. s. f. Bedeutungsvoller ist auch jener Typ, bei dem die räumliche bzw. zeitliche Situation angegeben wird, aus der heraus das Gedicht lebt: Im Mai, Im Wald, Auf dem See, Crépuscule de dimanche d'été, Au Septembre; vielfach verbindet sich das mit der Gattungsbezeichnung: Evening Hymn, Chant d'automne, Canção da noite, Mailied.

Alle diese Arten von Titelgebung sind leicht zu durchschauen; fehlten sie, so könnte der Leser sie leicht von sich aus hinzutun. Sie fungieren als eine Art Einleitung zum Gedicht. Demgegenüber besteht die Möglichkeit, Gedicht und Titel noch inniger miteinander zu verknüpfen, den Titel zu einem wesentlichen Bestandteil des ganzen Gedichts zu machen. In solchen Fällen enthält er meist etwas Geheimnisvolles, Undurchsichtiges, was sich erst nach dem Anhören des ganzen Gedichtes in seiner vollen Bedeutung erfassen läßt. Titel wie Recueillement (Baudelaire), Apparition, Renouveau (Mallarmé), um nur wenige Beispiele zu nennen, bilden geradezu das geheime Zentrum des ganzen Gedichts.

Demgegenüber läßt sich besonders seit dem Ende des 19. Jahrhunderts der Brauch beobachten, keinen eigenen Titel zu wählen, sondern die Anfangsworte als Überschrift zu setzen. Die Einstellung, die dazu führt, ist nicht selten der rhetorischen Einstellung genau entgegengesetzt. Der Dichter will jeden Gedanken an Thematisches ausschalten, will aus keiner Distanz und Gefaßtheit heraus sprechen; das Gedicht soll als unmerklich sich hebende und wieder verfließende Welle genommen werden.

Dieselbe Haltung bestimmt in vielen dieser Gedichte auch den Anfang. Eine eigene Technik des GEDICHTANFANGS wird spürbar: jene gleitenden Anfänge mit «und» oder irgendwelchen Beteuerungen, die den Eindruck erwecken, als setzte das Gedicht ein längst begonnenes Gespräch fort. Das Gedicht Les poètes de sept ans von Rimbaud beginnt: «Et la mère, fermant le livre ...»; das Gedicht Ishmael von Palmer setzt ein: «And Ishmael crouch'd beside»; Adlerstrop von Edw. Thomas beginnt: «Yes. I remember Adlerstrop»; die Ballade des äußeren Lebens von Hugo von Hofmannsthal: «Und Kinder wachsen auf ...»

Demgegenüber unterschied Mallarmé in seinem Le Mystère dans les lettres (Divagations) zwei brauchbare Arten von Gedichtanfängen, wobei er die Frage unter den Gesichtspunkt des «geheimnisvollen» Anfangs stellte: entweder sollte am Anfang eine «schmetternde Fanfare» erklingen, in deren Überraschung sich das Gedicht weiterentfalten könne. Diese Technik fand Mallarmé oft bei Victor Hugo, aber auch der Beginn seines Après-midi ist als Beispiel angeführt worden:

Ces nymphes, je les veux perpétuer ...

Oder es sollten sich am Anfang Ahnungen, Zweifel, zunächst noch völlig dunkel, reihen, um dann einem strahlenden Abschluß zugeführt zu werden.

Aber man kommt, wenn man nur Mallarmés eigenes Werk überprüft, schwerlich mit diesen beiden Typen aus; zudem weist der zweite Typus schon darauf, daß der Gedichtanfang oft genug von dem Aufbau im ganzen bestimmt wird und nur sehr bedingt seine eigene Technik hat.

Leichter ist es im Fall der Ballade gewesen, feste Typen und Techniken nachzuweisen, und manche Dichter haben sich an der Erörterung solcher Fragen beteiligt. Während die handlungspralle Ballade zum Beispiel gern mit den direkten Worten einer Gestalt beginnt oder einer gleichsam in den Raum gesprochenen Frage, deren Sprecher unbestimmt bleibt, hat Börries von Münchhausen für die mehr lyrisch getönte Ballade den Beginn mit einem STIMMENDEN AKKORD empfohlen. Er versteht darunter eine Strophe oder Versgruppe, die nicht mit der eigentlichen Handlung zusammenhängt, aber den Leser in die gewünschte Stimmung einschwingen läßt.

Die technischen Fragen der Lyrik spielten in der Dichtung früherer Zeiten eine größere Rolle als in den letzten beiden Jahrhunderten. Es gab eine Tradition bestimmter Praktiken, die erlernbar waren, und Dichter und Publikum empfanden es bei einem guten Gedicht keineswegs als abträglich, wenn man den Autor beim Gebrauch dieser Handgriffe beobachten konnte; im Gegenteil, die geschickte Verwendung an sich bekannter Praktiken wurde von den Kennern mit verständnisvoller Zustimmung begrüßt.

Die Toposforschung hat auch diesen Sachverhalt mit aller Deutlichkeit erkennen und uns in die Werkstätten der Dichter blicken lassen. María Rosa Lida hat in der früher genannten Studie dargestellt, «wie ein Schema Vergils, die gegensätzliche Reihung von Vergleichen *(Bucolica VII)*» in der spanischen Lyrik der Renaissance aufgenommen und verarbeitet wird. Ernst Robert Curtius selber hat u. a. die Geschichte eines Bauschemas von der Antike (Tiberianus) bis ins 17. Jahrhundert skizziert, das er SUMMATIONSSCHEMA nennt: «das Charakteristische ist die abschließende Summierung einer in symmetrischer Reihung vorgeführten Zahl von Beispielen». Curtius bringt als erstes Renaissancebeispiel ein Sonett des Italieners Panfilo Sasso (1527); er bringt dann Proben aus Calderón, Lope und anderen spanischen Dichtern der Blütezeit. (Vgl. auch das Sonett Góngoras auf S. 117 f.) Aus der französischen Renaissance werden Ronsard und andere genannt. In der portugiesischen Lyrik jener Zeit ist es nicht selten. Wir geben nur ein Beispiel, bei dem Camões das Summationsschema für den Bau eines Sonettes benutzt hat (er hat es öfter verwandt):

> De quantas graças tinha, a natureza
> Fez um belo e riquíssimo tesouro,
> E com rubis e rosas, neve e ouro,
> Formou sublime e angélica beleza.

Pôs na boca os rubis, e na pureza
  Do belo rosto as rosas, por quem mouro;
  No cabelo o valor do metal louro;
  No peito a neve em que a alma tenho acesa.

Mas nos olhos mostrou quanto podia,
  E fez deles um sol, onde se apura
  A luz mais clara que a do claro dia.

Emfim, Senhora, em vossa compostura
  Ela a apurar chegou quanto sabia
  De ouro, rosas, rubis, neve e luz pura.

Aus allen Hulden, soviel sie nur hatte,
Machte die Natur einen schönen und überreichen Schatz,
Und aus Rubinen und Rosen, Schnee und Gold,
Bildete sie hehre und englische Schönheit.

Sie legte die Rubinen auf den Mund, und auf die Reinheit
Des schönen Antlitzes die Rosen, um die ich sterbe;
Auf das Haar den Glanz des blonden Metalls;
Auf die Brust den Schnee, der meine Seele in Brand setzte.

Aber bei den Augen zeigte sie all ihre Kunst,
Und machte aus ihnen eine Sonne, wo nun erstrahlt
Ein Licht, das heller ist als das des hellen Tags.

So hat sie, Herrin, in Eurer Gestalt
Zur Vollkommenheit gebracht, was sie nur zu gestalten wußte
Aus Gold, Rosen, Rubinen, Schnee und reinem Licht.

Die Kenner werden als besonderen Reiz empfunden haben, daß Camões die Summation am Ende und am Anfang bringt, wofür sich übrigens bei Curtius kein Beispiel findet.

Diese kurzen Beispiele genügen, um die Bedeutung der rhetorischen Tradition für die Lyrik jener Jahrhunderte zu zeigen. Der Schluß ist unabweislich: wer sich mit der Lyrik (und mit der Dichtung überhaupt), sei es des Mittelalters, der Renaissance oder des Barocks, beschäftigen will, muß sich zunächst mit der rhetorischen Grundlage all dieser Dichtung vertraut machen. Freilich darf damit nicht die Meinung verbunden sein, als könne die Beobachtung rhetorischer Praktiken die Behandlung der weiteren Probleme ersetzen; gerade anläßlich der letzten Bemerkungen über rhetorische Bauvorschriften ist zu betonen, daß von daher die Probleme der dichterischen Komposition nicht erschöpft werden können. Das Kapitel über den Aufbau hat uns tiefere Probleme erkennen lassen.

2. DARBIETUNGSPROBLEME DES DRAMAS

Auch im Drama gibt es etwas Entsprechendes wie die Rolleneinkleidung im lyrischen Gedicht. Manche Dramatiker haben zum Beispiel die Traumeinkleidung gewählt: die ersten und letzten Szenen spielen in der poetischen Wirklichkeit, während das eigentliche Drama sich auf einer eigenen Ebene vollzieht; es kann sich dabei um den Raum der Vergangenheit, der Zukunft, einer anderen Gegenwart oder schließlich einen phantastischen Raum handeln. Gerhart Hauptmann hat in seiner *Elga* die Vergangenheit auf diese Weise sinnfällig gemacht; er wurde zu der Traumeinkleidung angeregt durch Grillparzers *Der Traum ein Leben*, der den in einer Konfliktsituation stehenden Helden erleben läßt, wie seine Zukunft sein würde, wenn er seiner Neigung folgte. Grillparzer selber hatte sein Drama unter dem Einfluß von Calderóns *La vida es sueño* geschrieben. In Strindbergs berühmtem *Traumspiel* weist nur der Titel auf die Traumeinkleidung. Auch Opernlibrettos haben eine solche Technik der doppelten Ebene gewählt, etwa Pfitzners *Palestrina* oder Schillings' *Mona Lisa*. Gerhart Hauptmann hatte schon vor *Elga* die Zweischichtigkeit in *Hanneles Himmelfahrt* erprobt, wo sich über die Ebene der poetischen Wirklichkeit die der Visionen legt. Die Wahl der Traumeinkleidung verlangt die Lösung weiterer technischer Fragen. Der Dichter muß Mittel wählen, um den Übergang in die Welt des Traumes hinreichend deutlich zu machen, er muß sich entscheiden, in welchem Maße und mit welchen Mitteln er den Traumcharakter merkbar werden lassen will. Strindbergs *Traumspiel* ist in technischer Hinsicht eines der interessantesten Traumdramen. Der Dichter wird gerade hierbei von dem Regisseur unterstützt werden. In der modernen Inszenierungskunst spielt der Gazeschleier und spielen Beleuchtungseffekte eine bedeutsame Rolle. Überhaupt ist ein Teil der dramatischen Technik von dem Zustand des gleichzeitigen Theaters abhängig; der Literarhistoriker, der bei der Untersuchung eines Dramas nicht die zugehörige Bühne kennt, gerät leicht auf Irrwege.

Die herrschende Bühnenform des Mittelalters ist die sogenannte SIMULTANBÜHNE. Auf dem Spielplatz sind gleichzeitig alle Schauplätze aufgebaut, die die ablaufende Handlung benötigt; die Schauspieler bewegen sich von einem Teil des Spielfeldes (als das oft der Marktplatz der Städte dient) zum andern. Der Darstellungsstil der religiösen Dramen wurde im späteren Mittelalter immer realistischer; man würde die erhaltenen Texte falsch verstehen und beurteilen, dächte man sich nicht die dichte Gegenständlichkeit hinzu, durch die sie ergänzt wurden.

Anderer Art ist die Bühne, die das humanistische Drama entwickelt. Es ist in jüngster Zeit zweifelhaft geworden, wieweit die sogenannte BADE-ZELLENBÜHNE, die man bisher als die charakteristische Form des Humanistendramas ansah, wirklich als solche gelten kann. Unter Badezellenbühne versteht man eine neutrale, kulissenlose Vorderbühne, die nach rückwärts durch nebeneinander angebrachte Vorhänge begrenzt wird. Die Schauspieler können von den Seiten oder durch die Vorhänge (Zellen) auf- und abtreten. Die Zellen stellen Häuser dar; aufgeschlagen deuten sie das Innere eines Hauses an.

Der früher so lebhaft ausgefochtene Streit um die SHAKESPEAREBÜHNE und die rechte Interpretation der erhaltenen Zeichnungen, vor allem der des Holländers de Witt, kann heute als beendet gelten. Die typische Shakespearebühne war dreigeteilt. Der Hauptspielplatz war eine neutrale Fläche, in die das Publikum von drei Seiten Einblick hatte. Die frühere Vorstellung, daß es auf ihr keine Kulissen gegeben habe, sondern daß durch Tafeln die jeweilige Bedeutung dieser Spielfläche angegeben worden sei, hat sich als völlig irrig erwiesen: die jeweilige Örtlichkeit: eine Straße, ein Wald, ein Saal u.s.f., war durch Kulissen eindeutig bestimmt. Nach rückwärts schloß sich an diese Spielfläche die (kleinere) Hinterbühne, auf der weitergespielt wurde. Darüber befand sich in Form eines ziemlich schmalen Balkons die Oberbühne. Durch die den Kontinent bereisenden «Englischen Komödianten» wurde die Shakespearebühne weithin bekannt und von Einfluß.

Das 17. Jahrhundert hat dann die Grundlagen des heutigen Theaterbetriebes gelegt. Jetzt wurden eigene Bühnenhäuser, das heißt Theatergebäude üblich, die Schauspieler bildeten einen festen Berufsstand (seit dem 17. Jahrhundert gab es Schauspielerinnen), die Bühnenausstattung durch Kulissen, Prospekte, Versenkungen, Flugmaschinen und andere technische Mittel erreichte in den Theatern der größten Städte, besonders in den Hoftheatern, eine erstaunliche Höhe. Vor allem aber schuf das 17. Jahrhundert die noch heute traditionelle Form der ILLUSIONSBÜHNE bzw. Guckkastenbühne, bei der das Publikum nur von einer Seite auf die Bretter schaut, die die Welt bedeuten. Architekten und Maler arbeiten mit allen Mitteln an der Vervollständigung der Illusion mit.

Die Erwartungen, die sich im 20. Jahrhundert gelegentlich einstellten: daß sich nämlich durch die Aufnahme neuer technischer Errungenschaften wie des Films, des Radios, des Lautsprechers eine Revolutionierung des Theaters vollziehen würde, haben sich nicht bestätigt. Die bisherigen Versuche mit der Einfügung solcher neuen Mittel haben nicht zu überzeugenden Erfolgen geführt. Es scheint vielmehr so zu sein, daß das Theater durch den Konkurrenzkampf gegen den Film nicht zu einem Ausgleich, sondern zu klarer Besinnung auf das ihm Gemäße und Eigene geführt wird. Daß das moderne Drama und Theater sich des Telephons bemächtigt hat und durch

dieses technische Mittel die Geschlossenheit des Bühnenraums überwinden
kann, ist eine Kleinigkeit geblieben. Wohl gibt es einige interessante Experimente mit dem Telephon im modernen Drama (besonders bei französischen Autoren), aber von einem irgendwie tiefreichenden Einfluß auf die
Geschichte des Dramas oder Theaters kann keine Rede sein.

Das technische Problem, wie es gelingen kann, gleichzeitiges Geschehen,
das außerhalb des Bühnenraums sich abspielt, dennoch zu vergegenwärtigen, ist so alt wie das Drama selbst. Telephon, Lautsprecher, Fernseher
sind moderne Lösungen einer alten Frage. Nicht immer wird es angehen,
das außerhalb der Bühne Existierende durch den Schall sinnfällig zu machen
und in den Bühnenraum einzubeziehen, so wie Calderón und Goethe die
Stimme Gottes haben erklingen lassen. Eine andere Lösung dieses technischen Problems, die noch aus der Antike stammt, ist die sogenannte TEI-
CHOSKOPIE, die Mauerschau: ein auf einer Mauer oder einem Turm auf-
gestellter Beobachter berichtet den Spielern (und dem Publikum), was sich
draußen abspielt. Für Schlachten, die ja auf der Bühne nur schwer unmittelbar dargestellt werden können, für Schiffsuntergänge auf See und ähnliches
wird die Teichoskopie auch im neueren Drama häufig angewandt. Weiterhin können Träume und Visionen den Bühnenraum entgrenzen; in diesem
Fall kann natürlich auch vergangenes Geschehen aktualisiert oder kann auf
zukünftiges vorausgedeutet werden. Und schließlich bleibt immer die Möglichkeit, die Bühne zu teilen und zwei gleichzeitige Geschehensreihen sich
vor dem Zuschauer abspielen zu lassen, eine technische Möglichkeit, von
der im Drama des 20. Jahrhunderts wieder häufiger Gebrauch gemacht
worden ist. Aus der Antike stammt auch der sogenannte BOTENBE-
RICHT, ein technisches Mittel, um jüngst vergangenes Geschehen zu ver-
lebendigen.

Oft ist das ganze Drama nach rückwärts gewandt, das heißt die entscheidenden Vorkommnisse sind bereits geschehen, sie enthüllen sich dem Zuschauer allmählich, während das eigentliche Bühnengeschehen nur ihre letzten Auswirkungen zeigt: das sich abspielende Geschehen ist gleichsam nur
der letzte Akt einer schon lange anhängigen Handlung. Man nennt diesen
Dramentyp ANALYTISCHES DRAMA. Das berühmteste Beispiel ist der *König Ödipus* des Sophokles. Aus neuerer Zeit gehört ihm das romantische
Schicksalsdrama zu; Ibsens *Gespenster* sind der bekannteste Vertreter aus
dem Naturalismus.

Eine Entgrenzung des eigentlichen Bühnenraums bedeutet auch das sogenannte SPIEL IM SPIEL. Die bekanntesten Beispiele sind Shakespeares
Hamlet und sein *Sommernachtstraum*, zwei Dramen, in denen das gleiche
technische Mittel zu recht verschiedenen Zwecken dient. Weiterhin ist das
Spiel im Spiel im spanischen Drama häufig zu finden (Lope de Vega: *Lo*

fingido verdadero u. a. m.). Auf den Spuren Shakespeares und der Spanier hat Tieck es mehrfach in seinen romantischen Dramen verwendet.

Zur Technik des Dramas gehört auch die Lösung der Frage, wie der Dramatiker das Publikum mit der Ausgangssituation bekannt machen will. Man faßt alle Szenen, die dieser Aufgabe dienen, mit dem Fachausdruck EXPOSITION zusammen. Ihren Abschluß findet sie gewöhnlich durch das erste ERREGENDE MOMENT, mit dem die Spannung in die Zeit und der dramatische Verlauf beginnen. So bringt in *Minna von Barnhelm* der Stein, den Tellheim versetzt, die Handlung ins Rollen (die Exposition ist hier freilich noch nicht abgeschlossen); so steht in der *Emilia Galotti* von dem Augenblick an, da von der in wenig Stunden bevorstehenden Heirat Emilias gesprochen wird, alles in der dichtesten und dringlichsten zeitlichen Spannung.

Im älteren Drama gibt oft ein besonderer Sprecher in einer Art Prolog ans Publikum die Exposition; Tieck, der auch in diesem Fall alte Techniken zu beleben suchte, verband in seiner *Genoveva* Prolog und Drama, indem er als Prolog- (und Epilog-)Sprecher den Heiligen Bonifatius auftreten ließ. Eng verwandt damit ist die im älteren Drama gleichfalls häufige Praxis, die Figuren bei ihrem ersten Auftreten über ihre Situation und über sich selber zum Publikum sprechen zu lassen. Wir empfinden solche technischen Mittel als undramatisch, und tatsächlich sind sie ja dadurch, daß hier ein erzählender Vermittler zwischen die poetische Wirklichkeit und das Publikum tritt, typisch epischer Art.

Bei der Charakterisierung der Figuren unterscheidet man außer der genannten Selbstcharakteristik DIREKTE und INDIREKTE Charakterisierung. Unter direkter Charakterisierung versteht man die Angaben, die andere Figuren über eine Gestalt machen. Der Zuschauer erhält auf diese Art unmittelbare Einsicht in den Charakter. Freilich wird ein geschickter Autor, um sich nicht gleich aller Spannung zu berauben, in solchen Fällen nur zu einem kleinen Teil Aufklärung geben. Und nicht selten wird er durch sich widersprechende direkte Charakterisierungen die Spannung des Publikums erhöhen oder sogar durch absichtlich unzutreffende Charakterisierung auf falsche Fährte lenken. (Mit widersprechender Beschreibung der Titelheldin arbeiteten Lessing in der *Emilia Galotti* und Schiller in der *Maria Stuart*. Goethe benutzte den ersten Akt seines *Egmont* zu dreifacher Spiegelung seines Helden, ehe er ihn im zweiten auf die Bühne bringt.) Indirekte Charakterisierung liegt vor, wenn der Zuschauer aus den Worten und Taten der Gestalt ihren Charakter erschließen muß. Beide Arten werden sich meist miteinander verbinden unter zeitlichem Vorausgang der direkten Charakteristik; aus der geschickten Vorbereitung des ersten Auftretens seines Helden wird der Dramatiker besondere Effekte ziehen. Noch dringlicher ist die Frage für den Film; bei seiner naturgemäß größeren Zahl von

Mitspielern müssen die Hauptgestalten hinreichend herausgehoben werden.
Jeder Dramatiker muß die technischen Probleme der Exposition, der
Charakterisierung, des Auf- und Abtretens der Gestalten lösen. Soweit es
nicht aus Mangel an Kenntnis der Möglichkeiten und somit aus technischem
Ungeschick geschieht, wird die Wahl der entsprechenden Mittel nicht bloß
gemäß der jeweiligen Situation erfolgen. Für die Entscheidung wird vielmehr der Stil des ganzen Werkes maßgebend sein. Die verhältnismäßig ein-
hellige Technik der französischen Tragödie und die Festigkeit ihrer Tradition dabei beweisen den stark ausgeprägten Stil dieser Dramatik. Aber natürlich kann diese Technik nicht mit dem Anspruch auftreten, für alle Dramatik die endgültigen Bestlösungen gefunden zu haben. Ein anderer Stilwille wird mit Notwendigkeit zu einer anderen Technik führen.

Zu den Problemen, über die der verschiedene Stilwille der Epochen und
Dramatiker ganz verschieden geurteilt hat, gehört auch die Frage nach der
Verwendung und der Artung des MONOLOGS. Aus Wahrscheinlichkeits-
gründen wurde er zum Beispiel vom Drama des Naturalismus gemieden.
Nach den verschiedenen Funktionen, die er ausüben kann, unterscheidet
man mehrere Arten. Die unterste Stufe nimmt der «technische» Monolog
ein. Er dient als Notbehelf, um die Bühne nicht leer zu lassen. Beispiele bietet die französische Tragödie. Der «epische» Monolog dient dazu, dem Zuschauer Vorgänge mitzuteilen, die auf der Bühne nicht dargestellt worden
sind, während im «lyrischen» Monolog eine Figur ihre seelische Gestimmtheit ausdrückt. Im «Reflektionsmonolog» wird, wie der Name besagt, eine
Situation durch eine Figur reflektiert. Im eigentlichen «dramatischen» Monolog endlich wird in einer Konfliktssituation eine Entscheidung gefaßt, die
für den Verlauf der Handlung von Bedeutung wird. Die aufgezählten Arten
werden in der Praxis selten rein auftreten; dennoch wird es möglich sein,
die Hauptfunktion eines Monologes zu erkennen. Bei der Technik der Mo-
nologgestaltung hat sich mancher Dramatiker an Shakespeare geschult, vor
allem in der Art, wie ein Monolog in ein Zwiegespräch des Helden mit sich
selbst, mit einem imaginären Du oder einem konkreten Gegenstand umgesetzt werden kann. Ein berühmtes Beispiel für den letzten Fall ist Hamlets
Zwiesprache mit dem Totenkopf; ähnlich läßt Schiller seine Jungfrau von
Orleans mit ihrem Helm Zwiesprache halten.

3. DARBIETUNGSPROBLEME DER EPIK

Die Technik der Erzählkunst leitet sich aus der Ursituation des Erzählens ab: daß ein Vorgängliches da ist, das erzählt wird, daß ein Publikum da ist, dem erzählt wird, und daß ein Erzähler da ist, der zwischen beiden gewissermaßen vermittelt.

Durch einen technischen Kunstgriff kann diese Ursituation sichtbar gemacht und gesteigert werden: indem der Autor noch einen anderen Erzähler vorschickt, dem er die Erzählung in den Mund legt. Gerade die Erzählung, deren Name ja schon darauf weist, daß sie die Ursituation des Erzählens am sinnfälligsten ausprägt, hat sich dieses Mittels seit je gerne bedient. Bekannt etwa ist eine solche Verkleidung aus Boccaccios *Decamerone;* von da aus wurde sie in viele andere Sammlungen übernommen (Chaucer: *Canterbury Tales;* Margarete von Valois: *Heptameron;* Giambattista Basile: *Pentameron;* Goethe: *Unterhaltungen deutscher Ausgewanderten* u.s.f.); seit dem Anfang des 18. Jahrhunderts wirkte daneben das Vorbild von 1001 Nacht, die damals erstmalig durch Galland ins Französische übersetzt wurden. Aber nicht nur für Zyklen, auch für einzelne Erzählungen ist ein solcher Rahmen oft genug gewählt worden. Ein großer Teil des erzählerischen Werks von Theodor Storm und fast das ganze erzählerische Werk von C. F. Meyer ist von dieser Art, und beide Autoren haben die Technik der RAHMENERZÄHLUNG zur Meisterschaft entwickelt.

Der Autor einer Rahmenerzählung schafft sich durch das Publikum, das er sichtbar vorführt, und durch den als Figur festgelegten Erzähler eine eindeutige Perspektive und feste Grenzen, die er nun einhalten muß. Aber durch die mit dieser Technik gegebene Begrenzung erwirbt er nun auch fruchtbarste Möglichkeiten. Wenn Storm zum Beispiel in seinem *Schimmelreiter* einen aufgeklärten Schulmeister erzählen läßt, dann erhalten die übernatürlichen, magischen Dinge, die er kopfschüttelnd berichten muß, einen besonderen Nachdruck und besondere Beglaubigung. (Die Rahmenerzählung ist ein vorzügliches technisches Mittel, um eine Grundforderung, die das Publikum an die Erzählkunst stellt, zu erfüllen: nämlich das Erzählte zu beglaubigen. Eine Ausnahme bilden die in allen Literaturen zu findenden «Lügengeschichten». Aber eben die Tatsache, daß hier das Nicht-geglaubt-werden-dürfen konstituierend für eine ganze Art von Erzählungen ist, zeigt, daß sonst die Forderung nach Beglaubigung unerbittlich ist.) C. F. Meyer wählt in seiner Erzählung *Die Hochzeit des Mönchs* Dante als Erzähler und verschafft damit dem Werk Reize eigener Art, zumal er die gewiß nicht geringen Ansprüche, die er damit herausfordert, vollauf erfüllt. Die Erzählung kann zugleich als eine meisterhafte Lösung jenes anderen technischen Pro-

blems der Rahmenerzählung dienen, wie nämlich Rahmen und eigentliche
Erzählung miteinander zu verbinden sind: Dante verknüpft Figuren aus
seinem Publikum und Vorgänge zwischen ihnen mit den Figuren und Vorgängen des von ihm Erzählten. Das ganze Werk erhält so eine Höhenlage
und Großartigkeit, die ihm sonst, das heißt wenn der Autor selber als Erzähler aufgetreten wäre, vielleicht nicht erreichbar gewesen wären. Wenn
C. F. Meyer in seinem *Heiligen* einen einfachen Armbruster erzählen läßt, so
liegt der besondere Reiz nun gerade darin, daß die schlichte Natur des «Erzählers» nicht ausreicht, um die Gründe und Untergründe der Vorgänge zu
erfassen, und der Leser somit dauernd gezwungen ist, selber zu ergänzen
und zu vertiefen und das Eigentliche erst von sich aus hinzuzutun.

Mit der Hörerschaft, die in einer solchen Erzählung leibhaft eingeführt
wird, gewinnt der Dichter ein Mittel, um reale Leser zu beeinflussen. Die
integrierende Hörerschaft kann dazu dienen, uns vorzufühlen, sie kann uns
zeigen, in welcher Haltung wir das Erzählte aufzunehmen haben. So hat
man zum Beispiel den Hochzeitsgast, dem der alte Matrose in Coleridges
Ancient Mariner seine Geschichte erzählt, als den «idealen Zuschauer» bezeichnet. Tatsächlich läßt sich seine Rolle mit der des antiken Chores vergleichen, der unter dem Eindruck des Geschehenen seine Empfindungen
äußert. Aber auch in Er-Erzählungen begegnen nicht selten solche vorbild-
lichen Zuschauer, die in diesem Fall Miterlebende sind. In E. T. A. Hoffmanns *Unheimlichem Gast* hält die Obristin anfangs mit ihren Zweifeln an
den «Nachtseiten der Natur» nicht zurück. Sie ist die Verkörperung des ge-
sunden Menschenverstandes, und der Leser identifiziert sich gerne mit dieser einzig Normalen inmitten aller Abergläubischen. Aber wenn sie dann
am Ende bekennt: «So muß ich an Dinge glauben, gegen die sich mein innerstes Gemüt sträubt ...», dann geht auf den Leser ein Zwang aus, das Erzählte gleichfalls ernst zu nehmen oder doch irgendwie gelten zu lassen.

Andere Arten der Rahmenerzählung sind die Vorspiegelung aufgefunde-
ner Papiere oder die Behauptung mühsam gesuchter schriftlicher Unter-
lagen. So gibt sich Dickens im Anfang der *Pickwick Papers* als Chronist, der
sich eifrig um die Beschaffung der zuverlässigen Schriftstücke bemüht habe.
Wird die Fiktion einer Chronik gewählt, so stellen sich bestimmte technische
Forderungen an die Erzählhaltung, die Sprache, die geistige Einstellung
u.s.f. Es war ein Kuriosum, daß man Meinhold, als er sich als der Verfasser der erfolgreichen chronikalischen Erzählung *Die Bernsteinhexe* zu erkennen gab, keinen Glauben schenkte. So sehr war das Publikum von der
Echtheit dieser angeblichen Chronik aus dem 17. Jahrhundert überzeugt.

Besondere Wirkungen wußte die Romantik aus der «Herausgeberfiktion»
zu ziehen, die ihr bei dem Spiel mit der Illusion so viele Trümpfe in die
Hand gab. In E. T. A. Hoffmanns *Kater Murr* schieben sich dauernd Teile

aus der Selbstbiographie des Katers mit denen aus der Biographie des Kapellmeisters Kreisler durcheinander. Begründet wird das mit der Nachlässigkeit des Herausgebers, der nicht beachtete, daß der Kater sein Leben auf Seiten beschrieb, deren Rückseiten ein (fingierter) Biograph zur Lebensbeschreibung Kreislers benutzt hatte. Hoffmann begnügte sich im übrigen mit der Wirkung, die der Wechsel der beiden so verschiedenen Bezirke an sich ausübt, strebte aber nicht danach, die Motive und ihre Abfolgen kontrapunktisch einander zuzuordnen.

Bei den Einzelerzählungen, die von einem Rollenerzähler vorgetragen werden, ist es meist so, daß der Erzähler die Ereignisse als selbsterlebt vorträgt. Man nennt diese Form ICH-ERZÄHLUNG. Ihr Gegensatz ist die ER-ERZÄHLUNG, in der der Autor oder ein fingierter Erzähler nicht auf der Ebene der Vorgänge steht. Als dritte Möglichkeit der Erzählform pflegt man die BRIEFFORM abzusondern, in der sich mehrere Personen gleichsam in die Rolle des Erzählers teilen oder, wie im Falle des Werther, nur ein Briefschreiber vorhanden ist. Wie man sieht, handelt es sich dabei im Grunde um eine Modifikation der Ich-Erzählung.

Immerhin sind die Abwandlungen so tiefgehend, daß sich die Absonderung als besondere Form rechtfertigt: es gibt hier keinen Erzähler, der die Vorgänge aus der Kenntnis ihres Verlaufs und schließlichen Endes vorträgt, sondern es waltet nur die Blickrichtung nach vorn. Mit Recht sprach schon Goethe der Briefform einen dramatischen Charakter zu.

Die Ich-Erzählung stellt mit der engen Begrenzung wieder bestimmte technische Anforderungen an den Autor, verschafft ihm aber auch bestimmte Vorteile. Die epische «Allwissenheit» ist hier zugunsten einer genau festgelegten Perspektive aufgegeben. Als Gottfried Keller die zweite Fassung seines Romans *Der Grüne Heinrich* ganz in die Ich-Form umschrieb, gelang es ihm nicht immer, die Allwissenheit des Er-Erzählens aus der ersten Fassung in die engen Bahnen der Ich-Erzählung zu pressen, in der nur Selbsterlebtes bzw. Erfahrenes berichtet werden kann. Man hat auch der Ich-Form etwas Dramatisches zuerkennen wollen, da der Leser unmittelbaren Kontakt mit der poetischen Wirklichkeit bekommt. Vor allem aber stärkt sie die Beglaubigung, die die Rahmenerzählung an sich schon dem Erzählten verleiht. Bereits in der Antike wurden recht phantastische Geschichten und Reiseabenteuer auf diese Weise beglaubigt, und die Abenteuer des Lügenbarons Münchhausen oder die wundersamen Erlebnisse des Helden in Samuel Butlers *Erewhon* bekommen dadurch einen besonderen komischen Reiz, daß sie als selbsterlebt dargestellt werden.

Die Ich-Erzählung ist überaus beliebt, auch im Roman. Sie findet sich durchweg im «Schelmenroman», einem der unverwüstlichen Romantypen. Weiterhin begegnet die Ich-Erzählung häufig im humoristischen Roman (bei Fielding, Dickens u. s. f.); sie waltet vor im Entwicklungs- und Bildungs-roman (Keller: *Grüner Heinrich;* Dickens: *David Copperfield;* Stifter: *Nach-sommer* u. s. f.) und ist seit Goethes *Werther* besonders zur Selbstdarstellung psychologisch interessanter Romangestalten verwendet worden (Benjamin Constant: *Adolphe;* Lamartine: *Raphaël* u. s. f.). Auch im Roman kann na-türlich die Diskrepanz zwischen der beschränkten Perspektive des Erzählers und der Weite und Tiefe der erzählten Vorgänge besondere Effekte hervor-rufen, wie wir schon an C. F. Meyers Erzählung *Der Heilige* sahen. So muß zum Beispiel auch in Alain-Fourniers *Le Grand Meaulnes* der Leser viel von sich aus hinzutun, da die Perspektive des Erzählers nicht ausreicht. Die ver-bleibenden Undeutlichkeiten und sogar Rätsel sind gewollt; die Ich-Erzäh-lung wurde offensichtlich als ein dem Stilwillen des Autors in jeder Hinsicht entgegenkommendes Mittel gewählt.

Die Wahl eines fiktiven Erzählers in den Rahmengeschichten ist nur eine Steigerung der Ursituation alles Erzählens, das heißt jener Dreiheit von Erzähler, Erzähltem und Publikum. Sie ist in jedem Werk der Erzählkunst gegeben. Das Verhältnis des Erzählers zum Publikum und zum Geschehen bezeichnet man als ERZÄHLHALTUNG. Ihre rechte Erfassung ist für das Verständnis eines Werkes von größter Bedeutung. Die Erzählhaltung, die ein Autor einnimmt, steht mit dem Stilproblem in innerstem Zusammen-hang, so daß darüber später noch einmal zu sprechen sein wird. Hier geht es um die greifbaren technischen Fragen, die darin liegen.

In der Einstellung zum Publikum als dem einen Aspekt der Erzählhaltung sind große Unterschiede möglich. Jeder Erzähler hat eine Einstellung zu seinem Publikum, auch wo er es nicht deutlich zu erkennen gibt. Er hätte schließlich seine Aufgabe verfehlt, wenn es ihm nicht gelänge, seine Hörer-schaft irgendwie zu fesseln und für das zu interessieren, was er zu erzählen hat. Es brauchen nicht immer die drastischen Mittel des Fortsetzungsromans zu sein, der an der spannendsten Stelle abbricht und auf die Fortsetzung vertröstet: eine bekannte Technik des Zeitungs- und Zeitschriftenromans.

Nach der Einstellung zum Publikum unterscheiden sich schon einige For-men der Erzählkunst. Man kann sagen, daß in Romanen, Erzählungen, No-vellen u. s. f. der Erzähler sich gewöhnlich auf einer Ebene mit seinem Pu-blikum befindet. Besonders in der bürgerlichen Erzählkunst des 19. Jahr-hunderts herrscht weithin das Streben nach möglichst geringer Distanz und enger Vertrautheit mit dem Leser. Man kennt die berühmt gewordenen An-reden an den «lieben Leser» und die technischen Mittel, um solche Ver-trautheit zu steigern: die Anreden, die Unterhaltungen mit dem Leser wäh-rend des Erzählens, die Zwiesprache schon im Vorwort. In gleicher Richtung wirkt der ausdrückliche Ausschluß der großen Menge: man erzählt nur für wenige, gleichgestimmte Seelen. Machado de Assis, der bedeutendste brasilianische Romanschriftsteller des ausgehenden 19. Jahrhunderts, rechnet in seinem Meisterwerk, den *Memórias Pósthumas de Braz Cubas*, nur mit zehn Lesern, an die er sich gelegentlich einzeln wendet. Und der Erzähler von Raabes *Chronik der Sperlingsgasse* schreibt seine Erinnerungen schließlich nur noch für sich selber nieder.

Daß die Romanschreiber dieser Zeit an ein ganz bestimmtes Publikum denken, erklärt auch den Stilzug, der sich da so häufig findet: die Neigung zum Zitat oder der literarischen Anspielung. Oft sind schon die Titel für die Erzählhaltung wie für das gemeinte Publikum aufschlußreich. In Deutschland wurden dabei gern Goethe und Schiller ausgebeutet (Heyse: *Über allen Gipfeln;* Spielhagen: *Problematische Naturen,* u.a.m.); in England erweist sich u. a. Bunyans *Pilgrim's Progress* als gemeinsamer Bildungsbesitz (Thackeray: *Vanity Fair;* die Titel von Th. Hardy's ersten Romanen sind aus Shakespeare *(Under the Greenwood Tree)* und Gray *(Far from the Madding Crowd)* genommen. Später gab Hardy diese Technik auf.)

Ganz anderer Art ist im Epos die Haltung des Erzählers zum Publikum. Als Goethe und Schiller sich über die Wesensunterschiede des Dramas und des Epos klar zu werden suchten *(Über epische und dramatische Dichtung),* da bestimmten sie die Vortragsart des Dramas als «vollkommen gegenwärtig», die des Epos als «vollkommen vergangen». Den epischen Dichter stellten sie im Bilde des Rhapsoden dar, der als ein «weiser Mann» «in ruhiger Besonnenheit das Geschehene übersieht». Dem Publikum erscheine er gleichsam nicht persönlich, sondern trage «hinter einem Vorhang» vor. Tatsächlich ist für die epische Vortragsart kennzeichnend, daß der Erzähler einen höheren Standpunkt innehat als das Publikum. Er spricht als Rhapsode, vates, Geweihter, durch ihn spricht gleichsam die Stimme der Musen zu den Menschen. Als Ton ergibt sich somit eine gewisse Würde und Feierlichkeit, eine Art «Singen». In den Eingangszeilen der Epen wird das gewöhnlich ausdrücklich hervorgehoben. Beim Eingang der Epen hat sich überhaupt eine feste Tradition gebildet. Die von der Antike angewendete Technik wurde vorbildlich: in den ersten Zeilen wurde das einheitliche Thema genannt (ein Zeichen des alles umfassenden Überblicks), stellte sich der Erzähler vor (propositio) und wurde die Höhenlage des Tons festgelegt:

Menin aeide, Thea ... (Homer)

Arma virumque cano ... (Vergil)

Le donne, i cavalier, l'arme, gli amori,
Le cortesie, l'audaci imprese io canto ... (Ariost)

As armas e os Barões assinalados ...
Cantando espalharei ... (Camões)

Of Man's first disobedience ...
Sing, Heavenly Muse ... (Milton)

Sing, unsterbliche Seele, der sündigen Menschheit Erlösung ...
(Klopstock)

Die ruhige Besonnenheit, mit der der epische Dichter vorträgt, entstammt schon dem zweiten Aspekt der Erzählhaltung, nämlich der Einstellung des Erzählers zu seinem Gegenstand. Als Ausdruck der weiten Distanz zum Erzählten und des vollständigen Überblicks hat sich gerade im Epos ein Stilzug entwickelt (wir könnten auch von einer Technik sprechen), der gewiß auch in anderen Erzählungen zu finden ist, eben als Symptom der erzählerischen Allwissenheit: die VORAUSDEUTUNG. An sich könnte man meinen, daß durch Vorausnahme des Zukünftigen die Spannung auf den Verlauf zerstört würde, die der Erzähler doch braucht und gerade erwecken will. Tatsächlich wäre ein Detektivroman kaum noch lesenswert, wenn im Anfang das Ende vorausgedeutet würde – Detektivromane gehören grundsätzlich nicht zu der Literatur, die wiedergelesen werden kann und will. Aber die Spannungen der Erzählkunst sind nicht so handgreiflich-stofflicher Art, daß sie durch ein summarisches Wissen um den Ausgang litten. Eine genauere Untersuchung der Vorausdeutungstechnik ergibt, daß der Schleier meist nur etwas und auf einer Seite gelüftet wird. Das Ergebnis ist, daß die Spannung auf das «Wie» des Vollzugs und die Wege des Verlaufs gerade gesteigert wird. Nicht selten erstrecken sich die Vorausdeutungen nur auf Phasenenden, aber nicht auf das Gesamtende, so daß der Leser von Abschnitt zu Abschnitt geführt wird und die Vorausdeutungen zugleich an der Gliederung des Ganzen helfen. Es ist weiterhin zu beobachten, ob sich die Vorausdeutungen auf den Handlungsverlauf beziehen oder auf Gehaltliches bzw. Stimmungshaftes. Die Fälle sind nicht selten, wo der Erzähler nur die seelischen Dispositionen für das Kommende schafft. Die wichtigste Funktion aber, die die Vorausdeutungen haben, ist, daß sie ein lebendiges Gefühl für die Einheit und Geschlossenheit der dichterischen Welt geben. Im diffusen Alltagsleben nehmen wir an vielem nicht den vollen seelischen Anteil, weil wir wissen, daß wir die Fortsetzung und Auflösung nicht erfahren werden. Die Reisebekanntschaft, die von ihren Sorgen, Absichten und Aussichten erzählt, wird an der nächsten Station für immer aus den Augen entschwinden. Die Vorausdeutungen in der Dichtung geben dem Leser die volle Gewißheit, daß die Welt des jeweiligen Werkes nicht amorph und diffus ist und daß sich die volle seelische Teilnahme an den Gestalten und ihren Erlebnissen lohnt. Eine Nebenfunktion der Vorausdeutung ist schließlich, daß auch sie an der Beglaubigung des Erzählten hilft.

Die Untersuchung der Vorausdeutung in einem Werk wird für das rechte

Erfassen und die Erhellung von großer Bedeutung sein; zugleich liegt hier ein Problem vor, das in das Wesen der Dichtung überhaupt hineinführt und deshalb für die Literaturwissenschaft von Belang ist. Der ungarische Forscher Eugen Gerlötei, der der Vorausdeutung mehrere allgemeine und spezielle Arbeiten widmete, gab seiner Studie *Die Vorausdeutung in der Dichtung* (Helicon, Bd. II, Fasc. 1) den Untertitel: «Keime einer Anschauung vom Leben der Dichtung.»

Wir verfolgen zunächst die Wege, die von der Vorausdeutung zu dem Fragenkomplex der ZEITBEHANDLUNG führen. Nicht nur der Epiker, sondern der Erzähler überhaupt und grundsätzlich steht seinem Gegenstand als einem vergangenen gegenüber. Diese Meinung ist gelegentlich für Romane und Erzählungen bestritten worden, aber wohl kaum mit Recht. Gewiß gibt es Erzählungen, die das Präteritum als Erzählzeit aufheben und alles im Präsens berichten. Der Leser wird dadurch zum Zuschauer eines sich erst abspielenden Dramas. Aber es ist doch unbestreitbar, daß solche Bücher nicht recht wirken, vielmehr durch ihr dauerndes Auf-den-Leib-Rücken lästig werden. Man empfindet eine solche Vermischung von Epischem und Dramatischem als unbefriedigend. Demgegenüber wirkt natürlich der gelegentliche Sprung in das «historische Präsens» außerordentlich belebend und erfrischend. Zu meisterhafter Technik hat es darin Knut Hamsun gebracht.

In einer etwas anderen Richtung liegen die Versuche, den Abstand zu einem vergangenen Geschehen dadurch vergessen zu lassen, daß die Erzählung sich in realzeitlicher Folge bewegt, daß objektive Zeit und poetische Zeit sich nahezu decken. Aus der Gegenwart ist der *Ulysses* von James Joyce das bekannteste Experiment, in dem die Lektüre ungefähr so lange dauert wie die berichteten Vorgänge. Ähnliches ist schon früher versucht worden; etwa von Albrecht Schaeffer im Anfang seines *Helianth* oder von Spitteler in seinem *Conrad der Leutnant*. Aber bei umfangreichen Werken wird die Gleichsetzung unmöglich, da kein Mensch 24 Stunden hintereinander lesen kann. Man käme schließlich zu Absurditäten, wollte man die Synchronisierung konsequent durchführen und etwa dem Helden des Romans eine Nachtruhe unter der Voraussetzung gönnen, daß nun auch der Leser schlafen ginge, um am nächsten Morgen die Lektüre bei dem beiderseitigen Frühstück fortzusetzen. Nur irregeleiteter Naturalismus kann meinen, daß damit irgend etwas gewonnen sei, und verkennen, daß damit gerade das Eigensein der Kunst aufs schwerste beeinträchtigt wird. Jeder Leser stellt sich (und muß es tun) so weit auf die Eigenwelt eines Kunstwerkes ein, daß er dessen Zeitverlauf nicht exakt an dem objektiven Verlauf mißt. Wir überlassen uns dem Zeitmaß, das der Autor uns aufzwängen will und, wenn er sein Handwerk nur richtig versteht, auch wirklich aufzwängt. Wir erlauben ihm –

trotz Lessing – einige Zeit verbrauchende Schilderungen von Zuständen:
die Zeit steht dann für uns gewissermaßen still. Andererseits folgen wir
dem Autor im Fluge über längere Zeitspannen, wenn er sie zusammenrafft.
Die Zeitgestaltung und ihre Technik ist ein zwar schwieriges, aber lohnen-
des Feld für die Untersuchung von Kunstwerken. Natürlich ist der Erzähler
nicht völlig selbstherrlich; die besondere Zeitgestaltung in einem Kunstwerk vollzieht sich auf dem Boden der menschlichen Zeitauffassung überhaupt. Ein Held, der mit den Jahren immer jünger würde, ist nur im Märchen möglich, das von allen Erzählformen die freieste Zeitauffassung hat.
Aber es gibt weniger krasse Fälle. Im *Nibelungenepos* erstreckt sich die
Handlung über Jahrzehnte. Trotzdem hat der Leser der Schlußabschnitte
nicht das Gefühl, daß die Gestalten dementsprechend gealtert seien. Man
hat rationalistisch herumgedeutet und gemeint, daß die Worte und Taten
Kriemhilds am Ende des Epos vielleicht doch noch einer temperamentvollen
älteren Frau zuzutrauen seien. Bei einer anderen Gestalt ist das unmöglich,
und man hat den Autor deshalb lebhaft getadelt: Kriemhilds Bruder Giselher
ist durch das ganze Epos hin ständig «der junge» und erscheint noch in den
Schlußkämpfen als der Jüngling, als den wir ihn kennenlernten. Das ist
doch wohl etwas anderes als ein Schläfchen Homers, und so stellt sich die
Forderung, erst einmal systematisch die Zeitauffassung und -gestaltung in
den Nibelungen zu untersuchen. Es wäre durchaus möglich, daß die Distanz,
aus der heraus erzählt und geschaut wird, so groß ist und sich dem sub specie
aeternitatis so weit annähert, daß die zeitliche Erstreckung des Geschehens
belanglos wird und äußerliches Akzidens bleibt. Die Kritik dürfte sich grundsätzlich nur innerhalb der Zeitgestaltung des Werkes bewegen; sie macht sich
verdächtig, wenn sie Einzelheiten herausgreift und sie mit dem Maß unserer
objektiven Zeit mißt. Zugleich scheint sich an dieser Stelle etwas von der
Eigengesetzlichkeit der Gattung Epos zu enthüllen. Für unser Gefühl altern
auch Achill, Odysseus, Vasco da Gama nicht. Die Sicht unter dem Ewigkeits-
Aspekt scheint kennzeichnend für das Epos überhaupt zu sein.

Grundsätzlich und eben als Folge der Ursituation des Erzählers hat der
Erzähler viel größere Freiheiten und Möglichkeiten in der Zeitgestaltung
als der Dramatiker. Es entscheidet weithin über den Stil eines erzählenden
Werkes, wieweit sein Autor davon Gebrauch macht. Im Gegensatz zum
Dramatiker ist der Erzähler nicht an ein strenges Nacheinander gebunden
und braucht seine Vorgänge nicht unter die Herrschaft der ständig und unerbittlich fließenden Zeit zu stellen, wie es der Dramatiker tun muß. Ein
berühmtes Beispiel mag den Unterschied verdeutlichen. Wenn es in der
8. Szene des 5. Aktes von Schillers *Don Carlos* schon fast Mitternacht ist und
damit der verabredete Augenblick, in dem Don Carlos die Königin treffen
soll, schon dicht bevorsteht, dann aber erst noch zwei lange, wichtige Szenen

kommen, bis Carlos im 11. Auftritt in die Zimmer der Königin tritt, so ist
das ein technischer Mangel des Dramas. Zumal der Dichter selber diese
ganzen Szenen unter den Glockenschlag gestellt hat, so daß der Zuschauer
die Zerdehnung der Zeit nicht mitmachen kann. Ein ähnlicher technischer
Mangel liegt im zweiten Akt von Lopes *El saber puede dañar* vor. In einer
Szene führt Carlos ein fingiertes Gefecht mit einem Freunde, um dadurch
die Möglichkeit zu bekommen, in das Haus Celias einzutreten. Die nächste
Szene führt in das Innere des Hauses, wo Celia sich eine ganze Zeit lang mit
anderen unterhält, bis man das – doch schon zu Ende geführte – Klingen-
kreuzen von draußen hört und Carlos dann eintritt. Hier wird also sogar die
Zeit zurückgedreht, was sich Lope auch im *Alcalde mayor* erlaubt, wo es
zweimal zehn Uhr schlägt.

Wenn dagegen Sterne in seinem *Tristram Shandy* eine Figur an die Tür
klopfen, sie jedoch erst Kapitel später eintreten läßt, so kann er sich diese
Freiheit des Erzählens mit allem Recht erlauben. Er zieht ja überhaupt (und
als erster in der Geschichte der Romankunst) die eigenartigsten Effekte daraus, daß er die objektive Zeit seiner erzählten Welt, das subjektive Zeiterleben
seiner Figuren, die subjektive Zeit des Lesers und schließlich die Zeitordnung, in der er als Schreibender steht (auch da noch zwischen Tristram
Shandy und Lawrence Sterne differenzierend), bewußt gegeneinander aus-
spielt. Für Sternes Erzählhaltung sind solche Kapitelschlüsse kennzeichnend: Imagine to yourself; – but this had better begin a new chapter (II, 8);
what business Stevinus had in this affair –, is the greatest problem of all: –
It shall be solved –, but not in the next chapter (II, 10). Und innerhalb der
Kapitel ist es für Sterne typisch, daß er die Erzählung oder eine direkte Rede
durch eine Reflexion, eine Erklärung u. s. f. unterbricht, um sie nach einer
Weile genau an der gleichen Stelle fortzusetzen. Ein Beispiel aus der *Sentimental Journey:*

Pray, Madame, said I, have the goodness to tell me which way I must
turn to go to the Opera comique: – Most willingly, Monsieur, said she, laying aside her work –

I had given a cast with my eye into half a dozen shops as I came along in
search of a face not likely to be disordered by such an interruption; till, at
last, this hitting my fancy, I had walked in.

She was working a pair of ruffles as she sat in a low chair on the far side
of the shop facing the door –

– Très volontiers; most willingly, said she, laying her work down upon a
chair next her, and rising up ...

In halbhumoristischer Art reflektiert Sterne mehrfach mit dem Leser über
die Zeitgestaltung in der Erzählung (zum Beispiel *Tristram Shandy* II, 19),
wie es vor ihm schon Fielding im *Tom Jones* getan hatte und nach ihm

Dickens, Raabe, Thomas Mann u.a. fortsetzen. Und wenn das Zurück-
drehen der Zeit, um eine andere Handlungssträhne aufzunehmen, im Drama
als Mangel erschien, so lassen sich in der Erzählkunst auf Schritt und Tritt
Fälle zeigen, wo der Erzähler, und mit vollem Recht, den gleichen Vorgang
in zwei oder noch mehr zeitliche Reihen gestellt hat (Smollett, *Humphrey
Clinker;* bei Henry James, Joseph Conrad u.a. ist diese POINT-DE-VUE-
TECHNIK wichtigstes Stilkennzeichen geworden). In reizender Art hat
Tieck in der Erzählung vom *Naturfreund* aus den «Straußenfedern» in gleichzeitig geschriebenen Briefen der beiden Hauptbeteiligten fortlaufend die Er-
eignisse mehrerer Tage sich spiegeln lassen.

Die Freiheit des Erzählers drückt sich meist schon darin aus, daß er die
zeitliche Ordnung umkehrt. Bereits der antike Roman arbeitete mit dem
Mittel, in einer spannenden Situation zu beginnen und dann mählich die
Fäden nach rückwärts bloßzulegen, die dahinführten. In Heliodors *Äthiopi-
schen Reisen,* einem Werk, das die Geschichte des abendländischen Romans
aufs nachhaltigste beeinflußt hat, ist die Technik der Schachtelung von Verlauf und Vorgeschichte auf das kunstvollste ausgebildet. Erst am Ende des
5. Buches, das heißt in der Mitte des Romans, ist die Vergangenheit aufge-
hellt; aber selbst von da an läuft die Erzählung dem Ziel nicht stetig zu. Jean
Paul gab später in seiner *Vorschule der Ästhetik* unter den *Regeln und Winke
für Romanschreiber* den Rat: «Umringt nicht die Wiege eures Helden mit ge-
samter Lesewelt ... Wir wollen den Helden sofort mehrere Fuß hoch sehen;
erst darauf könnt ihr einige Reliquien aus der Kinderstube nachholen, weil
nicht die Reliquie den Mann, sondern er sie bedeutend macht.» Auch das
Epos arbeitet sehr stark mit der zeitlichen Umkehrung der Vorgänge, man
braucht nur an die Odyssee oder die Lusiaden zu denken. Dabei sind die
Teile, die, obwohl sie zeitlich früher liegen, doch erst später mitgeteilt werden, durchaus von gleicher Dichte und Eindringlichkeit, denn die Darstellungsweise (als Erzählung) ist die gleiche. Das ist dem Dramatiker grundsätzlich verwehrt. Wenn man von den als Traum u.s.f. eingekleideten Fällen
absieht, in denen einmal Vergangenes unmittelbar zum Bühnengeschehen
wird, so findet im Drama bei der Erweckung von Vergangenem ein Wechsel
der Darstellungsform statt: Vergangenes kann nicht durch dramatische Darstellung, sondern nur durch (epischen) Bericht oder irgendwelche Mitteilungen, jedenfalls nur durch das erzählende Wort lebendig werden.

Unter allen Formen der Erzählkunst weist sich wieder die Novelle als
nächste Verwandte des Dramas aus, indem sie, jedenfalls von einem bestimmten Augenblick an, der geraden Längsrichtung folgt. In Kleists *Erdbeben in Chili* führt der erste Satz in die Erzählgegenwart. Die ganze Vorgeschichte wird vom zweiten Satz an zunächst im Plusquamperfekt berichtet
(das dann ins Imperfekt übergeht), bis nach kaum zwei Seiten der wörtliche

Anschluß an den ersten Satz hergestellt ist und das Geschehen nun unge-
stüm vorwärtseilen kann. In der *Marquise von O.* ist die Technik kunstvoller,
da Kleist den ersten Satz weit in das Geschehen vorauswirft. Eine Seite lang
folgt wieder in gedrängtem Bericht die Vorgeschichte, darauf beginnt die
eigentliche Erzählung, die im Gegensatz zur Vorgeschichte von einem den
Vorfällen nahegelegenen Standpunkt aus vorgetragen wird. Etwas über die
Hälfte der ganzen Novelle ist erzählt, bis die Situation des ersten Satzes erreicht ist, die gewissermaßen den Punkt der Windstille im Kern eines Zy-
klons darstellt.

Die Freiheit des Erzählers in der Behandlung der Zeit steht in engstem
Zusammenhang mit seinem weiten Überblick und seiner «Allwissenheit».
Allwissenheit ist nun freilich kein Kennzeichen, das jedem Erzähler eigen
ist. Wenn C. F. Meyer einen einfachen Armbruster als Erzähler wählte, so
verzichtete er damit bewußt auf die Allwissenheit und zog gerade aus der
Beschränktheit der Einsicht besondere Wirkungen.

Damit taucht ein Problem auf, das in den letzten Jahren die Forschung
immer stärker angezogen hat: das Problem der PERSPEKTIVE in der Erzählkunst. Es schien einen Augenblick so, als sei in Analogie zu den dramatischen Einheiten der Handlung, der Zeit und des Ortes nun in der Einheit
der Perspektive eine epische Einheit gefunden worden. (Übrigens gibt es
auch im Drama «Perspektive». Einmal schon im äußerlichen Sinn: die Perspektive des mittelalterlichen Zuschauers, der um die Simultanbühne her-
umgeht, ist eine andere als die des modernen Zuschauers, dessen Perspektive durch seinen Sitzplatz festgelegt ist. Aber Perspektive gibt es auch in
einem tieferen Sinne, wieder als Manifestation des Stilwillens. Von der gewählten Perspektive hängt ab, welche Szenen ein Dramatiker aus seiner
Fabel zur Darstellung auswählt. Wenn Racine zum Beispiel vor allem den
seelischen Innenraum seiner Gestalten darstellt, ihre Konflikte, Situationen,
Kämpfe, Corneille dagegen vorzugsweise Szenen voller Entscheidungen und
Handlungen, die auf dem Schauplatz des menschlichen Miteinander liegen,
weshalb bei ihnen gewöhnlich eine größere Menge leibhaft gegenwärtig ist,
so offenbart sich darin ein tiefer Unterschied in der inneren Perspektive. An
stoffgleichen Dramen wird man mit Leichtigkeit solche Verschiedenheiten
ermitteln können.)

Das Wort Perspektive entstammt der Malerei. Da würde es uns im allgemeinen stören, wenn der Maler verschiedene Perspektiven mischte. Es
ist damit nicht gesagt, daß ein Bild der mathematischen Perspektive folgen
müsse; es kann seine eigene haben, wie ja schon das menschliche Auge seine
eigene hat: ein Mensch in fünfzig Meter Entfernung erscheint uns größer
als er streng perspektivisch genommen wirklich ist. Einen berühmten und
viel diskutierten Grenzfall bildet die Rubenssche Landschaft mit den zwei

Schatten (das heißt also mit zwei verschiedenen Lichtquellen); Goethe hat in einem Gespräch mit Eckermann (vom 18. April 1827) anläßlich dieses Bildes ihm am Herzen liegende Gedanken über das Wesen der Kunst geäußert.

Am eindringlichsten ist die Notwendigkeit einer einheitlichen Perspektive, die Wahl eines festen optischen Standpunktes vom Impressionismus betont worden. Und es war wohl auch die Folge eines konsequenten Naturalismus, wenn einen Augenblick die Forderung aufgestellt wurde, eine Erzählung müsse gleichfalls eine einheitliche Perspektive durchführen und immer von demselben Standpunkt aus erzählt werden. Aber eine solche einseitige Theorie verliert den Zusammenhang mit der Kunst. Denn die lebendige Dichtung, und gerade in ihren Meisterwerken, verhält sich völlig anders. Die an Dickens, Tolstoi, Dostojewski und anderen angestellten Untersuchungen zeigten nämlich schnell, daß die Autoren keineswegs den einmal eingenommenen Standpunkt wie etwa den der Allwissenheit, den nur von außen sehenden, den teilweise wissenden oder den in die Figuren gelegten Standpunkt innehalten. Es mag eine Art der Perspektive die Führung haben, aber grundsätzlich können in einer Er-Erzählung die verschiedensten Standpunkte eingenommen werden. Ein technischer Mangel liegt nur vor, wenn innerhalb eines Satzes oder Abschnittes mit festgelegter Perspektive ungerechtfertigt gewechselt wird. Als Beispiel nehmen wir an, daß ein Erzähler seinen Standpunkt bei einer Gruppe von Menschen gewählt habe, die aus der Ferne einen Reiter beobachten: «sie sahen, wie er langsam auf einen pflügenden Bauern zuritt. Scheu und mit leiser Stimme fragte er ihn, ob er in seinem Hause für einige Tage Unterkunft finden könne. Der Bauer schien eine ablehnende Antwort gegeben zu haben, denn der Reiter wendete zögernd sein Pferd und setzte seinen Weg fort.» Wenn der Standpunkt des von außen, und zwar aus der Ferne schauenden Beobachters gewählt ist, dann ist es ein perspektivischer Fehler, wenn der Erzähler plötzlich um den Inhalt und den Tonfall leise gesprochener Worte weiß, also in die Nähe springt, um ebenso plötzlich wieder auf den alten Beobachtungsstandpunkt zurückzukehren.

Es fehlt noch an einer hinreichenden Zahl von gründlichen Untersuchungen der Perspektive, sei es in einem Werk, bei einem Dichter, für eine Gattung u. s. f. Es scheint, daß dem Epos der Standpunkt der Allwissenheit der gemäße ist, wie es ja schon die Berufung auf die inspirierende Muse vermuten läßt. Die Novelle andererseits wählt vorzugsweise den Standpunkt des von außen schauenden Beobachters; sie ist in ihrer Perspektive einheitlicher und klarer gegliedert als der Roman.

Der epische Dichter kann durch eine kluge Ausnutzung des Perspektivenwechsels die bedeutsamsten Wirkungen erzielen. So ist es ein beliebter Kunstgriff neuerer Erzähler (den übrigens auch Novellisten anwenden),

Personen dadurch über ihre Umgebung herauszuheben, daß sie nur von außen und dabei noch undeutlich gesehen werden, während die anderen Gestalten aus der Perspektive der Allwissenheit dargestellt werden. Dadurch legt sich um und in jene Einzelgestalten etwas Geheimnisvolles, Irrationales, das den Leser in dauernder Spannung hält. Er wird so zugleich aufgefordert, von sich aus in die Tiefe zu dringen. Ein Beispiel ist die weibliche Hauptgestalt der *Forsyte-Saga* von Galsworthy, Irene. Sie wird, zumindest im ersten Teil, fast nur durch die Augen der anderen Gestalten sichtbar, so daß sie, zumal die Einstellungen zu ihr und die Beurteilungen erheblich abweichen, etwas Rätselhaft-Dämonisches bekommt. Sie erscheint als fremdes Wesen in der Welt der Forsyte-Menschen, die völlig durchsichtig sind. Wie bewußt der Autor die verschiedenen Perspektiven gehandhabt hat, geht aus einer Bemerkung des Geleitworts hervor: «Die Gestalt Irenens, die man sich, wie der Leser bemerkt haben wird, fast nur durch die Empfindungen anderer vergegenwärtigen kann, ist eine Verkörperung verwirrender Schönheit, die auf eine Welt des Besitzes wirkt.» Eine ähnliche Technik hat Ludwig Tügel für «die junge Frau» in seiner Erzählung *Die See mit ihren langen Armen* angewendet.

In Storms *Im Sonnenschein* findet sich ein anderer Gebrauch: hier werden alle Gestalten von außen gesehen. Das führt zu den bei Storm so beliebten Wendungen «es schien, als ob ...»; «mit dem Ausdruck des ...». Nur den jungen Enkel lernen wir auch von innen kennen. Er ist indessen nur Beobachter, so daß künstlerisch durch diese Heraushebung nichts gewonnen wird. Sie ist vielmehr nur ein Signal, daß der Enkel mit dem Erzähler (und dem Autor) identisch ist: in seinen Kindheitserinnerungen hat Storm die Vorfälle berichtet, die den Stoff der Erzählung bilden. Daß er «sich selbst als dritte Person» aufführte, geschah, «weil er das Bedürfnis hatte, durch seine Phantasie die Lücken des Erlebnisses auszufüllen», wie Storm in anderem Zusammenhang bekannte *(Ein grünes Blatt)*.

Was geschickte Ausnutzung der Perspektiven leisten kann, sei noch an einem anderen Beispiel verdeutlicht. Nehmen wir an, ein Erzähler wolle das Straßenbild einer abendlichen Großstadt mit seinem Menschengewimmel, seinem Verkehr, den beleuchteten, lockenden Schaufenstern u.s.f. beschreiben. Er will diesen Raum irgendwie gestalten. Dann könnte er es als Erzähler aus «allwissender» Perspektive tun. Es entstände bei voller Ausformung eine eigenwertige Beschreibung, wie wir sie aus Immermanns «Münchhausen» kennengelernt haben. Da handelte es sich um einen der beiden wichtigen, dauernden Schauplätze des Romans, die Absonderung der Beschreibung erscheint damit als völlig berechtigt. Bei dem Großstadtbild könnte es leicht sein, daß es solche Eigenwertigkeit nicht verdiente, daß die Heraushebung und Statik gerade nicht zu den Absichten des Erzählers paßt. Vom Standpunkt der Allwissenheit würde die Lösung der Aufgabe schwierig, und wahrscheinlich wäre der Vergleich des Ergebnisses mit der ersten Großstadtbeschreibung, die es in deutscher Sprache gibt (Lichtenbergs Brief aus Kew vom 10. Januar 1775 mit der Beschreibung Londons), für den Jüngeren wenig vorteilhaft. Lichtenbergs Beschreibung wirkt so lebendig, weil sie aus der bestimmten Perspektive des ausländischen Spaziergängers erzählt wird. So würde auch unser geplantes Großstadtbild viel lebendiger und eindringlicher, wenn der Erzähler auf seine Allwissenheit verzichtete und die Perspektive in eine Gestalt verlegte, einen Ausländer, einen Hungernden, einen plötzlich Reichgewordenen oder sonst eine Gestalt, auf die nun der Raum wirkt. Zugleich wäre noch etwas gewonnen, was für die Erzählung von nicht zu unterschätzender Bedeutung ist: Mehrschichtigkeit. Gerade wenn als Figur nicht die Hauptgestalt gewählt wird – die alle Aufmerksamkeit auf sich lenken würde –, stiege hinter den «persönlichen» Eindrücken der Raum in seiner Eigenheit auf, und daran war, wie wir annahmen, dem Erzähler gelegen.

Es kann mit Geschehnissen ähnlich sein. Durch die Verlegung der Perspektive in eine Nebengestalt läßt sich belebende Mehrschichtigkeit gewinnen, der gegenüber die Verlegung der Perspektive in die Hauptgestalt (oder die Wahl des Standpunktes der Allwissenheit) nur flache Wirkungen hervorriefe (vgl. E. T. A. Hoffmann *Das Fräulein von Scuderi*). Es war ein meisterhafter technischer Griff, daß C. F. Meyer *Die Füße im Feuer* nicht vom Edelmann her, der eigentlichen Hauptgestalt, sondern vom «Objekt» her darstellte, dem Reiter. In Ich-Erzählungen wird diese Technik, wie sich verstehen läßt, sehr häufig angewandt. Als jüngeres Beispiel, in dem alle ihre Vorzüge sichtbar werden, sei Stefan Andres' *Gefrorener Dionysos* genannt.

Die Untersuchung der Perspektive verheißt noch wertvolle Aufschlüsse. Nicht nur für das einzelne Werk, sondern für die epische Sprache überhaupt und für die epischen Gattungen.

ZWEITER TEIL
GRUNDBEGRIFFE DER SYNTHESE

KAPITEL VII

DER GEHALT

1. DEUTUNG DURCH DEN DICHTER

Alexandre Herculano (1810–77), der neben Almeida Garrett als der Begründer der portugiesischen «Romantik» gilt, veröffentlichte im Jahre 1844 den so erfolgreichen historischen Roman *Eurico*, in dem er die Zeit des Zusammenbruchs der Westgotenherrschaft unter dem Ansturm der Mauren darstellt. Wer sich daran macht, den Roman zu lesen, der findet zunächst einige Seiten, die nicht zur Geschichte und doch zum Buch gehören. In einem «Vorwort» spricht der Autor unmittelbar zum Leser: wie er zu dem Buch kam und was es eigentlich ist. Da findet sich der Satz: «Aus der Idee des religiösen Zölibats, aus seinen unvermeidlichen Folgen und aus den wenigen Spuren, die ich davon in der klösterlichen Überlieferung entdeckte, entstand das vorliegende Buch.» Man versteht, weshalb der Autor diesen Satz schrieb: er will mit ihm dem Leser das Verständnis des Romans erleichtern. Er tut das, indem er die Sinneinheit, den geistigen Mittelpunkt angibt, auf den alles bezogen ist. Die genannte IDEE ist nichts Ruhendes und Festes, sondern etwas Beunruhigendes und Fragwürdiges; sie hat den Autor, wie er im Vorwort bekennt, von Jugend auf mit ihrer Spannung erfüllt. Sie ist ihm ein PROBLEM.

Der Begriff Idee, auf den so durch einen Schriftsteller gelenkt wird, ist offensichtlich ein synthetischer Begriff kräftigster Art. Die Idee ist die Synthese des geistigen Gehaltes. Stoff, Fabel, Motive, – sie alle sind ihr untergeordnet und im Vergleich zu ihr nur Teilstücke. Aber bevor wir uns der näheren Erörterung dieses so bedeutsamen Begriffs zuwenden, auf den die analytischen Inhaltsbegriffe als ihren eigentlichen Beziehungspunkt weisen, führen wir noch einige andere Beispiele an, in denen Autoren über die Idee eines Werkes sprechen.

Nach dem Erscheinen von Flauberts *Madame Bovary* wurde vom «Ministère public» ein Prozeß gegen den Autor und den Verleger angestrengt. Die Rede des anklagenden Avocat impérial gipfelte in dem Satz: «L'œuvre au fond n'est pas morale» und: «Je soutiens que le roman de Madame Bovary, envisagé du point de vue philosophique, n'est point moral».

Auch hier wird synthetisch geschaut, es handelt sich um das ganze Buch. Auch hier geht es um Geistiges, denn Geistiges wird vom point de vue philosophique wahrgenommen. Aber es handelt sich offensichtlich nicht um die

Wahrnehmung einer «Idee» im Sinne Alexandre Herculanos, nämlich im Sinne eines Problems. Sondern gleichsam um die Lösung eines Problems, um die Einstellung, in der das Buch geschrieben wurde und die sich dem Leser aufdrängt. Daß weder der Autor noch irgendeine Figur innerhalb des Romans die Heldin verurteilen, wird vom Ankläger als indirekte Verherrlichung des Problems «Ehebruch» angesehen, das ist ihm sozusagen die unmoralische Idee des Buches. Demgegenüber suchte der Verteidiger den Nachweis zu führen, daß die Deutung des Autors, wie er sie ihm ausdrücklich mitgeteilt habe, das Richtige treffe: «Il affirme devant vous que la pensée de son livre, depuis la première ligne jusqu'à la dernière, est une pensée morale, religieuse ... pouvant se traduire par ces mots: l'excitation à la vertu par l'horreur du vice.» Das Gericht schenkte dem Glauben und gestand dem Buch «un but éminemment moral» zu: «que l'auteur a eu principalement en vue d'exposer les dangers qui résultent d'une éducation non appropriée au milieu dans lequel on doit vivre, et que, poursuivant cette idée, il a montré la femme, personnage principal de son roman, aspirant vers un monde et une société pour lesquels elle n'était pas faite, malheureuse de la condition modeste dans laquelle le sort l'aurait placée, oubliant d'abord ses devoirs de mère, manquant ensuite à ses devoirs d'épouse, introduisant successivement dans sa maison l'adultère et la ruine, et finissant misérablement par le suicide, après avoir passé par tous les degrés de la dégradation la plus complète et être descendue jusqu'au vol ...»

Wie man sieht, stehen sich hier zwei Auffassungen bei der Deutung des Romans diametral entgegen. Und es zeigt sich weiterhin, daß diese Verschiedenheit in Zusammenhang mit einer anderen Verschiedenheit steht: der Staatsanwalt hatte das Buch als Geschichte eines Ehebruchs gelesen, das Gericht nahm es, der Meinung des Autors folgend, als Geschichte eines Menschen, der durch bestimmte Anlagen und eine bestimmte Erziehung in Konflikt mit seinem Milieu gerät.

Wenn wir auch diese gewissermaßen stoffliche Zusammenziehung als Idee bzw. Problem bezeichnen, also im Sinne Alexandre Herculanos, so gleicht die Idee der Madame Bovary augenfällig der von Gottfried Kellers Roman *Der Grüne Heinrich*, wie sie der Autor selber angegeben hat. In seinen Briefen kommt er mehrfach darauf zu sprechen, freilich gebraucht er nicht das Wort «Idee», sondern «Zweck» oder «Tendenz». Wir führen eine solche Stelle an: «Ich hatte die doppelte Tendenz: einesteils zu zeigen, wie wenig Garantien auch ein aufgeklärter und freier Staat, wie der Zürchersche, für die sichere Erziehung des einzelnen darbiete ... und andernteils den psychischen Prozeß in einem reich angelegten Gemüte nachzuweisen, welches mit der sentimental-rationellen Religiosität des heutigen aufgeklärten, aber schwächeren Deismus in die Welt geht und an ihre notwendigen

Erscheinungen den willkürlichen und phantastischen Maßstab jener wun-
derlichen Religiosität legt und darüber zugrunde geht.» Über diese Idee
als Sinneinheit des Gegenständlichen setzt Keller, genau wie Flaubert, noch
eine Idee im Sinne von Lösung des Problems, Tendenz, Moral. Er tut es
nicht anläßlich eines Prozesses, sondern in dem Brief, in dem er das Werk
einem Verleger anbietet: «Die Moral meines Buches ist: daß derjenige,
dem es nicht gelingt, die Verhältnisse seiner Person und seiner Familie im
Gleichgewicht zu erhalten, auch unbefähigt sei, im staatlichen Leben eine
wirksame und ehrenvolle Stellung einzunehmen.» Keller betont in dem gleichen Briefe, daß der Roman nicht etwa «das Resultat eines bloß theoretischen tendenziösen Vorsatzes» sei, kein «fades Tendenzbuch», sondern daß
er aus eigenen Erlebnissen erwachsen sei. Die Idee (als Sinneinheit alles
Inhaltlich-Gegenständlichen wie als Moral) sei gleichsam erst nachträglich bewußt geworden. Damit ergibt sich hier ein anderer Schaffensprozeß
als bei Alexandre Herculano, der nach seiner Aussage von dem Problem
ausgegangen war. So versteht sich auch, daß Keller so viele «Nebenzwecke»
des Buches anzugeben weiß, daß er bei anderen Gelegenheiten selber Mißtrauen gegen die einheitliche Idee und ihre Formkraft äußert. Und so läßt
sich auch nur verstehen, daß Keller bei der zweiten Fassung des Romans den
Schluß änderte: der Held geht nicht unter, sondern führt ein stilles, beschau-
liches Leben. Das war nicht, wie im Fall von Ibsens *Nora* und manchem anderen Werk, ein Abbiegen aus Rücksicht auf das Publikum; Keller war der
Überzeugung, daß er das »freundliche Finale» erreicht habe, «ohne dem
Ernste der ursprünglichen Tendenz Abbruch zu tun». Einige Kritiker haben
freilich den neuen Schluß als Bruch empfunden: die Idee fordere den Untergang. Zu allem Überfluß hatten andere Leser den Untergang des Helden in
der ersten Fassung als keineswegs überzeugend angesehen. Man erkennt,
welche Bedeutung die Erfassung und überhaupt das Dasein der Idee für das
Werk wie für die Kritik hat.

Als weiteres Zeugnis der Dichter selber zum Phänomen der Idee bringen
wir die bekannten Worte, die Goethe 1827 zu Eckermann sprach: «Da
kommen sie und fragen: welche Idee ich in meinem *Faust* zu verkörpern
gesucht? – Als ob ich das selber wüßte und aussprechen könnte! – Vom
Himmel durch die Welt zur Hölle – das wäre zur Not etwas; aber das ist
keine Idee, sondern Gang der Handlung. Und ferner, daß der Teufel die
Wette verliert und daß ein aus schweren Verirrungen immerfort zum Besseren aufstrebender Mensch zu erlösen sei, das ist zwar ein wirksamer, manches erklärender guter Gedanke, aber es ist keine Idee, die dem Ganzen und
jeder einzelnen Szene im besonderen zugrunde liegt. Es hätte auch in der Tat
ein schönes Ding werden müssen, wenn ich ein so reiches, buntes und so
höchst mannigfaltiges Leben, wie ich es im *Faust* zur Anschauung gebracht,

auf die magere Schnur einer einzigen durchgehenden Idee hätte reihen wollen!»

Goethe schließt daran noch ein gewichtiges Zeugnis für seine eigene Schaffensart: «Es war im ganzen nicht meine Art, als Poet nach Verkörperung von etwas Abstraktem zu streben. Ich empfing in meinem Innern Eindrücke, und zwar Eindrücke sinnlicher, lebensvoller, bunter, hundertfältiger Art, wie eine rege Einbildungskraft es mir darbot; und ich hatte als Poet weiter nichts zu tun, als solche Anschauungen und Eindrücke in mir künstlerisch zu ründen und auszubilden und durch eine lebendige Darstellung so zum Vorschein zu bringen, daß andere dieselbigen Eindrücke erhielten, wenn sie mein Dargestelltes hörten oder lasen ... Je inkommensurabler und für den Verstand unfaßlicher eine poetische Produktion, desto besser ...»

Goethe bekannte, nur einmal, bei den *Wahlverwandtschaften*, nach einer Idee gearbeitet zu haben, und hat seine Art mehrfach der Schillers gegenübergestellt, der «zu sehr von der Idee ausgehe». Es ist ja unüberhörbar, wie für Goethe in solchen Bemerkungen immer eine Wertung mitschwingt. Werke mit leicht faßlicher und tatsächlich zentraler Idee sind ihm als weniger poetisch verdächtig denn die «inkommensurablen». Uns aber muß im gegenwärtigen Zusammenhang die Bemerkung am meisten treffen, daß der Faust überhaupt keine geistige, dem Verstand faßbare Mitte, keine Idee habe, durch die alles organisiert werde.

Nun gibt es freilich auch Äußerungen Goethes, die nicht ganz so ablehnend gegenüber «der» Idee seines Werkes stehen, und viele Interpreten haben, einem solchen Wink folgend, in den Versen der Engel:

> Gerettet ist das edle Glied
> Der Geisterwelt vom Bösen:
> «Wer immer strebend sich bemüht,
> Den können wir erlösen»

die Idee ausgesprochen gefunden; andere haben die sich anschließenden Zeilen:

> Und hat an ihm die Liebe gar
> Von oben teilgenommen,
> Begegnet ihm die selige Schar
> Mit herzlichem Willkommen

mit in das ideelle Zentrum aufnehmen wollen. Man hat sogar den «faustischen Menschen» als Idee erfaßt und ihr, woran Spengler mitgewirkt hat, außerhalb des Werkes und in einem unliterarischen Sinne Geltung verschafft; von anderer Seite ist – in einem *Faust der Nichtfaustische* betitelten Buche von W. Böhm – jede Verbindung dieser Idee mit dem Werke durchgeschnitten worden, und so ist denn der Streit der Meinungen um den letzten Sinn des Faust so offen und lebhaft wie der um den letzten Sinn des Hamlet, des König Lear, des Don Quijote, der mittelalterlichen Epen, mancher symbolistischer Gedichte, um nur einige Beispiele zu nennen, die das Denken nicht nur der «Fachleute» in ständiger Spannung halten.

Die angeführten Zeugnisse der Dichter haben erkennen lassen, daß der synthetische Begriff der «Idee» nicht ohne weiteres in der Literaturwissenschaft verwendbar ist. Vielmehr haben sich einige Fragen eindringlich gestellt, die Antwort verlangen: gibt es in jeder Dichtung eine Idee? Und was ist überhaupt unter Idee zu verstehen?

Zwei verschiedene Fassungen des Begriffs sind bereits sichtbar geworden. Die erste trafen wir bei Alexandre Herculano und – bis auf den Faust – in jedem anderen erwähnten Werk. Hier bezeichnete «Idee» die Sinneinheit der dichterischen Welt, die dabei in sich von der Unruhe eines Fragens erfüllt war. Im *Eurico* sollte die ganze Welt, nach der Ansicht des Autors, unter dem Aspekt des Zölibats wahrgenommen werden; in der *Madame Bovary* sollte alles in seiner Bezogenheit zu dem Problem des inadäquaten Verhältnisses eines so gearteten und so erzogenen Menschen zu seiner Umgebung erfaßt werden; eine ähnliche Idee gab Keller für den *Grünen Heinrich* an.

Daneben begegnete Idee in einem zweiten Sinne: der Leser sollte die Gestaltung als Antwort auf das Problem empfinden, die Idee war hier eine verstandesmäßig erfaßbare, moralische These, die auf den Leser wirken sollte.

Man erkennt auf den ersten Blick, daß damit der Anschluß an eine Denkweise gefunden ist, die bis zum 18. Jahrhundert geherrscht hat und nach der jede Dichtung eine solche belehrende Funktion auszuüben habe. Noch im 18. Jahrhundert wurde in Poetiken (Pope, Gottsched) verlangt, daß der Schaffensprozeß von einem abstrakten moralischen Satze seinen Ausgang nähme, daß der Dichter dann den passenden Stoff zu suchen und diesen endlich nach den Regeln der Dichtkunst zu bearbeiten hätte. Die Beispiele Flauberts und Kellers scheinen dem äußeren Anschein nach zu bestätigen, daß, wie auch die Konzeption gewesen sein möge, jedenfalls auch bei neueren Dichtern die Arbeit unter der Herrschaft der Idee stehen kann und in ihr den Magneten besitzt, der die Teilstücke einheitlich ausrichtet.

Aber hier melden sich denn doch gewichtige Zweifel. Keller lehnte es ausdrücklich ab, zuerst die Idee erfaßt zu haben. Und wer weiterhin seinen Roman kennt, der wird vielleicht zugeben, daß man den Gedanken: bring dich und deine Verhältnisse in Ordnung – vielleicht hinein- oder herauslesen könne. Aber er wird niemals zugeben, daß diese Idee die ordnende, formende Mitte des Werkes sei, so wie etwa in einem Richardsonschen Roman eine bestimmte Tugend gestalt- und sinngebend sei. Ebenso wird jeder Leser der *Madame Bovary* mit einiger Überraschung lernen, daß das Buch von der ersten bis zur letzten Zeile als Abschreckung vor dem Laster und «excitation à la vertu» gemeint sei. Der Zweck der Verteidigung vor Gericht hat hier wohl deutlich genug die Worte des Autors bestimmt. Und von der Entstehungsgeschichte des Romans ist ja bekannt, daß Flaubert nicht zuerst eine moralische Idee konzipierte und dann auf die Stoffsuche ging, sondern daß die erste Anregung durch eine Zeitungsnotiz kam. (Freilich bleibt dadurch allein noch nicht die Möglichkeit ausgeschlossen, daß sie auf einen gedankendurchpflügten Boden fiel und deswegen fruchtbar werden konnte.)

Es braucht nicht erörtert zu werden, ob die Dichter in den Jahrhunderten, die dem prodesse et delectare huldigten, wirklich immer von einer moralischen Idee ausgingen oder ob zumindest immer ein faßbarer moralischer Sinn als organisierende Mitte enthalten ist. Das eine Beispiel Shakespeare reicht zur Verneinung.

Immerhin erwächst der Interpretation die Aufgabe, mit einer solchen Möglichkeit zu rechnen und das Werk darauf zu befragen. Die Geschichte der Literatur zeigt weiterhin, daß auch für spätere Zeiten als das 18. Jahrhundert ein solches Fragen nicht überflüssig ist. Es gibt viele Werke, die als Idee im Sinne von Problem, von Sinneinheit eines gegenständlichen Bezirks, ein aktuelles Problem der eigenen Gegenwart wählen, die in dem Werk weiterhin eine klare Lösung des Problems geben und diese Lösung als Lehre und Aufruf dem Leser mitteilen wollen: zu dem Zweck, die problematische Situation der Gegenwart zu ändern. Man pflegt solche Literatur als TENDENZLITERATUR zu bezeichnen.

Die Literaturgeschichte erzählt etwa von Werken, in denen die Emanzipation der Frau gepredigt wird, in denen soziale, staatliche, religiöse Mißstände kritisiert werden, um so zu einer Änderung der Zustände zu führen. Es gibt Gedichte, die versifizierte Aufrufe sind. Es ist solchen Werken gewöhnlich eigen, daß sie schnell veralten. Denn zum Begriff der Tendenzliteratur gehört eben das unmittelbare Gebundensein an problematische aktuelle Situationen. Gewiß läßt sich nicht immer eine scharfe Grenze ziehen, aber die rein moralische Belehrung durch einen «Exempelroman», durch eine Fabel wird man nicht zur Tendenzliteratur rechnen.

Der Forschung erwächst die Aufgabe, genau zu untersuchen, wie die Dinge liegen. Eine eindeutige Zuordnung des ganzen Werkes wird sich oft nicht vornehmen lassen. Manche Werke wirken zunächst als Tendenzdichtung, sind auch vielleicht vom Autor so gemeint, und dann enthüllt sich im Laufe der Zeiten doch die Möglichkeit, sie anders zu lesen. *Gullivers Reisen* von Swift sind ein berühmtes Beispiel dafür; außerhalb der eigentlichen Tendenzliteratur sind der Robinson und der Don Quijote deutliche Fälle für stärkste Verschiebungen bei der Deutung des Sinngehaltes bzw. der Idee. Andererseits hat sich bei Romanen Zolas gezeigt, daß sie tendenziöser oder doch «moralischer» sind, als es nach der Theorie des Verfassers zu erwarten war.

Die wirkliche Tendenzliteratur gilt als Randgebiet der Dichtung. Deren Wesen scheint in ihr getrübt. Denn wo die bildhafte Suggestivkraft der Sprache nur benutzt wird, um Gedanken zu unterstreichen, wo in deren Übermittlung die eigentliche Aufgabe liegt zum Zwecke eines Eingriffs in die Realität, da steht eine solche «Rede» auf einer Stufe mit anderen Mitteln der geistigen Auseinandersetzung. Indem zugleich ihre ganze Gegenständlichkeit von der rationalen Idee her geformt, also völlig verstandesmäßig konstruiert ist, verliert sie das «Inkommensurable» aller echten Dichtung. Zugleich entwertet sich diese Gegenständlichkeit. Ist sie doch nur eine Hilfskonstruktion für die Idee, die gänzlich unabhängig von ihr besteht. Damit ist jene Aufeinanderbezogenheit, ja letztlich Identität von Form und Gehalt aufgehoben, die für alle Kunst wesensgemäß ist und über die noch ausführlicher zu sprechen sein wird. Wieweit ein Werk dem hier geschilderten Typ der reinen Tendenzdichtung angehört, wieweit in ihm eine Tendenz da ist und wieweit sie die Formung bestimmt hat, all das wird die Einzeluntersuchung erhellen.

Wichtiger noch ist für das Arbeiten der Literaturwissenschaft der andere Begriff von «Idee» als beunruhigender Sinneinheit einer dichterischen Welt. Es wurde erwähnt, daß Goethe selbst diese Idee für seinen Faust ablehnte und daß es neben dem Faust noch viele Werke der Weltliteratur gibt, für die der überzeugende Nachweis solcher Einheit nicht hat gelingen wollen. Und trotzdem fühlt sich jeder Leser und Zuschauer immer wieder zu solchem Versuch aufgefordert. Denn schließlich stellt sich das Werk doch ständig als Einheit dar, immer wieder empfindet der Geist einen Anspruch, die geistige Mitte des Werkes zu finden, aus der sein geheimnisvolles Leben quillt.

2. DILTHEYS ANREGUNGEN

Gerade an dieser Stelle vollzog sich vor zwei Menschenaltern ein Umschwung in der Literaturwissenschaft und Literaturgeschichte. Er erfolgte im Zuge der Befreiung der sogenannten Geisteswissenschaften von der Fesselung an die Methodik der Naturwissenschaften. Indem sich die Geisteswissenschaften auf ihre Eigenheit besannen, drängten sich Phänomene wie Geist, Individualität, Geschichte, Kultur, Form, Sinn, Verstehen u.s.f. als ebenso viele Fragen auf, die nach neuer Antwort verlangten. Hatte die positivistische Literaturforschung des 19. Jahrhunderts sich mit der Behandlung der philologischen Fragen und der analytischen Phänomene begnügt und in ihrem Streben, nur auf völlig sicherem Boden vorwärtszugehen, die von Metaphysik umwitterten tieferen Fragen des Dichtwerks bewußt unbehandelt gelassen, so erschien nun eine solche Beschränkung als dem Wesen und den Möglichkeiten einer Geisteswissenschaft zuwider. Es ist vor allem der Philosoph Wilhelm Dilthey gewesen, der, so wie er sich um eine geisteswissenschaftliche Grundlegung der Psychologie bemühte, auch die Grundlagen für eine geisteswissenschaftliche Literaturforschung zu legen suchte. Gerade der Mangel an einem festen, endgültigen System, die dauernde eigene Weiterbildung der Gedanken haben ihn zu einem der großen Anreger gemacht.

Für Dilthey war Dichtung Lebensdeutung. Es kam ihm auf den Sinngehalt der Werke an. Wenn ihn auch ein künstlerisches Feingefühl, das sich vor allem in dem Essayband *Das Erlebnis und die Dichtung* offenbarte, vor zu großen Einseitigkeiten bewahrte, so spürt man doch bei ihm wie bei seinen Schülern die Neigung, den Sinngehalt der Werke zu sehr zu isolieren und die anderen Wesenszüge einer Dichtung darüber zu vernachlässigen. Verlor sich schon dadurch die Einheit und Geschlossenheit des Kunstwerks aus dem Blick, so steigerte sich das noch durch die Ziele, die Dilthey der Literaturwissenschaft als vordringlich setzte.

«Alle meine Werke sind Bruchstücke einer großen Konfession» –, dieses viel zitierte Goethewort, das in der geistesgeschichtlichen Forschung ebensoviel Unheil angerichtet hat wie bei der Stilforschung das in gleiche Richtung weisende Wort Buffons «Le style c'est l'homme même» –, schien ein Recht zu geben, das einzelne Werk als Stück, als Teil anzusehen und erst in der DICHTERPERSÖNLICHKEIT den wirklich synthetischen Einheitsbegriff zu finden. Persönlichkeit meinte in diesen Zusammenhängen: Weltanschauung des Dichters. Daneben sah Dilthey in dem GEIST DER EPOCHE einen weiteren Einheitsbegriff. Über diese von Dilthey angeregte und für die Literaturgeschichte so bedeutungsvolle neue Methodik kann an dieser Stelle nicht gesprochen werden. Auch für die PROBLEMGESCHICHTE, deren Methodik Rudolf Unger am tiefsten und umsichtigsten begründet hat, müssen wenige Andeutungen genügen. Unger will die Dichtung, die auch für ihn Lebensdeutung ist, nach ihrem Beitrag zu den «Problemen», den «großen, ewigen Rätsel- und Schicksalsfragen des Daseins» befragen, deren gestaltende Deutung den «Kerngehalt alles Dichtens» bildet. Zu ihnen gehören die Probleme des Schicksals, des Religiösen, des Menschen, seines Verhältnisses zur Natur, der Liebe, des Todes; eine zweite Gruppe neben solchen metaphysischen Problemen bilden die gesellschaftlich-geschichtlichen wie Kultur, Familie, Staat, Gesellschaft, Erziehung, Beruf, Bildung u. a. (Als dritter Name muß hier der von Emil Ermatinger genannt werden, der zwar in der Theorie dem Phänomen der Form gerechter zu werden sucht – vgl. vor allem *Das dichterische Kunstwerk* –, auch den irrationalen Charakter der «Idee» als literaturwissenschaftlichen Terminus betont, aber für alle Deutung des Kunstwerks doch auch Idee und Weltanschauung in

das Zentrum rückt und in eigenen und von ihm angeregten Untersuchungen rationalistischer verfährt als mancher andere Forscher.)

Es ist ohne Frage sinnvoll und berechtigt, den Sinngehalt einer Dichtung
zu untersuchen mit dem Ziel, ihn auf die höheren Gesichtspunkte der Weltanschauung des Dichters, des Geistes der Epoche, der Deutung und Fortführung der Lebensproblematik zu beziehen. Die großartigen Darstellungen,
die im Verfolg solcher Bestrebungen bereits entstanden sind, haben der
Literaturgeschichte geradezu einen Vorrang unter allen geistesgeschichtlich
arbeitenden Fächern verschafft.

Nur bleibt die große Frage, ob solche Arbeitsweisen dem Wesen der
Dichtung voll gerecht werden können. R. Unger gibt zu, daß sich ihnen andere wie zum Beispiel die «ästhetisch-stilistische» ergänzend zur Seite stellen müssen. Auf den sprachlichen Stil, auf Klang und Rhythmus u. s. f. kann
eine Forschungsweise nicht sehr achten, der es immer auf den Sinngehalt
ankommt. Und es läßt sich begreifen, daß sie schon zu einer besonderen
Auswahl ihres Materials geneigt ist: Stimmungslyrik, Liedhaftes, Komödien und überhaupt komische Literatur sind für sie unergiebiger als Ge-
dankenlyrik und problemgeladene Dramen und Romane.

Bei dem praktischen Bemühen nun, den Sinngehalt eines einzelnen Werkes zu erfassen, kann von mancherlei Seite Hilfe kommen. Wir sahen bereits, daß sich die Dichter selber in Briefen, Unterhaltungen, weiterhin in
Tagebüchern über ihre Dichtungen oft genug aussprechen. Die Praxis
Alexandre Herculanos, im Vorwort oder im Anfang des Werkes das Publikum über die leitende Idee aufzuklären, kann als typisch für die Erzähl-
literatur des bürgerlichen 19. Jahrhunderts gelten. Aber natürlich findet sich
ein solches Vorgehen auch zu anderen Zeiten, es braucht nur auf die mittelalterlichen Epen gewiesen zu werden. Im Drama können Prologe, Epiloge,
Vorspiele solchen Zwecken der Aussprache dienen.

Es ist gut, sich gegenüber den Selbstdeutungen der Verfasser mit einigem Mißtrauen zu wappnen. Die Fälle Kellers und Flauberts zeigten deutlich, wie der besondere Anlaß den Inhalt der Deutung bestimmte. Auch bei
Briefen, Unterhaltungen steht die Äußerung, bewußt oder unbewußt, unter
fremden Einflüssen. H. G. Gräf hat in neun großen Bänden gesammelt, was
Goethe über seine Dichtungen im Laufe seines Lebens gesagt hat. Man gewinnt daraus keineswegs immer eine klare Hilfe für die Deutung, man fühlt
sich häufig verwirrt und muß gelegentlich zu dem Eindruck kommen, daß
der Dichter bewußt mit den Partnern gespielt hat, indem er den verschiedensten Deutungen seine Zustimmung gab.

So gewiß die auf den letzten Sinngehalt gerichtete Interpretation die
Deutungen der Dichter heranziehen wird, – sie kann sich von ihnen die Arbeit nicht abnehmen lassen. Die Meinung, daß die Dichter die berufensten

Interpreten ihrer Werke sind, ist immer mehr ins Wanken gekommen. Es ist ein Dichter selber, der das Wort gesprochen hat: «J'estime qu'une œuvre une fois publiée, l'auteur n'a pas plus d'autorité que qui que ce soit entre ses lecteurs pour interpréter ce qu'il a écrit» (P. Valéry in: Fr. Lefèvre, *Entretiens avec P. Valéry*), und nach Hofmannsthal ist der Dichter sogar nicht nur «nicht der berufenste, sondern der behindertste», um sein eigenes Werk zu deuten.

Neben den Selbstzeugnissen hat man auf die Hilfe gewiesen, die für die Deutung der Idee aus dem Werke selbst kommt. Vor allem hat man in den als Sentenzen formulierten Sätzen, die aus dem Zusammenhang heraus gesprochen werden, geeignetes Material gesehen. Als Schiller den antiken Chor in der *Braut von Messina* erneuerte, da gab er ihm als Aufgabe mit: «sich über das Menschliche überhaupt zu verbreiten, um die großen Resultate des Lebens zu ziehen und die Lehren der Weisheit auszusprechen». So hat man denn die Schlußworte des Dramas, die der Chor spricht:

> Das Leben ist der Güter höchstes nicht,
> Der Übel größtes aber ist die Schuld

als entscheidend für die Idee angesehen. In der französischen Tragödie laden die Stellen des Raisonnierens zur Deutung ein, und der Fall ist nicht selten, daß ein Autor in ein Drama oder einen Roman eine Figur als Sprachrohr seiner eigenen Meinungen einfügt.

Aber es bedarf nun schon keines langen Nachweises, mit welcher Vorsicht auch dieses Material zu behandeln ist. Die Geschichte der Literaturgeschichte bietet Beispiele dafür genug, daß die Deutung so lange in falscher Richtung ging, als sie sich an Formulierungen des Werkes hielt. Das gilt für den pikarischen Roman mit der abschließenden Weltabsage wie aus neuerer Zeit etwa für die Dramen Ibsens oder Hebbels (hier schlug das Buch von K. Ziegler: *Mensch und Welt in der Tragödie Hebbels*, das die Deutung von der Theorie Hebbels zu lösen suchte, eine Bresche).

Ein Kunstwerk wird in Tiefen empfangen und entwickelt sich mit Hilfe von Kräften, die dem Bewußtsein des Dichters oft unzugänglich bleiben. Es soll damit nicht geleugnet werden, daß sich der Schaffensprozeß nicht manchmal auch in der Helle des Bewußtseins und mit dem klaren Blick auf einen ideellen Brennpunkt vollziehen könne. Aber keine nachträglich vom Autor gegebene oder in das Werk hineingelegte Deutung kann die Interpretation von dem einzig zuverlässigen Weg abbringen: das Werk selber auf seinen Gehalt an gestaltgebenden Ideen zu untersuchen. Methodisch erweist sich besonders die Untersuchung des Aufbaus als aussichtsreich. Oft wird auch schon die rechte Erfassung der Fabel helfen und zumindest Mißdeutungen ausschließen. So kann die Fabel von *Werthers Leiden* bereits darüber belehren, daß die übliche Deutung als Liebesroman ungemäß ist.

An dieser Stelle eröffnet sich noch nach einer anderen Seite ein Ausblick. Die Frage nach der Deutung durch den Dichter, so bedeutend oder unbedeutend die Antworten für das Werk selber sein mögen, führte auf die großen Probleme der Konzeption und des Schaffensprozesses. Die Frage, wie denn nun die Empfänger, wie das Publikum ein Werk deutete, mag wieder der Interpretation an sich geringe Hilfe bringen. Aber sie führt auf ein Feld, das unbedingt zur Literaturgeschichte gehört, so wenig es bisher auch bebaut worden ist. Man kann diese Fragen nach dem Verhältnis zwischen Werk und Publikum als zum soziologischen Aspekt der Literatur gehörig bezeichnen; er ist dem Phänomen der Literatur immanent, wie er der Sprache selber immanent ist, die immer «verstanden» werden muß.

Es waltet offensichtlich eine Neigung bei den Zeitgenossen, ein Werk tendenziöser zu lesen, als es die Nachwelt tut. Dramen, Romane, von denen wir heute meinen, daß sie nicht die Lösung eines Problems enthalten, sondern die Darstellung einer Gegenständlichkeit, wurden zur Zeit ihres Erscheinens doch als Bekenntnis zu ..., als Aufforderung gelesen. Wir haben es leicht, den Kopf zu schütteln über die Belgier, die von der Aufführung der *Stummen von Portici* zu einer Revolution hingerissen wurden, über die Jünglinge des 18. Jahrhunderts, die in dem Werther die Verherrlichung des Selbstmordes aus unglücklicher Liebe fanden, oder über den Staatsanwalt, der die Madame Bovary als Verherrlichung des Ehebruchs las. Jünglinge und Zensoren sind nicht die einzigen, die falsch zu lesen pflegen. Diese ganzen Fragen, zu denen dann die weiteren nach der Geschichte, der «fortune» eines Werkes treten und vor allem die nach dem schöpferischen Anteil des Publikums an der Literatur, können hier nur genannt werden. Sie haben in England, wo alle Interpretation stärker als irgendwo anders nach dem sozialen, moralischen oder nationalen «Commitment» eines Werkes zu fragen pflegt, seit je, in den anderen Ländern erst in neuerer Zeit die Aufmerksamkeit der Forschung erregt. Im gegenwärtigen Zusammenhang muß es darauf ankommen, nach den theoretischen Bemerkungen die praktische Arbeit der Ideen- bzw. Problemerfassung kennenzulernen.

3. HÖLDERLINS «AN DIE JUNGEN DICHTER»

Wir wählen als Beispiel Hölderlins Gedicht *An die jungen Dichter*:

> Lieben Brüder! es reift unsere Kunst vielleicht,
>   Da, dem Jünglinge gleich, lange sie schon gegärt,
>   Bald zur Stille der Schönheit;
>   Seid nur fromm, wie der Grieche war!

> Liebt die Götter und denkt freundlich der Sterblichen!
> Haßt den Rausch, wie den Frost! Lehrt und beschreibet nicht!
> Wenn der Meister euch ängstigt,
>   Fragt die große Natur um Rat!

Das Gedicht erschien in dem *Taschenbuch für Frauenzimmer auf das Jahr* 1799; Hölderlin hatte es dem Herausgeber, seinem Freunde Neuffer, im Sommer 1798 geschickt, es war vermutlich kurz vorher entstanden. Die Gedichte dieser Zeit fallen fast alle durch ihre Kürze auf. Hölderlin hat das mehrfach zum Thema gemacht und deutend und erklärend zu rechtfertigen gesucht *(Die Kürze; Menschenbeifall)*. Diese kurzen Gedichte wurden bald darauf von den großen Oden abgelöst. Aus dem nächsten Jahre 1799 stammen schon die *Abendphantasie*, der *Main*, der *Neckar, Heidelberg* u. a. Auch das Thema unseres Gedichts, das ja offensichtlich der Dichter bzw. die wahre Dichtung ist, findet sich in dieser Zeit häufig: es wird eines der großen Themen Hölderlins bleiben, wie er auch die Form weiterpflegen wird. Unser Gedicht benutzt das Maß der asklepiadeischen Ode, das sich gleichzeitig in *Sokrates und Alkibiades*, *Abbitte* und anderen kurzen Gedichten findet und das ebenso wie die damals, 1798, erstmalig verwendete Form der alkäischen Ode der Dichtung der nächsten Jahre immer wieder als äußeres Maß dienen wird.

Einem vorläufigen Verständnis der Worte stellen sich kaum Schwierigkeiten entgegen. Im Anfang rückt der Dichter seinen eigenen Entwicklungsgang voll und ganz in die Entwicklung der Dichtung seiner Zeit: wir denken bei dem «Gären» wohl ebenso an die Phase des Sturms und Drangs wie an die worterreichen Hymnen des jungen Hölderlin. Den Vergleich mit dem Jünglingsalter haben wir nicht nur als allgemeinen Vergleich, sondern gleichsam als biologische Parallele zu nehmen. Die Wendung von der gerade überwundenen Jünglings-Phase begegnet mehrfach in den Versen dieser Zeit. In *Ehemals und Jetzt* heißt es: «In jüngeren Tagen ..., jetzt, da ich älter bin ...»; in der *Kürze* bezeichnet der Dichter seine Jünglingszeit als ein «vormals», in dem sein Gesang kein Ende finden konnte, während er jetzt kurz ist. (Alle diese Gedichte wurden in den schmerzlichen Erfahrungen des Jahres 1798 geschrieben, das an seinem Ende den Abschluß der Frankfurter Zeit, den Abschied von Diotima sah. Das leuchtet als Grund zur Kürze und Überwindung der Jugend mehrfach durch ...)

Lesen wir weiter, so meinen wir die «Stille» der Schönheit zu verstehen, zumal sie als Gegensatz zu der «gärenden» Kunst auftritt. Immerhin befremdet, daß sie als «die» Stille erscheint und damit offensichtlich eine bestimmte, bekannte Stille ist. So wirft denn auch die Verbindung mit dem

Frommsein, dem griechischen Frommsein, Fragen auf, die wir nicht gleich beantworten können.

Ähnlich fallen auf die Götter, die uns zunächst im Anschluß an die Griechen verständlich schienen, rückwärtige Zweifel: sollen darunter wirklich die griechischen Götter gemeint sein? Demgegenüber sind Rausch und Frost völlig durchsichtige Metaphern. Rausch – das ja im bildlichen Bezirk des Gärens bleibt – bezeichnet offensichtlich jene Ungebundenheit, Unkontrolliertheit, ausschließliche Gefühlsbestimmtheit jugendlichen Schaffens; Frost aber die Reflexion, den kalten Verstand, der typisch für die «scheinheiligen Dichter» ist, wie in dem gleichnamigen Gedicht ausgesprochen wird. Das Verbot des Lehrens überrascht etwas in Zeilen, die mit ihren Imperativen so deutlich Lehren aussprechen. Das Verbot des Beschreibens will uns nach Lessings Laokoon nicht mehr überraschen; immerhin zeigt sich bei einiger Kenntnis des Hölderlinschen Sprachgebrauchs, daß wir darunter etwas anderes zu verstehen haben als die mit dem Maler aufgenommene Konkurrenz in der Beschreibung von ruhenden Gegenständen. Die *beschreibende Poesie* hatte ein Xenion Hölderlins vom Jahre 1798 getroffen:

> Wißt! Apoll ist der Gott der Zeitungsschreiber geworden,
> Und sein Mann ist, wer ihm treulich das Faktum erzählt.

Hölderlin meint mit Beschreiben also die bloße, unverfälschte, exakte Wiedergabe von Geschehnissen: das was Goethe vorher «einfache Nachahmung der Natur» genannt hatte und was manche Naturalisten zum Ziel erhoben.

Einer gewissen Aufhellung schon für das erste Verständnis bedarf die Zeile «Wenn der Meister euch ängstigt». Das heißt natürlich nicht, daß der Meister ängstigen will. Auch nicht, daß die Fülle noch unverstandener Ratschläge ängstigt; diese jungen Dichter sind keine Jünglinge mehr, sie verstehen etwas von ihrer Kunst. Hier wird vielmehr von dem ängstigenden Zwiespalt gesprochen, der sich zwischen dem vom Meister gewiesenen Weg und dem dunkel erahnten eigenen Weg auftut. Der Rat nun, der für solche Konflikts-Situation gegeben wird, lautet nicht: folge dem Ich. Sondern eine neue Bindung wird verlangt, freilich eine umfassendere, höhere, überpersönliche: die große Natur zu befragen. Aber was heißt das?

Die vorläufige Interpretation hat der tieferen Erfassung des ideellen Gehaltes gerade durch ihre Fragen manche Ansatzpunkte geliefert. Allgemein darf zunächst festgestellt werden, daß das Gedicht eine solche eingehendere Interpretation nicht nur verträgt, sondern geradezu verlangt. Ist es ja als Gedicht offensichtlich die Nennung von Ideen in der Fassung von Lehren. Hier wird nicht die seelische Gestimmtheit des Sprechenden in einer konkreten Situation ausgedrückt. Sondern bestimmte Ideen auszusprechen, ist offensichtlich das Anliegen des Dichters, und Lehren sind der Inhalt des

Gedichts. Es enthält in seinem Verlauf mehrere Probleme, auf die eine gedankliche Lösung gegeben wird: das Problem der Situation der Kunst, die als
Übergangssituation zu einem bestimmten Zustand der Reife gedeutet wird; das
Problem des richtigen Verhaltens seitens des Dichters zum Dasein, das mit der
Frömmigkeit und dem Hinweis auf die Griechen beantwortet wird und an der
besonders das richtige Verhältnis zu Göttern und Menschen klare Fassung findet; das Problem der Schaffensweise des Künstlers, das sich durch die Angabe
je zweier, zu meidender Extreme klärt; und endlich das Problem Meister–
reifender Jünger, das durch die Nennung der höheren Bindung gelöst wird.

Das alles zusammen bildet den geistigen GEHALT des Gedichtes, wor-
unter man also die Gesamtheit der in einem Werk enthaltenen Probleme
und Lösungen versteht. Es braucht sich nicht immer um so klare Stellung
und Beantwortung wie in unserem Falle zu handeln; diese Art des Sprechens ist nur für einen kleinen Teil der lyrischen Dichtung kennzeichnend.
Aber auch ein schlichtes Lied, das ohne alle geistigen Ansprüche auftritt,
birgt Gehalt. So wäre etwa in dem auf S. 255 zitierten Lied von Brentano
das Naturverhältnis und, spezieller noch, das Verhältnis Mensch-Nacht das
«Problem», und die Art der dichterischen Gestaltung würde zum Material,
um die «Lösung» zu erfassen. So enthält auch das Lied von Eichendorff
(S. 66) geistigen Gehalt, der in dem Vergleich mit drei anderen Gedichten
über dasselbe Motiv der Nacht zwangsläufig vor den Blick rückte.

Es ergab sich in unserem Falle eine Vielzahl von aufgeworfenen Problemen. Wenn Böckmann bei der Interpretation des Gedichtes (*Hölderlin und
seine Götter*, S. 177) die Probleme der Zeitlage und der Schaffensweise nicht
nennt, sondern nur «die drei Aufforderungen» heraushebt: «Seid fromm ...
Liebt die Götter ... Fragt die große Natur», so erklärt sich das durch den
vorangehenden und folgenden Satz: «Das Gedicht *An die jungen Dichter*
schlägt eindeutig und klar die Richtung auf die Welt der Götter ein ...»;
und: «Durch diese Zuordnung zeigt sich, in welchem Sinn das Gedicht auf
die Götter bezogen ist ...». Böckmann hebt aus dem Gehalt nur das heraus,
was für seine besondere Frage, die den Göttern Hölderlins gilt, wichtig ist.
Er hat dazu völliges Recht, nur erweist sich damit eben deutlich, daß die
geistesgeschichtliche Betrachtungsweise, sobald sie ein Problem aus der
Weltanschauung (eines Dichters oder einer Epoche) in den Mittelpunkt
stellt, notwendigerweise dem einzelnen Werk als Ganzheit nicht ganz gerecht wird. Nun muß die geistesgeschichtliche Methode ja nicht immer von
außen herantreten und ein Werk als Steinbruch behandeln. Sie kann durchaus – und dazu soll im folgenden der Versuch gemacht werden – das Werk
als solches in das Zentrum ihrer Betrachtung rücken. Und dabei kann und
soll sie nun von außen herantragen, was nur zur Erfassung des geistigen
Gehaltes dienlich werden kann.

Da zeigt sich denn schnell, daß gleich das erste Problem, der Übergang der Kunst vom Gären zum Reifezustand, den Dichter immer wieder beunruhigt. Zahlreich sind die Stellen in seinem Werk, wo er von einer nahenden Wende spricht (*Der Zeitgeist, An eine Fürstin von Dessau, Gesang des Deutschen, Diotima, Archipelagus, Germanien* und viele andere, wozu dann noch der *Empedokles* und theoretische Aufsätze zu stellen wären, etwa *Über das Werden im Vergehen*). Unsere Stelle scheint sich beim Umblick sogar als zeitlich erste zu erweisen. Durch eine ideengeschichtliche Deutung erhärtet sich weiterhin sofort, daß in der ersten Zeile nicht nur von der Dichtung allein gesprochen wird, daß hier keine Phasen der bloßen Literaturgeschichte gemeint sind: die vorläufige Interpretation ist in mancher Hinsicht verbesserungswürdig: wie die anderen Behandlungen des Problems und unser Gedicht im Fortgang selber bezeugen, ist Dichtung Ausdruck einer inneren Artung, Ausdruck und bedeutsamstes Symptom eines Weltzustandes. Nicht die Erregtheit der Frage: wohin steuert unsere Literaturgeschichte, da die Phase des Sturms und Drangs zu Ende geht? löst dem Dichter den Mund zu diesem Gedicht, sondern, so muß es scheinen, die unendlich beunruhigendere: stehen wir nicht im Übergang zu einer neuen Weltepoche? Es wäre der Geistesgeschichte ein leichtes, nun zu zeigen, daß außer Hölderlin auch sein Freundeskreis aus dem Tübinger Stift, daß die ganze junge Generation damals von dieser Ahnung erfüllt ist, an der Schwelle einer neuen Epoche zu stehen.

So kehrt die Betrachtung von weither und reich beladen zu dem Gedicht zurück; schon die kurzen Andeutungen genügen, um die Formulierung, die hier für den kommenden Zustand gegeben wird – «zur Stille der Schönheit» –, nicht mehr als bloße stilkennzeichnende, ästhetische Bestimmung zu nehmen. Was aber ist unter Stille der Schönheit zu verstehen? Wenn wir nur in den anderen «kurzen» Gedichten dieser Monate blättern, so stoßen wir immer wieder auf das Nebeneinander von Stille und Schönheit, aber auch noch auf andere, eng damit verbundene Begriffe. In der *Abbitte* wird ein «heilig Wesen» angerufen, dessen «goldene Götterruhe» von dem sprechenden Ich gestört worden sei, das aber wieder in seiner Schöne ruhen und glänzen werde. Zur Schönheit gehört als Wesen nicht nur die Stille, sondern in ihr das Heilige, Göttliche; es gibt eine Stille, die dem Göttlichen eigen ist, wie ihm Schönheit eigen ist, von dieser Stille und Schönheit ist alles Heilige. «Heilig» nennt der Dichter in den Strophen an die Parzen das Gedicht, das ihm am Herzen liegt und das er vollenden möchte, – wir befinden uns mit diesen Versen in dem gleichen geistigen Raum, in dem auch die Verse an die jungen Dichter stehen, nur daß dort leidenschaftlich erfleht wird, was sich hier als Gewißheit verkündet. (Wieder wäre es lohnend, den Kreis des Hölderlinschen Werkes zu überschreiten; als erste Assoziation

wird sich ja die Winckelmannsche Wendung «stille Größe» eingestellt haben. Die Idee von der Stille des Göttlichen bzw. der Heiligkeit der Stille
ist für die klassisch-romantische Epoche ergiebig von W. Rehm untersucht
worden.)

Erst wenn wir so die Eigenschaft des Heiligen aufnehmen in die Stille der
Schönheit, wird die unmittelbar folgende Mahnung recht verständlich: Seid
nur fromm ... Und doch stößt die Interpretation hier auf Schwierigkeiten,
die sie selber nicht völlig überwinden kann. Einleitend wurde von einer
Entwicklung gesprochen, die sich als überpersönlicher Naturvorgang vollzieht (gären–reifen). Die Imperative rücken alles nun in die persönliche
Willkür, als hänge es nur von der Befolgung der Lehren ab, um die stille,
heilige, schöne Kunst verwirklichen zu können. Das aber tritt nun auch zu
anderen Werken in Widerspruch. «An das Göttliche glauben / Die allein,
die es selber sind» heißt es in *Menschenbeifall* und macht damit das Frommsein
von der inneren Art, nicht aber von der Aufnahme und Befolgung einer Lehre
abhängig. In den Versen an *Die scheinheiligen Dichter* wird den kalten, ver-
standbegabten Heuchlern verwehrt, von den Göttern zu sprechen, an die
sie doch nicht glauben. Die Bedeutungen unseres Gedichtes besagen, daß
die jungen Dichter alle fromm sind bzw. sein können. Es bleibt ein Widerspruch innerhalb des Gedichts wie zu anderen Gedichten. Aus den Bedeutungen kann die ideengeschichtliche Betrachtung nicht heraustreten, und so
stellen sich hier Zweifel ein, ob sie ihr eigenstes Anliegen, die Erfassung
des Gehaltes, ohne Hilfe von anderer Seite durchführen kann. Denn die Wi-
dersprüche einfach hinzunehmen, widerstrebt vorläufig noch.

Die Imperative setzen sich fort. Was Frommsein meint, bestimmt die
nächste Zeile näher. Es ist ein Lieben, ein Lieben der Götter. An dieser
Stelle muß sich die ideengeschichtliche Interpretation gerufen und berufen
fühlen, die tiefere Bedeutung dieses Wortes zu ergründen. Der Vers nennt
nicht nur allgemein das Göttliche, wie es am Schluß des Gedichtes *Menschenbeifall* geschieht, sondern es spricht von Göttern, also einer Mehrzahl
von gestalthaften Ausprägungen des Göttlichen. Es sagt sogar «die» Götter,
worin doch liegt, daß der Sprechende und die Angesprochenen sie genauer
kennen. Sind es die griechischen Götter, an die wir wieder glauben sollen,
wie es der Zusammenhang nahelegt? Bei der Umschau bieten schon die
gleichzeitigen Gedichte reiches Material, vor allem das Gedicht an *Die
scheinheiligen Dichter*, in mancher Hinsicht das Gegenstück zu unserem:

> Ihr kalten Heuchler, sprecht von den Göttern nicht!
> Ihr habt Verstand! ihr glaubt nicht an Helios,
> Noch an den Donnerer und Meergott;
> Tot ist die Erde, wer mag ihr danken? –

Getrost ihr Götter! zieret ihr doch das Lied,
    Wenn schon aus euern Namen die Seele schwand,
        Und ist ein großes Wort vonnöten,
            Mutter Natur! so gedenkt man deiner.

Es scheinen tatsächlich die griechischen Götter zu sein, an die der Fromme heute glauben soll: Helios, der Donnerer, der Meergott, die Erde. Aber das 1798 veröffentlichte Gedicht *An den Äther* nennt in ihm doch einen der Götter, der so, wie er dargestellt wird, keine völlige Rückkehr zum mythischen Glauben der Griechen bedeutet (er erscheint als zuerst genannter in dem Gedicht *Die Götter*). Vollends aber ist unüberhörbar, daß in der «Mutter Natur» etwas genannt wird, was erst durch Jahrzehnte abendländischer Geistesentwicklung Bedeutung, Gefühlsgehalt und Gestalt bekommen hat. Ebenso deutlich wird, daß die Mutter Natur gleichsam der eine einheitliche göttliche Urgrund ist: die Götter sind nicht einfach die griechischen Götter, sondern als Gestalt erfaßte Ordnungen der Natur. Nur soweit Naturmythisches bereits in den griechischen Göttern Gestalt geworden ist, können wir sie zu Hölderlins Göttern zählen. Zu den Göttern, die nun auch in unserem Gedicht gemeint sind. Und wie in dem Gegengedicht wird auch hier in merklicher Schlußsteigerung die große Natur als weitester Horizont des Göttlichen genannt.

So hat denn die ideengeschichtliche Deutung, deren Arbeitsweise hier angedeutet wurde, tatsächlich das Verständnis jedes einzelnen im Gedicht aufgeworfenen Problems beträchtlich vertiefen können, und wenn wir jetzt noch einmal das Gedicht lesen, scheint es ungleich gewichtiger als beim ersten Lesen. Fast kostet es Mühe, sich nun wieder ganz auf das Gedicht zu beschränken; man verspürt eine Lockung, es doch nur auf seinen Beitrag zu den Problemen abzuhorchen und vor allem zu jenen, die – wie das der Zeitwende, des Dichtertums, der Frömmigkeit und der Götter – in das Innere von Hölderlins Weltanschauung führten, in ihr Wesen und ihre Entwicklung, zum Teil sogar noch in das Innere der ganzen Epoche. Die Methode kann das zu einem Teil vermeiden, indem sie die Frage nach dem Aufbau in den Kreis ihrer Erörterungen einbezieht: sie wird dabei immer nur gewinnen.

Dann zeigt sich sofort, daß die Probleme nicht gleichwertig sind, sondern sich hierarchisch ordnen. Das Problem der Zeitwende, das mit der Verheißung der neuen Kunst beendet wurde, bildet den Eingang und umreißt den weiten geistigen Raum, in dem das Folgende seinen Platz hat. Das Folgende ist zunächst die Mahnung zur Frömmigkeit, als wuchtiger Abschluß der ersten Strophe. Die immer prägnanteren, sich immer rascher folgenden Imperative erweisen sich als Besonderungen jener ersten Mahnung. Bis dann wieder ein Problem genannt wird, das gewichtiger ist und dessen Lösung die zweite Strophe so wuchtig abschließt, wie die Aufforderung zur Frömmigkeit die erste Strophe. Es besteht sogar ein deutlicher Zusammenhang (zu dem inneren tritt fast auch ein äußerer Reim!): Frömmigkeit heißt mythische Verbundenheit mit der Natur. So ergibt die Analyse eindeutig, daß die Frömmigkeit das Zentralproblem des ganzen Gedichtes ist, dem alle anderen untergeordnet sind.

Die ideengeschichtliche Betrachtungsweise ist an ihr Ende gekommen, wenn sie den geistigen Gehalt eines Werkes voll und ganz erfaßt hat. Sie wird nicht beanspruchen wollen, damit das Gedicht als Ganzes erfaßt zu haben. R. Unger sprach von der möglichen «Ergänzung» durch andere Methoden wie die «ästhetisch-stilistische» (ihr Beobachtungsfeld wäre wohl der Vers und die Art des Sprechens, der Stil). In diesen Worten liegt offensichtlich die Annahme, daß durch den Hinzutritt anderer Betrachtungsweisen das letzte Ziel der Forschung erreicht werde. An sich aber scheint die ideengeschichtliche Methode – und das ist eine zweite Annahme – darauf vertrauen zu können, daß die mit ihr ermittelten Ergebnisse feststehen und durch den ergänzenden Hinzutritt anderer Methoden nicht beeinträchtigt oder gar umgeworfen werden können. Beide Annahmen aber erscheinen uns zweifelhaft.

4. GRENZEN DER METHODE

Wir bezweifeln, daß man durch mehrere isolierte Arbeitsweisen, von denen jede eine besondere «Seite» des Kunstwerks behandelt, zu der Erfassung des Werkes als Ganzheit und Einheit kommt. Und wir bezweifeln, daß die geistesgeschichtliche Interpretation auf die Unumstößlichkeit ihrer Ergebnisse vertrauen darf.

Wir suchen diese Zweifel zu begründen und damit die Grenzen und Gefahren der einseitigen geistesgeschichtlichen Methode aufzuzeigen, obwohl wir damit den Umkreis der diesem Kapitel gestellten Aufgaben überschreiten. Der Zweck rechtfertigt es, den systematischen Aufstieg durch die folgenden Kapitel zu überspringen und gleich den Standpunkt einzunehmen, der erst am Ende des Buches erreicht werden wird.

Die Fragen des Verses und des Rhythmus bleiben zunächst außer Betracht, da sich von ihnen her unmittelbar keine Einschränkungen der Gehaltanalyse ergeben. Wir setzen vielmehr bei der Frage nach der Art des Sprechens, beim Stil, ein.

Unser Gedicht machte über die der wahren Kunst gemäße Art des Sagens mehrere Angaben. Es sollte zunächst der Rausch gemieden werden. Wir durften dabei vielleicht an die Hymnendichtung des jungen Hölderlin denken, in der die Trunkenheit des Geistes auch thematisch bejubelt wird (*Hymne an die Freundschaft* Strophe 10; *Hymne an die Liebe* Strophe 6; *Hymne an den Genius der Jugend* Strophe 8, 10). In unserem Gedicht ist von solcher Rauschhaftigkeit nichts mehr zu spüren, diese Forderung ist gewiß erfüllt. Anders aber steht es schon mit dem «Frost» des Verstandes, der ebenfalls gemieden werden soll. Jeder unbefangene Leser wird vielmehr die beiden Strophen als reichlich frostig empfinden, und gerade die zweite Strophe, und in ihr gerade diese zweite Zeile. Die gehäuften nackten Imperative, die monotone, fast leiernde Akzentuierung, die rhythmische Ausdruckslosigkeit wirken trocken und kalt. Der Widerspruch zwischen Lehre und Stil ist offenbar.

Dagegen ist die Forderung, nicht zu beschreiben, das heißt sich nicht mit dem Abmalen der niederen Realität zu begnügen, klar erfüllt. Die niedere Realität wird überhaupt nicht sichtbar, und wo einmal nicht in abstrakten Gedanken gesprochen wird, sondern eine Gegenständlichkeit zugrunde liegt, da wird sie schnell auf ihren letzten Sinn gebracht. Das geschieht schon in den ersten Zeilen, deutlicher aber noch in den letzten. Denn diese Stelle erschließt sich erst ganz, wenn man ihre persönliche Substanz erkennt. Hier sind nämlich gar nicht die Erfahrungen der jungen Dichter im Verhältnis zu ihren Meistern gemeint, sondern hier bildet das Verhältnis Hölderlins zu Schiller den Grund. Hölderlin erlebte den Konflikt in aller Schärfe, sich entweder von dem Meister beherrschen zu lassen und damit sich und der eigenen Berufung untreu zu werden, oder aber sich von dem Verehrten zu lösen und dadurch die Sicherheit und Bindung an feste Werte zugunsten einer Unsicherheit aufzugeben. Er bekannte es dem Meister persönlich, als er ihm am 30. Juni 1798 (vgl. auch den Brief vom 20. Juni 1797) schrieb: «Deswegen darf ich Ihnen wohl gestehen, daß ich zuweilen in geheimem Kampfe mit Ihrem Genius bin, um meine Freiheit gegen ihn zu retten, und daß die Furcht, von Ihnen durch und durch beherrscht zu werden, mich schon oft verhindert hat, mit Heiterkeit mich Ihnen zu nähern.» Er beteuert anschließend: «Aber nie kann ich mich ganz aus Ihrer Sphäre entfernen; ich würde mir solch einen Abfall schwerlich vergeben. Und das ist auch gut; solang ich noch in einiger Beziehung bin mit Ihnen, ist es mir nicht möglich, ein gemeiner Mensch zu werden ...» Man mag die Macht der Briefgesetze bei der Formulierung der letzten Stelle noch so hoch einschätzen, – die tiefe Besorgtheit ist unverkennbar.

In die Versstelle ist nun von dieser persönlichen Konfliktssituation nichts eingegangen. Da erscheint der Sprecher als der Abgeklärte, der anderen eine befreiende, endgültige Lösung gibt. Aber Hölderlin ist hier im Grunde nicht der Sprechende, sondern der Angesprochene, der sich ängstigt. Eine bedeutungsvolle Verschiebung ist eingetreten: Hölderlin meint sich und sagt «ihr jungen Dichter». Und er meint mit der Lehre eine Erwägung, einen Vorsatz, eine Hoffnung.

Verhält es sich vielleicht mit den anderen Lehren ebenso? Und vertreten die jungen Dichter vielleicht auch an den anderen Stellen nur das Ich? Zum Teil erlauben uns frühere Beobachtungen, die Fragen zu bejahen. Haßt den Rausch wie den Frost: wir durften an die Hymnen und die verstandesklaren Xenien (von 1796) denken; Hölderlin bekennt in jener Zeit mehrfach, daß seine bisherige Dichtung zu abstrakt gedanklich war.

Die vorangehende Lehre: denkt freundlich der Sterblichen – gewinnt erst vollen Sinn, wenn wir sie als Mahnung an sich selber auffassen. Die Briefe des Jahres 1798 (mit den schmerzlichsten Erfahrungen) sprechen mehrfach von der eigenen übergroßen Empfindlichkeit: «weil ich alles, was von Jugend auf Zerstörendes mich traf, empfindlicher als andre aufnahm» (12. November 1798). Aber Gedichte wie *Die Launischen* oder *Die Götter* sprechen auch den Dank an die Natur und die Götter aus, die ihr frommes Kind wieder «friedlich» machen. Das freundliche Gedenken der Sterblichen ist dem wirklich Frommen möglich, und nur ihm, – diese persönliche Erfahrung wird als Mahnung ausgesprochen. Jetzt wird auch erst voll der bestimmte Artikel «Liebt die Götter» verständlich. Es befremdete ja, daß die angesprochenen jungen Dichter die Götter kennen sollten, die, wie die Interpretation aufwies, nicht einfach die griechischen Götter, sondern die Götter Hölderlins sind. Erst wenn wir erkennen, daß der Dichter auch an dieser Stelle nicht zu anderen, sondern zu sich selber spricht, stellt sich der Satz glatt in das Gefüge des Gedichtes. Die «jungen Dichter» sind nur eine Einkleidung, sie vertreten ausschließlich das Ich des Dichters. Dann aber wandelt sich auch der Sinn des Anfangs: dann wird nämlich nicht mehr von der Wende der Dichtung überhaupt oder – noch umfassender – von dem Problem der Zeitwende gesprochen (wobei es noch schien, als käme unserer Stelle eine besondere ideengeschichtliche Wichtigkeit als erste Aussprache des Problems zu): es wird hier nur von der Ahnung und Hoffnung gesprochen, daß das eigene Dichten sich der Reife nahe. Die ideengeschichtliche Interpretation ist gerade durch die ihr nun einmal immanente Tendenz, das einzelne Werk immer im Zusammenhang mit der Weltanschauung des Dichters zu sehen, fehlgeleitet worden.

Die ersten Zeilen drücken nun aber auch aus, daß die Sicherheit, die an sich in den Imperativen liegt, doch nicht so straff ist: «vielleicht» heißt es an bedeutsamer Stelle des Verses. Und das «nur» in der Wendung «Seid nur fromm» klingt wie der Ausdruck eines Vorsatzes, einer Sehnsucht, fromm zu sein. Jetzt deutet sich auch endlich jener Widerspruch, der in der Lehre, nicht zu lehren, lag. Alle die Lehren wollen keine Lehren sein, es sind Vorsätze, Entschlüsse, die der Dichter faßt und sich selber als Vorsätze sagt in einer spannungsreichen Situation, da er von den Sterblichen wie dem Meister verwirrt und geängstigt wird, da er aber auch sein Dichtertum reifen fühlt, da er das Göttliche zu erkennen vermag und weiß, daß er für sich und seine Kunst fromm werden muß.

Der Widerspruch hat sich geklärt, ist aber nicht geschwunden; vielmehr hat sich die Brüchigkeit auf das ganze Gedicht ausgedehnt: es spricht tatsächlich Lehren aus, ist Spruchdichtung, so wie es noch die Xenien waren oder das mißglückte Gedicht *Der Wanderer* von 1796. Zutiefst aber möchte es die Spannungen der Situation aussprechen, entfalten und in der Begegnung (mit Welt und Göttlichem) eine bestimmte Haltung (nämlich die der Frömmigkeit) als Entschluß aussagend sichern: es möchte vom Innern her eine Ode sein.

Deshalb hat der Dichter auch die äußere Form der Ode ergriffen. Sie sollte ihm, nachdem er in der Jugend die aus gleichlangen und gleichgebauten (jambischen oder trochäischen) Zeilen bestehenden Strophen hinlänglich erprobt hatte, die Verwirklichung eines echteren gehobeneren Tones ermöglichen. Und sie sollte ihm zu einem lebendigeren, bewegteren Rhythmus verhelfen. Aber unser Gedicht ist auch darin brüchig. Nach dem gelungenen Eingang (auch den Schluß nehmen wir aus) folgen Zeilen, in denen die Akzente zu gleichmäßig und zu starr sind und es zu keinem rhythmischen Fluß kommt. Man kann eine ähnliche Brüchigkeit an fast allen «kurzen» Gedichten dieser Zeit beobachten, – und dann an den Umarbeitungen, die oft nur kurze Zeit später liegen, mit Händen greifen, wie Hölderlin nun die Möglichkeiten der Form voll ausschöpft. Die bloße Wahl der antiken Odenformen im Jahre 1798 half noch nicht sehr weit. Und es half auch nicht das technische Mittel, mit dem der Dichter weiterhin Verlebendigung zu erreichen hoffte. In fast allen Kurzgedichten dieser Monate wählt er ja irgendwelche Du-Anrede. In *Sokrates und Alkibiades* und der *Kürze* verwendet er die beiden Strophen als Frage und Antwort, *Menschenbeifall* gibt sich als Antwort auf eine vorausgesetzte Frage, *Vanini* und *Abbitte* sprechen unmittelbar ein «Du» an, *An die scheinheiligen Dichter* wird wie unser Gedicht als Anrede an ein «Ihr» eingekleidet u.s.f. In fast allen Fällen (auszunehmen sind *Abbitte*, *An die Parzen* u.a.) handelt es sich dabei nur um ein äußeres, technisches Mittel der Verlebendigung. Hölderlin ist innerlich schon von der Ode ergriffen als der ihm gemäßen Form und fühlt, daß sie ihrem Wesen nach Entfaltung der Spannungen in der Begegnung mit einem Du ist. Aber er kommt noch nicht dazu, diese innere Haltung der Gattung zu verwirklichen, er begnügt sich mit einer äußeren Du- bzw. Ihr-Anrede und fällt beim Sprechen in ein lehrhaftes Spruch-Sprechen zurück. Man könnte diese dem Spruch eigene Festigkeit stilistisch fast an jedem Wort der zweiten Strophe und an den starren parataktischen Fügungen zeigen.

Wenn wir sagen würden: die Gedichte sind doch noch Sprüche, weil sie an dem einen lehrhaften «Hauptton» festhalten, weil sie sich nicht, wie es der Ode gemäß wäre, in «mannigfaltig geordneten Tönen» entfalten, so hätten wir Hölderlins eigene Worte verwendet. Unsere ganze Deutung des Gedichts als Spruch, der doch schon Ode werden möchte, kann nicht besser gestützt werden als durch den Brief an Neuffer vom 12. November 1798, den Vertrauten in allen Fragen der Dichtkunst. «Das Lebendige in der Poesie ist jetzt dasjenige, was am meisten meine Gedanken und Sinne beschäftigt. Ich fühle so tief, wie weit ich noch davon bin, es zu treffen, und dennoch ringt meine ganze Seele danach, und es ergreift mich oft, daß ich weinen muß, wie ein Kind, wenn ich um und um fühle, wie es meinen Darstellungen an einem und dem andern fehlt, und ich doch aus den poetischen Irren, in denen ich herumwandele, mich nicht herauswinden kann ... Es fehlt mir weniger an Kraft, als an Leichtigkeit, weniger an Ideen, als an Nuancen, weniger an einem Hauptton, als an mannigfaltig geordneten Tönen, weniger an Licht, wie an Schatten, und das alles aus einem Grunde: ich scheue das Gemeine und Gewöhnliche im wirklichen Leben zu sehr.» Die so genaue Einsicht in die dichterischen Mängel ist Zeichen der Überwindung: im nächsten Jahr schon entstanden Gedichte wie die *Abendphantasie, Der Main, Der Neckar, Heidelberg* u. a., in denen Hölderlin sich als Meister der Ode zeigte.

Es seien zur Verdeutlichung alles Gesagten zwei Gedichte nebeneinander gestellt, von denen das erste, aus derselben Zeit wie unser Gedicht, noch Spruch ist, der nach einem in sich völlig abgeschlossenen Anfangsbild Fragen reiht. Das zweite Gedicht, aus dem Jahre 1800, ist nun wirklich Ode, das so, wie es das Eingangsbild zur Entfaltung bringt und die Starre der gereihten Fragen meidet, nun die innere, bewegtere Form der Ode (zu der das Motiv strebt, die aber dort noch nicht zum Leben kam) erlöst und sich rein entfalten läßt.

Die Heimat

> Froh kehrt der Schiffer heim an den stillen Strom
>   Von fernen Inseln, wo er geerntet hat;
>   Wohl möcht' auch ich zur Heimat wieder;
>   Aber was hab' ich, wie Leid, geerntet? –
>
> Ihr holden Ufer, die ihr mich auferzogt,
>   Stillt ihr der Liebe Leiden? ach! gebt ihr mir,
>   Ihr Wälder meiner Kindheit, wann ich
>   Komme, die Ruhe noch einmal wieder?

Die Heimat

Froh kehrt der Schiffer heim an den stillen Strom,
  Von Inseln fernher, wenn er geerntet hat;
    So käm' auch ich zur Heimat, hätt' ich
      Güter so viele, wie Leid, geerntet.

Ihr teuern Ufer, die mich erzogen einst,
  Stillt ihr der Liebe Leiden, versprecht ihr mir,
    Ihr Wälder meiner Jugend, wenn ich
      Komme, die Ruhe noch einmal wieder?

Am kühlen Bache, wo ich der Wellen Spiel,
  Am Strome, wo ich gleiten die Schiffe sah,
    Dort bin ich bald; euch traute Berge,
      Die mich behüteten einst, der Heimat

Verehrte sichre Grenzen, der Mutter Haus
  Und liebender Geschwister Umarmungen
    Begrüß' ich bald, und ihr umschließt mich,
      Daß, wie in Banden, das Herz mir heile,

Ihr treugebliebnen! aber ich weiß, ich weiß,
  Der Liebe Leid, dies heilet so bald mir nicht,
    Dies singt kein Wiegensang, den tröstend
      Sterbliche singen, mir aus dem Busen.

Denn sie, die uns das himmlische Feuer leihn,
  Die Götter schenken heiliges Leid uns auch,
    Drum bleibe dies. Ein Sohn der Erde
      Schein' ich; zu lieben gemacht, zu leiden.

Wir sind scheinbar weit abgekommen von der Erörterung der geistesgeschichtlichen Methode bei der Interpretation eines einzelnen Werkes. Und doch sind wohl jetzt erst die beiden Thesen gesichert: die ausschließlich geistesgeschichtliche Interpretation eines Werkes kann leicht irren, wenn sie nicht im Blick auf die Ganzheit des Werkes betrieben wird. Und: die Ganzheit erfaßt man nicht, wenn man nacheinander und jeweils isoliert verschiedene Betrachtungsweisen anwendet, etwa die geistes- oder problemgeschichtliche für den Gehalt und die «ästhetisch-stilistische» für die Form. Unser Gedicht hat uns gerade durch seine Brüchigkeit gezeigt, daß die Form selber Gehalt mitbringt und daß der Gehalt nicht in irgendeine Form gegossen werden kann. Nicht das Wort von den «Bruchstücken einer großen Konfession», das die Geistesgeschichte so gern zitiert, sondern das andere

Goethewort: «Gehalt bringt die Form mit, und Form ist nie ohne Gehalt»
steht über dem Innersten der Literaturwissenschaft.

Ein Kunstwerk ist kein räumliches Gebilde, an dem man verschiedene
Seiten getrennt untersuchen kann, sondern eine Ganzheit, in der alle Schichten, die die Betrachtung sondern kann, letztlich aufeinander bezogen sind
und zusammen wirken. Diese Einsichten erscheinen um so gültiger, als sie
an einem Gedicht gewonnen wurden, das einer geistesgeschichtlichen Betrachtung entgegenkam, wie es etwa ein Lied niemals getan hätte. Aber auch
so zeigte sich noch, daß selbst ein sogenanntes gedankliches Gedicht nicht
von Ideen ausgeht, die nun in irgendwelche sprachliche und metrische Form
gebracht würden. So gewiß Dichtung Ideen und Probleme enthält, sie entsteht nicht aus dem Drang nach ihrer Aussprache, noch formt es sich als ihre
Aussprache. Es ist nicht ungefährlich, die Ideen eines Werkes auf die Ko-
ordinatensysteme der Weltanschauung des Dichters, des Geistes der Epoche
oder der Struktur des objektiven Geistes zu beziehen, in der Meinung, nur
so zu einer Orientierung zu kommen. Es ist ein Grundmangel der geistesgeschichtlichen Forschung, daß sie meint, eine Idee in einem Kunstwerk
sei ohne weiteres identisch mit einer Idee des philosophischen Denkens,
stehe in den gleichen Sinnbezügen und sei deshalb ohne Bedenken aus ihrer
Einkleidung herauslösbar. Der Gehalt gehört völlig in die Gegenständlichkeit des Werkes, von der wir erkannten, daß sie eigener Art ist. Die Untersuchung des Gehalts hat sich deshalb zunächst an der Struktur des Werkes
zu orientieren, an der Struktur der Welt, die in dem Werk lebendig geworden ist. Hölderlins eigene Worte an Neuffer können belehren, daß seine
Größe als Dichter nicht von der Tiefe seiner Ideen, sondern dem vollen Leben der jeweiligen Gestaltung abhängt. An Ideen fehle es ihm nicht, bekannte Hölderlin, und fühlte dabei seine Mängel als Dichter und bat um
Rat. Die Situation wiederholte sich (wie sie sich immer wiederholen wird):
Als der Maler Degas zu Mallarmé kam und sich beklagte, daß seine Liebe
zum Versemachen unglücklich sei, obwohl es ihm doch nicht an Ideen fehle,
da antwortete der Dichter: «Mon cher Degas, ce n'est pas avec des idées
qu'on fait des vers, c'est avec des mots!»

KAPITEL VIII

DER RHYTHMUS

1. METRUM UND RHYTHMUS

Im dritten Kapitel wurden die Grundbegriffe des Verses besprochen wie zum Beispiel Hebung, Senkung, Versfuß, Jambus, Trochäus, Alexandriner, Hexameter, Stanze bzw. ottava rima, Sonett, Reim, Assonanz u. s. f. Als zusammenfassender Begriff erschien der des Metrums, unter dem das Schema verstanden wird, das die Lage der Hebungen und Senkungen, den Bau der Zeilen, den der Strophen und die Lage des Reims angibt.

Das metrische Schema ist nicht für alle Gedichte gleichmäßig genau angebbar. Für eine sapphische Ode zum Beispiel läßt es sich bis in die kleinsten Einheiten vorhersagen: die Länge der Strophe, die Länge der Zeilen, die Verteilung von Hebungen und Senkungen sind eindeutig bestimmt. Demgegenüber läßt sich, um den Gegenpol zu nennen, bei Freien Rhythmen überhaupt kein metrisches Schema angeben, das im Gedicht erfüllt würde. Bei einigen Versmaßen zeigt sich, daß sie in den germanischen Sprachen metrisch fixierter sind als in den romanischen.

Es liegt in dem Begriff des Schemas, wie wir bereits früher sahen, daß es unabhängig von der jeweiligen Erfüllung besteht. Während aber das Schema immer das gleiche bleibt, zeigt sich schon bei oberflächlichem Hinhören, daß die Erfüllungen recht verschieden klingen. Man muß dabei von allem Inhaltlichen absehen, auch von den Lauten im einzelnen; es kommt nur auf die Realisierung des Metrischen an. Als Probe seien zwei Strophen gegeben, die metrisch das gleiche Maß benutzt haben:

Brentano:

Singet leise, leise, leise,
Singt ein flüsternd Wiegenlied,
Von dem Monde lernt die Weise,
Der so still am Himmel zieht.

Kingsley:

Airly Beacon, Airly Beacon;
O the pleasant sight to see
Shires and towns from Airly Beacon,
While my love climb'd up to me!

Eine metrische Hebung wird immer mit dem gleichen Zeichen angegeben (-). Bei den Gedichten zeigt sich, wie vielfältig die Erfüllungen sein können. Daß in Brentanos Gedicht keine Hebung an Stärke die Hebungen Kingsleys erreicht, liegt nicht am Unterschied der Sprachen. Und innerhalb von Brentanos Hebungen gibt es eine reich besetzte Skala: die erste Hebung der dritten Zeile zum Beispiel wird überhaupt nicht spürbar. Verschieden sind auch die Senkungen: bei Brentano sind sie klangvoller, länger als bei Kingsley. Bei diesem finden sich in der Mitte der 1. und 3. Zeile deutliche Pausen; bei Brentano fehlen sie zwar nicht völlig, sind aber ungleich schwächer. Die englische Strophe ist überhaupt viel straffer, sie muß schon artikulatorisch gespannter gesprochen werden.

Alle diese Verschiedenheiten sind nun nicht zufällige Unterschiede und Verschiedenheiten nur der jeweiligen Stelle. Sie hängen vielmehr alle miteinander zusammen: daß die Hebungen bei Brentano schwächer sind, die Senkungen länger, die Pausen gleitender, die Artikulation weniger gespannt als bei Kingsley, all das sind Manifestationen eines umfassenden, einheitlichen Phänomens: des RHYTHMUS. Das metrische Schema ist das gleiche, der Rhythmus ist verschieden; er gehört zu dem Individuellen jedes Gedichts.

Metrum und Rhythmus müssen also gesondert werden. Wer das Metrum eines Gedichts bestimmt, hat damit noch nicht den Rhythmus bestimmt. Beide Phänomene hängen gewiß zusammen: so verschieden der Rhythmus bei Brentano und Kingsley ist, er hängt jeweils von dem metrischen Schema ab, das zugrunde liegt. Das metrische Schema gleicht einem Kanevas, der bei der vollendeten Stickerei nicht mehr zu sehen ist, aber Richtung, Struktur und Dicke der Fäden beeinflußt hat.

Der Rhythmus ist eine ganz eigene Qualität der Verse; ihm wohnt eine besondere Kraft, eine besondere Magie inne. Es gibt viele Gedichte, die metrisch völlig korrekt sind, das heißt in denen die Hebungen und Senkungen und Pausen an der richtigen Stelle liegen. Und dennoch wirken sie matt und fade: es fehlt ihnen an einheitlichem, wirksamem Rhythmus. Der Schaffensprozeß beginnt gewöhnlich nicht mit der Wahl eines Metrums, das dann schlecht und recht ausgefeilt würde. Zahllos sind die Zeugnisse der Dichter, daß zunächst der Rhythmus da war, ja noch vor allem Sinn, vor allen Bedeutungen. So beschrieb Valéry einmal einen Schaffensvorgang (Deutsch-Französische Rundschau II, 1929, S. 709): «Vor einigen Jahren war ich von einem bestimmten Rhythmus besessen, der sich immer tiefer einprägte. Er schien Gestalt annehmen zu wollen, das aber konnte er nicht anders, als daß er sich Silben und Worte ihrem musikalischen Sinn gemäß ausborgte ... Durch ein plötzliches Bewußtwerden ergab sich dann eine Erweiterung der dichterischen Anforderungen: es zeigte sich eine Substitution der im ersten Stadium einstweilen aufgetretenen Silben und Worte ...» Lamartine bekannte: «Le rhythme m'enivrait déjà; mais le rhythme seul ressemble à ce chef d'orchestre qui bat la mesure avec son archet pendant les silences de la mélodie» (zitiert bei Knauer, Deutsche Vierteljahrsschrift 1937, S. 78). Selbst von Dichtern, die ausgesprochen unmusikalisch wirken und nur wenige oder gar keine Lieder geschrieben haben wie zum Beispiel Schiller, kann man solche Zeugnisse in beliebiger Fülle zusammentragen.

Aber was ist der Rhythmus? Es wird damit eine der heikelsten und umstrittensten Fragen gestellt, – nicht nur der Literaturwissenschaft. Denn vom Rhythmus spricht ja auch die Musik, sprechen andere Künste und Wissenschaften, und an der Diskussion haben sich Philosophen, Psychologen, Naturwissenschaftler und sogar Politiker beteiligt; Plato sprach als Staatsmann, als er bestimmte Rhythmen aus seinem Staat ausgeschlossen wissen wollte. Wir brauchen hier der seit griechischer Zeit anhängigen Erörterung des Rhythmusproblems nicht bis in die letzten philosophischen Tiefen zu folgen, brauchen nicht zu entscheiden, ob, wie einige wollen, der Rhythmus ein Phänomen der Natur ist – wobei auf das Rollen der Wellen, das Wehen des Windes, den Donner u.s.f. gewiesen wird –, oder ob er umgekehrt gerade eine spezifisch menschliche Eigenheit darstellt, eine geistige Fähigkeit, wie andere wollen, die erst der Mensch in die Welt hineinträgt. Wir können auch darauf verzichten, die nach Dutzenden zählenden Definitionen des Rhythmus zu nennen und zu erörtern. Es genügen hier einige Bemerkungen allgemeinerer Art, die lediglich eine Grundlage für die praktische literarische Rhythmusforschung darstellen sollen.

Der Rhythmus ist an die Zeit als weitesten Horizont gebunden. Diese Einsicht des Griechen Aristoxenos von Tarent ist wohl unbestritten. Weiterhin braucht der Rhythmus, um lebendig und wahrgenommen werden zu können, ein sinnliches Substrat, das in der Zeit verläuft; die rhythmische Empfänglichkeit beruht vor allem auf Gehör, Drucksinn und Muskelsinn. Wenn stummes Taktschlagen rhythmisch wirkt, so ist es auch beim Zuschauer der Muskelsinn, der ihm diesen Eindruck vermittelt, nicht das Auge. Vom Rhythmus eines Gemäldes, eines Bauwerks zu sprechen, ist gewöhnlich eine metaphorische Ausdrucksweise, die uns hier nicht weiterführt.

Aber das Dasein eines sinnlich wahrnehmbaren Substrats in der Zeit reicht nicht hin zur Erzeugung eines rhythmischen Eindrucks. Ein lang gehaltener Ton zum Beispiel ist niemals rhythmisch. Der Verlauf bzw. die Bewegung muß gegliedert sein. Wichtige und unwichtige Teile müssen sich sondern, und darüber hinaus müssen die wichtigen und unwichtigen untereinander irgendwie ähnlich sein, sie müssen zu einem und demselben System gehören. Nehmen wir die Sprache, die gesprochene Sprache, als Substrat, so ist sie gewissermaßen von Haus aus in wichtige und unwichtige

Elemente gegliedert. Einheiten des Sprechens sind die Silben, und sie sondern sich in betonte und unbetonte. Uns scheint dieses System so natürlich
zu sein, daß wir es oft als System jeder Sprache ansehen. Dabei aber konnte
schon früher darauf gewiesen werden, daß zum Beispiel die antike Verskunst
ein anderes System verwendete: dort war die Wichtigkeit durch die Dauer
der Silben verwirklicht.

Wir brauchen uns, wenn wir uns dem Verse in den neueren Literaturen
zuwenden, nicht lange mit der Frage aufzuhalten, wieweit auch in ihnen die
Dauer zu der Gliederung beiträgt. Von humanistischen Dichtern ist zu allen
Zeiten einmal der Versuch gemacht worden, nicht nur die antiken metrischen Schemen nachzubilden, sondern auch das antike Verssystem zu er-
neuern, das heißt die wichtigen Silben zugleich durch die Dauer (mit Hilfe
langer Vokale oder der Diphthonge) herauszuheben gegenüber den unwichtigen, die demgegenüber «kurz» gehalten wurden. Aber in allen Literaturen
sind das Experimente geblieben, die keinen Erfolg hatten. Das Verssystem
der romanischen und germanischen Sprachen ist eben primär akzentuierend
(oder, wie man auch manchmal sagt: tonisch). Damit soll nicht behauptet
werden, daß eine kurze, betonte Silbe im Vers nicht länger sei als dieselbe
Silbe in unbetonter Stellung. Die Silbe «in» ist zum Beispiel in dem ersten
der folgenden Verse gewiß länger als in dem zweiten:

> The rain set early in to-night ...
> For love of her, and all in vain ...

Mit besonderen Apparaten hat man die Dauerunterschiede genau bestimmt.
Trotzdem kann dieser Aspekt der Schallform bei der Rhythmusfrage außer
Betracht bleiben, da die Länge, wie man sieht, von dem Akzent als primärer
Größe abhängt. Ebenso kann auch der lautliche Aspekt bis zu einem be-
stimmten Grade vernachlässigt werden. An sich kann die Lautung allein
rhythmusbildend sein; man spricht von einem Rhythmus der Klangfarben.
Nehmen wir zum Beispiel an, daß in der folgenden Reihe alle Einheiten
(Silben) gleich stark und gleich lang seien:

> Bim, bim, bam, bim, bim, bam, bim, bim, bam ...

Die lautliche Nuancierung reicht völlig hin, um die Reihe zu rhythmisieren.
Trotzdem kann das unberücksichtigt bleiben, da im germanischen und romanischen Vers von daher nur sekundäre Wirkungen ausgehen: Steigerun-
gen der Wichtigkeit, die aber in erster Linie vom Akzent herkommt und so
von unserm Ohr erwartet wird.

Ebenso kann der melodische Aspekt unberücksichtigt bleiben. Wieder
reicht er ja allein hin, um eine Reihe zu rhythmisieren. Spricht man die folgenden Silben alle gleich lang und gleich stark, dabei aber die zweite, vierte,

sechste u. s. f. immer höher als die vorhergehende, so stellt sich ein rhythmisches Erlebnis ein:

$$\text{bim,}\ \overset{\text{bim,}}{\ }\ \text{bim,}\ \overset{\text{bim,}}{\ }\ \text{bim,}\ \overset{\text{bim}}{\ }\ ...$$

Aber für den Rhythmus unserer Verse ist das wieder irrelevant. Wohl spielt
in dem gesamten Schalleindruck, den wir von ihnen bekommen, die melodische Stimmführung eine große Rolle: man spricht, unter Verwendung
eines musikalischen Begriffes, von der Melodie. Und auch ein Prosasatz hat
natürlich «Melodie». Es ist ein eigenes Beobachtungsfeld, die Melodie von
Prosa oder Dichtungen zu untersuchen; der Leser kann an den oben gegebenen Beispielen abhören, wie verschieden in dieser Hinsicht die Zeilen aus
Brentano und Kingsley klingen. Solche Untersuchungen sind wiederholt
durchgeführt worden; auch für die Sprachwissenschaft stellt sich ja die
Frage, was die Stimmführung leisten kann, und weiterhin, ob es zum Beispiel typische Unterschiede in der Satzmelodie der einzelnen Sprachen gibt.
Aber all das stellt eben ein eigenes Beobachtungsfeld innerhalb der Sprache
bzw. der Dichtung dar: bei der Behandlung des Rhythmus brauchen wir
grundsätzlich nicht auf die Melodie zu achten.

Aber um schließlich Sprache zu finden, die durch den Akzent in wichtige
und unwichtige Einheiten gegliedert ist, brauchen wir gar nicht bis zum
Verse zu gehen; auch die Prosa, die Sprache des Alltags unterscheidet zwischen wichtigen und unwichtigen Teilen (Silben), wobei eben der Akzent
Wichtigkeit mitteilt. Jeder Prosasatz in einer germanischen oder romanischen Sprache erfüllt alle Bedingungen, die oben angegeben wurden: eine
gegliederte, in der Zeit verlaufende, sinnlich wahrnehmbare Bewegung zu
sein. Danach hätte also auch alle Prosa Rhythmus?

Hier liegt eine Quelle von Mißverständnissen und Irrtümern. Ohne Frage
ist alle Prosa gegliedert, und es hat seinen guten Sinn, die Prosa eines
Schriftstellers daraufhin zu untersuchen. Aber es haben sich Bedenken erhoben, diese dem Sprechen bereits eigene Gliederung als Rhythmus zu bezeichnen. Tatsächlich wären ja dann im Blick auf die sinnliche Seite des
Sprechens Gliederung und Rhythmus synonyme Ausdrücke, man brauchte
im Grunde den Ausdruck Rhythmus gar nicht mehr. Demgegenüber haben
manche Forscher den Begriff Rhythmus dahin näher bestimmt und ihn so
von «Gliederung» unterschieden, daß sie ihm eine gewisse Wohlgefälligkeit als wesentlich zuerkennen. Sie kommen damit schon zu einer leichten
Grenzziehung zwischen alltäglicher und «literarischer» Prosa, die ja sachlich durchaus geboten erscheint. Solche Forscher sagen, daß die literarische
Prosa durch ihre deutlich wahrnehmbare und mehr oder weniger bewußt
vom Autor erstrebte Wohlgefälligkeit ausgezeichnet sei. Wir werden uns
später mit der Untersuchung des sogenannten Prosarhythmus zu beschäfti-

gen haben und noch sehen, ob wirklich in der Wohlgefälligkeit der entscheidende Unterschied liegt. Hier kommt es zunächst darauf an zu betonen, daß zwischen dem wohlgefälligsten Prosarhythmus und dem Versrhythmus noch ein grundsätzlicher Unterschied besteht. Die Gleichheit des Wortes «Rhythmus» darf nicht dazu führen, diesen Unterschied zu verwischen. Es gibt Literaturwissenschaftler – und der Verfasser rechnet sich zu ihnen –, die den Begriff Rhythmus am liebsten auf den Versrhythmus einschränken möchten. Aber angesichts der herrschenden Sprachgebung, in der der Begriff Prosarhythmus durchaus üblich ist, erscheint es nicht ratsam, in einer Einführung in die Literaturwissenschaft jene terminologische Trennung durchzuführen.

2. DER VERSRHYTHMUS

Um den grundsätzlichen Unterschied zwischen Prosa- und Versrhythmus sinnfällig zu machen, hat A. Heusler in seiner deutschen Versgeschichte (I, §§ 22, 23) eine Prosaperiode (aus Nietzsches *Fröhlicher Wissenschaft*) und zwei Verszeilen (aus Goethes *Legende vom Hufeisen*) gegenübergestellt:

«Überall aber, wo wir als Leidende *bemerkt* werden, wird unser Leiden flach ausgelegt.»

Káuft ihrer so wénig óder so víel,
áls man für einen dréier gében will.

Heusler sagt dazu u. a.: «Ihr Unterschied kann keinen Augenblick dunkel sein. Dort, in der Prosa, verspüren wir eine untergeordnete, regellose Folge; hier, im Verse, Ordnung, Gleichmaß. Dabei haben wir mit Fleiß eine Versprobe gewählt von stark bewegtem Gang, damit uns das alte Schlagwort ‚regelmäßiger Wechsel leichter und schwerer Silben' nicht die Kreise störe.»
Man könnte manche Unterschiede anführen: daß wir in der Prosa unsicher sind, die Akzente richtig gelegt und in richtiger Stärke ausgesprochen zu haben, bzw. daß wir verschiedene Betonungsweisen zulassen, während im Vers kaum Zweifel möglich sind. (Daß man im ersten Vers, wie Heusler zugibt, auch «Kauft íhrer» lesen kann, ist kein stichhaltiger Einwand. Im Anfang des germanischen Verses herrscht immer eine gewisse Freiheit.) Weiterhin ist die Skala der Akzentstärke in der Prosa reich besetzt, während sich im Vers die Hebungsschweren merklich angenähert haben. (Rückblickend zeigt sich, daß auch in der Probe aus Brentano die Skala einfacher ist als in einem Prosatext.) Aber das Entscheidende bleibt doch eben, daß man im Verse eine Ordnung empfindet, die der Prosa einfach fehlt. Genaueres Hinhören läßt erkennen, daß diese Ordnung wohl mit der Gleichmäßigkeit in den Hebungsabständen zusammenhängt: im Vers keh-

ren die herausgehobenen Einheiten in annähernd gleichen Abständen wieder. Verrier hat in seinem *Essai*, wie manche anderen Verswissenschaftler auch, den Rhythmus von daher definiert: «Le rhythme est constitué par le retour du temps marqué à intervalles égaux.»

Die experimentelle Forschung hat sogar festgestellt, daß es einen sogenannten Optimalwert für die Intervalle gibt, er liegt bei etwa $^2/_3$ Sekunden. So sprechen wir zum Beispiel in Freien Rhythmen mehr Akzente, wenn wir langsam rezitieren, unterdrücken aber bei schnellerem Vortrag manche Akzente, um eben jenes Maß zu erreichen. Zur Erklärung des zunächst seltsamen Phänomens hat man auf den Herzschlag und auch auf den menschlichen Gang gewiesen und Beziehungen von daher vermutet. Treffen sie zu, so offenbart sich damit nur um so mehr das Geheimnis des rhythmischen Phänomens, das also an die menschliche Natur gebunden ist. (In die gleiche Richtung weist die Tatsache, daß zu große Abweichungen von jenem Maß kein rhythmisches Erlebnis mehr aufkommen lassen. Gleichmäßig fallende Tropfen gliedern wir rhythmisch, und zwar so, daß ungefähr jenes Optimum verwirklicht wird. Fallen die einzelnen Tropfen aber etwa im Abstand von 10 Sekunden, so ist uns eine rhythmische Gliederung unmöglich. Die Rede vom Rhythmus der Tages- und Jahreszeiten erweist sich von neuem als metaphorische Sprechweise, die auf keinem unmittelbaren sinnlichen Erlebnis eines Rhythmus beruht.)

Die akzentuierten Silben kehren im Vers in annähernd gleichen Abständen wieder: so daß wir die nächste Betonung bereits vorauserwarten. Die Vorauserwartung ist eines der bedeutendsten Kennzeichen des Versrhythmus und einer der fundamentalen Unterschiede zum Prosarhythmus. Der Hörer ist in etwas eingeschwungen, das als Kontinuum da ist. Die wohlgefälligste Gliederung der Prosa ist demgegenüber nur punkthaft, ist wohlgefällig an dieser Stelle, aber schafft keine berechtigten Erwartungen für das Kommende.

Die Annäherung der Hebungsabstände verbindet sich im Vers mit einer Tendenz zu annähernd gleicher Füllung der Senkungen. Heuslers Beispiel war in der Unregelmäßigkeit der Senkungen auffällig; viersilbige sind an sich eine Seltenheit in der Verssprache (während in der Prosa die Spannungen noch erheblich größer sein können), und in den weitaus meisten Versen sind die Unterschiede in der Füllung der Senkungen gering und geregelt.

Die Gleichheit der Füllung ist in den meisten Verszeilen der germanischen Literaturen sichtbarer ausgeprägt. Ein jambisches oder trochäisches Maß scheint, wie wir einschränkend sagen wollen, von vornherein die Senkung als einsilbig festzulegen:

> Sah ein Knab ein Röslein stehn,
> Röslein auf der Heiden,
> War so jung und morgenschön,
> Lief er schnell, es nah zu sehn,
> Sah's mit vielen Freuden ...

In den romanischen Zeilen ist metrisch weniger vorherbestimmt, aber in der sprachlichen Erfüllung sind die Unterschiede nicht mehr so groß. Dem vierhebigen Jambus in folgenden Zeilen Robert Brownings:

> The rain set early in to-night,
> The sullen wind was soon awake,
> It tore the elm-tops down for spite,
> And did its worst to vex the lake ...

entspricht im Romanischen der Achtsilber. Im Portugiesischen und Spanischen findet er sich in den mittelalterlichen Liedersammlungen häufig; in neuerer Zeit wurde er unter dem Einfluß der Franzosen wieder aufgenommen, bei denen er recht beliebt ist. Wir bringen einige Zeilen von Valéry:

> Tes pas, enfants de mon silence,
>
> Saintement, lentement placés,
>
> Vers le lit de ma vigilance
>
> Procèdent muets et glacés.

Die Lage der Akzente und die Füllung der Senkungen ist gewiß nicht so regelmäßig wie in der englischen Strophe. Trotzdem stellen sich einfache Zahlenverhältnisse her, wenn man ein Schema derart entwirft, daß man angibt, die wievielte Silbe den Akzent trägt:

2	2	4	(Browning:	2	2	2	2
3	3	2		2	2	2	2
3	3	2		2	2	2	2
2	3	3		2	2	2	2)

Noch ähnlicher werden die Bilder beim Alexandriner. Guilbert Murray hat freilich die These einiger französischer Theoretiker widerlegt, wonach der französische Alexandriner gewöhnlich aus vier «Anapästen» gebildet sei, also dem Schema 3 3 / 3 3 folge. Die folgenden Zeilen aus dem Schluß der *Iphigénie* von Racine:

> Venez: Achille et lui, brûlant de vous revoir,
> Madame, et désormais tous deux d'intelligence

sähen schematisiert so aus: 2 2 2 / 2 2 2 / 2 2 2 / 2 2 2 oder vielleicht besser: 2 2 2 / 2 4; 2 4 / 2 4. Die erdrückende Mehrzahl der französischen Alexandriner ist jambisch oder anapästisch oder, nach Halbzeilen, gemischt jambisch/anapästisch bzw. anapästisch/jambisch. Auf jeden Fall entstehen immer einfache Zahlenverhältnisse.

Solche Zählungen stehen im Mittelpunkt der rhythmischen Untersuchungen, die der Rumäne Pius Servien (Coculesco) an französischen Dichtungen durchgeführt hat und die in Frankreich so lebhafte Diskussionen wachriefen. Servien verkennt nicht die Tatsache, die von grundsätzlicher Bedeutung ist und mit der alle Rhythmusforschung zu rechnen hat: daß nämlich im Französischen (wie auch in anderen romanischen Sprachen) die Akzentuation schwächer ist als in den germanischen. (Aus dieser Tatsache erklärt sich zum Beispiel die größere Wichtigkeit des Reims im Französischen gegenüber dem Germanischen.) Aber Servien ist doch völlig im Recht, wenn er mit Nachdruck darauf hinweist, daß die Akzentuierung auch für den französischen Vers von der größten Bedeutung ist: der Rhythmus der französischen Dichtung ist trotz alledem weithin «tonisch». Servien weist durch schematische Umschriften, wie wir sie zuletzt angewandt haben, im einzelnen nach, daß die Hebungsabstände bestimmten Gesetzmäßigkeiten gehorchen, daß «einfache Gesetze» sie regieren.

Aber es ist die Frage, ob auf diese Art wirklich schon der Rhythmus eines poetischen Werkes erfaßt wird. Wollte man sich etwa beim germanischen Vers mit solchen Schematisierungen begnügen, so käme man beinahe zu einer Gleichsetzung von Metrum und Rhythmus. Das für Brownings Verse ermittelte Schema 2 2 2 2 u.s.f. ist das des Metrums, es ist das unzähliger anderer Gedichte, besagt aber nichts über den Rhythmus dieses Gedichts. Selbst für die Rhythmusforschung an romanischen Versen scheinen uns die Untersuchungen Serviens erst eine Vorbereitung zu sein.

Tatsächlich besteht nicht schon darin die Ordnung des Rhythmus in der Poesie, daß die Hebungsabstände regelmäßig sind und die Füllungen einem einfachen Gesetz gehorchen. Wir haben bereits betont, daß strenge Regelmäßigkeit, d. h. korrekte Erfüllung des metrischen Schemas lähmend auf den Rhythmus wirkt. Der Leser kann an den zitierten Versen von Goethe und Browning die Probe machen: je gleichmäßiger er die Akzente realisiert, desto starrer werden die Verse. Erst wenn man «ungleich» betont, gewinnen sie rhythmisches Leben. So sind in der zweiten Zeile Brownings die 2. und 4. Hebung kräftiger zu lesen als die 1. und 3. In der vierten Zeile wird bei richtigem Vortrag die 1. Hebung überhaupt nicht realisiert. Ebenso müssen in der dritten und vierten Zeile bei Goethe (Heidenröslein) die 2. und 3. Hebung viel kräftiger gelesen werden als die umgebenden; die ersten werden fast zu Senkungen.

Man hat den fünfhebigen Jambus bei Shakespeare, Goethe und anderen Meistern des Verses untersucht und gefunden, daß die wenigsten Zeilen alle fünf Hebungen verwirklichen, meist sind es nur vier oder drei.

Aber mit solcher Berücksichtigung der verschiedenen Hebungsschweren ist die rhythmische Untersuchung erst am Anfang. Wenn etwa in der Weise Serviens die Schemen der Zeilen mit 2 2 2 2 oder 4 2 2 aufgezeichnet werden, so droht hier sogar die Gefahr eines Irrweges, eines Abgleitens in Augen-Rhythmik. Auf dem Papier sind dabei nämlich Gruppen entstanden, die in der Wirklichkeit gar nicht so da sind. Hinter einer Hebung ist gar kein merklicher Einschnitt, die Bewegung gleitet weiter. Die rhythmische Ordnung des Verses ist nicht einfach die Verteilung der Hebungen und die Bildung von Gruppen unter der Herrschaft eines Akzentes. Die papiernen Gruppen sind in der Wirklichkeit des Verses in eine größere Gruppe eingeschmolzen, die im Falle Brownings die der Zeile ist. Man nennt diese echten Gruppen des Verses, die also durch merkliche Pausen abgegrenzt sind, KOLA. Nicht die Hebungsabstände mit ihren einfachen Zahlenverhältnissen, sondern die Kola sind die Einheiten des Rhythmus; seine Ordnung im Verse existiert als die Ordnung der Kola, als ihre Bildung und Entsprechung.

Das rhythmische Leben der Goetheschen Strophe beruht zum Beispiel darauf, daß das letzte Kolon in sich fest gefügt ist und daß in ihm alle drei Hebungen nachdrücklich realisiert werden. Dadurch bildet es den wirksamen Abschluß zu den vorangehenden Zeilen, die durch die leichte Zweiteilung und die Schwäche der Eingangshebungen bewegter sind (es vollzieht sich in ihnen eine Gegenbewegung: jedesmal ein rascher Anstieg zur zweiten Hebung, in der zweiten Zeilenhälfte dann ein langsamerer Abstieg von der dritten Hebung ab). Die Schlußzeile gibt der rhythmischen Bewegung der Strophe den festen Halt.

Daraus wird bereits deutlich, daß nicht die Gedichte die besten sind, in denen die Kola möglichst gleich sind. So wie lauter gleichmäßig schwere Hebungen den Rhythmus töten, so töten ihn auch lauter gleichmäßige Kola. Dieser Gefahr ist zum Beispiel Milton in seinem *Il Penseroso* nicht immer entgangen: vierhebige Zeilen, paarweise gereimt, wirken auf die Dauer rhythmisch monoton:

> Or call up him that left half told
> The story of Cambuscan bold,
> Of Camball, and of Algarsife,
> And who had Canace to wife,
> That own'd the vertuous Ring and Glass,
> And of the wondrous Hors of Brass,
> On which the Tartar King did ride;
> And if ought els, great Bards beside,

In sage and solemn tunes have sung,
Of Turneys and of Trophies hung;
Of Forests, and inchantments drear,
Where more is meant then meets the ear ...

Die Monotonie wird besonders eindringlich, wenn die gleichlangen Kola auch gleich gebaut sind: in den zitierten Versen liegt der Hauptakzent zu häufig auf der dritten Hebung. Milton hat die Gefahren offensichtlich gespürt: durch Trochäen und gelegentliche zweisilbige Senkungen hat er zu variieren gesucht. Dabei überrascht, daß er nicht häufiger das Mittel benutzt hat, mit dem in den germanischen Literaturen so oft die Kola variiert werden: durch den Wechsel von männlichen und weiblichen Zeilenausgängen. So unterscheiden sich im Volkslied oft die Zeilen:

Ich hört' ein Sichelein rauschen,
Wohl rauschen durch das Korn,
Ich hört' ein feine Magd klagen,
Sie hätt' ihr Lieb verlorn.

Der Wechsel zwischen männlichem und weiblichem Ausgang steht auch dem fünfhebigen Jambus frei, sei es in seiner reimlosen Form, wie ihn das englische und deutsche Drama verwenden, oder sei es gereimt wie etwa in der Stanze oder im Sonett. Daß das Deutsche davon mehr Gebrauch macht als das Englische erklärt sich aus morphologischen Gründen: im Englischen sind die im Deutschen erhaltenen unbetonten Endungen abgefallen.

In dem Beispiel aus Milton zeigte sich, daß in diesem Fall jede Zeile ein Kolon darstellt. In den Versen bis zu vier Hebungen wird das gewöhnlich der Fall sein. Demgegenüber zeigt sich bei fünf- und mehrhebigen Versen eine deutliche Tendenz zur Untergliederung in zwei oder mehr Kola. Damit wird die rhythmische Bewegtheit größer. (Der Fall des Alexandriners widerspricht dem nicht; denn in ihm sind durch die starre Zäsur die Kola gleichmäßig gemacht. Es ist im Germanischen, wo die Lage aller Hebungen bestimmt ist, sehr schwer, ihn rhythmisch lebendig zu halten.)

Um die Aufgliederung des Blankverses sinnfällig zu machen, genügen wenige Zeilen, die Shakespeares *Hamlet* entnommen wurden:

... To die, – to sleep, –
No more; and by a sleep to say we end
The heart-ache and the thousand natural shocks
That flesh is heir to, – 'tis a consummation
Devoutly to be wish'd. To die, – to sleep; –
To sleep! perchance to dream; – ay, there's the rub;
For in that sleep of death what dreams may come ...

Durch die Schnitte entstehen die verschiedenartigsten Kola: $\cup-$; $\cup-\cup$; $\cup-\cup-$; $\cup-\cup-\cup$; $-\cup-\cup$; $\cup-\cup-\cup-$ u.s.f., die nun noch durch verschiedene Abstufung der Hebungsschweren weiter variierbar sind. Was in den zitierten Versen rhythmischen Halt gibt, ist die Wiederkehr des wuchtigen Kolons $\cup-\cup-$ (to die, to sleep; perchance to dream; what dreams may come), in dem beide Hebungen kräftig realisiert werden. Wir bezeichnen ein solches beherrschendes Kolon als RHYTHMISCHES LEITMOTIV. Aber man erkennt auch, wie leicht – beim Fehlen eines Leitmotivs – der Blankvers rhythmisch diffus werden kann. Sein großer Vorzug, die außerordentliche Modulationsfähigkeit, ist zugleich seine Gefahr. Denn er gibt wenig Halt, und leicht kann es in ihm bis zur Aufhebung aller Symmetrie in den Kola kommen. Man begreift die Klagen Goethes, Schillers, Platens und anderer, daß er zuwenig «feierlich» sei und daß er «die Poesie zur Prosa herunterziehen» lasse.

Tatsächlich war es ein leichtes, zur Zeit des Naturalismus, als das Theaterpublikum keine Verse auf der Bühne liebte, die Dramen im Blankvers wie Prosa zu sprechen. In Frankreich war es mit dem Alexandriner schon schwieriger; aber die Versfeindlichkeit bzw. Bequemlichkeit von Schauspielern und Publikum hat es auch da fertiggebracht.

Wo aber die Kola ein Grundmaß (oder mehrere) variieren, da lebt Rhythmus, und solche Einbeziehung der rhythmischen Gruppenbildung scheint uns überall da geboten, wo man sich mit Versrhythmus beschäftigt. Zugleich wird dadurch der Blick frei für den Zusammenhang der Kola, für den Gefügecharakter des Ganzen. Eine rhythmische Untersuchung, die darauf ihr Augenmerk richtet, ist in der Lage, den individuellen Rhythmus eines Werkes, seine RHYTHMISCHE GESTALT zu ermitteln. Es leuchtet ein, daß diese Gestalt da bedeutsamer, sinnfälliger und darum auch leichter zu erfassen ist, wo es sich um kleine Ganzheiten handelt. Für ein lyrisches Gedicht bedeutet der Rhythmus mehr als für ein Drama, das einheitlich in Blankversen verläuft, oder für ein Epos, das in gleichen Zeilen oder Strophen geschrieben ist. Hier werden rhythmisch ausdrucksvollere Stellen indifferenteren gegenüberstehen, während in einem Gedicht jede Stelle als Teil einer einheitlichen Gestalt fungiert und indifferente Stellen das Ganze zu zerbrechen drohen.

3. ZWEI BEISPIELE (LONGFELLOW, BRENTANO)

Als Text für eine vollständige Analyse sei ein kleines, anspruchsloses Gedicht von Longfellow gewählt:

The Arrow and the Song

I shot an arrow into the air,
It fell to earth, I knew not where;
For, so swiftly it flew, the sight
Could not follow it in its flight.

I breathed a song into the air,
It fell to earth, I knew not where;
For who has sight so keen and strong,
That it can follow the flight of song?

Long, long afterward, in an oak
I found the arrow, still unbroke;
And the song, from beginning to end,
I found again in the heart of a friend.

Bei dem Versuch, den Rhythmus zu erfassen, darf eine vereinfachende Schematisierung nicht gescheut werden. x meint eine unbetonte Silbe, x́ eine betonte, x̀ eine leicht betonte; ' meint einen leichten Einschnitt, / einen deutlich merkbaren.

x x́ x x x ' x̀ x x x /
x x́ x x́ / x x́ x x́ /
x x x́ x x x́ / x x́ /
x x x́ x x ' x̀ x x́ /

x x́ x x́ ' x̀ x x x́ /
x x́ x x́ / x x́ x x́ /
x x́ x x́ / x x́ x x́ /
x x̀ x x́ x / x x́ x x́ /

x́ / x́ x́ x x / x x x́ /
x x́ x x́ x / x́ x x́ /
x x x́ / x x x́ x x x́ /
x x́ x x́ / x x x́ x x x́ /

In drei gleich lange Strophen ist das Gedicht gegliedert, von denen jede eine klare Einheit bildet. Auch darin herrscht Übereinstimmung, daß die Zeilenenden deutlich merkbar werden. Weiterhin ist jede Zeile mehr oder weniger deutlich aus zwei Hälften zusammengesetzt, die freilich in einer gewissen Spannung zueinander stehen: die Pausen am Zeilenende sind endgültiger als die Einschnitte innerhalb der Zeilen. Aber wie die Hebungsschweren vielfältig abgestuft sind, so sind auch diese Einschnitte variiert, so daß die Kola abwechslungsreich sind. Aber es waltet mehr als ein «wohlgefälliger» Rhythmus, und man spürt auch, daß der Rhythmus mehr leistet, als manche Stellen besonders wirksam herauszubringen. Er dient nicht nur, sondern stellt eine eigene Kraft dar: wer genauer hinhört, der spürt seine Geschlossenheit, seine Gestalt. Und diesen Bewegungsverlauf muß die Analyse nachzeichnen.

Das feste Kolon x x́ x x́ x mit den deutlich markierten beiden Hebungen eröffnet. Es dominiert in den beiden ersten Zeilen, während die beiden nächsten, unter sich deutlich korrespondierend, bewegter sind: der Auftakt ist zweisilbig, die Einschnitte liegen später, so daß die Eingangskola schneller gesprochen werden müssen. Denn so fest ist die Ordnung schon, daß sie eine annähernd gleiche Zeitausdehnung ihrer Einheiten (Kola) erzwingt. Der Rhythmus unterstreicht hier zugleich wirkungsvoll die Bedeutungen: den schnellen Flug und das rasche Nachblicken. Die Schlußhebungen, die in kürzeren Kola stehen, erfahren durch die notwendige Dehnung eine starke Beschwerung.

Wie die zweite Strophe den Inhalt und zu einem Teil die Wörter der ersten Strophe wiederholt, so wiederholt auch der Rhythmus die straffe Gliederung. Er unterstreicht die Analogie noch kräftiger, indem jetzt die 3. und 4. Zeile ganz der gleichen Bewegung folgen. Das Kolon x x́ x x́ (x), wobei die zweite Hebung etwas kräftiger ist als die erste, erweist sich als rhythmisches Leitmotiv. Die Wiederholung hat sogar etwas Ermüdendes, Belastendes. Der Rhythmus wird zum Ausdrucksträger der Empfindungen, mit denen die Wiederholung des Verlustes vom Sprecher erlebt wird. Nur der Rhythmus: denn die Worte drücken nichts davon aus.

Die dritte Strophe beginnt völlig anders und kündigt damit ein Neues an. Wer das Gedicht vorgetragen hört, kann aus diesem Anfang heraushören, daß die dritte Strophe die letzte sein wird. Die erste Zeile ist dreifach gegliedert. Das erste Kolon besteht aus nur einer Silbe. Zum ersten (und einzigen) Male trägt die erste Silbe der Zeile den Akzent. Die Gedehntheit, mit der sie zu sprechen ist, gibt der Bedeutung erst den vollen Gehalt: der Rhythmus läßt den Hörer die ganze Länge unmittelbar erleben. Das dritte Kolon der ersten Zeile beschleunigt mit seinem zweisilbigen Auftakt die Bewegung von neuem: ein neuer Vorgang wird hervorgerufen. Aber es ist das vertraute Leitmotiv, das erklingt: deutlicher als durch den bestimmten Artikel wird der Pfeil damit als derselbe beglaubigt. Auch das Auffinden des Liedes vollzieht sich in dem gleichen Leitmotiv: I found again. Aber das ereignet sich nun doch schon in einer neuen Bewegung. Um das recht zu erfassen, müssen wir den Blick noch einmal zurücklenken.

Jede Zeile des Gedichts baut sich aus zwei Teilen auf, die in innerer Spannung stehen. Jede der beiden ersten Strophen ist nun aber auch in sich doppelt gegliedert: in den Zeilen 1 und 2 ist immer das erste Kolon gewichtiger als das zweite, während in den Zeilen 3 und 4 der Nachdruck auf dem zweiten Kolon liegt, die Spannung zu ihm hingeht. So erwartet der Hörer denn auch in den beiden letzten Zeilen des Gedichts den Nachdruck am Ende. Der Nachdruck ist tatsächlich um so eindringlicher, als die beiden Kola völlig gleich sind, dabei aber von einer neuen Form: x x x́ x x x́. Es ist gewiß eine Abwandlung des bisherigen Leitmotivs, aber doch eben eine merkliche und ausdrucksvolle Abwechslung. In der neuen Form ist das Kolon fülliger, wärmer, beseelter als in seiner nüchterneren, härteren Gestalt x x́ x x́. Wie die dritte Strophe sich als Ganzes von den beiden parallelen Eingangsstrophen rhythmisch abhebt, so bedeuten gerade die beiden Schlußzeilen mit ihrer Eigenheit einen sinnfälligen und ausdrucksvollen Abschluß der ganzen Bewegung. Der Rhythmus ist zu einer festen, geschlossenen Gestalt geworden und läßt keine Fortsetzung des Gedichtes mehr zu. Er leistet mehr als die Heraushebung der Bedeutungen an einzelnen Stellen.

Wir geben als zweites Beispiel die rhythmische Analyse eines Gedichts von Brentano (der Verfasser übernimmt das Beispiel aus seiner *Kleinen deutschen Versschule*).

Wiegenlied

Singet leise, leise, leise,
Singt ein flüsternd Wiegenlied,
Von dem Monde lernt die Weise,
Der so still am Himmel zieht.

Singt ein Lied so süß gelinde,
Wie die Quellen auf den Kieseln,
Wie die Bienen um die Linde
Summen, murmeln, flüstern, rieseln.

Das kleine Lied ist von einer bezwingenden Gewalt. Wir sind völlig «drin». Dabei enthält es keine großen Gedanken, nicht einmal kleine, glänzt nicht durch sprachliche Prägungen; im Grunde realisieren wir die Bedeutungen kaum. Wir fühlen hier und da etwas auftauchen: irgendwo steigt der Mond auf, ein lichtes Dunkel umfängt uns, harmonische Klänge werden wach. Aber es schließt sich nichts zu einem anschaulichen «Bilde», und es stiften sich keine festen Beziehungen zwischen den Phänomenen, die da auftauchen. Es käme auch etwas Schlimmes heraus, wenn wir es erzwängen: vom Monde sollten wir eine Melodie lernen oder den Quellen ein Lied ablauschen, sollten es sogar den Bienen abhören, die des Nachts herumschwärmen. Und die Bienen singen gar nicht, sie murmeln, flüstern, sie rieseln. Es wird uns Unmögliches zugemutet, wollten wir die Bedeutungen voll erfassen und miteinander verbinden. Wir dürfen es nicht und tun es auch nicht. Andere Kräfte verhindern den Vollzug, weil sie uns ganz erfüllen, weil sie das Gedicht zur Gestalt aufbauen, so daß es in den Bedeutungen bei schemenhaften Andeutungen bleibt. Das ist einmal der Klang. Die letzte Zeile etwa ist im Klang von solcher zwingenden Steigerung, Aufhellung, von so unzerbrechbarer Fügung, daß wir nach keiner anderen, etwa logischen Rechtfertigung ihrer Fügung suchen. Das ganze Gedicht lebt darüber hinaus von der magischen Wirkung der weichen l- und m-Laute der hellen ei-, ie-, ü-Klänge, mit denen einige dunklere Töne wunderbar kontrastieren. Die andere Macht aber ist der Rhythmus, in den wir einschwingen. Zu seiner Fixierung bedienen wir uns der gleichen Zeichen wie bei dem Gedicht Longfellows:

$$\grave{x} \; x \; \acute{x} \; x \; / \; \acute{x} \; x \; / \; \acute{x} \; x \; /$$
$$x \; x \; \bar{x} \; x \; \acute{x} \; x \; \grave{x} \; /$$
$$x \; x \; \acute{x} \; x \; \text{'} \; x \; x \; \acute{x} \; x \; /$$
$$x \; x \; \acute{x} \; x \; \acute{x} \; x \; \grave{x} \; /$$
$$x \; x \; \acute{x} \; \text{'} \; x \; \acute{x} \; x \; \acute{x} \; x \; /$$
$$x \; x \; \grave{x} \; x \; \text{'} \; x \; x \; \acute{x} \; x \; /$$
$$x \; x \; \grave{x} \; x \; \text{'} \; x \; x \; \acute{x} \; x \; /$$
$$\grave{x} \; x \; \text{'} \; \acute{x} \; x \; / \; \acute{x} \; x \; / \; \acute{x} \; x$$

Eine langsame, in sich dreifach gegliederte Zeile eröffnet das Gedicht. Es folgt eine Zeile, die nur zwei Hauptbetonungen besitzt, so daß die Bewegung etwas rascher verläuft, und die etwas raschere Bewegung erhält sich, zumal immer die metrische Eingangshebung ganz schwach zu sprechen ist, so daß alle Zeilen gleichsam mit zweisilbigem Auftakt beginnen. Die dritte Zeile stellt eine neue rhythmische Einheit dar: sie gliedert sich in zwei Teile, jeder von dem Typus x x x́ x, und ist dadurch schwingender als die zweite, die von der ihr korrespondierenden vierten Zeile wiederholt wird. Aber das Schwingen, durch den dritten Vers erweckt, breitet sich jetzt aus. Es ergreift alles: es *ist* schon das Lied, das – den Bedeutungen nach – erst gesungen werden soll, es *ist* in den Quellen, *ist* in den Bienen. Die drei ersten Zeilen der zweiten Strophe sind von diesem rhythmischen Leitmotiv erfüllt, und um seinen Gleichklang zu stärken, gibt der Dichter sogar den männlichen Ausgang auf. Innerhalb der drei Zeilen vollzieht sich noch eine leichte Steigerung. Das erste Kolon endet, gleichsam gestaut, mit betonter Silbe:

Singt ein Lied ...,

die nächsten schwingen in einer unbetonten Silbe weiter aus. Am Ende der

dritten Zeile ist das Dringliche des Rhythmus so stark geworden, daß er fast
keinen Halt mehr dulden will, sondern über die Kolon-(Zeilen)-Grenze hin-
überzuschwingen sucht. Bis dann der Anfang der vierten Zeile die Bewegung aufhält (wozu die beiden dunklen u wesentlich beitragen): noch ist
die Kraft des Leitmotivs so groß, daß es keine Pause hinter «Summen» aufkommen läßt; aber nun beruhigt sich die Bewegung völlig, wir entgleiten
uns nicht, fassen Fuß in der Pause hinter «flüstern» und können in dem ie
von «rieseln», dem ersten langen Vokal nach fünf kurzvokaligen Hebungen
und dem längsten des ganzen Gedichtes, die Bewegung ruhig ausschwingen
und sich runden lassen. Denn die letzte Zeile kehrt in ihrem rhythmischen
Bau hörbar und genau zum Anfang zurück.

Wer sich so den Verlauf des Rhythmus bewußt gemacht hat, der steht
um so bewundernder vor den beiden kleinen Gedichten. Der fühlt freilich
auch, daß die Rhythmusanalyse an die Grenzen des Sagbaren, des Lern- und
Lehrbaren kommt. Beim Rhythmus kann auch der Dichter nicht mehr zählen und wägen: er hat Rhythmus oder hat ihn nicht, oder vielleicht besser:
der Rhythmus seines werdenden Gedichtes hat ihn oder hat ihn nicht.

Es läge nahe, in der dargestellten Weise auch Gedichte aus romanischen
Sprachen zu untersuchen. Es kann hier darauf verzichtet werden, da ein solcher Versuch schon an dem Gedicht Verlaines unternommen wurde (vgl.
o. S. 157).

4. RHYTHMUS UND VERSSPRACHE

Die beiden Analysen des Rhythmus lenken den Blick auf weitere, grundsätz-
lichere Zusammenhänge. An Brentanos Gedicht noch mehr als an dem Longfellows fiel auf, wie schwach die Bedeutungen realisiert werden. Gewiß gilt
für Gedichte, daß der Rhythmus erst durch die Verbindung mit den Wort-
deutungen zu seiner vollen Wirkung kam. Ein Dichter, der versuchte mit
dem Schall der Sprache zu musizieren wie ein Musiker mit Tönen, nimmt
einen Wettbewerb auf, bei dem er immer unterliegen muß. Und der hört
auf, Dichter zu sein; denn Dichten vollzieht sich in der Sprache, und zur
Sprache gehört wesensmäßig das Bedeuten. Immerhin bleibt bestehen, daß
in den Gedichten Longfellows und Brentanos die Bedeutungen nur schwach
wirkten, Klang und Rhythmus aber maßgebend an dem Aufbau des Gedichts zur Gestalt beteiligt waren.

Das ist nun eine Beobachtung, die keineswegs für alle Poesie überhaupt
gilt, nicht in diesem Maße jedenfalls. Man braucht nur irgendein Sonett daneben zu halten, um zu gewahren, daß hier die Bedeutungen viel kräftiger
sind. Es ist kein Zufall, daß Longfellow und Brentano nicht in Sonettform
geschrieben haben. Man erkennt unschwer, daß für ihren Rhythmus die

Vierzeiler mit ihren verhältnismäßig kurzen Zeilen den geeigneten Kanevas bilden. Wir stehen damit an einer Stelle, wo sich das Zusammenwirken von Metrum, Rhythmus und Stil offenbart und damit der Forschung als Problem bietet.

«Metre is but adventitious to composition» – dieser von Wordsworth vertretene Satz dürfte heute ebensowenig Zustimmung finden wie der fast gleichzeitig von Heinrich von Kleist im Hinblick auf den Vers geäußerte: «Es kommt auf die Schale nicht an, sondern auf die Früchte, die man darin bringt». Der Grundsatz, den demgegenüber die zeitgenössischen Theoretiker der Romantik, wie die Brüder Schlegel, Hazlitt, Shelley u. a., aufgestellt haben: der Vers sei dem Werk immanent, – dieser Grundsatz hat sich beherrschend durchgesetzt. Was hier in Frage steht, vergegenwärtigte Goethe mit dem Hinweis: «Wenn man den Inhalt meiner *Römischen Elegien* in den Ton und die Versart von Byrons *Don Juan* übertragen wollte, so müßte sich das Gesagte ganz verrucht ausnehmen» (zu Eckermann, 25. Februar 1824).

Die heutige Auffassung kann mit den Worten eines der besten Kenner, W. P. Ker, wiedergegeben werden: «The tune of the verse is part of the meaning of the poem ... poems begin in the mind of the poet as a tune without words, and he discovers words agreeing with the pattern. The pattern is not a scheme to be filled up with a certain number of syllables, but something living in the poet's mind» (*Form and Style*, S. 201). Wir möchten sogar ergänzend sagen: auch aus eigener Kraft lebend. Denn häufig genug wird man feststellen, daß sich ein Dichter vergriffen hat und daß die Ausdruckstendenzen der metrischen Form einerseits und des Rhythmus und sprachlichen Stils andererseits dissonieren. Ker selber weist an einer Stelle darauf, daß Byron für *The Corsair* einen falschen Vers gewählt habe. Solche Mißgriffe kommen in neuerer Zeit leichter vor als in älterer; denn dort war in den Poetiken die Eignung der Verse festgelegt. Gewiß oft zu eng; aber der Dichter, der sich daran hielt, konnte nicht fehlgreifen. Lope de Vega hat in seinem *Arte nuevo de hacer comedias* die herrschende Meinung der Poetiken in Verse gebracht, die als Probe zitiert sein mögen:

> Acomode los versos con prudencia
> a los sujetos de que va tratando:
> las décimas son bueans para quejas;
> el soneto está bien en los que aguardan;
> las relaciones piden los romances,
> aunque en octaves lucen por extremo.
> Son los tercetos para cosas graves,
> y para las de amor las redondillas.
> Las figuras retóricas importan ...

(Daß er die Versart klug verpasse mit
den Gegenständen, die er grade vorhat.
Die Zehnerzeilen passen gut zur Klage,
Und das Sonett ist recht für Wartende.
Berichte muß man als Romanzen geben,
doch in Oktaven glänzen sie besonders.
Für ernste Fälle brauche man Terzinen,
in Liebessachen eher Redondillen.
Rhetorische Figuren auch sind wichtig ...   K. Voßler)

Man wird heute freilich etwas zurückhaltender sein in der Zuordnung, die damals, wie man sieht, bis ins Inhaltliche ging; bestimmte «Sachen» waren mit bestimmten Stilschichten fest gekoppelt. Wenn die Poetiken des 17. Jahrhunderts zum Beispiel den daktylischen Zeilen einen hüpfenden, fröhlichen Charakter als Ausdruckswert zusprachen, so war das genau so eng und einseitig wie die Meinung, in der Musik trage und schaffe der ¾-Takt immer fröhliche Beschwingtheit. ¾-Takt kann, aber muß nicht immer Walzertakt oder Ländlertakt sein. Erst das Werk läßt in Deutlichkeit erkennen, wie und wozu die metrische Form dient. Zugleich ist damit zu rechnen, daß die metrischen Formen verschieden starke Dispositionen mitbringen; manche sind anmaßender als andere. Wir sahen bereits, daß der fünfhebige Jambus überaus modulationsfähig ist und ohne Konflikte erhabenes wie banalstes Sprechen in sich aufnimmt.

So erscheint es aussichtsreich, die Zusammenhänge zwischen Metrum, Rhythmus und Stil gerade vom Rhythmus her zu ergreifen, dem die beiden anderen innerlichst zugeordnet sind. Indes steht die Rhythmusforschung, die versucht, über die Analyse des einzelnen Werkes hinaus zu dringen zu Rhythmustypen, die nun zugleich Stiltypen sind, noch ganz in den Anfängen.

Wir setzen nochmals bei den beiden Gedichten Longfellows und Brentanos ein. Gemeinsam war dem Rhythmus in ihnen das ständige Weiterdrängen der Bewegung, die verhältnismäßige Schwäche der Hebungen, die Leichtigkeit und Gleichmäßigkeit der Pausen, die starke Korrespondenz der Kola, die wichtige Funktion der Zeilen. Wir bezeichnen diesen Typ als FLIESSENDEN RHYTHMUS.

Als ihm entsprechende metrische Grundlagen erscheinen vor allem die kurzen Zeilen. Als solche können in romanischen Literaturen die bis zu sieben Silben gelten, in germanischen die bis zu vier Hebungen. Bei längeren Zeilen stellen sich unvermeidlich Schnitte im Innern ein, so daß die Korrespondenz nicht so wirksam und das Zeilenende nicht so sinnfällig werden kann. Bei den kurzen Zeilen wird es durch den Reim noch kräftig unterstrichen. Da immer die gleichen bzw. ähnliche rhythmische Einheiten wiederkehren, fließt der Rhythmus ungehemmt in kleinen Wellen dahin. Als förderlich erweisen sich auch die kurzen, gleichmäßigen Strophen, die in sich locker gefügt sind: eher reihend als spannungsgeladen und kunstvoll in sich gegliedert.

So ist denn auch der Ton von einer gewissen Intimität. Wie der Reim bald wiederkehrt und somit stark ins Ohr fällt, so ist der Klang überhaupt ein starker Ausdrucksträger: man spürt eine dem Rhythmus gemäße Neigung zu weichen Klängen. Mit Klang und Rhythmus als bevorzugten Ausdrucksträgern verblassen die Bedeutungen ein wenig, zumal sie ja immer in der engen Bindung der ganzen Zeile stehen. Damit ist gesagt, daß der fließende Rhythmus weder zu großen Reflektionen geeignet ist, noch zu einem gedankenerfüllten Sprechen, noch zu einem lauten Pathos. Er hat eine Disposition, seelische «Gestimmtheit» auszudrücken; er ist dem «Lied» gemäß.

Aber die äußere Form ist nicht immer entscheidend. Es gibt im Französischen manche Lieder in fließendem Rhythmus, die den Alexandriner verwenden (vgl. etwa Gedichte der Comtesse de Noailles). Andererseits täuscht oft eine liedhafte äußere Form, wie in folgender Probe aus einem Gedicht von Tristan Corbière:

> ... Et les fidèles, en chemise,
> – Sainte Anne, ayez pitié de nous! –
> Font trois fois le tour de l'église
> En se traînant sur leurs genoux,
>
> Et boivent l'eau miraculeuse
> Où les Job teigneux ont lavé
> Leur nudité contagieuse ...
> – Allez: la Foi vous a sauvés! –
>
> C'est là que tiennent leurs cénacles
> Les pauvres, frères de Jésus.
> – Ce n'est pas la cour des miracles,
> Les trous sont vrais: Vide latus! ...

Man spürt beim Lesen oder Hören eine größere Spannung, eine größere Wucht als beim fließenden Rhythmus. Man meint geradezu eine Diskrepanz zwischen äußerer Form und Rhythmus zu empfinden, der sich hier einem Typus annähert, den wir als STRÖMENDEN RHYTHMUS bezeichnen.

Auch für ihn ist die ständig weiterdrängende Bewegung kennzeichnend, aber alles ist zunächst einmal großdimensionaler. Es wird mit größerem Atem und in größerer Spannung gesprochen, die Hebungen sind stärker herausgehoben und differenzierter, es gibt ausgesprochene Gipfel der Span-

nung; dementsprechend sind auch die Pausen differenzierter. Endlich sind –
infolge des größeren Atems und Schwunges – die Kola länger.

Als Beispiel für den strömenden Rhythmus braucht man nur an die Ilias
zu denken: der Hexameter erweist sich als geeignetes Strombett. Schiller
hat sein Wesen in dem folgenden Distichon ausgedrückt:

> Schwindelnd trägt er dich fort auf rastlos strömenden Wogen,
> Hinter dir siehst du, du siehst vor dir nur Himmel und Meer.

Eine andere Form sind die Freien Rhythmen, zu denen Klopstock kam,
da ihm alle anderen lyrischen Formen zu hemmend waren, als daß sich der
Strom der Empfindungen in ihnen hätte frei entfalten können. Goethes,
Hölderlins freirhythmische Hymnen gehören alle dem strömenden Rhythmus zu, im englischen Klassizismus die «pindarischen Oden», während sich
Rilke für die *Duineser Elegien* ein eigenes Maß geschaffen hat. Stilistisch ist
dem strömenden Rhythmus ein gehobener Ton gemäß, die Intimität des
Liedhaften ist der Volltönigkeit eines feierlichen Sprechens gewichen. Der
Strom der Bewegung verbietet, daß sich einzelne Stellen zu sehr herausheben, und die wuchtige Sinnlichkeit schließt eine zu abstrakte Geistigkeit
aus; gedankliche Zuspitzungen oder schillernde Gedankenspiele sind hier
kaum möglich oder werden gleich wieder eingeschmolzen.

Die Rolle des Hexameters als typisch epischen Verses nimmt in den romanischen Literaturen weithin die Stanze ein. Der kunstvolle Bau dieser
Strophe, der dreifache Aufstieg zu dem abschließenden Reimpaar, das die
Bewegung einhalten läßt, verhindern das Strömen, das der Hexameter verlangt. Wir bezeichnen den rhythmischen Typ, den die Stanze begünstigt,
als BAUENDEN RHYTHMUS. Die Kola sind einheitlicher und regelmäßiger
gefügt als beim strömenden Rhythmus, alle rhythmischen Einheiten wie
Kola, Halbstrophen, Strophen sind selbständiger, so daß die Bewegung immer wieder neu einsetzt.

Stilistisch ist auch der bauende Rhythmus, wie er sich von der Stanze tragen läßt, durchaus zu gehobenem Sprechen disponiert. Tieck hat in seinem
Roman *Der Tod des Dichters* harte Worte der Kritik über Boccaccio und andere sprechen lassen, die die Stanze nicht die Würde wahrten. Aber es
zeigt sich zugleich, daß die metrische Form mit dem bauenden Rhythmus
Parallelismen, Anaphern und die anderen Mittel eines nachdrücklichen,
kultivierten, beherrschten Sprechens begünstigt. Der Sprecher steht gleichsam fester und gelassener da als der Sänger des strömenden Rhythmus.

Eine andere geeignete Form für den bauenden Rhythmus ist der Alexandriner. In den germanischen Literaturen ist er ja durch die Festlegung aller
Akzente weniger modulationsfähig und rhythmisch starrer als in den romanischen, so daß er ein günstiges Maß für den bauenden Rhythmus ab-

gibt. Stilistisch fördert er noch stärker als die großräumige Stanze ein gedanklich zugespitztes Sprechen. Schiller schrieb ihm über die stilbildende Kraft hinaus sogar maßgeblichen Einfluß auf den «Gehalt» zu; wir zitieren die Worte, die er an Goethe anläßlich dessen Übersetzung des Voltaireschen *Mahomet* schrieb: «Die Eigenschaft des Alexandriners, sich in zwei gleiche Hälften zu trennen, und die Natur des Reims, aus zwei Alexandrinern ein Couplet zu machen, bestimmen nicht bloß die ganze Sprache, sie bestimmen auch den ganzen inneren Geist dieser Stücke, die Charaktere, die Gesinnungen, das Betragen der Personen. Alles stellt sich dadurch unter die Regel des Gegensatzes, und wie die Geige des Musikanten die Bewegungen der Tänzer leitet, so auch die zweischenklichte Natur des Alexandriners die Bewegungen des Gemüts und die Gedanken. Der Verstand wird ununterbrochen aufgefordert und jedes Gefühl, jeder Gedanke in diese Form wie in das Bette des Prokrustes gezwängt.»

In Frankreich empfand die Romantik den traditionellen Alexandriner als zu starr; sie hat ihn aufgelockert, indem sie die feste Zäsur beseitigte und ihn durch zwei Schnitte dreiteilig machte. In Portugal beanspruchte Eugénio de Castro im Vorwort zu den *Oaristos* (1890) den Ruhm, den portugiesischen Alexandriner erneuert zu haben. Zu der gleichen Zeit gewannen Guerra Junqueiro und António Nobre dem neun- und elfsilbigen Verse neue Möglichkeiten ab, die alle von der gleichen Tendenz der damaligen Lyrik zeugen: Formen für den strömenden Rhythmus tragfähig zu machen, die bis dahin ausschließlich dem bauenden Rhythmus gedient hatten.

Man hat das gleiche auch beim Sonett versucht. Es läßt an sich keinen strömenden Rhythmus und als Haltung kein schlichtes Hinsingen und kein leidenschaftliches Hinausströmen zu. Es verlangt Bau, und zwar ganzheitlichen Bau des rhythmischen Gefüges, der in der Schlußzeile seinen Abschluß finden soll; es verlangt damit bewußtes, diszipliniertes Sprechen. So klingt es auch aus den Wesensbestimmungen des Sonetts, die in Sonettform zu geben zur Zeit der Romantik beliebt war. Wordsworth, Keats, A. W. Schlegel u. a., später noch Rossetti, Watts-Dunton haben sich daran beteiligt.

Die in den verschiedensten Ländern nun seit einigen Jahrzehnten unternommenen Versuche, die Sonettform dem strömenden Rhythmus zu erobern, können schon heute als mißglückt angesehen werden. Die Affinität des Sonetts zum bauenden Rhythmus und zum gedanklich beherrschten Sprechen ist unzerstörbar.

Ein letzter Typ, der noch erwähnt werden soll, ist der TÄNZERISCHE RHYTHMUS. Als Probe weisen wir auf das oben (S. 93) zitierte Triolett. Durch seine Intimität ähnelt er dem fließenden Rhythmus. Aber schon die größere Straffheit, mit der hier gesprochen wird, unterscheidet merklich, weiterhin die stärkere Akzentuierung der Hebungen, die größere Prägnanz der Kola, die wichtigere Funktion der unterschiedlicheren Pausen. Gegenüber dem weichen Fließen kennzeichnet insgesamt eine starke Gespanntheit.

All das weist zugleich auf entsprechende neue Züge des sprachlichen Stils. Während das rein Klangliche zurücktritt (der Reim übt vor allem rhythmische Funktionen aus), entfalten sich nun die Bedeutungen klarer als in dem Stil des Seelenliedes. Auch hier kommt es zu Liedern; aber es ist ein anderer Liedtypus, dem sich der tänzerische Rhythmus zuordnet: sie verlangen nicht nach der Musik, sondern wollen gesprochen werden; die Anakreontik hat hier stilreine Gebilde von ewiger Jugendfrische geschaffen. Aber auch in Epigrammen haben sich kurzzeilige metrische Form, tänzerischer Rhythmus und geschliffener Sprachstil zu reinen Erfüllungen zusammengeschlossen.

Bei den hier entwickelten rhythmischen Typen handelt es sich um Vorschläge. Die Forschung steht eben noch in den Anfängen. Worauf es aber immer ankommt und worauf schon der Anfänger achten muß, das ist die Vermeidung bloß subjektiver, impressionistischer Urteile und Wertungen. Es ist schon heute nichtssagend, einen Rhythmus lediglich als schön, angenehm, kräftig, weich, markant und wie auch immer zu bezeichnen, ohne daß man die objektiven Gegebenheiten erfaßt und darstellt. Man pflegt in allen Ländern die Schwierigkeiten zu betonen, die sich einer objektiven Fixierung dieser Gegebenheiten entgegenstellen. Die Analysen, die oben gegeben wurden, bedeuten einen Versuch, festere Grundlagen dafür zu schaffen.

5. RHYTHMUS IN DER PROSA

Es wurde früher betont, daß zwischen dem Rhythmus im Verse und dem Rhythmus in der Prosa tiefgreifende Unterschiede bestehen. Der Versrhythmus besitzt Eigenschaften, die dem Prosarhythmus fehlen: die Vorerwartung als Symptom einer Kontinuität, die bis zur rhythmischen Eigengestalt gehen kann, die Gleichmäßigkeit der Hebungsabstände, die Korrespondenz der Kola als rhythmischer Einheiten.

Die Untersuchung des Prosarhythmus, wenn wir dieses leider einmal eingebürgerte Wort für die Prosagliederung beibehalten, muß ihr Augenmerk auf die Mittel richten, die die Prosa zu ihrer Gliederung besitzt. Es sind die Unterscheidung betonter und unbetonter Silben, die Pausen, Gruppenbildungen, Gespanntheit.

Man darf mit Recht von vornherein erwarten, daß die Bedeutungen in der Prosa eine wichtigere Rolle spielen als in der Poesie. Niemals wird es so sein, daß der Verfasser erst von einem Rhythmus besessen war, zu dem sich dann die «musikalisch» passenden Worte einstellten. Es wird immer etwas

Gegenständliches sein, das in Worte gefaßt werden will. Man hat gesagt, daß in der Prosa die Gliederung sich völlig nach dem Sinn richte. Wäre es so, dann wäre eine Untersuchung des Prosarhythmus sinnlos oder doch zumindest überflüssig. Nun kann nicht bestritten werden, daß es solche Prosa gibt. Aber es gibt eben auch Prosa, in der es nicht der Fall ist. Überall da zum Beispiel, wo nach einer «Wohlgefälligkeit» des Rhythmus gestrebt wird oder doch zumindest störende Wirkungen vermieden werden, ist im Autor wie im Leser bzw. Hörer ein besonderes rhythmisches Empfinden wach, das selbständig reagiert. Darüber hinaus wird sich zeigen, daß durch die Gliederung eine besondere Vertiefung der Bedeutungen erreicht werden kann. Ja, es stellt sich überhaupt die Frage, ob die Meinung eines Satzes nicht erst dann mit größtmöglicher Klarheit und Intensität herauskommt, wenn sie bestimmten rhythmischen Anforderungen Genüge tut, wie sie – völlig unbewußt – in der Hörerschaft leben. Und es wird sich schließlich zeigen, daß es in der Prosa über diese dienende und steigernde Funktion des Rhythmischen bis zu selbstherrlichen Wirkungen kommen kann.

(a) Der Cursus

Man hat seit je bestimmten Stellen der Prosa Aufmerksamkeit geschenkt. Es ist wieder ein Erbe der Antike, das da fortlebte. In den antiken Rhetoriken wurde nämlich gelehrt, daß der Redner den Schlüssen der Gruppen, das heißt besonders von Satz und Periode, zum Zwecke größeren Nachdrucks eine feste Form geben müsse. Solche rhythmisch geregelten Schlüsse heißen Cursus (Klauseln). Die bekanntesten Formen sind:

Cursus planus: requiéscat in pâce
Cursus tardus: velocitáte redúceret
Cursus velox: ésse videátur
oder: nísi cum grano sális

Die antiken Redner zeigen, daß diese Lehren nicht papieren blieben. Jahrhunderte haben so gelehrt und so gesprochen. Das mittelalterliche Latein ist voll davon und dann die Prosa der Humanisten. Einige Kapitelschlüsse aus *Der Ackermann und der Tod* mögen als Beispiel genügen: mit gewundenen henden; so frevellich zeihest; euch sei verfluchet; anders wissen wir keine. Man erkennt die Vorliebe für den cursus planus, der uns im übrigen aus der Metrik bekannt ist: als adonischer Vers (–◡◡–◡),wie er sich zum Beispiel in der vierten Zeile der sapphischen Ode findet.

Solche Satzschlüsse mit ihrer geordneten Akzentuierung werden langsam und nachdrücklich gesprochen. Die Prosa bekommt dadurch etwas Gehobenes, Feierliches; sie nimmt den Charakter des öffentlich rezitierten Vortrags, der Rede an. So sind denn der Untersuchung der Satzschlüsse in mittelalterlicher Prosa oder in der der nächsten Jahrhunderte vor allem zwei Ziele gesteckt, wenn sie mehr sein will als eine einfache Statistik der vorkommenden Klauseln: sie hat den Beziehungen zwischen praktischer und theoretischer Rhetorik, zwischen der Prosa und den Lehren der Rhetoriken nachzugehen, und sie hat die Beziehungen zwischen den Klauseln und dem Stil der ganzen in Frage stehenden Prosa zu bestimmen.

Gerade die Abhängigkeit der Prosaisten von den Lehren der Theoretiker bzw. von anerkannten Vorbildern schränkt die Möglichkeit stark ein, diese Phänomene zur Ausdeutung personeller Eigenheiten des Autors zu verwenden, worauf die moderne Stilforschung so gern den Blick richtet. Nur mit größter Behutsamkeit wird man dabei zur Feststellung individueller Eigenarten kommen, und auch dann hat man sich nur mit einem untergeordneten Aspekt, aber nicht mit dem Ganzen der Prosa beschäftigt.

Mit einer weiteren Schwierigkeit haben solche Untersuchungen zu rechnen. Die Klauseln sind ja nicht von der Antike willkürlich erfunden und dann um ihrer bloßen Autorität willen durch die Jahrhunderte hin gelernt und angewendet worden. Sie sind vielmehr kanonisierte Optimallösungen für bestimmte rednerische Aufgaben, die sich auch ohne bewußte Schulung immer wieder spontan einstellen können. Bei Rednern und Prosaschriftstellern in nachhumanistischer Zeit finden sie sich überall da, wo am Ende eines Satzes oder einer Satzgruppe Nachdruck verliehen werden soll. Jede öffentliche Rede auch der Gegenwart ist voll davon, ohne daß sich der Vortragende rhetorisch geschult hätte. Die Klauselforschung kann also zur Erhellung eines einmaligen Prosatextes verhältnismäßig wenig beitragen. Es liegt vielmehr im Wesen ihrer Sache, daß sie in überwerkmäßige und überpersönliche Zusammenhänge gerät.

Ihre Beschränktheit erhellt noch aus einem anderen Grunde. Der weitaus größte Teil der «literarischen» Prosa in den letzten Jahrhunderten ist nicht mehr für die Rezitation bestimmt, sie lebt nicht mehr in der Atmosphäre der Öffentlichkeit, des Rhetorischen, die der Klauselbildung so günstig ist. Diese Prosa will allein und im stillen gelesen werden, und ihr kommt es nicht darauf an, bestimmte Stellen nachdrücklich hervorzuheben. Die Untersuchung der Satzschlüsse wäre bei ihr ein wenig angemessenes Verfahren. Die rhythmische Untersuchung muß das Ganze ihrer Gliederung belauschen.

(b) Rhythmisch bedingte Änderungen

Als Vorbereitung für solche Arbeitsweise führen wir einige Beispiele vor, in denen das Rhythmische bei der Gliederung der Prosa eine mehr oder weniger deutliche Rolle spielt. Die Beispiele stammen aus Werken, die von

ihrem Verfasser überarbeitet wurden; A bezeichnet eine frühere Fassung,
D die endgültige. Das erste Beispiel wird der *Madame Bovary* von Flaubert
entnommen (nach der Ausgabe der *Ebauches et fragments inédits* durch Gabrielle Leleu, 2 Bände, Paris 1936):

1. A: D'abord, on parla du malade, puis du temps ...
   D: On parla d'abord du malade, puis du temps ...

Fast zu der gleichen Zeit findet sich dieselbe Änderung bei Stifter in der
Umarbeitung seiner Erzählung *Der Hagestolz:*
A: Zuerst reden sie von allem und oft alle zugleich, dann reden sie ...
D: Sie redeten zuerst von allem und oft alle zugleich, dann redeten sie ...
Die rhythmischen Unterschiede sind beträchtlich. «D'abord» bzw. «Zuerst»
an der Spitze des Satzes bekommen einen starken Akzent, der eine merkliche Pause nach sich verlangt. Durch die Änderung entsteht nun eine einheitliche Wortgruppe, die zu «malade» bzw. «allem» als dem beherrschenden Akzent aufsteigt, während die Antithese abgeschwächt wird. Aber man
darf mit Recht zweifeln, ob wirklich rhythmische Gründe die Änderungen
veranlaßten. In den endgültigen Fassungen beider Werke finden sich durchaus Konstruktionen des Typus: «D'abord, ...puis (ensuite) ...» bzw. «Zuerst ... dann ...» und darüber hinaus viele Gliederungen, die genau der Gliederung in jenen ersten Fassungen entsprechen. Es war also nicht die rhythmische Ordnung als solche, die Anlaß zur Änderung war. Man darf vielmehr annehmen, daß beiden Autoren in diesem Fall die nachdrückliche Antithese ungerechtfertigt schien und daß sie statt dessen die eigentlichen Bedeutungszentren (malade bzw. allem) in die beherrschende Stellung rücken
wollten. Es zeigt sich hier die innere Verbundenheit des Rhythmischen mit
dem Semantischen, obwohl man dabei durchaus zwischen primär und sekundär unterscheiden kann. In unserem Beispiel fällt offensichtlich dem Semantischen die Rolle des Primären zu. Anders ist es in dem folgenden Beispiel,
das dem *Eurico* von Alexandre Herculano entnommen ist:

2. A: do bramído do már e do rugído das ventanías
   D: do bramído do már e do rugído dos véntos
      (vom Brüllen des Meeres und dem Heulen der Winde)

Die Ersetzung von ventanias durch ventos schafft zwei völlig gleiche Wortgruppen, die sich rhythmisch bis in die kleinsten Einzelheiten entsprechen
und in denen äußerer und innerer Reim die Symmetrie vollständig machen.
Hier läßt sich nicht vermuten, daß irgendwelche Antriebe vom Semantischen
ausgingen; hier war offensichtlich der wirksame rhythmische Nachdruck das
Motiv zur Änderung. Die Stelle steht überdies in einem Zusammenhang,
in dem durch dreifachen anaphorischen Parallelismus das rhythmische Emp-

finden bereits hellwach ist. Es ist eine der rhetorischen Stellen, in denen «öffentlich» gesprochen wird und an denen der *Eurico* nicht arm ist.

In einem gewissen Gegensatz dazu steht das folgende Beispiel, das wieder Stifters *Hagestolz* entstammt:

3. A: Und von dem Haupte der Helden leuchtet der Ruhm ...
   D: Und von dem Haupte der Helden leuchtet dann der Ruhm ...

Die erste Fassung hat deutlichen Verscharakter. Es leidet keinen Zweifel, daß es gerade das Vershafte war, was Stifter zu der Änderung veranlaßte. Durch sie ist nun das Gleichmaß der Abstände und der Füllungen beseitigt und ebenso die Gleichheit der Hebungsschweren, die die Stelle so gleichmäßig macht: der Akzent auf «Ruhm» ist jetzt zu dem beherrschenden geworden, die rhythmische Selbstherrlichkeit des doppelten Adonis ist geschwunden.

Dieses Beispiel gehört in eine große Diskussion. Man hat die Meinung vertreten, daß eine Prosa um so besser sei, je mehr «reelle» Verse sich herausschneiden ließen. So haben gerade französische Theoretiker die Prosa oft mit dem Zollstock des Alexandriners gemessen. Ihnen ist jüngst Servien entgegengetreten, und er hat, unter Theoretikern wie Schriftstellern, viele Gesinnungsgenossen und Vorgänger. Schleiermacher hatte in seiner Besprechung von Engels Roman *Herr Lorenz Stark* mit Verwunderung viele vollständige Hexameter festgestellt und gefragt, «ob hierbei Mangel an Gehör oder eine neue bisher unerhörte Theorie von dem prosaischen Rhythmus zugrunde liege». Theodor Storm dankte seinem Freund Paul Heyse, daß er ihn auf den Jambenfluß in seinem *Fest auf Haderslevhuus* aufmerksam gemacht hatte und fühlte sich beschämt, daß ihm als altem «Praktikus» der Prosaerzählung so etwas passieren konnte. Durch kleine Änderungen beseitigte er, was ihm ein glatter Fehler der Prosa zu sein schien:

3a A: Ich hab doch darum nicht den Tod gefreit ...
   D: Ich hab darum doch nicht den Tod gefreit ...

Die einfache Umstellung (nur aus rhythmischen Gründen!) bedeutet sehr viel. Von den bisherigen fünf Hebungen verschwinden zwei völlig (hab, nicht), und eine metrische Grundlage gibt es nicht mehr. Die erste Fassung aber mußte tatsächlich im Jambenschritt gelesen werden. Viele rhythmische Untersuchungen, die angeblich lauter Verse feststellen wollen, legen der wirklichen Betonung eine künstliche darüber. Den Satz: «Er wohnte selten in der Stadt und neuerdings fast einzig auf seinen Gütern in der Nähe» (Mörike) als jambischen Fluß anzusehen, wie man es getan hat, bleibt ein Privatvergnügen. Seine wirkliche Gliederung ist ganz anders; sie kennt schon ungleich weniger Akzente. Die bisherige Diskussion des Problems, ob das Durchschimmern eines metrischen Schemas die Güte der Prosa steigere, leidet zu einem guten Teil an dem ungeeigneten Material, das man herangezogen hat. Zur endgültigen Klärung sind noch sorgfältige Analysen guter Prosa nötig. Von vornherein darf man aber wohl keine einfache Entscheidung erwarten, sondern muß in Schichten sehen. Was für eine Erbauungsschrift oder etwa für eine besondere lyrische oder rhetorische Stelle in einem Roman gilt, gilt noch längst nicht für eine intime Erzählung. Bei dieser wird sich vielleicht ergeben, daß die Güte leidet, wenn der Rhythmus selbstherrlich wird, sobald er zu stark die Aufmerksamkeit auf sich lenkt und Vorerwartungen auftreten läßt, die den Worten Substanz entziehen. Ein Autor hingegen, der nachdrücklich spricht, der sich auf einen erhöhten Standpunkt stellt, dem die individuellen und privaten Leser sich zu einer anonymen, öffentlichen Hörerschaft zusammenschließen, der mit einem Worte: verkündet statt zu erzählen, der mag mit vollem Recht metrisch geregelte Gliederungen verwenden.

Ein viertes und letztes Beispiel ist wieder der *Madame Bovary* entnommen:

A: Et il se mit à regarder sur le lit, derrière la porte et sous les chaises ...
   Mademoiselle Emma l'aperçut et elle fut se pencher ...
D: Et il se mit à fureter sur le lit, derrière les portes, sous les chaises ...
   Mademoiselle Emma l'aperçut; elle se pencha ...

In kurzem Abstand ist zweimal das «et» beseitigt, und die Unterschiede im Rhythmischen sind dadurch wieder beträchtlich. Statt gleitender Übergänge zwischen den Wortgruppen schneiden jetzt kräftige Pausen ein. Die Gruppen werden isolierter, durch die Stärkung der Akzente (portes, chaises, aperçut, pencha) werden sie straffer und starrer. Schon rein artikulatorisch ist die zweite Fassung viel gespannter, und für die Ersetzung von regarder durch fureter mag die Straffung des Klangs ebensoviel beigetragen haben wie die Straffung der Bedeutung.

An den drei letzten Beispielen, die untersucht wurden (2–4), fällt auf, daß die Deutung einzelner Stellen auf rhythmische Tendenzen führte, die über die Stellen hinausweisen. Dieses Ergebnis ist wichtig. Aus dem letzten Beispiel ergibt sich unabweisbar die Forderung, die ganze letzte Fassung des Romans auf die rhythmische Straffung hin zu untersuchen. Erst dann gewinnen die isolierten Beobachtungen überhaupt Sinn. Zugleich zeigen die drei Beispiele, wie verschieden die Funktionen des Rhythmischen sein können. Mit dem Blick einzig auf die Wohlgefälligkeit der Gliederung käme die rhythmische Untersuchung einer Prosa nicht sehr weit; ja sie hätte sich die Unbefangenheit geraubt, die solche Untersuchungen brauchen. Gerade die Stelle aus der Madame Bovary beweist, daß ganz andere Ausdruckstendenzen maßgebend waren. Es zeigte sich freilich auch von neuem, daß das Rhythmische kaum isolierbar war. Bei der Ersetzung von regarder durch fureter wirken Rhythmisches und Bedeutungsmäßiges zusammen und in gleicher Richtung. Die Streichungen des «et» haben ebenfalls einen sprachlich-stilistischen Aspekt. Die asyndetische Reihung statt der syndetischen isoliert die bedeuteten Dinge, macht die Welt dieses Buches härter, isolierter in ihren Teilen, starrer. Fast scheint es müßig zu fragen, was für die Änderung primär war. Denn selbst bei einem eventuellen Vorrang des Bedeutungsmäßigen bleibt die Tatsache, daß das Rhythmische neue und durchaus eigene Wirkungen hervorruft. Zu allem Sprechen und Verstehen gehört die sinnliche Seite der Sprache wesensgemäß dazu, auch wo leise gelesen wird; das Rhythmische ist eines der entscheidenden Phänomene am sinnlichen Sprachleib, den das Denken isolieren kann. Die neuere Sprachphilosphie hat, wieder an W. von Humboldt anknüpfend, eingehend die eigenen Leistungen der Sprachsinnlichkeit aufgedeckt. Eine Prosa, in der die Wirkungen des Sinnlichen auf das geringste Maß heruntergedrückt wurden, muß vom Standpunkt der wesentlichen Sprache aus als verkümmert, geradezu degeneriert erscheinen. Wieder aber ist es die Dichtung, in der wesentliche Sprache lebendig wird. Bei einem Schriftsteller muß die sich bildende Sprache durch die Kontrollstation eines mehr oder weniger empfindlichen rhythmischen Gefühls hindurch, und die Kontrolle kann bewußt sein oder unbewußt bleiben.

Wie unsere Beispiele 2 und 3 erkennen ließen, war hier die Kontrolle durchaus bewußt; ja an diesen Stellen entschied sogar ausschließlich das rhythmische Gefühl über die Formung und benutzte die Wörter vor allem als sinnliche Einheiten der sprachlichen Gliederung. Daraus ergibt sich zugleich die methodische Forderung, daß eine Prosauntersuchung mit verschiedenen Graden des rhythmischen Empfindens bzw. der rhythmischen Wirksamkeit in einem Werk der literarischen Prosa zu rechnen hat. Es ist keineswegs anzunehmen, daß eine Erzählung, ein Roman in gleichmäßiger Dichte der rhythmischen Wirkungen verlaufen. Es ist an dieser Stelle unmöglich, die rhythmische Untersuchung eines vollständigen Prosatextes vorzuführen. Immerhin sollen einige Abschnitte aus dem Anfang von Sternes *Sentimental Journey* wiedergegeben werden, um an ihnen etwas von der Gliederung zu beobachten.

(c) Zum Prosarhythmus bei Sterne

Calais. When I had finish'd my dinner, and drank the King of France's health, to satisfy my mind that I bore him no spleen, but, on the contrary, high honour for the humanity of his temper – I rose up an inch taller for the accommodation.

– No – said I – the Bourbon is by no means a cruel race: they may be misled like other people; but there is a mildness in their blood. As I acknowlegded this, I felt a suffusion of a finder kind, upon my cheek – more warm and friendly to man than what Burgundy (at least of two livres a bottle, which was such as I had been drinking) could have produced.

– Just God! said I, kicking my portmanteau aside, what is there in this world's goods which should sharpen our spirits, and make so many kind-hearted brethren of us, fall out so cruelly as we do by the way?

Der Text erzeugt beim Lesen ein angenehmes Prickeln. Die Unruhe innerhalb jeder Periode beruhigt sich jeweils gegen das Ende hin: die Perioden-(Abschnitts)-Schlüsse sind fest und die Pausen danach beträchtlich.

Die Perioden sind in sich höchst mannigfaltig gegliedert. Umfangreiche «Kola», die ein schnelles Tempo verlangen, wechseln mit kurzen, auffällig kurzen (No/Just God/ und immer wieder das unterbrechende: said I). Zur Seite und schlaff gesprochene Teile wechseln mit nachdrücklich und straff gesprochenen; nicht selten sind es zwei Synonyma (warm and friendly) oder zwei parallele Konstruktionen (bore him no spleen, but ... high honour; should sharpen ... and make ...), die das Tempo mäßigen und den Nachdruck steigern. Aber das eigentliche Gepräge geben der rhythmischen Gliederung die dauernden Täuschungen der Erwartung. When I had finish'd my dinner – so beginnt eine Spannung. Man erwartet die geradlinige Fortsetzung und Schließung. Aber zunächst folgt eine parallele Fügung. Auch sie mündet indes nicht in den Abschluß, vielmehr weicht die Gliederung seitlich aus, bekommt durch den Parallelismus (und eingestreute kurze Einheiten) eigene Eindringlichkeit, bis dann endlich nach einer starken Pause der durch das lange Aufsparen nachdrückliche Schluß folgt. Eine Großspannung durch die weite Periode, und in ihr ein munteres Wechseln und Täuschen, das ist formelhaft zugespitzt die typische Gliederung.

Eine genauere Analyse von Sternes Art zu gliedern lohnte sehr, denn sie ist historisch von der größten Bedeutung geworden. Sie hat nicht nur den komischen Roman nachhaltig beeinflußt, sondern auch eine bestimmte Art von Reisebeschreibungen, die sich an die *Sentimental Journey* auch in dieser Hinsicht anschlossen (in Deutschland Heine, *Harzreise* u. a.; in Portugal Garrett, *Viagens na minha Terra*). Durch die Prosa solcher Reisebeschreibungen wirkte Sterne dann noch auf die journalistische Prosa.

KAPITEL IX

DER STIL

A. DER BEGRIFF DES STILES

Wir treten in den Bereich eines Fragenkreises, auf den seit langem die Wege zulaufen. Wir betreten, wenn wir neueren Meinungen Glauben schenken wollen, nicht nur einen zentralen Sektor der Wissenschaft von der Dichtung, sondern den innersten Kreis selber, und nicht nur der allgemeinen Literaturwissenschaft, sondern zugleich der ganzen Literaturgeschichte. So klingt es von den verschiedensten Seiten, und es genügt, einige Stimmen anzuführen. Die Meinung der Voßlerschule hat Spitzer einmal in den Satz zusammengefaßt: «Syntax, ja Grammatik sind nichts als gefrorene Stilistik.» Und gerade diese Auffassung sieht Benedetto Croce in völligem Einklang mit seiner eigenen: «La stilistica mercé del Voßler, dello Spitzer e di altri ... con ciò non v'ha più differenza alcuna tra critica stilistica e critica estetica.» Sein Landsmann Bertoni sagt in *Lingua e pensiero:* «Che cos'è la storia della poesia, se non l'esame delle personalità dei poeti studiate entro la loro lingua?» In Spanien hat Dámaso Alonso geäußert *(La poesía de San Juan de la Cruz):* «El estilo es el único objecto de la critica literária y la misión verdadera de la história de la literatura .. consiste en diferenciar, valorar, concatenar y seriar los estilos particulares.» (Der Stil ist der einzige Gegenstand der literarischen Kritik, und die wahre Aufgabe der Literaturgeschichte ... besteht darin, die einzelnen Stile gesondert zu bestimmen, zu bewerten, aufeinander zu beziehen und einzureihen). Bei Emil Staiger findet sich der Satz: «Von allen Möglichkeiten literarischer Forschung ist sie (die Stilforschung) die am meisten autonome und dem Dichterischen am meisten treu.» Solche Stimmen ließen sich noch in reicher Zahl anführen.

Es ist damit nicht gesagt, daß nun überall das gleiche unter «Stil» verstanden würde und daß die Arbeitsweisen überall die gleichen wären. Gemäß den verschiedenen Ausgangspunkten und Einflüssen lassen sich recht erhebliche Differenzen beobachten. Aber das alles kann nicht gemeinsame Grundeinsichten und -auffassungen verdecken. Die Gemeinsamkeit wird vor allem deutlich gegenüber zwei Auffassungen, von denen die eine veraltet ist, die andere außerhalb der Literatur liegt.

1. VERALTETE STILISTIK
UND NORMATIVE STILISTIK

Die Auffassung vom Stil, die wir als die veraltete bezeichnen dürfen, beherrschte die Arbeitsweise des 19. Jahrhunderts und fristet heute in populären Darstellungen ein keineswegs schattenhaftes Dasein. Zugrunde liegt letztlich die Auffassung von der Dichtung als einem bewußt «gemachten» und mit bestimmten Mitteln aufgeputzten Stück Sprache. Die Mittel sind die bekannten Figuren der antiken Rhetorik. Die Untersuchung eines Textes besteht dann in dem Feststellen der vorkommenden rhetorischen Figuren. Zwar pflegt man auch in solchen Büchern einleitend zu sagen, daß jedes Individuum seinen eigenen Stil habe, wobei denn unter Individuum eine menschliche Person verstanden wird. Und regelmäßig wird auch hier das völlig abgenutzte Wort Buffons angeführt, wonach der Stil der Mensch selbst sei (ein Wort, das im übrigen nicht so gesagt und noch weniger so gemeint ist). Aber man kann auf diesem Wege weder in das Innere einer Persönlichkeit noch eines Werkes dringen, und so ist gewöhnlich die Zuordnung eines Werkes oder eines Autors zu einer der drei großen, wieder von der Antike aufgestellten Stilklassen: dem stilus gravis, medius und facilis – das einzig Handgreifliche, was von dieser Stilistik über die Tabellen hinaus geboten wird.

Da die neuere Stilwissenschaft mit ihren anderen Auffassungen und Arbeitsweisen schon seit mehr als einer Generation tätig ist, kann damit gerechnet werden, daß sie sich in absehbarer Zeit die weiteren Kreise der literarisch Interessierten und die Schule erobern wird. Die Tage jener «Stilistik», die vom heutigen Standpunkt der Wissenschaft aus veraltet ist, dürften gezählt sein.

Anders steht es mit einem zweiten Begriff der «Stilistik». Er unterscheidet sich wohl von dem der Literaturwissenschaft, kann aber nicht veralten, da er dauernd aktuellen Bedürfnissen zugeordnet ist. Man könnte höchstens wünschen, daß es aus Gründen terminologischer Klarheit zu einer Sonderung der Bezeichnung käme: daß das Wort «Stilistik» dieser oder jener Lehre vorbehalten bliebe.

Die dauernd aktuelle Stilistik ist die Lehre von dem guten Stil oder, besser gesagt, von dem gemäßen Gebrauch der Sprache. Zu allen Zeiten sind solche Lehrbücher verfaßt worden und werden sie verfaßt werden. Schon weil sich die Ansichten über das «Gemäße» wandeln wie die sprachlichen Möglichkeiten selber. Für alle Kultursprachen gibt es Lehrbücher des guten Gebrauchs; für die Gegenwart ist dabei schon kennzeichnend, daß sie überwiegend den schriftlichen Gebrauch im Auge haben, während die Antike vorzugsweise an den mündlichen Gebrauch dachte. *Die Kunst des Schreibens, Die Kunst der Prosa, Vom papiernen Deutsch, Vom ABC zum Sprachkunstwerk –* das sind innerhalb des deutschen Sprachraums die Titel einiger Stillehren, die sich freilich an Geltung und Durchschlagskraft nicht im entferntesten mit entsprechenden französischen Büchern vergleichen können. Man sucht bei uns, wenn überhaupt, dann gleich den «persönlichen» Stil.

Noch dringender als nach solchen Büchern ist das Bedürfnis nach einigen spezielleren Lehren des gemäßen Schreibens. Unter «Schreiben» an sich versteht man ja heute Briefe schreiben. Die Tradition der Anleitungen zum Briefschreiben geht bis in älteste Zeiten zurück, und unter den verschiedenen Arten des Briefes haben seit je die Liebesbriefe den Vorrang gehabt; man könnte eine umfangreiche Geschichte der «Liebesbrieflehren» schreiben. In der Gegenwart nehmen die Anleitungen zur Handelskorrespondenz zahlenmäßig den Wettbewerb mit ihnen auf. Auch sie stellen ja einen besonderen Zweig der Stilistik als Lehre vom richtigen Schreiben dar. In allen Sprachen bestehen übrigens erhebliche Spannungen zwischen den Lehren der Stilistiker und der besonderen Handelskorrespondenzen, die für sich die Rechte einer Sondersprache in Anspruch nehmen. Aber das Problem der Berufs- und Sondersprachen gehört höchstens so weit in unseren Zusammenhang, als man geneigt ist, die Sprache der Dichtung vom Standpunkt der Sondersprache aus zu sehen.

2. STILISTIK DER SPRACHWISSENSCHAFT

Die Anstöße der neueren Stilforschung, der wir uns jetzt zuwenden, kamen von verschiedenen Seiten, und daher erklärt sich auch die Verschiedenheit der Blickrichtungen. Es lassen sich vielleicht drei Impulse und demgemäß drei verschiedene Auffassungen und Richtungen sondern. Der erste Anstoß kam von seiten der Sprachwissenschaft. Es ist vor allem der Linguist de Saussure gewesen, der die Einsicht Wilhelm von Humboldts in den doppelten Aspekt der Sprache belebt und fruchtbar erweitert hat: auf der einen Seite der Aspekt der Sprache als «ergon», als langue, als System, als soziales Phänomen, und auf der anderen Sprache als «energeia», als parole, als individuelle Verwendung. De Saussure hat den Systemcharakter der Sprache betont, und zwar als eines Systems von Ausdruckszeichen. Das war eine notwendige Reaktion gegen die einseitig historische Sprachwissenschaft des 19. Jahrhunderts. Neben deren historische, nach der Aufstellung von Gesetzen strebende, diachronische Methode trat jetzt die beschreibende, synchronische Methode, die einen bestimmten Sprachzustand erfaßte. Von solchen Grundlagen her hat der Schweizer Charles Bally, der Schüler de Saussures und dann das Haupt der sogenannten GENFER SCHULE, seine «Stilistik» begründet. Bally sondert zwischen den verstandesmäßigen und den affektiven Elementen in der Sprache. Nicht im Sinne zweier Systeme innerhalb der Sprache, die beide ihre völlig getrennten Mittel besäßen. In allem Sprechen ist Verstandesmäßiges und Affektives enthalten, freilich können die Grade der Mischung recht verschieden sein. Bally versteht nun unter Stilistik die Erforschung bzw. die Lehre von den Sprachmitteln unter dem Gesichtspunkt ihrer emotionalen bzw. affektiven Funktion. Literarische und dichterische Textstellen werden mit herangezogen, aber nicht um ihrer selbst oder um der Werke willen untersucht, sondern als Träger affektiver Sprache. So richtet sich diese Stilistik immer auf das Gesamt eines Sprachzustandes, dient aber nicht unmittelbar der Wissenschaft von der Dichtung. Das gleiche gilt auch für die Fassung, die Frédéric Paulhan ähnlichen Gedanken gegeben hat, obwohl bei ihm die Dichtung eine größere Rolle spielt. Gemäß der doppelten Funktion der Sprache, die Paulhan als «significative» und als «suggestive» bezeichnet, lassen sich zwei Typen des Sprechens unterscheiden, die Paulhan Stile nennt. Der der suggestiven Funktion zugeordnete «synthetische» Stil ist der der Dichtung, und die Behandlung der Mittel des synthetischen Stils wie image, comparaison, métaphore, termes impropres u.s.f. sind wie auch die Erörterungen über den Vers eine nützliche Einführung in stilistisches Denken. Gerade weil sie nicht nach Originalität streben, sondern auf Auffassungen beruhen, die schon weithin Gemeingut der Wissenschaft sind. Aber dieser weite Begriff des «synthetischen» Stils hilft der Forschung, die sich mit einzelnen Werken oder Dichtern oder Epochen beschäftigen will, nicht allzuviel. Zumal Paulhan selber hervorhebt, daß zum synthetischen Stil auch Unterhaltungssprachen, Reden gehören und daß andererseits Dichtungen sehr oft Stellen aufweisen, die «significatives» sind. Systematischer noch und unter Berücksichtigung des Geistes verschiedener Sprachen hat Emil Winkler die Untersuchung der Ausdrucksleistungen der Sprachformen zu einer *Grundlegung der Stilistik* ausgebaut. Tatsächlich sind das die beiden Ziele, die allen diesen Auffassungen vorschweben: man gelangt entweder dazu, den «Stil» einer Sprache zu erfassen, oder man hofft, eine Grundlegung der Stilistik geben zu können, sei es im allgemeinen oder für eine bestimmte Sprache. Gerade im Hinblick auf die so reichhaltigen Tafeln der antiken «Figuren» hat man als Forderung aufgestellt, zu einem festen System der sprachlichen Stilmittel zu kommen. Das müßte sich dann auf jede Dichtung anwenden lassen, und die Einzelanalyse fände somit ihre Arbeit schon zu einem guten Teil geleistet.

Aber wenn das nicht nur eine Aufzählung der sprachlichen Formen bleiben will, etwa in der Art unseres vierten Kapitels, sondern ein wirkliches System der Stilmittel, erhebt sich die Frage, wieweit sich der Ausdruckswert sprachlicher Formen und Fügungen eindeutig festlegen läßt. Und schließlich bleibt die nicht genugsam zu betonende Tatsache – eine Analogie zu dem doppelten Aspekt der Sprache als Ergon und als Energeia –, daß man nur durch einen Sprung vom System zum Individuum kommen kann und daß die Arbeit der individuellen Stilanalyse nur zu einem sehr kleinen Teil von einer allgemeinen Stilistik vorbereitet werden kann. Wir werden auf dieses Problem gleich in anderem Zusammenhang von neuem stoßen.

3. LE STYLE C'EST L'HOMME MÊME

Gerade das Bewußtsein von dem individuellen Charakter jeder dichterischen «Rede» gab den Impuls für eine zweite Auffassung und Arbeitsweise vom Stil. Sie knüpft sich vor allem an die Namen Karl Voßlers, Leo Spitzers und anderer Angehöriger der MÜNCHNER SCHULE. Ausgangspunkt war der auch von Benedetto Croce belebte Gedanke Herders und Hamanns, daß die Poesie die Muttersprache der Menschheit sei. Oder nüchterner, aber vielsagender ausgedrückt: daß Sprache und Dichtung im Grunde eins sind, daß alles Sprechen ein «Poiein», ein Schaffen ist, das von den Kräften der Phantasie genährt und gelenkt wird. Gewiß wird dabei nicht verkannt, daß im Alltag bestimmte Zwecke das Sprechen leiten und daß die Entwicklung einer Sprache aufs stärkste von den «Realitäten» beeinflußt wird. Aber worauf es dieser Richtung ankommt, ist die Tatsache, daß in allem, was zur Sprache gehört und was als Sprachgebrauch lebendig ist, immer der ästhetische Faktor des Geschmacks beteiligt ist. Alle Änderungen im Sprachgebrauch sind «in letzter Instanz als Unterschiede in der Grundhaltung der Phantasie und des Geschmacks» zu betrachten. So führt von hier aus ein neuer Weg zur Erfassung der Sprachen als «Stile». Während für Bally der affektive Gehalt das eigentliche Geheimnisvolle und Stilschaffende der Sprache ist, ist es für Croce, Voßler u.s.f. die schaffende Kraft der Phantasie und des Geschmacks. Sie geben der Untersuchung der Nationalsprachen als Stile die Richtung. In einer kurzen Darstellung der Croceschen Sprachphilosophie hat Karl Voßler an dieser Stelle auf sein eigenes Buch *Frankreichs Kultur und Sprache* als praktische Erprobung der Theorie weisen können und ähnlich eingestellte Arbeiten zur italienischen Sprache von Bertoni, Schiaffini, Terracini u.s.f. genannt.

Aber die auf die Nationalsprachen als Stile gerichtete Forschung ist nur *eine* Auswirkung jener sprachphilosophischen Grundüberzeugungen. Eine andere Konsequenz ist für die moderne Stilforschung ungleich wichtiger geworden: Schöpferisches, von der Phantasie bestimmtes Sprechen begegnet am reinsten in der Dichtkunst. Die Dichter sind die echtesten «Sprecher», bei ihnen ist die Sprache am reinsten «Ausdruck». Das aber wurde nun das besondere Anliegen der sogenannten Voßlerschule: das persönliche Sprachsystem eines Dichters als Ausdruck seiner Persönlichkeit zu verstehen. So versteht Voßler unter dem Stil eines Einzelschriftstellers den «seelischen Ort», den «Magnet oder Pol», an den «eine Reihe von sprachlichen Bedeutungsformen, wie sie in sämtlichen Sprachen aller Zeiten und Völker verstreut und gelegentlich vorkommen, anschließen, sich zusammenkristallisieren und zu einem persönlichen Sprachsystem ordnen». Oder wenn Leo Spitzer die Forderung nach einem Totalbild eines Stils aufstellt, so versteht er darunter: «alles stilistisch bei einem Autor Bemerkenswerte vereinen und mit seiner Persönlichkeit in Zusammenhang bringen».

Der Stilbegriff ist hier also immer bezogen auf die Persönlichkeit. Dabei haben sich im einzelnen Verschiebungen innerhalb der «Schule» ergeben. Voßler selbst kommt es wie Croce bei der praktischen Stiluntersuchung in erster Linie auf das Sprachästhetische an. Sie bleiben dicht bei der einzelnen Textstelle und kosten nachschaffend ihre ästhetischen Wirkungen aus. Der Dichter selber bleibt etwas im Hintergrunde. Croce schafft sich sogar um ihn eine eigene Mythologie. Als der Macher, als der einheitliche Quellpunkt der dichterischen Schöpfung ist er «poetische» Persönlichkeit. Die poetische Persönlichkeit eines Dante, Ariost u.s.f. ist etwas ganz anderes als die historischen Personen Dante, Ariost. Zwischen ihnen gibt es weder Identität noch Abhängigkeit. Die stilistische Interpretation dringt zu dem «stato d'animo fondamentale» der «poetica personalità» als dem letzten «Motiv», hat aber nichts mit den Erlebnissen des irdischen Lebens zu tun.

Eine solche Trennung besteht für Spitzer, um den Repräsentanten der anderen Richtung zu nennen, grundsätzlich nicht. Seine stilistische Interpretation ist nicht in erster Linie auf das Ästhetische ausgerichtet, sondern auf das Psychische. Das ermittelte Psychische ist die psychische Struktur dieses Dichters als Menschen.

Damit begegnete sich seine Arbeitsweise mit der monographischen oder personalen literarischen Kritik, sobald diese nicht nur positivistisch-biographisch eingestellt war, sondern sich gerade für das sprachliche Künstlertum interessierte. Darauf hatte sich immer stärker die Aufmerksamkeit in dem klassischen Lande der monographischen Literaturkritik, in Frankreich, gerichtet. So kann Spitzer neben Curtius, Gundolf, Hatzfeld u.a. deutschen Forschern auf Mabilleau, Thibaudet u.a. als auf Gesinnungsgenossen weisen.

Einige Gefahren, die dieser Richtung drohen, mögen hier angedeutet werden. Die psychische Ausdeutung der Stilzüge kommt leicht dazu, das Werten zu unterlassen. Sie findet vielleicht mehr Gefallen an einem Werk, das auf einen psychisch interessanten Sprecher schließen läßt, als an Werken, die, künstlerisch höher stehend, eine weniger interessante Psyche verraten. Bei dem Blick auf die Werke selber wird sie sich leicht von einzelnen Stilzügen anlocken lassen, und zwar von denen, die auf Ungewöhnliches, Anormales in der Psyche weisen. Tatsächlich hat sich hier eine beträchtliche, heute freilich schon wieder abflauende Literatur angelagert, die man als PSYCHOANALYTISCHE STILISTIK bezeichnen kann. (Der Einbruch der psychoanalytischen Betrachtungsweise in die Literaturwissenschaft vollzog sich freilich in der Hauptsache auf dem Felde der Motivforschung.) Im Zusammenhang damit drohte überhaupt die Gefahr, daß das Sprachliche nur noch ein Mittel war und daß das Kunstwerk zu einem Dokument degradiert wurde, mit Hilfe dessen man etwas Außerdichterisches, einen Seelendefekt, Komplexe u. s. f. erkennen wollte. Das Dichtwerk stand dann grundsätzlich auf einer Stufe mit jeder anderen, auch nichtsprachlichen Betätigung eines Menschen.

Spitzer selber hat diese Gefahren im allgemeinen zu vermeiden gewußt und die Sprache als das eigentliche Forschungsobjekt nicht aus den Augen verloren. Seine Stilmonographien über Jules Romain, Péguy, Marcel Proust gehören mit den Arbeiten der genannten Autoren und denen vieler nichtgenannter zu den repräsentativen Werken der modernen Stilforschung, jedenfalls denen der Erforschung des Personalstils.

4. STILFORSCHUNG UNTER DEM EINFLUSS DER KUNSTWISSENSCHAFT

Ein dritter Anstoß – nach dem von seiten der Sprachwissenschaft und der Sprachphilosophie bzw. -psychologie – kam von seiten der Kunstwissenschaft. In ihr hatte ja das Wort «Stil» seit langem Heimatrecht, obwohl es an sich als griechische Bezeichnung für «Schreibgriffel» ursprünglich dem literarischen Bezirk zugeordnet war. Gotischer Stil, romanischer Stil, das waren feste Prägungen. Wenn es auch nicht gelegentlich an einer völligen Veräußerung des Stilbegriffs gefehlt hat, indem der Stil einfach mit äußeren Formen gleichgesetzt wurde (das Bogenfenster *ist* gotischer Stil, das Rundfenster *ist* romanischer Stil, ein korinthisches Kapitell *ist* der korinthische Stil), so war der Begriff weder in diesem Sinne von Winckelmann in die Kunstwissenschaft eingeführt worden, noch hatte er je seine wirkliche Tiefe verloren. Stil war doch immer das Zueinanderpassen verschiedener äußerer Formen und war immer das Innere, das einheitliche Innere, das sich in dem einheitlichen Formgepräge kundtat. Dabei war es bedeutsam, daß der Stilbegriff der Kunstwissenschaft vor allem an die Epoche und weniger an die einzelne Persönlichkeit gebunden war. Winckelmann hatte die Geschichte der griechischen Kunst als Abfolge bestimmter Epochen, das heißt Stile, sehen gelehrt, und die Abfolge der abendländischen Stile (romanisch, gotisch, Renaissance, Barock, Rokoko u. s. f.) schien zu diesem Bezug zwischen Epoche und Stil durchaus zu stimmen. Als am Ende des 19. Jahrhunderts der Epochenbegriff für die Literaturgeschichte, die über die Aneinanderreihung von Dichtermonographien hinauskommen wollte, von Bedeutung wurde, stellte sich begreiflicherweise nun auch hier die Frage nach dem einheitlichen Stil der Epochen. Bei der Gliederung gerade des neueren Abschnitts der Geistesgeschichte gab die Literatur den Ton an; Romantik, Realismus, Naturalismus stammen als Epochenbezeichnungen aus ihrem Bereich. Sie schien deshalb auch für die Stilbestimmung dieser Epochen besonders gut gerüstet zu sein.

Als das sich ausdrückende Innere, als SUBSTRAT, als Stilträger konnte weiterhin der Begriff des Zeitgeistes Verwendung finden. Daneben herrschte eine Zeitlang die Mode der Personifikation, und so wurde für jede Epoche bzw. jeden Stil ein mythischer Mensch konstruiert: man sprach vom gotischen, vom romantischen Menschen und wie die Abstraktionen lauteten. All das führte die Stilforschung nicht viel weiter, solange es an einer Grundlegung der Stilistik fehlte und man die Stildiagramme mit Hilfe der alten Tafeln der Figuren als der dichterischen Formen zeichnen mußte.

Da erschien 1915 das Buch, das zwar nur für die Kunstgeschichte gemeint war und nur zwei Epochen gegenüberstellte, aber wegen der neuen Methode der Stilerfassung von größter Bedeutung nun auch für die literarische Stilforschung werden sollte. Vor allem die Stilforschung der Germanisten erlag dem Zauber von Heinrich Wölfflins *Kunstgeschichtlichen Grundbegriffen.* Renaissance und Barock waren die beiden Stilepochen, die hier auf eine neue Art bestimmt wurden.

Wölfflin ging nicht von einzelnen Formen aus, die er ausdeutete. Er kam auch nicht von einem geistigen Substrat her, das sich ausdrückte. Das «Geistige», «Weltanschauliche» blieb bewußt ausgeschlossen; es kam dem Autor darauf an zu zeigen, wie zwei verschiedene «Sehweisen» zu verschiedener Gestaltung führten. Die Sehweisen erfaßte Wölfflin, und darin lag der neue methodische Griff, mit Hilfe einer kleinen Zahl von KATEGORIEN, von übergreifenden Sichtqualitäten. Fünf Gegensatzpaare wies er als konstitutiv für die Gestaltungsweise von Renaissance und Barock auf: 1. Linear hier, malerisch dort; 2. Fläche und Tiefe; 3. Geschlossene und offene Form; 4. Vielheit und Einheit; 5. Klarheit und Unklarheit.

Einige dieser Kategorien wie Geschlossene Form – Offene Form, Vielheit – Einheit, Klarheit – Unklarheit ließen sich unmittelbar auf die literarische Stilforschung anwenden, die anderen schienen sich leicht umformen zu lassen. In reicher Zahl wurden nun entsprechende Versuche unternommen. Th. Spoerri erfaßte, zum Teil mit den Wölfflinschen Paaren, zum Teil mit neu aufgestellten, Ariost und Tasso als die literarischen Vertreter von Renaissance und Barock. Andere widmeten sich der Untersuchung anderer Epochen. Fritz Strich führte Wölfflins fünf Kategorien auf ein Gegensatzpaar: Vollendung und Unendlichkeit, zurück, als er, und nicht nur unter dem Gesichtspunkt des Stils, *Klassik und Romantik* gegenüberstellte. Sein Buch ist wohl das bedeutendste unter allen ähnlichen Versuchen der literarischen Forschung. Von anderen wieder wurde die Bindung des Stilbegriffs an historische Epochen zugunsten zeitloser Stiltypen aufgegeben. Bestimmte Erscheinungen der Antike, des Mittelalters, des 17. Jahrhunderts und späterer Zeiten wurden als ewiges Barock zusammengestellt, andere als ewige Romantik; oder man wendete die in anderen Zusammenhängen gewonnenen Typen zu Stiltypen: so etwa das Schillersche Gegensatzpaar von naiv und sentimentalisch, oder das Nietzschesche von apollinisch und dionysisch, oder die drei Weltanschauungstypen Diltheys, die zum Beispiel von Hermann Nohl auf Malerei und Musik übertragen wurden, wobei sich zugleich noch Beziehungen zu den Personaltypen der Rutz-Sieversschen Schallanalyse ergaben.

Der Wert dieser Typenbildungen für die Deutung eines einzelnen Werkes kann nur beschränkt sein. Sinn und Leistungsfähigkeit solcher Praxis könnte erst bei der Behandlung des Problems der Literaturgeschichte bzw. der Dichterpersönlichkeit erörtert werden. Da wäre auch erst der Ort, um über Sinn und Leistungsfähigkeit des Epochenbegriffs zu sprechen.

In unserm Zusammenhang genügt es, die verschiedenen Substrate bzw. Stilträger zu nennen, die man angegeben hat: neben den Begriffen der Epoche und eines zeitlosen Menschentypus und der Weltanschauung hat man von der Altersstufe als Stilträger gesprochen (Jugendstil, Altersstil), von den Stämmen, den Nationen, den Rassen und sogar den Erdteilen.

Es ist begreiflich, daß man auch hier versuchte, zu einem festen System der literarischen Stilkategorien zu kommen, daß sich also auf der gewissermaßen höheren Ebene der Kategorien wiederholte, was auch auf der niederen Ebene der sprachlichen Formen unternommen wurde. Aber auch von diesen Grundlegungen der Stilistik hat keine überragende Geltung erlangt.

Der letzte systematische Versuch in dieser Richtung ist von J. Petersen unternommen worden. Er gibt zunächst sieben Beobachtungsfelder an, die in jedem Werk anwesend und darum zu bearbeiten sind: 1. die Schrift, 2. das Einzelwort, 3. die Wortzusammensetzung, 4. die Wortfolge, 5. die Satzbildung, 6. die Periode, 7. der Aufbau. Jedes dieser Felder soll nun mit Hilfe von 10 gegensätzlichen Kategorien bestimmt werden. Es sind folgende: 1. plastisch–musikalisch; 2. objektiv–subjektiv; 3. klar–verschwommen; 4. alltäglich–eigengeprägt; 5. niedrig–übersteigert; 6. sinnlich–begrifflich; 7.

eindringlich–Abstand haltend; 8. logisch–phantastisch; 9. spielerisch–bild-lich; 10. antithetisch gehäuft–harmonisch–symmetrisch. Ohne in die Erör-terung von Einzelheiten einzutreten, wird man vermuten dürfen, daß dieses fast alle Vorgänge vereinende System darum nicht lebenskräftiger sein wird als jene. Den einzelnen Ausdruckskategorien haftet zu deutlich der Charakter der empirischen Ermittlung an, als daß sie sich zu einem absolut gültigen System zusammenfügen ließen. Ein solches System wirklich auf-zustellen, ist wohl das Anliegen der Philosophie, die es deduzieren müßte. Dabei darf man mit allem Nachdruck den pädagogischen Wert solcher Sy-stemversuche betonen. Sie können, um mit den Worten Nadlers zu spre-chen, «als Behelf zum Sehen und Hören, als apperzeptionsfördernde Kräfte wertvolle Dienste leisten, indem sie aufmerksam machen, worauf zu achten ist. Sie können Sucher, Wegweiser, Alarmapparat sein». Die Stilforschung wird nicht von den bisher aufgestellten Kategoriensystemen als fester Grundlage ausgehen, aber sie wird mit ihrer Kenntnis leichter zu der Er-fassung der Kategorien des jeweiligen Einzelwerkes gelangen.

Auch hier aber darf jene Tatsache nicht übersehen werden, die sich schon früher geltend machte: daß nur durch einen Sprung die Kluft zwischen Sy-stem und individuellem Werk überflogen, aber niemals überbrückt werden kann. Der Begriff der Einheit, der in dem Stilbegriff enthalten ist, kann erst angesichts des individuellen Gegenstandes, sei es Werk oder Persönlichkeit oder Epoche u. s. f., Lebenskraft gewinnen.

Aber nicht das war das Verhängnisvolle an dem Einfluß der Kunstwissen-schaft, daß man – im übrigen gegen Wölfflins Praxis und Meinung – den geschichtlichen Boden unter den Füßen verlor und ins Systembilden geriet (und zwar immer antithetisch). Verhängnisvoll war, daß man die Kategorien der Sichtweisen bei der Übertragung auf die Literaturwissenschaft als Kate-gorien der Sprechweisen nachbildete und damit den Wesensunterschied zwischen dem Material des bildenden Künstlers einerseits und der Sprache andererseits nur zu leicht vernachlässigte. Die Wörter der Sprache be-deuten. Bei der Sprache nur die Sprechweise (klar, eindringlich, niedrig, alltäglich u. s. f.) zu untersuchen, bedeutet eine künstliche Absonderung des Formalen. Wenn der literarische Stilbegriff sachentsprechend sein soll, muß er dafür offenbleiben, daß Sprache nicht nur ein Wie, sondern zugleich, untrennbar, ein Was enthält. Die ganze unter dem Einfluß der Kunstwissen-schaft stehende Stilforschung der Literarhistoriker lief und läuft dauernd Gefahr, zwischen Form und Inhalt, Gehalt und Gestalt eine trotz aller Be-mühungen nicht mehr überbrückbare Kluft aufzureißen, die in dem lebendi-gen Sprachwerk einfach nicht vorhanden ist, am allerwenigsten in der Dich-tung, die ihre Gegenständlichkeit erst hervorruft.

5. AUSDRUCKSFORSCHUNG MITTELS INDIZIEN

Für Bally und seine Schule ist der Stil ein Phänomen der Nationalsprachen; für Voßler, Spitzer u. a. ein Phänomen der künstlerischen Persönlichkeit in verschiedenem Sinne, für die von der Kunstwissenschaft beeinflußte Richtung meist ein Phänomen der Epoche, für andere der Altersstufe, der Generation, der Nation u. s. f.

Für alle ist dabei gemeinsam, daß Stil etwas Individuelles ist: das Eigene eines Menschen, einer Zeit u. s. f. Daß Stil eine Einheit ist, wird dabei mitgedacht: alle Merkmale, die zum Stil gehören, das heißt die Stilzüge, sind irgendwie aufeinander abgestimmt. In der Praxis spielt der Gedanke der Einheit freilich eine oft nur schwache Rolle. Am deutlichsten war das bei der psychoanalytischen Stilbetrachtung, der es nur auf den Nachweis bestimmter Komplexe und Defekte ankam. Der komplexe Charakter der Einheit und die Schwierigkeit ihrer begrifflichen Fassung ist also nur zu einem Teil die Ursache für das Zurücktreten des Gedankens von der Einheit des Stils. Wesentlich aber ist drittens allen Richtungen, daß Stil Ausdruck ist und auch alle Merkmale Ausdruck eines Innern sind. Das sich ausdrückende Innere ist psychischer Art, das Wort im weitesten Sinne genommen.

Nicht nur dem sprachlichen Stilbegriff, sondern dem Begriff des Stils überhaupt wohnt dieser Bezug auf Menschliches inne. Man wird nicht ein Spinnennetz, einen Baum, eine Landschaft als stilvoll bezeichnen. Denn hier drückt sich kein Seelisches aus und die Hervorbringung ist kein Schaffensvorgang individueller, sondern das Produkt völlig determinierter Antriebe, die sich nach Maßgabe der Umweltsbedingungen ausgewirkt haben. Wo wir in Versuchung geraten, einen Baum, eine Landschaft als stilvoll zu bezeichnen, liegt wohl eine Rückwirkung von der Kunst her vor, die solche Naturgegenstände stilvoll (nach)geschaffen hat. Es ist freilich auch denkbar, daß ein mythisch-beseelendes Denken Naturgegenstände als Ausdruck und freie Schöpfung empfindet und ihnen Stil zuzusprechen geneigt ist.

Die Wahrnehmung von Stil als einheitlichem Ausdruck von etwas Individuellem ist von seiten des Aufnehmenden an die Voraussetzung gebunden, in die Ausdruckskraft irgendwie einschwingen zu können. Gotisch, Barock, das waren zunächst Bedeutungen, die gleichbedeutend mit formlos, barbarisch waren. Sie konnten erst zu Stilbegriffen werden, als man die Einheit des Formgepräges erkannte, und das war erst möglich, als man die Ausdruckstendenzen irgendwie bejahte.

Der Begriff AUSDRUCK, der für die moderne Stilforschung von so grundlegender Bedeutung wurde, ist nun in sich nicht eindeutig. Seine Mehrdeutigkeit ist an einem Teil der Mißverständnisse schuldig, unter denen die Stilforschung leidet. Wir beschränken uns darauf, in Anlehnung an Ammann drei verschiedene Bedeutungen von «Ausdruck» zu sondern. 1. Wir sagen, daß jemand sein Beileid «ausdrückt». 2. Wir sagen, daß sich in der Art, wie jemand seinen Hut trägt, oder in dem Kniff, den er ihm gegeben hat, etwas von seinem Ich ausdrückt. In diesem Sinne ist der «Ausdruck» eine seelische Bestimmtheit, die persönliche Note an etwas Gegenständlichem aus dem Bereich eines Ich. 3. Wir sagen, «in seinen Mienen drückte sich Überraschung aus», oder wir sprechen von dem klagenden Ausdruck einer Melodie. In diesem Sinne meint Ausdruck eine durchgängige gestaltungsmäßige Bestimmtheit durch das sich Ausdrückende. Hier waltet eine untrennbare Beziehung, geradezu eine Identität. Der Ausdruck ist die äußere Erscheinung von dem, was von Innen gesehen das Sich-Ausdrückende ist.

Dem ersten Begriff fehlt jede gestaltungsmäßige Bestimmtheit, es gibt da nur inhaltlichen Bezug. Er kann also für die Stilforschung nicht in Betracht kommen. Wohl aber können die unter 2 und 3 aufgeführten Bedeutungen Anwendung finden, da hier ja beide Male etwas Gestaltungsmäßiges vorliegt, in dem sich Inneres ausspricht. Aber die Unterschiede sind beträchtlich. Bei 2 ist der Gegenstand, zum Beispiel der Hut, völlig gleichgültig. Was interessiert, ist nur der Kniff; und auch der ist nur als «Indiz» interessant, an sich aber gleichfalls völlig belanglos. Als Indiz ist er ebenso interessant wie hundert andere Indizien, in denen sich jenes Ich ausdrückt; es gibt viele andere, die ertragreichere und unmittelbarere Einblicke verschaffen. Die Persönlichkeit aber ist das, was eigentlich fesselt, sie existiert unabhängig von dem Hut und dem Kniff.

Es leuchtet ein, daß alle Stilforschung, die mit dem Blick, sei es auf die Individualität des Dichters oder seiner Generation oder einer Altersstufe oder einer Epoche u.s.f., getrieben wird, den Begriff Ausdruck in diesem zweiten Sinne anwendet. Sie nimmt die Stilmerkmale als Indizien für etwas davon wesensmäßig Getrenntes, Unabhängiges. Sie muß immer das, was sie in einem Werk findet, auf eine Stufe stellen mit anderem, sei es den anderen Werken dieses Dichters, dieser Generation, der Altersstufe, der Epoche u.s.f. Man mag selbst einwenden, daß der Vergleich mit dem Hut insofern schief sei, als das Interesse sehr wohl dem ganzen Werk gelte, da ja alles an dem Werk Ausdruck sei, während es bei dem Hut nur der Kniff war. Aber es bleibt auch dann, daß nicht die Einheit des Werkes in den Blick rückt, sondern nur das Werk als Träger von Indizien.

Das einzelne Werk aber ist der eigentliche Gegenstand der Wissenschaft von der Dichtung. Eine Forschungsweise, die ihm nicht voll und ganz gerecht wird, steht nicht im innersten Kreis der Wissenschaft. Die eigentlichen Gegenstände all jener Richtungen, ob Persönlichkeit eines Dichters, Generation, Altersstufe, Epoche, liegen an sich außerhalb des innersten Kreises der Literaturwissenschaft. Die Berechtigung, Stilforschung in diesem Sinne zu treiben, liegt außer allem Zweifel; es sind würdige und notwendige Aufgaben für den erkennenden Geist, die da in Angriff genommen werden. (Im übrigen haben sich dabei Schwierigkeiten genug gezeigt, und es erhebt sich die Frage, ob der Weg über den Stil nicht unsicherer und umständlicher ist als mancher andere Weg, der in das Innere jener «Substrate» führt. Es gibt deren viele; denn die Substrate, die eigentlichen Gegenstände, gehören allen Wissenschaften vom menschlichen Geist an. Der Beitrag der Stilforschung zu dem gemeinsamen Ziel ist vielleicht gering. Und weiter hat sich immer deutlicher herausgestellt, daß jene «Substrate» zunächst nur Annahmen, Arbeitshypothesen sind. Vor allem beim Epochenbegriff hat sich gezeigt, daß das, was von der literarischen Stilforschung ermittelt wurde, im Grunde nur für die Literatur galt. Die Epoche, die von ihr aus als Barock bestimmt wurde, war es keineswegs für die Musik, und die Epoche, die für die Musik von barockem Geist erfüllt war, offenbarte in der Literatur einen reichlich andersartigen Geist. Statt zu festen Ergebnissen zu kommen, haben sich überall neue Fragen aufgetan, deren Lösung nun bereits völlig außerhalb der Literaturgeschichte liegt.)

Bevor wir erwägen, wie eine Stilforschung aussehen wird, die die dritte Bedeutung des Begriffs «Ausdruck» zugrunde legt, und erwägen, ob sie dem eigentlichen Anliegen der Literaturwissenschaft besser gerecht werden kann: nämlich der Erhellung von einzelnen Werken der Dichtung, – rücken wir erst noch einmal die PERSÖNLICHKEIT des Dichters in den Mittelpunkt. Denn dabei möchte man am wenigsten zugeben, daß sie nicht in den innersten Kreis der literaturwissenschaftlichen Fragen gehört. Und zugleich ist sie nicht von dem Odium der Hypothese behaftet, das auf den Begriffen der Epoche u. s. f. lastet. Den Dichter gibt es ja nun einmal.

Eine tiefere Erörterung des Begriffs der Dichterpersönlichkeit muß wie die der anderen Substratbegriffe besonderen Zusammenhängen vorbehalten bleiben; hier soll der Begriff der Persönlichkeit nur soweit in das Blickfeld gerückt werden, als er im Zusammenhang mit der Stilforschung steht.

Es liegt im Wesen der Erforschung des Personalstils, daß das einzelne Werk als solches und nicht als Einheit, sondern nur als Träger von Indizien gesehen wird und notwendigerweise auf eine Stufe mit den anderen Werken des Dichters rückt.

Nun kann sich schon dabei eine Schwierigkeit ergeben, die schlecht überwindbar ist. Es kann nämlich der Fall eintreten, daß zwei Werke des gleichen Dichters völlig verschiedenen Stil haben, völlig Verschiedenes ausdrücken. Es hält einigermaßen schwer, in Shakespeares Sonetten den gleichen Schöpfer wiederzuerkennen, der die Dramen geschaffen hat. Man kann da auch nicht die Erklärung zu Hilfe rufen, die man so gern und leicht anzuwenden pflegt, als handle es sich um Werke aus verschiedenen Entwicklungsstufen. Ein anderes klares Beispiel sind etwa Goethes *Götz von Berlichingen* und sein *Werther*, wozu man noch die so mannigfaltige Lyrik dieser Jahre stellen kann. Suchte man sich da mit der Erklärung zu helfen, daß es sich eben um Werke verschiedener Gattung handle und daß so sich die Verschiedenheit des Stiles verstehen lasse, so hätte man zumindest zugegeben, daß es in den Gattungen Kräfte gäbe, die ihrerseits den Stil bestimmen. Man sähe sich vor der Forderung, bei der Ermittlung des Personalstils sorgfältig zu sondern zwischen dem, was von dorther stammt, und dem, was als wirklicher Ausdruck der Persönlichkeit gelten kann.

Aber die Schwierigkeiten wachsen. Richtet man seinen Blick über die Werke des Dichters hinaus, so wird man oft genug zu der Feststellung kommen, daß ein typischer und ausdrucksvoller Stilzug gar nicht so personal ist, sondern sich in anderen Werken in gleicher Häufigkeit findet. In einem Barockgedicht sind gewiß die «verständlichen» und «prächtigen» Metaphern ein deutlicher Stilzug, aber er ist keineswegs nur für den Autor typisch, sondern für die Dichtung der Zeit überhaupt.

Man wird nicht einfach Subtraktionen vornehmen wollen und als Material für die Erforschung des Personalstils nur das übriglassen wollen, was nicht auch in anderem Bereich typisch ist. Denn es kann sehr wohl sein, daß ein überpersönlicher Stilzug durchaus diesem Individuum angemessen ist. Freilich ist ebenso damit zu rechnen, daß zum Beispiel im Barock viele Persönlichkeiten unter dem Druck der herrschenden Poetik bzw. Stilistik in einem Stil geschrieben haben, der ihnen nicht «gemäß» war.

Der naive Glaube, daß «der Stil der Mensch ist», wird schon durch solche einfachen Beobachtungen und Erwägungen erschüttert. Herrschende Stilvorschriften, Publikumsgeschmack, repräsentative Vorbilder, Generation, Epoche u.s.f., sie wirken alle auf den schaffenden Dichter ein, so wie die gewählten Gattungen selber schon wirksam sind. Sie bemächtigen sich des Dichters, tragen ihn hier, vergewaltigen ihn dort. Alle jene fragwürdigen und schwankenden Gestalten, die wir ausgeschlossen hofften, als wir uns der festen Gestalt des Dichters näherten, melden sich unabweisbar zu Wort. Wer nach dem Personalstil fragt, sieht sich vor schwer zu lösenden Aufgaben.

Aber es scheint noch ein anderer methodischer Weg offenzustehen, der einige Sicherheit verspricht. Wenn wir zwei Werke vergleichen, die derselben Gattung angehören, aus derselben Zeit stammen und aus derselben Altersstufe der beiden Dichter, die nicht voneinander abhängig sind und dann noch vielleicht das gleiche Motiv behandeln, so sind doch wohl endlich jene Geister an ihren Ort gebannt und wir ständen nun vor dem reinen Ausdruck der Persönlichkeiten. Wenn das Vergleichen auch von vielen Wissenschaften angewendet wird, so ist es doch für die Stilforschung der wichtigste methodische Griff geworden. Es leuchtet ohne weiteres ein, wie fruchtbar der Vergleich von motivverwandten Werken für alle Stilforschung werden muß: auch die Erforschung des Epochenstils etwa darf hoffen, auf diesem Wege am sichersten vorwärtsschreiten zu können. Wir geben aus der deutschen Lyrik eines der berühmtesten Beispiele für zwei motivgleiche Gedichte; berühmt um des Ranges der beiden Gedichte willen wie der beiden Dichter. Conrad Ferdinand Meyer und Rainer Maria Rilke haben beide, wenn auch nicht zu genau der gleichen Zeit, den Brunnen im Park der Villa Borghese in Rom als lyrisches Gedicht gestaltet.

C. F. Meyer: Der römische Brunnen

Aufsteigt der Strahl und fallend gießt
Er voll der Marmorschale Rund,
Die, sich verschleiernd, überfließt
In einer zweiten Schale Grund;
Die zweite gibt, sie wird zu reich,
Der dritten wallend ihre Flut,
Und jede nimmt und gibt zugleich
Und strömt und ruht.

R. M. Rilke: Römische Fontäne

Zwei Becken, eins das andre übersteigend
aus einem alten runden Marmorrand,
und aus dem oberen Wasser leis sich neigend
zum Wasser, welches unten wartend stand,

dem leise redenden entgegenschweigend
und heimlich, gleichsam in der hohlen Hand,
ihm Himmel hinter Grün und Dunkel zeigend
wie einen unbekannten Gegenstand;

sich selber ruhig in der schönen Schale
verbreitend ohne Heimweh, Kreis aus Kreis,
nur manchmal träumerisch und tropfenweis

sich niederlassend an den Moosbehängen
zum letzten Spiegel, der sein Becken leis
von unten lächeln macht mit Übergängen.

Wir zitieren dazu einige Worte eines Interpreten (Johannes Pfeiffer), der, ohne in eine genaue Stilvergleichung einzutreten, erste Eindrücke der Verschiedenheit in der kategorialen Formung festhält: «Der Gegensatz in der menschlichen Grundhaltung ist gar nicht zu übersehen: dort die betrach-

tende Fernstellung zum gegenständlichen Eindruck, hier das Sichhinein-
geben in die Wesenheit der Dinge; dort das beseelende Erfassen streng-ge-
fügter, rein-gerundeter Gestalt, hier ein erfühlendes Eintauchen in die lei-
sesten Regungen, in die feinsten Schwingungen, in die zartesten Verästelungen dieses dinglichen Vorgangs; dort das Gegenüber von geistig-bedeut-
samem Gegenstand und besonnenem Gegenstandsbewußtsein, hier das Eins-
werden mit dem Leben des Gegenstandes; dort das Sinnbild-ahnende Ansprechen der Dinge, hier das Sprechen von den Dingen her und aus den
Dingen heraus.»

In großer Fülle bieten sich in allen Literaturen und vor allem in der Lyrik
die Beispiele an. Als ein ähnlich aussagekräftiges Material erscheinen auch
Übersetzungen eines Dichters durch einen anderen. Hierbei ist natürlich
die Verschiedenheit des Sprachbaus an sich zu berücksichtigen, der für
viele Änderungen die Ursache ist; immerhin lassen sich doch auf diesem
Wege manche Aufschlüsse gewinnen. So sind die Übertragungen Pindars,
Dantes, Petrarcas, Shakespeares (Sonette) u. a. untersucht worden oder die
vielfachen Übertragungen lateinischer Hymnen; aus neuerer Zeit sind Rilkes poetische Übersetzungen der Louise Labé und der Elisabeth Browning
(Sonnets from the Portuguese) ergebnisreich mit den Originalen verglichen
worden.

Freilich pflegt ja gerade bei Übersetzungen eine zeitliche Differenz vorhanden zu sein, so daß also auch hier wieder die überpersönlichen Stilkräfte
mitwirken, und gegen die Möglichkeit, aus zwei motivgleichen Werken aus
derselben Zeit unmittelbare Schlüsse auf den Personalstil zu ziehen, sind
jüngst von einer neuen Seite Bedenken geltend gemacht worden: danach
sollen Stamm und Landschaft stilprägend, ja die eigentlichen Hauptpersonen
der Literaturgeschichte sein.

Gegen alle Bedrängungen, die die Erforschung des Stils einer Persönlichkeit zu erleiden hat, läßt sich nun wohl sagen, daß die mitbestimmenden
überpersonalen Kräfte ja doch immer den Menschen brauchen, um sich zu
offenbaren. Der Dichter lebt und wirkt sie, so daß seine Person nicht nur in
dem steckt, was nach ausgiebigen Subtraktionen übrigbleibt. Man darf
auch darauf vertrauen, daß umfangreiche Belesenheit, feinstes Abwägen und
Fingerspitzengefühl das persönlich «Ungemäße», was durch herrschende
Stilvorschriften, Publikumsgeschmack, lastende Vorbilder u. s. f. hineinge-
kommen ist, einigermaßen wieder eliminieren können.

Und doch bleibt auffällig, daß es noch zu keinen befriedigenden Darstellungen eines Personalstils gekommen ist. Es ist bezeichnend, daß die Spitzer-
schen Arbeiten, die doch für ihre Forschungsrichtung repräsentativ sind,
die einschränkenden Titel tragen: *Zu Charles Péguys Stil, Zum Stil Marcel
Prousts, Der Unanimismus Jules Romains im Spiegel seiner Sprache* u. s. f. Nur

einige Indizien also werden ausgewertet, und nur einige psychische Konstanten ermittelt. Wie es so nicht mehr auf die Totalität der Persönlichkeit ankommt, geht auch der Begriff der totalen Einheit, der an sich im Stilbegriff liegt, verloren. Der psychoanalytischen Stilforschung kam es nur noch auf einzelne Komplexe und Defekte an.

Das alles weist auf Defekte in dem heuristischen Begriff des Personalstils selber. Die entscheidenden Mängel scheinen uns die beiden folgenden zu sein: 1. die Annahme, daß an dem Schaffensakt die ganze Persönlichkeit des Dichters beteiligt sei, so daß wir sie aus einer nur vollständig genug betriebenen Analyse erschließen können; 2. die Annahme, daß nur die Persönlichkeit des Dichters an dem Schaffensakt beteiligt sei.

Beide Annahmen sind nicht zu halten. Gegen die erste, die also den ganzen Shakespeare im Hamlet, den ganzen Goethe (bzw. den ganzen jungen Goethe) im Werther, den ganzen Dante in der *Göttlichen Komödie* finden möchte, läßt sich schon das eine anführen: bei einem Werk, dessen Autor umstritten ist, hat es noch nie einwandfrei gelingen wollen, aus rein stilistischen Beobachtungen endgültige Schlüsse auf die Autorschaft zu ziehen. Sogar wenn Werke der umstrittenen Autoren aus der entsprechenden Altersstufe in reicher Zahl zur Verfügung stehen. Der bloße Indizienbeweis ist in der Stilforschung noch mißlicher als in der Justiz. Selbst bei zwei so gegensätzlichen Naturen wie Goethe und Schiller hat sich für ihre Gemeinschaftsarbeit der *Xenien* durch eine Stilanalyse nicht der Anteil des einen von dem des anderen sondern lassen. Und ähnlich steht es in allen Fällen einer Zusammenarbeit, sei es bei den vielen Paarungen in der Zeit des elisabethanischen Dramas (Beaumont-Fletcher, Massinger-Fletcher u.s.f.; ob Fletcher wirklich, wie behauptet worden ist, Mitarbeiter an Shakespeares Heinrich dem Achten gewesen ist, hat sich durch keine Stiluntersuchung beweisen lassen), sei es bei den Brüdern Goncourt u.s.f. Zu einer ähnlichen Resignation führt auch die Geschichte der Fälschungen. In der Malerei hat sich immer wieder gezeigt, daß selbst die ersten Fachleute irren, für die sogar die Stilanalyse nur ein Prüfungsmittel neben anderen ist. Nicht bloß durch die Wandelbarkeit bzw. durch die «Entwicklung» wird eine Individualität unerfaßbar. Es wird sowenig gelingen, sie in einem bestimmten Zustand durch die Analyse aller Werke dieser Altersstufe festzulegen, wie es gelingen wird, ihre Totalität durch die Analyse aller ihrer Werke zu fixieren. Wären alle Werke zwischen 1770 und 1832 anonym überliefert, so würde jeder Versuch scheitern, aus dem Chaos der Überlieferung die dem Individuum Goethe gehörigen herauszufinden: und wären auch alle seine nichtsprachlichen Produktionen, seine Lebensumstände und alle Gegenstände aus seinem persönlichen Bereich bekannt, in denen sich seine Individualität ausgedrückt hat.

Die zweite Annahme besagte, daß nur die Persönlichkeit an dem Schaffensakt beteiligt sei. Wenn sie uns unhaltbar scheint, so nicht wegen der Mitwirkung jener überpersonalen Kräfte wie Epoche, Publikum, Stilvorschriften u. s. f. Sie lassen sich weitgehend eliminieren und in Rechnung stellen. Es ist etwas anderes gemeint. Andeutend sei auf jenes Erfülltsein des Dichters von der Muse, von göttlichem Feuer gewiesen, von dem die Alten wußten und sprachen, und das uns keine Floskel zu sein scheint, so gewiß es später öfter als billige Floskel verwendet worden ist. Es darf auch auf jene Bekenntnisse jüngerer Dichter gewiesen werden (die gewiß im einzelnen Fall auch Floskel sein können), wonach ihnen ein «Es» die Feder gelenkt habe oder wonach das Werk langsam und von selbst in ihnen gewachsen sei. Wir meinen schließlich, daß auch dem bewußt und willensmäßig arbeitenden echten Künstler beim Schaffen Hilfen kommen, die nicht seinem personalen Ich entstammen.

Wenn die Widerlegung der Annahme, im Werk sei die ganze Persönlichkeit des Dichters enthalten, zu dem Schluß führte, daß die menschliche Persönlichkeit größer als jedes Werk (und auch als die Gesamtheit der Werke) sei, so drängt sich hier mit gleicher Notwendigkeit der Schluß auf, daß das Werk größer sei als die menschliche Persönlichkeit des Dichters. Beides gilt, und der mit dem zweiten Satz gegebene Widerspruch löst sich dadurch, daß die menschliche Persönlichkeit nicht restlos identisch ist mit der schaffenden künstlerischen Persönlichkeit.

Es scheint uns unumgänglich notwendig zu sein, die Persönlichkeit, zu der eine Richtung der Stilforschung aufsteigen möchte und in gewissen Grenzen auch aufsteigen kann, zunächst sauber und streng von dem menschlichen Ich des Dichters zu trennen. Die Crocesche Mahnung, nicht die «poetica personalità» mit dem Individuum zu identifizieren, scheint uns sehr beherzigenswert.

Man mag einwenden, daß mit solchen Gedanken von überpersonalen Hilfen etwas Metaphysisches, Irrationales oder vielleicht subjektiv Glaubensmäßiges und Weltanschauliches in die Wissenschaft einbräche. Aber Dichtung und Dichten ragen selber in das Irrationale, und es kann daher nicht überraschen, daß die Wissenschaft von der Dichtung, die ihr Denken soweit wie nur möglich voraustreibt, irgendwo an die Grenzen des Rationalen gelangt. Und es gilt wohl andererseits, daß der Glaube an die Anteilnahme der ganzen Person am Schaffensakt und weiterhin «nur» der Person (bzw. mit Einschluß jener sozialen, biologischen und geistigen Kräfte) auch ein Glaube ist, auch Weltanschauung. Die Ergebnisse der Forschung aus solchen weltanschaulichen Voraussetzungen wecken selber Zweifel an ihrer Gültigkeit.

Der Hinweis auf die Schwierigkeiten, denen die Forschung des Personalstils schon gedanklich begegnet, war um so nötiger, als man vielfach Stilforschung nur in diesem Sinne gelten lassen will. Man hat zum Beispiel mittelalterlicher Lyrik jeglichen «Stil» absprechen wollen, weil ihr der Ausdruck der Persönlichkeit mangele. Das ist buffonischer als Buffon. Wir aber stehen nun unsererseits vor der Aufgabe, den Stilbegriff zu erörtern, der geeignet ist, den eigentlichsten Aufgaben der Forschung die sichere Grundlage zu geben.

6. STIL ALS WERKSTIL

Wir gehen also davon aus, daß auch ein Werk an sich Stil hat. Es muß sogar darüber hinaus zugegeben werden, daß nicht nur Volkslieder, Minnelieder, Märchen u.s.f., sondern auch ein mathematischer Beweis, ein Zeitungsartikel, ein Schulaufsatz Stil haben oder stillos sein können. Wie die Meinung abzulehnen war, daß Stil nur Ausdruck einer menschlichen Persönlichkeit sein könne, so ist auch die noch engere abzulehnen, daß Stil nur der Ausdruck der emotionalen Seelenkräfte sein könne, wie man in jüngeren Arbeiten bereits lesen kann.

Aber was heißt nun Stil bei einem Märchen, einem Volkslied, aber auch einem lyrischen Gedicht, einem Drama, einem Roman? Da es ja nun nicht mehr eine menschliche Persönlichkeit ist, die sich in ihnen ausdrückt. Und worauf richtet die stilistische Untersuchung ihren Blick? Da es ja nun nicht mehr Indizien sind, die auf ihren psychischen Ausdrucksgehalt befragt werden.

Hier hilft jene dritte Fassung des Begriffs «Ausdruck» weiter, die wir oben als durchgängige gestaltungsmäßige Bestimmtheit durch ein Inneres bezeichneten, als Identität von Äußerem und Innerem, Gestalt und Gehalt. Man kann Dichtung in ihrer Verbundenheit mit dem Hervorbringenden sehen – wie einen Gegenstand aus dem persönlichen Bereich in seiner Verbundenheit mit dieser Person –; und man kann nach den Indizien fragen, in denen sich der Hervorbringende ausgedrückt hat. Aber Dichtung kann und muß zunächst als ein Gebilde betrachtet werden, das völlig selbständig ist, das sich restlos von seinem Schöpfer gelöst hat und autonom ist. Bei der Dichtung gibt es nichts außerhalb Liegendes, das sie zu ihrem sinnvollen Dasein brauchte. Sie weist weder notwendig auf ihren Ursprung, noch bezieht sie sich auf eine Realität. In einem mathematischen Beweis oder einem Schulaufsatz beziehen sich die Bedeutungen auf außerhalb der Sprache liegende Gegenständlichkeiten. In der Dichtung ist die von der Sprache hervorgerufene Gegenständlichkeit nur innerhalb der Sprache «existent». Die Bedeutungen weisen auf keine Realität. Aller Gehalt, der sich ausdrückt, ist in der Gestaltung anwesend. Es gibt keine feste Gegenständlichkeit, zu der

Stellung genommen wird, sondern die Gegenständlichkeit selber ist bereits vom Gehalt geformt. Jeder gedichtete Cäsar ist eine eigene Individualität oder besser: Teil der Individualität des jeweiligen Werkes. Jede Dichtung stellt also eine einheitlich geformte dichterische Welt dar. Den Stil eines Werkes erfassen, heißt mithin: die Formungskräfte dieser Welt und ihre einheitliche, individuelle Struktur erfassen. Wir können dafür auch sagen: der Stil eines Werkes ist die einheitliche Perzeption, unter der eine dichterische Welt steht; die Formungskräfte sind die Kategorien bzw. Formen der Perzeption. Diesen Begriff des Stils hat (nach Herder, Goethe und K. Ph. Moritz) besonders A. W. Schlegel entwickelt und angewendet. Anlaß dazu war wohl vor allem die Versenkung in die Dramen Shakespeares, deren jedes einzelne von einem eigenen Kern her organisiert zu sein schien. Schon in dem Horen-Aufsatz über *Romeo und Julia* (1797), ähnlich auch in dem früheren Horen-Aufsatz über *Poesie, Silbenmaß und Sprache* und später dann in den Wiener Vorlesungen *Über dramatische Kunst und Literatur* verlangt A. W. Schlegel von dem Interpreten, die Einheit und «Eigentümlichkeit des geistigen Gepräges zu fassen», und zwar gerade im einzelnen Kunstwerk.

Die stilistische Erfassung der Perzeptionsformen sieht sich oft dadurch erleichtert, daß in der Dichtung selber ein Sprecher greifbar wird, der die konkrete Gegenständlichkeit wahrnimmt und durch seine Einstellung zu ihr Perzeptionsformen zu erkennen gibt. In vielen lyrischen Gedichten wird eine Gegenständlichkeit gleichsam selber Stimme, so daß kein Aufnehmender sichtbar ist. Man pflegt dann von «objektiver» Lyrik zu sprechen. Es gibt aber auch viele Gedichte, in denen ein Ich zu der Gegenständlichkeit Stellung nimmt (und sie dadurch erst schafft). So trat uns in Klopstocks *Rosenband* oder Verlaines *Bonne Chanson* ein bestimmtes Ich entgegen, das seinen Standpunkt in der dichterischen Welt selber hatte. Durch den Sprechenden hindurch nahm der Leser die Gegenständlichkeit wahr.

Am deutlichsten wird die Art der Perzeption auf eine dichterische Welt in der Erzählkunst, und zwar da, wo ein Erzähler als bestimmte Figur eingefügt ist. Je deutlicher uns ein Erzähler wird, desto fester und klarer ist das System der Anschauungsformen, das die erzählte Gegenständlichkeit bestimmen wird. Dabei kann es, wie wir bereits früher sahen, so sein, daß die eigentliche dichterische Welt diesem festen System gar nicht voll zugänglich wird und daß der weiter entfernt stehende Leser viel von sich aus hinzutun muß. Es kann aber auch zu zwei verschiedenen Systemen kommen, wenn der Autor nicht aufpaßt oder kein Stilgefühl hat: indem die erzählte Welt mit anderen Kategorien der Perzeption aufgebaut wird, als sie dem Erzähler eigen sind. Eine genauere Stilanalyse würde das bald feststellen. Bis zu einem gewissen Grade wird der Leser Diskrepanzen und Abweichungen hinnehmen (schon weil er um die Fiktion eines eingeschalteten Erzählers weiß oder ihn ganz vergißt). Aber es gibt doch Grenzen des Möglichen und Zulässigen. Wenn ein kindlicher Erzähler da ist, empfänden wir es als Stilbruch, wenn etwa die Perzeption der dichterischen Welt mit den Augen eines Erwachsenen erfolgte. Solche Stilbrüche sind etwas anderes als technische Fehler, indem zum Beispiel ein Erzähler etwas berichtet, was er unmöglich wissen kann.

Um ein Beispiel zu geben, darf man sagen, daß in dem wohl bekanntesten spanischen Roman des 19. Jahrhunderts, in der *Pepita Jiménez* von Juan Valera, beide «Fehler» auftreten, der technische wie der stilistische. In dem Teil, der sich als Aufzeichnung des Onkels, des Abtes, gibt, stellt dieser Vorgänge und Gespräche dar, die er nicht erfahren haben kann. Andererseits ist dieser Teil mit Hilfe von Kategorien aufgebaut, die außerhalb der einem Abt gemäßen Perspektive liegen. Aber, und deswegen ist dieses Beispiel besonders lehrreich, beide Fehler wiegen nicht schwer. Denn von Beginn an, das heißt von den Briefen des Neffen im ersten Teil an, hat der Autor die Festlegung auf eine streng realistische Wahrscheinlichkeit vermieden. Durch jene beiden «Erzähler» wird gleichsam noch ein anderer Erzähler spürbar, und immer deutlicher wird der Roman zur Erfüllung von Wunschbildern, wird er märchenhaft. Jene beiden Fehler, die in einem ausgesprochen realistischen Roman allerdings schwerwiegend wären, verlieren hier an Gewicht, wo alles in eine letztlich märchenhafte Perspektive gestellt ist. Sie haben daher mit Recht den Erfolg des Buches nicht stören können.

Mit dem Begriff der Erzählhaltung haben wir für alle Erzählkunst einen bedeutsamen Beziehungspunkt genannt, in dem Fluchtlinien des Stils zusammenlaufen. Wurde früher die Erzählhaltung als maßgebend für die technischen Probleme der Erzählkunst bezeichnet, so muß das jetzt erweitert und auf die Fragen des Stils ausgedehnt werden. Das Mißverständnis braucht nicht mehr abgewiesen zu werden, als sei der «Erzähler», auch wo der Autor selber seine Rolle spielt, mit dem menschlichen Ich dieses Autors identisch. Was als Struktur der Perzeption für die Erzählung *La Gitanilla* ermittelt wird, gilt für die individuelle Welt dieses Werkes und ist diese seine Erzählhaltung; sie hat aber unmittelbar nichts mit der Psyche des Menschen Cervantes zu tun und unmittelbar auch nichts mit der des Erzählers in den anderen *Novelas ejemplares* oder im *Don Quijote* oder in der *Galatea* oder im *Persiles y Sigismunda;* bei diesen beiden letzten Werken ist der Unterschied besonders sinnfällig.

Aber wir haben damit überhaupt einen Begriff gewonnen, der für die Stilforschung unentbehrlich ist: den Begriff der HALTUNG. Wir nannten bisher die Einheit der Perzeption als das innere Korrelat der einheitlichen Gestaltung, des Stiles. Der Begriff der Haltung meint inhaltlich die im weitesten Sinne psychische Einstellung, aus der heraus gesprochen wird, er meint

formal die Einheit dieser Einstellung, und er meint funktional die Eigenheit und, wenn wir das Wort nicht scheuen, die Künstlichkeit, die in der
Einstellung liegen. Alle Analyse ermittelt also eine Haltung. Das kann die
einer künstlerischen Persönlichkeit sein, es kann die einer Gattung, Altersstufe, Epoche sein u. s. f. Die Haltung ist aber auch das letzte, was sich bei
der Analyse des Stils einer mathematischen Beweisführung, eines Zeitungs-
artikels, eines Schulaufsatzes ergibt. Die Fragen nach der realen «Psyche»
des Sprechers und nach dem Verhältnis zwischen ihr und der mittels der
Stilforschung ermittelten Haltung stellen sich erst danach.

Im Drama gibt es keinen Erzähler, es gibt nur Gegenständlichkeit. Indem aber diese Gegenständlichkeit vor allem von Menschen dargestellt
wird, die sprechen und dauernd Stellung nehmen müssen und zu Entscheidungen aufgerufen sind, wird in ihrer Perzeption jeweils etwas von der Perzeption der individuellen dichterischen Welt erfaßbar. Indem Hamlet zwei-
felt, wird die Welt, in der er lebt, unfest und ungewiß. Indem Trude in Werners 24. *Februar* von Vorahnungen und Befürchtungen gequält wird, wird
die Welt, in der sie lebt, unheimlich und gefahrdrohend. Alle diese Einzel-
einstellungen und -deutungen werden überwölbt von der Gesamtheit der
dichterischen Welt. Es könnte sein, daß sich eine Figur mit ihren Deutungen täuscht und falsch einstellt: die Wirklichkeit widerlegt sie, aber diese
Wirklichkeit ist die der einmaligen, dichterischen, individuellen Welt des
jeweiligen Dramas, die aus einer bestimmten Haltung geformt ist.

So läßt sich zusammenfassend sagen: Stil ist, von außen gesehen, die Einheit und Individualität der Gestaltung, von innen her gesehen die Einheit
und Individualität der Perzeption, das heißt eine bestimmte Haltung. In der
Dichtung intensiviert sich das Stilphänomen. Die Bedeutungen der Wörter
weisen nicht auf eine außerhalb liegende Gegenständlichkeit, sondern helfen
nur an dem Aufbau der jeweiligen dichterischen Welt. Diese Gegenständlichkeit selber ist von der Haltung her bestimmt und geformt; die Stilforschung, die bei der Analyse eines Werkes auf die Kategorien der Perzeption
und letztlich auf die der Schöpfung innewohnende Haltung aus ist, kommt
nicht mehr in Gefahr, eine dem Wesen der Dichtung nicht gemäße Absonderung des Formalen vom Gehaltlichen vorzunehmen.

7. GEGENSTÄNDLICHKEIT, SPRACHE UND STIL

Zwei Bemerkungen sind noch nötig, um das rechte Verständnis der gegebenen Bestimmung des Begriffs Stil und die Fruchtbarkeit seiner Anwendung zu sichern.

Wenn von Perzeption gesprochen wurde, so ist darunter nicht die Art der bloßen Anschauung im Sinne von Sicht zu verstehen. Ebensowenig meint der zugehörige Begriff der Gegenständlichkeit bloße Sichtbarkeit und Konkretheit. Es wurde bereits früher festgestellt, daß die Sprache in der Erstellung von Sichtbarem nur begrenzt leistungsfähig ist und gar nicht nach solcher äußeren Sichtbarkeit des gegenständlich Hervorgerufenen strebt. Aber selbst die in dieser Hinsicht leistungsfähigere Malerei strebt ja nicht nach bloßer Fixierung eines Sichtbaren, wie es Ansichtspostkarten tun. Ihre Gegenständlichkeit wurde nur festgehalten (und dabei so geformt), weil und damit sie voller Gehalt, voller Bedeutung ist. Die Bedeutung kann in dem bloßen Zusammenklang der Farben oder dem Spiel der Linien liegen. Wenn von Gegenständlichkeit in der Dichtung gesprochen wurde, so war damit immer die enthaltene Bedeutung, der Gehalt, mitgemeint, – nicht ihr bloßes Da-Sein, sondern ihr So-Sein. Das kann bis zu dem analogen Extrem gehen, daß der Klang der sich folgenden Sprachlaute oder das Spiel des Rhythmus die eigentlichen Bedeutungträger sind, und die hervorgerufene Gegenständlichkeit nur Hilfsmittel wird.

Zu der Gegenständlichkeit jenes Vogeltritts im Schnee gehört das Dasein des Vogeltritts, aber zugleich und untrennbar seine Zierlichkeit, von der aus sich Mörikes Gedicht gerade entfaltete. Zu der Gegenständlichkeit der vier Wörter: Es schwieg der Wind – gehört nicht nur das Dasein einer Luftstille, sondern das Dasein eines Windes, der als Wesen immer da ist und schweigen kann, gehört alles, was durch die «unpersönliche» Konstruktion, den Klang und Rhythmus seinem Schweigen beigegeben ist. So sind also die Kategorien der Perzeption auch Kategorien der Bedeutung bzw. des Gehaltes.

Immerhin wird sich a priori sagen lassen, daß die «Anschauungsformen» Raum und Zeit von entscheidendem Belang für die stilistische Untersuchung sein werden, daß sie immer entscheidende Kategorien sein werden. Diese gleichsam deduktiv gewonnene Annahme hat vor kurzem ihre praktische Bestätigung, ihre über Erwarten ertragreiche Bestätigung gefunden. In seinem Buch *Die Zeit als Einbildungskraft des Dichters* hat Emil Staiger drei lyrische Gedichte untersucht, je eines von Brentano, Goethe und Keller. Staiger will nicht nur eine Stilanalyse geben. Dadurch, daß zwei der gewählten Gedichte die Zeit als Thema behandeln, weiterhin dadurch, daß der Autor die jeweils ermittelte Zeitauffassung in größere Zusammenhänge stellt, weitet sich sein Buch beträchtlich aus. Aber es enthält eben unter anderm Stiluntersuchungen und beweist die methodische Fruchtbarkeit dieses Ausgangs von der Perzeptionsform «Zeit». Und es darf hinzugefügt werden, daß die in diesem Buche wie in anderen Arbeiten – von Emil Staiger und der ZÜRICHER SCHULE und auch von anderen Forschern (R. Alewyn, Cl. Lugowski, K. May) – bekundete und bewährte Auffassung vom Stil mit der hier vorgetragenen übereinstimmt.

Den genannten Forschern ist der Name Erich Auerbachs anzuschließen, der im Jahre 1946 *Mimesis* veröffentlicht hat. Das Buch trägt den Untertitel: *Dargestellte Wirklichkeit in der abendländischen Literatur.* Auerbach bietet darin eine Reihe von Einzelinterpretationen, die als Ganzes eine Art Geschichte des abendländischen Realismus bilden sollen. Das erscheint freilich etwas verfrüht, und manche skizzierten historischen Abläufe überzeugen den Leser nicht. Auf eine Erörterung muß an dieser Stelle verzichtet werden wie auch auf eine Begründung des Eindrucks, daß manche Dinge schief zu stehen kommen, da Auerbach in den späteren Teilen den Realismus der Stendhal, Balzac und Flaubert als den allein «echten» Realismus, als Ziel der Entwicklung und mitunter sogar als Maßstab der Wertung nimmt. (Es ist schade, daß dem Verfasser die Untersuchungen von R. Alewyn, Cl. Lugowski, K. Voßler u. a. nicht zugänglich geworden sind, die dem Problem des Realismus von den verschiedensten Seiten und sehr energisch auf den Leib gerückt sind.) Aber all das kann das Wesentliche des Buches nicht treffen; das Wesentliche sind die eingehenden Interpretationen. Die Art aber nun, wie Auerbach jeweils den Aufbau der dichterischen Welt nachzeichnet, wie er von den letzten Feinheiten der Formung – der Perspektive, des Satzbaues, der Wortwahl, der sprachlichen und rhythmischen Verästelungen – zu den formenden Kräften dringt, die Art seiner Stilforschung und der darin wirksame Stilbegriff gebieten es, sein Werk an dieser Stelle mit Nachdruck zu nennen.

Die zweite Bemerkung soll noch einmal einiges in die Helle des Bewußtseins heben, was schon in den Erörterungen über den Begriff des Stils enthalten war, und kann selbst Wiederholungen von früher bereits Gesagtem nicht vermeiden. Sie bezieht sich thematisch auf Sprache und Stil.

Es liegt im Wesen der Sprache, daß die Mittel, deren gestaltungsmäßig einheitliche Bestimmtheit die Stilforschung zeigt und deutet, nicht amorph sind. Die Sprache, die in einer Dichtung gestaltet worden ist, ist kein neutrales Material wie Farbe und Stein. Ihre Elemente sind nicht bloß physischer Art, obwohl das Physiologische bei der Hervorbringung der Laute mittels der Sprechwerkzeuge und das Physische beim Verstehen der Laute als akustischer Phänomene eine Rolle spielen. Ebenso ist der Schaffende bei ihrer Zusammenfügung nicht frei bis auf die Gesetze der Mechanik bzw. Physiologie und Akustik. Die Wörter als kleinste Einheiten bedeuten, und bei Wortstellung und Satzbau stellt «die Sprache» einige Möglichkeiten zur Verfügung und schließt andere aus, mit denen der Sinn verlorengehen würde. Wir haben es hier überall mit Formen zu tun, und zwar Formen, in denen Kategorien der Perzeption mehr oder weniger kräftig wirksam sind. Die Bedeutungen sind ja keine reinen Spiegelungen von objektiv Seiendem; in den Wörtern Baum, Haus, Luft, in der ganzen Wortklasse «Dingwort» liegt eine Form als Korrelat zu einer Kategorie der Perzeption. Ebenso ist es beim Verbum, beim Adjektiv u.s.f. «Der alte Baum hat noch einmal zu blühen angefangen», – eine Fülle von Formen steckt in diesem Satz, und eine Fülle von Formungen mittels der Kategorien Ding, Eigenschaft, Vorgang, Zeitstufe u.s.f. haben stattgefunden, bis sich dieser Satz als Ausdruck eines Tatbestandes ergab. Jede Sprache hat Stil, und um so individueller, je eigener die Formelemente sind.

So vollzieht sich die besondere Gestaltung in der Dichtung an einem «Material», das schon dauernd geformt ist und damit Stilqualitäten aufweist. Zu der Geformtheit der dichterischen Gegenständlichkeit gehört ohne Frage das Ding-Sein, Eigenschaft-Sein, Vorgang-Sein u.s.f. In dem «Baum» einer Dichtung liegt gewiß eine Perzeption, der eben die Wortklasse Dingwort entspricht. Aber insoweit darin Stilvolles liegt, und es liegt ohne Frage darin, kommt es der entsprechenden Sprache bzw. Sprachfamilie zu. Die Individualität und Einheit der dichterischen Welt wird davon nicht geprägt. Deren Dasein offenbart sich erst in der besonderen individuellen Verwendung der Sprachform. Etwa, wenn als «Ding» apperzipiert wird, was die Sprache sonst nicht so zu erfassen pflegt; wenn Eigenschaften oder Tätigkeiten substantiviert werden. Es braucht sich nicht immer um Neubildungen zu handeln; als individueller Stilzug erweist sich die Verwendung dieser Sprachform schon dadurch, daß in merklicher Häufigkeit als Rollenträger Eigenschaften und Vorgänge erscheinen. Neubildungen wirken nur mit besonderer Eindringlichkeit.

Das bisher Besprochene betraf vor allem Formungskategorien des Sehens bzw. Denkens, die schon in der Sprache wirksam waren. Nun aber haben darüber hinaus vor allem die stilistischen Arbeiten Ballys gelehrt, wie lebhaft in der «Umgangssprache» Kategorien der Emotionalität an der Arbei. sind. Und dabei wird nun eine Schwierigkeit für die Stilforschung offenbart Der individuelle Stil eines Werkes ist um so sinnfälliger, je eigener die sprachlichen Formen verwendet werden. Im einzelnen Fall wird es oft schwer sein, die Leistungskraft einer sprachlichen Form richtig abzuwägen. In der Literatur der letzten Jahrzehnte wird das noch einigermaßen sicher gelingen. Bei der Deutung älterer Werke aber werden Schwankungen und Mißdeutungen unvermeidlich sein, zumal wenn es sich um Werke in Prosa handelt, die vielleicht noch der Umgangssprache stark verpflichtet sind. Bei der Dichtung läßt sich die Fehlerquelle noch durch große Belesenheit verstopfen, die ein Gefühl für das in der Verssprache Übliche und für das Eigene gibt. Wo aber die Belesenheit nicht eintreten kann, wo etwa aus einer langen Periode nur ein Werk oder nur wenige bewahrt sind, da ist zwar nicht die Stilforschung überhaupt, aber die Erforschung eines individuellen Werkstiles bald am Ende und muß vieles unentschieden lassen. Doch nicht nur bei der affektiven Syntax wird es schwer, individuelle Stilzüge richtig zu erfühlen. Die Verflochtenheit des dichterischen Stiles in den der Sprache liegt noch tiefer.

Es gibt unter den Wortklassen einige wie die Konjunktionen u. a., die nur als Mittel der Konstruktion funktionieren. Es gibt weiterhin die Zahlwörter, die nur klare Begriffsbezeichnungen zu sein scheinen. Es ist nun wesentlich für die Dichtung, daß sie dazu neigt, die Zahlwörter nicht nur als Bezeichnungen, sondern zugleich als Bedeutungen zu verwenden, wobei wir unter Bedeutungen hier das Mitschwingen emotionalen Gehaltes meinen. Das läßt sich zum Beispiel bei der berühmten Vorliebe des Märchens für die Zahl drei oder sieben am leichtesten beobachten. Irgendwie ist die Bedeutung dabei der Sprache noch latent eigen; die Dichtung aktualisiert das aus ihrem Streben heraus, nicht bloß gegenständliches Da-Sein hervorzurufen.

Bei den Substantiven finden wir etwas Entsprechendes in den Namen. Wo sie als Namen funktionieren, da sind sie nur Bezeichnungen, Unterscheidungszeichen, bedeuten aber selbst gewöhnlich nichts, bzw. werden im täglichen Leben nicht als Bedeutungen realisiert, was nur stören und das Wesen als Unterscheidungsmerkmal mindern würde. (Daß jeder einzelne freilich seinen Namen als so zugehörig empfindet, daß er Wortspiele mit seinem Namen als ein Zu-nahe-Treten ansieht, gehört in andere Zusammenhänge.) Wieder ist es für die Dichtung bezeichnend, daß sie die Namen mit Bedeutung auffüllt und diese Bedeutungen zur Charakterisierung der Namensträger verwendet. Bekannt sind die «sprechenden» Namen Clarissa, Werther, Tristram Shandy, Dolores, Siebenkäs u. s. f., und bekannt ist die Leichtigkeit, mit der die Namen literarischer Gestalten als Appellativa gebraucht werden können (ein Don Juan, ein Don Quijote, engl. pander, nach dem kuppelnden Pandarus in Chaucers *Troylus and Cryseyde*, spanisch-portugiesisch pancista, nach Sancho Pansa u. s. f.). Das Aufladen der literarischen Namen kann auch durch bloßes Erzwingen von Assoziationen oder rein durch die klanglichen Wirkungen eines Namens erfolgen.

Im Gegensatz zu den Namen «bedeuten» die Appellative, um nur bei den Dingwörtern zu bleiben. Das «Bedeuten» ist aber ein sehr komplexes Phänomen. Es liegt zunächst darin eine Bezeichnungskraft, das heißt mittels der Bedeutungen lassen sich die Wörter auf bestimmte, konkrete oder abstrakte Gegebenheiten beziehen. Die Bedeutungen enthalten aber noch mehr. Im französisch-deutschen Wörterbuch findet man als Übersetzung für homme «Mensch». Damit ist gesagt, daß die Begriffe sich entsprechen. Aber offensichtlich entsprechen sich die Bedeutungen doch nicht. Einmal bedeutet «homme» zugleich noch das, was im Deutschen mit dem eigenen Wort «Mann» ausgedrückt wird. Und verschieden sind endlich die Gefühlsgehalte von «homme» und «Mensch» bzw. «Mann». Das lateinische «avis» und das deutsche «Vogel» entsprechen sich begrifflich. Aber «der Römer, der an die weissagende Kraft des Vogelfluges glaubt, denkt sich nicht das Gleiche bei dem Wort wie der Deutsche ... Bedeutung aber ist das, was man sich bei dem Worte denkt. Nicht einfach der reale Gegenstand, *an* den man denkt, wie beim Namen, sondern das, was das Wort ‚besagt' und wodurch es die AUFFASSUNG des einzelnen Gegenstandes bestimmt» (Ammann, I, 94).

Wir haben in dem Zitat das Wort «Auffassung» herausgehoben: in den Bedeutungen der Wörter liegt, wie der Sprachphilosoph belehrt, eine bestimmte Perzeption bzw. liegen latente Perzeptionen. Die Gehalte, wenn wir darunter das Mehr-als-Bezeichnende der Bedeutung verstehen, können der verschiedensten Art sein, und der Gehalt an Gehalt ist bei den einzelnen Wörtern ganz verschieden. Roß etwa ist gehaltvoller als Pferd. Synonyma, die sich in der gemeinten Idee als dem Begriffskern nahezu gleich sind, unterscheiden sich gewöhnlich kräftig in dem Gehalt. Endlich ist aber nicht einmal der Begriffskern, die Idee, ganz fest zugeordnet, so wie der Name seinem Träger ein für allemal zugeordnet ist. Erst in dem Satzzusammenhang werden die Beziehungen wirklich festgelegt. Auf dieser Tatsache gründet ein Teil des Bedeutungswandels, indem gelegentliche Verschiebungen zu dauernden werden.

Gegen solche Unfestigkeit hat die Sprache der Wissenschaft zu kämpfen, der es gerade auf Festigkeit und Dauer ankommen muß, und sie hat ebenso gegen die Geladenheit der Wörter mit überbegrifflichem Gehalt zu kämpfen. Durch Definitionen suchte sie die Festigkeit und Dauer zu erreichen und verwendet gern Fremdwörter, deren Gefühlsgehalt in der Regel schwächer ist als der der heimischen Wörter.

Die Dichtung aber nutzt gerade die in den Wörtern der Sprache liegende Unfestigkeit, erweckt latente Perspektiven und belebt schlummernde Gefühlsgehalte. Die Sprache selber steckt schon voller Dichtung.

Wir zitierten den Vers: Es schwieg der Wind. Dichterisch erschien uns schon, daß der Wind als Wesen gefaßt ist. Aber nicht erst der Dichter, schon die Sprache hatte ihn so gesehen. Wir lächeln wohl über die Frage des Kindes: «Wo ist der Wind, wenn er nicht da ist?» Wir lächeln und fühlen zugleich eine Unsicherheit (vgl. Ammann a. a. O.). Unser «aufgeklärtes» Denken gerät in Widerspruch zu unserem primitiven Empfinden. Denn für uns als Primitive, wie es die Sprache bewahrt hat und jedem neu in sie Hineinwachsenden wieder aufprägt, erhebt sich der Wind, weht er, legt er sich. Die Griechen wußten sogar genauer, wo der Wind war, wenn er nicht wehte: zurückgerufen und gebannt in den Schlauch des Äolus. Und es gab nicht den Wind, sondern verschiedene Winde. Auch für uns sind ja Südwind, Ostwind mehr als geographisch festgelegte Luftströmungen. (Der so eindrucksvolle «kalte Nordwind» ist im Deutschen eine fast rein literarische Erscheinung; im Grunde kommt er aus Süden, nämlich aus der Antike!)

Die Wissenschaft, die den Wind definieren bzw. erklären möchte, hat es gegen die Sprache schwer. Luft wird erwärmt, steigt auf, andere strömt nach ... überall dichtet die Sprache schon wieder. Denn für wen ist «Strömen» bloß Begriffswort? Wenn wir sagen: Menschen strömen ins Theater, strömen aus der Stadt oder in die Stadt, so liegt im Strömen immer zugleich ein Beseeltsein von ... ein Drang nach ... Und wenn die Sprache vom Strömen des Flusses spricht, so bezeichnet sie nicht nur einen mechanischen Vorgang, sondern bedeutet zugleich ein Beseeltes, von einem Drang Erfülltes. Der Ausländer, der das Deutsche nur oberflächlich beherrscht, kann gar nicht wissen, ob die Wendung «es schwieg der Wind» Dichtung der Sprache oder des Autors ist, er kann nicht fühlen, inwieweit der Stil, die Individualität des Gedichtes von dieser Stelle geprägt wird. Deswegen eben läßt sich die begriffliche Sprache einer wissenschaftlichen Studie leicht übersetzen, weil es für die Begriffe fast überall entsprechende Bezeichnungen gibt. Die gehaltvolle, überall in Perzeptionsformen stehende Sprache der Dichtung aber ist letztlich unübersetzbar, weil die Gehalte der Wörter sich kaum jemals genau entsprechen. Zur Stilforschung gehört feinstes Fingerspitzengefühl, auch für den, der Werke der eigenen Sprache untersucht, um die individuellen Tönungen in einem Werk zu erfühlen. Wir sagten bereits, daß es sich keineswegs immer um Neuprägungen und neue Wendungen handeln wird, vielmehr überwiegend um Aktualisierung von sprachlich latent Vorhandenem. Was aber kennzeichnend für Dichtung und nun gerade stilschaffend ist, das ist neben der «Ladung» der Wörter mit Gehalt das dauernde Walten der gleichen Perzeptionskategorien durch das Werk hin und ihr Zusammenklang zur Struktur, zum Gefüge.

Wie bei den Bedeutungen, so flieht die dichterische Sprache auch bei der Wortstellung und beim Satzbau die normalen Fügungen, die von maximalem logischen und minimalem emotionalen Gehalt sind. Bally hat mit Nachdruck die Verwandtschaft der dichterischen Sprache mit der «langue de la conversation» betont, «qui est ... l'aspect affectif de la langue usuelle». An einem Beispiel zeigt er den Unterschied zwischen dem «langage usuel et banal» und der affektiven Sprache. Da diese affektive Umgangssprache aber aus der Literatur hergeholt ist, aus einem Drama, kann das Beispiel auch in unserem Zusammenhang dienlich sein und die Überleitung bilden vom Stilbegriff zu der Arbeitsweise der Stilistik. Bally gibt zwei Übertragungen einer Stelle aus L. Fuldas *Das Recht der Frau:*

«Voici un texte allemand: il sera traduit d'abord sans aucune nuance affective, en langage usuel et banal, *puis* dans la langue vraiment parlée, avec les ressources de l'expression familière.»

(Une jeune fille vient de recevoir une lettre par laquelle un directeur de théâtre, sans se prononcer catégoriquement, lui fait entrevoir l'acceptation d'une pièce qu'elle a composée à l'insu de son père:)

«Also wird er heute kommen. Und der Vater weiß von nichts. Ich dachte ihn mit der Annahme meines Stückes zu überraschen. Das hat man von der Heimlichkeit! Und es klingt alles in diesem Brief so unbestimmt! Schließlich lacht der Vater mich aus. Das will ich aber nicht! – Halt, ein Gedanke! Er erwartet ja auch Theaterdirektoren und Dramaturgen ... Das kann mich retten. Aber wie soll ich ...»

(*a*) Il viendra donc aujourd'hui. Papa ne sait rien encore. Je comptais lui faire une surprise en lui annonçant l'acceptation de ma pièce. Tel est le résultat de ma dissimulation. Cette lettre ne renferme rien de précis. Mon père va sans doute se moquer de moi; mais je ne le veux pas ... Il me vient tout à coup une idée: il attend aussi des directeurs et des critiques; cela me peut sauver; mais quel moyen dois-je employer?

(*b*) Ainsi il va venir ... aujourd'hui! Et dire que papa ne se doute de rien! Moi qui pensais lui faire une surprise en lui annonçant que ma pièce a passé! Ah! voilà ce que c'est que de faire des cachotteries! Et cette lettre ... pas claire du tout! Qui sait? Papa va peut-être se moquer de moi! Ah! mais, c'est que je ne veux pas, moi! Oh! une idée! Est-ce qu'il n'attend pas, lui aussi, des directeurs et des critiques? Tiens, tiens! mais voilà qui peut me tirer d'affaire! ... Oui, seulement, voilà ... comment m'y prendre?

Beide Fassungen haben zweifellos Stil; aber unverkennbar ist der Stil in der zweiten Fassung viel kräftiger und einheitlicher. Schon in dem Vokabular zeigt sich im zweiten Fall das kräftigere Wirken der Perzeptionskategorien bzw. das Wirken noch anderer. Weiterhin werden manche an sich «gleichen» Wörter (lettre, idée u. s. f.) durch die Stellung in andere Wortgruppen bedeutsam aufgeladen. Endlich äußert sich die stärkere Suggestivkraft der zweiten Fassung in dem eigenen Satzbau. Es sind zwei verschiedene Haltungen oder, wie wir bei der personalen Fixierung der Haltung sagen können, zwei verschiedene Menschen, die da sprechen (wobei übrigens die erste Französin mit der Deutschen verwandter ist als die zweite).

Noch einmal zeigt sich der Unterschied der Betrachtungsweisen: für Bally sind die Proben nur wichtig, weil sie deutlich die Mittel der affektiven Sprache zeigen und man so mit ihrer Hilfe zu einer «Vue d'ensemble sur les moyens indirects affectifs» der Sprache gelangt. Für die Erforschung des Werkstils läge das Ziel zunächst in der Ermittlung der Haltung, die hier wieder durch die personale Fixierung erleichtert ist. Und während für Bally gleichgültig ist, wie umfangreich und vollständig die herausgegriffenen Stellen sind, müßte die Analyse des Werkstils zunächst die ganze Rolle zu erfassen suchen und sie darüber hinaus als Teil des ganzen Werkes sehen.

B. STILFORSCHUNG

Literarische Stilforschung kann, wie die vorangehenden Erörterungen gezeigt haben, betrieben werden mit dem Blick auf das einzelne Werk, auf einen Dichter, auf eine Altersstufe, auf eine Generation, auf eine Strömung, Epoche u.s.f. Was die Stilforschung erfaßt und ermittelt, ist das Funktionieren der sprachlichen Mittel als Ausdruck einer Haltung. Dabei tut der Untersuchende gut daran, alle mehr oder weniger vagen apriorischen Meinungen über die Haltung fernzuhalten und sich möglichst unbefangen an die Arbeit zu machen. Er gerät sonst in Gefahr, nur das wiederzufinden, was er oder andere vorher darin versteckt haben. Damit wäre die Arbeit weithin überflüssig und wahrscheinlich sogar falsch in ihren Ergebnissen, da Wesentliches des wirklichen Gehaltes verschwiegen würde. Wer etwa bei einer Untersuchung des romantischen Stiles zu dem Ergebnis käme, daß die sprachlichen Mittel eine Rolle spielen, in denen sich Gefühle lebhaft ausdrücken, der hätte kaum zu beginnen brauchen.

Die Erörterung des Stilbegriffs hatte gezeigt, daß für die Gestaltung Kategorien von Bedeutung sind. Auf ihre Erfassung und sprachliche Auswirkung hat dementsprechend auch die Stiluntersuchung ihre Aufmerksamkeit zu richten. Wenn sich auch ergeben hatte, daß zum Beispiel Zeit und Raum, das heißt eine bestimmte Auffassung von Zeit und Raum, immer an der Formung beteiligt sein werden, so fehlt es doch an einer festen Tafel der Kategorien. Was von der unter dem Einfluß der Kunstwissenschaft stehenden Stilforschung aufgestellt wurde, erwies sich sogar als gefährlich, wegen einer zu formalistischen Auffassung des Stils. Zugleich wird es gerade dem Anfänger nicht leicht fallen, die da angegebenen Kategorien mit der sprachlichen Gestaltung des Werkes in Verbindung zu bringen und auf diese Weise seine Individualität zu bestimmen. Bei der Nennung und Beschreibung der sprachlichen Formen waren verschiedene Schichten gesondert worden: die Lautung, die Schichten des Wortes, der Wortgruppen, der Wortstellung und des Satzbaues, der übersatzmäßigen Formen, und schließlich hatten sich Darbietungsformen, Gehalt, Rhythmus und Aufbau als stiltragend erwiesen. Das scheint in dieser Folge mögliches Arbeitsprogramm für die Stilbestimmung. Wir werden auf diesem Wege bei manchem der folgenden Beispiele an den Stil heranzukommen suchen, – wieweit sich dabei dringen läßt, wird die praktische Arbeit selbst zeigen.

Die Schwierigkeit für den Anfänger liegt ja gerade in der Einheit und Geschlossenheit des wirklichen Kunstwerks. Alle Formen wirken zusammen, so daß es schwer wird, Abstand zu gewinnen und die entscheidenden Kräfte (Kategorien) einzeln zu erfassen. Um den Blick zu schärfen, beginnen wir deshalb mit einem Gegenbeispiel. In ihm fehlt es an der Einheitlichkeit, Stilbrüche fallen schon beim ersten Lesen auf und weisen damit klar auf die widerstreitenden Kategorien der Formung.

1. STILBESTIMMUNG VON PROSATEXTEN

(a) Brüchiger Stil

Es handelt sich bei dem gewählten Beispiel um keinen als Dichtung auftretenden Text, sondern um eine kleine Skizze. Die kritischen Bemerkungen darüber wollen nicht den Verfasser treffen (der auf anderen Gebieten Schätzbares geleistet hat); sie beziehen sich auch keineswegs auf «seinen» Stil. Die Behandlung der Skizze steht vielmehr ganz im Dienst der gestellten pädagogischen Aufgaben. Der Name des Verfassers und die Fundstelle bleiben deshalb verschwiegen.

Das Adlerpaar

An einem warmen, bedeckten Sommertage saß ich zwischen einem grauen Himmel und einem grauen See am einsamen Ufer. Eine ungewöhnliche Stille und Öde erfüllte die farblose Welt, die mich umgab. Die Natur schien leblos. – Auch in mir ruhte die Seele und schwiegen die Gedanken.

Da kamen aus der leisen Helle des Ostens, an der mein Blick unbewußt lichthungrig hing, zwei Vögel angeflogen, schnell groß und größer werdend, bis ich mit Erstaunen und fast erschrocken Adler erkannte: in unserem Vorgelände der Alpen äußerst seltene, aber nicht unmögliche Gäste. Ohne Zweifel waren es Adler. So breiten Schlages bewegt kein anderer Raubvogel die dunklen Schwingen.

In geringer Höhe flogen sie der Länge des Sees folgend über mir vorbei und beherrschten als einzige Lebendige wunderbar die weite Öde. Ja, jetzt war es, als ob alles andere Leben sich schon vorher ahnungsvoll geduckt und verborgen hätte, damit dieses königliche Paar in einsamer Würde seinen geheimnisvollen Vorbeizug halte.

Im ruhigen Gleichtakt der mächtig fördernden Schwingen flogen sie, der eine dem andern ein wenig seitlich voraus, ihre rätselhaft sichere Bahn. In dem ehern gleichmäßigen Abstand voneinander war aber zugleich eine innere Verbundenheit und Zielgemeinschaft ausgedrückt, die durchaus ein «Paar» aus ihnen machte. Daraus aber, daß sie in der grauen Einsamkeit dort oben, wie vor dem Hintergrunde der Ewigkeit, so unlöslich gepaart für sich, zwei-einig, dahinzogen – wer weiß, woher? wer weiß, wohin? –, kam es wohl, daß ich mich nie so ausdrücklich von Mitgeschöpfen der Natur als Mensch ausgeschlossen gefühlt habe, wie vor diesen beiden Adlern.

Was war ihnen bei ihrer erhabenen, gewaltig-entschlossenen Reise von Gebirge zu Gebirge auf meinem niedern Ufersitze ich! – Es lag etwas so Schicksalhaftes in der sicheren Gradlinigkeit und dem unaufhaltbaren Vorwärts ihres magisch verbundenen Fluges, und eine so unbefragbare Ferne in dem Schweigen ihres stolzen Miteinander! Wahrlich, es überkam mich wie eine mystische Scheu vor diesen Götterwesen, und als sie im wolkigen Dunkel des westlichen Himmels verschwunden waren, saß ich noch lange, der Gegenwart entrückt, in einer großbeseelten Welt von Märchen und Mythen, in denen der Mensch ein Fremdling ist.

Der Vorwurf ist ausgezeichnet gewählt. Und weithin gelingt es, seine poetische Substanz aufleuchten zu lassen. Aber doch nicht ganz und nicht rein.

Bei genauerem Zusehen verrät sich, daß die Sprache hier stellenweise zu sorglos genommen wird und genommen werden muß. Denn stellten wir uns auf solche Macht und Leistungskraft ein, wie sie echter dichterischer Sprache eigen ist, so würden wir schnell gestört werden. Da schiene der Sitz «zwischen» Himmel und See etwas gewagt, da empfänden wir die Öde, die eine Welt füllt, als schlecht gewählt wie auch das Adjektiv «ungewöhnlich». Es paßt weder zu Öde, noch paßt es als vage Verneinung zu den anderen Adjektiven, die so genau charakterisieren. Das matte Alltagswort reißt eine leere Stelle in den Satz. Demgegenüber wirkt dann die pathetische Angabe über das eigene Ich prätentiös.

Die Sorglosigkeit in der Sprachgebung zeigt sich auch darin, daß der Verfasser Wendungen nicht vermieden hat, die literarische Reminiszenzen beschwören. Das ist um so störender, als diese Wendungen mit Nachdruck gesprochen werden. «Wer weiß, woher?, wer weiß, wohin?» – das ist ein etwas billiges Cliché; und «von Gebirge zu Gebirge» empfindet man als merkliche Anleihe aus Goethes «An Schwager Kronos». Selbst der, dem diese Erinnerung nicht kommt, wird sich von der Leichtfertigkeit unangenehm berührt fühlen, mit der in zwei aufeinanderfolgenden Sätzen zwei sich nun gerade widersprechende Angaben gemacht werden. Die Wendungen drücken also nur Pathos aus, das nun, da die Grundlage fehlt, hohl wird.

Stilbrüche durch hohles Pathos und durch abgenutzte Alltagswendungen verraten, daß die sprachliche Instinktsicherheit des Dichters bei dieser Skizze ausgesetzt hat und daß ihr Fehlen nicht durch nachträgliche Arbeit ausgeglichen worden ist. Man empfindet das gleiche bei der Gliederung, beim «Rhythmus». Was die beiden Sätze «Daraus aber, daß ...» und «Was war ihnen ...» dem Leser oder Hörer zumuten, ist etwas viel. Es gehen von der Gliederung geradezu unangenehme, hemmende Wirkungen aus. Die Endstellung des Subjekts soll wohl im zweiten Satz die Kleinheit des Ichs ausdrücken; die eine Silbe bildet kein Gegengewicht gegen die anderen, so beschwerten Satzteile. Aber tatsächlich zerreißt hier aller «Rhythmus»; die Stelle ist physisch schwer erträglich. (Der erste dieser beiden Sätze übrigens auch akustisch; in den sieben Wörtern zwischen «Ewigkeit» und «zweieinig» vier ich-Klänge.)

Aber noch störender als diese einzelnen Stellen sind die Schwankungen der Perspektive. Es gehört zu der inneren Anlage der Skizze, daß sie zwei Perspektiven hat: die eine ist die des Erlebenden von damals, von der aus das Erlebnis aufgebaut wird (der «mythische» Vorbeiflug und die Erfahrung der Fremdheit); die andere ist die des jetzt Erzählenden, von der aus über das Erlebnis reflektiert wird. Soweit ist alles in Ordnung. Aber Unordnung entsteht, indem die Reflektion nun da einbricht, wo gestaltet wird. Und zwar nicht als jetzige Reflektion einbricht, sondern die Gestaltung in numinoser Ergriffenheit rationalistisch zersetzt. Das soll im folgenden gezeigt werden.

Es beginnt schon im zweiten Abschnitt. Mit dem ersten Satz wird der Vorgang von dem damals Erlebenden aus aufgebaut. Da platzt mit dem Wort «unbewußt» etwas aus der Perspektive des jetzt Wissenden herein. Denn der damals Erlebende, dessen Blick lichthungrig an der Helle des Ostens hängt, weiß ja nicht um seine Unbewußtheit. Die zerreißende nachträgliche Erklärung war um so überflüssiger, als die Unbewußtheit durch «lichthungrig» vollauf gestaltet wird. Daß der weitere Aufbau des Vorgangs: das Erkennen nahender Adler, gleich darauf von einer Erklärung des jetzt Sprechenden unterbrochen wird, daß die so gut gestaltete Wendung «mit Erstaunen und fast erschrocken» etwas zerredet wird, wirkt nicht so störend wie jenes «unbewußt»; denn die Perspektiven sind hier klar gesondert. Außerdem befinden wir uns noch in der «Einleitung»; die Perspektive des Erlebenden ist noch die vage des Beobachters, sie festigt sich erst vom dritten Absatz an zu der des vom Mythus Ergriffenen.

Die Festigung erfolgt u.a. durch bedeutungsvolle, in ihrem Gefühlsgehalt einheitlich registrierte Wörter: wunderbar, ahnungsvoll, königlich, Würde, geheimnisvoll, rätselhaft, Ewigkeit u. s. f.

So wird vom dritten Absatz an der geheimnisvolle Vorgang aufgebaut (mit vielleicht etwas zuviel Pedal auf den feierlichen Adjektiven). Aber schon bricht wieder der Erklärer herein. Die beiden Adler waren schon ein Paar, ein königliches sogar. Es stört jetzt empfindlich, wenn mitten in die Darstellung des geheimnisvollen Vorgangs aus «mythischer» Perspektive eine Reflektion über eine Wortbedeutung dringt, wenn wir durch Anführungsstriche vom Vorgang ins Wörterbuch gewiesen werden (oder gar in die Grundschule: es fällt einem zwangsmäßig ein, daß dieses Paar groß geschrieben wird). Und der störende Einbruch rächt sich. Schon in dem Satz

«In dem ehern gleichmäßigen ...» wird die Darstellung blaß: alle Substantiva sind abstrakt, die gefährlichen Bildungen auf -heit und -schaft drängen sich vor. Und dann kommt jene Stelle: «... die durchaus ein ‚Paar‘ aus ihnen machte. Daraus aber, daß sie in der ...». Dreizehn aufeinanderfolgende Worte, von denen kein einziges gegenständliche Bedeutung hat («machen» ist das ausdrucksloseste der Verben), fast alle bezeichnen nur gedanklich erfaßte Relationen. Vom Punkt an soll dargestellt werden: aber es kommt nichts, es kommen nur Relationen. Die Folge ist, daß nur durch Überanstrengung, durch das hohle Pathos des «wer weiß, woher? wer weiß, wohin?» die Perspektive der numinosen Ergriffenheit wiedererreicht werden kann. Auch das glückt also nicht mehr. Das kleine Stück Sprache ist in der Mitte zerbrochen.

Wir wollen nicht erörtern, ob unsere Bemerkungen nicht zu streng waren, da es sich um eine Skizze handelt. Wir wollen nicht erörtern, ob ein Dichter nichtgeglückte und nichtüberarbeitete Skizzen veröffentlichen soll. Es geht nicht um Skizze und Strengsein, sondern einzig um die Erkenntnis stilbestimmender Kräfte, die eben an einem Text leichter fallen mag, in dem ihr gleichzeitiges und gegensätzliches Wirken Unordnung schafft.

(b) Einheitlicher Stil (Ofterdingen)

Wir geben noch ein weiteres Beispiel für die Stilbestimmung eines Prosatextes. Als Grundlage dienen zwei Abschnitte aus dem *Heinrich von Ofterdingen*. Nur an ihnen soll die Arbeitsweise vorgeführt werden. Die Begrenztheit des Textes schließt endgültige Ergebnisse aus; aber selbst vorläufige Feststellungen oder gar offene Fragen können für andere Arbeiten als Wegweiser nützlich sein.

In wehmütiger Stimmung verließ Heinrich seinen Vater und seine Geburtsstadt. Es ward ihm jetzt erst deutlich, was Trennung sei; die Vorstellungen von der Reise waren nicht von dem sonderbaren Gefühle begleitet gewesen, was er jetzt empfand, als zuerst seine bisherige Welt von ihm gerissen und er wie auf ein fremdes Ufer gespült ward. Unendlich ist die jugendliche Trauer bei dieser ersten Erfahrung der Vergänglichkeit der irdischen Dinge, die dem unerfahrnen Gemüt so notwendig und unentbehrlich, so fest verwachsen mit dem eigentümlichsten Dasein und so unveränderlich wie dieses vorkommen müssen. Eine erste Ankündigung des Todes, bleibt die erste Trennung unvergeßlich und wird, nachdem sie lange wie ein nächtliches Gesicht den Menschen beängstigt hat, endlich bei abnehmender Freude an den Erscheinungen des Tages und zunehmender Sehnsucht nach einer bleibenden sichern Welt zu einem freundlichen Wegweiser und einer tröstenden Bekanntschaft. Die Nähe seiner Mutter tröstete den Jüngling sehr. Die alte Welt schien noch nicht ganz verloren, und er umfaßte sie mit verdoppelter Innigkeit. Es war früh am Tage, als die Reisenden aus den Toren von Eisenach fortritten, und die Dämmerung begünstigte Heinrichs gerührte Stimmung. Je heller es ward, desto bemerklicher wurden ihm die neuen, unbekannten Gegenden; und als auf einer Anhöhe die verlassene Landschaft von der aufgehenden Sonne auf einmal erleuchtet wurde, so fielen dem überraschten Jüngling alte Melodien seines Innern in den trüben Wechsel seiner Gedanken ein. Er sah sich an der Schwelle der Ferne, in die er oft vergebens von den nahen Bergen geschaut und die er sich mit sonderbaren Farben ausgemalt hatte. Er war im Begriff, sich in ihre blaue Flut zu tauchen. Die Wunderblume stand vor ihm, und er sah nach Thüringen, welches er jetzt hinter sich ließ, mit der seltsamen Ahndung hinüber, als werde er nach langen Wanderungen von der Weltgegend her, nach welcher sie jetzt reisten, in sein Vaterland zurückkommen und als reise er daher diesem eigentlich zu ...

Endlich stand alles auf. Alles schwärmte durcheinander. Heinrich war an Mathildens Seite geblieben. Sie standen unbemerkt abwärts. Er hielt ihre Hand und küßte sie zärtlich. Sie ließ sie ihm und blickte ihn mit unbeschreiblicher Freundlichkeit an. Er konnte sich nicht halten, neigte sich zu ihr und küßte ihre Lippen. Sie war überrascht und erwiderte unwillkürlich seinen heißen Kuß. «Gute Mathilde!» – «Lieber Heinrich!», das war alles, was sie einander sagen konnten ...

Diese Prosa liest sich mühelos. Ohne Anstrengung gleiten wir weiter. Und wie wir als Leser nicht vom Inhalt gespannt werden, so ist die Sprache selber nirgends straff gespannt. Sie fließt natürlich dahin, wir brauchen nicht zu konstruieren, brauchen keinen Satz noch einmal zu lesen, weil wir ihn zunächst falsch entworfen hätten, finden keine raschen Anstiege und keine gedehnten Halte. «Der Dichter wird keinen törichten Versuch machen, sie (die Sprache) über ihre Kräfte anzuspannen» – diese Warnung, die Klingsohr später aufstellt, ist von dem Erzähler offensichtlich erfüllt. Auch jenes positive Gebot des Meisters: daß «den Reichtum der Erfindung ... eine leichte Zusammenstellung faßlich und anmutig» machen sollte, daß eine «leichtfaßliche Ordnung» den wahren Dichter kennzeichne. Und wenn Novalis sich für die Fortsetzung des Ofterdingen «ein Ohr und eine Hand für reizende Periodenketten» erst noch wünschte, so scheint er sie gerade in der ersten Textstelle schon zu besitzen. (Das gilt auch von den anderen stilistischen Zügen, die Tieck in der Vorrede zu der

ersten Ausgabe von Novalis' Schriften als dessen eigene Wünsche nennt.)
Erste Wesenszüge der Erzählhaltung heben sich damit heraus. Dieser
Erzähler wird von dem, was er zu erzählen hat, nicht so gepackt, daß es ihm
den Atem verschlüge. In ruhiger Gelassenheit reiht er einen Satz an den andern, nennt er einen Sachverhalt nach dem andern. Selbst wo die Sätze einmal länger sind, ist ihre Ordnung klar und leichtfaßlich und behalten sie ihren
ruhigen Fluß. Und ebenso sind die ganz kurzen Sätze ohne jede innere
Erregtheit gesprochen. Kurze Sätze sind besonders in dem zweiten Abschnitt stilkennzeichnend. Sie können an sich sehr verschiedenes ausdrücken.
Wir greifen wahllos in eine moderne Erzählung:
     «Die Frau schrie auf. Vor der Tür lärmten jetzt die Männer. Am Schloß
gab es ein metallenes Klirren. Der Mönch sprang zur Tür und schoß durch
das Holz ...»
     Hier drücken die kurzen Sätze gerade Erregtheit des Erzählers aus, sein
Gefesseltsein von dem sich überstürzenden Geschehen. Die beiden Beispiele
verdeutlichen die Mehrwertigkeit der gleichen syntaktischen Erscheinung.
Aber die Gleichheit besteht nur äußerlich in der Kürze. Der zweite Erzähler
wird hin und her gerissen; er steht dicht am «Tatort» und nimmt mit den
Sinnen wahr, vor allem mit Ohren und Augen. Novalis sieht nicht von
außen, das heißt nur mit den Sinnen. Er weiß um den inneren Zustand der
Gestalten; er weiß, daß Heinrich «sich nicht halten konnte», daß Mathilde
«überrascht» ist, daß der Kuß «heiß» ist, daß sie «unwillkürlich» erwidert,
daß sie nicht mehr sagen «können». Er weiß gerade um die Zustände, nicht
nur um die Geschehnisse. Vor allem in Adjektiven und Adverbien drückt
sich die Unerregtheit des Erzählers aus, – sie fehlen dem Gegenbeispiel fast
völlig. Novalis ist nicht gefesselt vom Geschehen wie jener andere Erzähler.
Der beginnt zwei Sätze mit Ortsbestimmungen, weil sein Blick dahin gelenkt wird. Sein Satzbau ist Symptom einer momentgebundenen, impressio-
nistischen Haltung. Novalis ordnet ruhig und gefaßt nach den Personen. Sie
sind die Satzgegenstände, sie treten immer an die Spitze, und zwar in ge-
nauem Wechsel: Er – Sie – Er – Sie – Er – Sie. So bekundet sich in seinen
kurzen Sätzen Ruhe, Ordnungskraft und innerer Abstand, – in dem Gegenbeispiel in allem das Gegenteil.
     Die Gelassenheit und der innere Abstand offenbaren sich noch in einem an-
deren Stilzug. Fast unmerklich schiebt sich im ersten Abschnitt zwischen den
Bericht über Heinrichs Wehmut eine Reflexion des Erzählers über die
Trauer beim ersten Abschied. Der Blick des Erzählers dringt nicht nur in
das Innere der Gestalten; er weiß auch um das Wesen jugendlicher Ab-
schiedstrauer und hat Zeit, dieses Wissen mitzuteilen. Aber sein Wissen
umspannt noch mehr: er kennt hinter dieser Welt mit ihren bunten Erscheinungen des Tages eine bleibendere, sichere Welt, weiß, daß der Abschieds-

schmerz Ankündigung des Todes ist und als solcher Wegweiser zu jenen Tiefen werden kann.

Damit wird der eigentliche Grund für die Gelassenheit des Erzählers deutlich: es ist eben das Wissen um die eigentliche, bleibende Welt und die Vorläufigkeit aller Erscheinungen und Geschehnisse des Tages. Geschehnisse und äußere Bilder der Dinge können ihn nicht an sich selbst erregen. Soweit er von ihnen erzählt, spricht er in völliger Gelassenheit und fast auffälliger Unbeteiligung, stellt er sie in faßlichster Ordnung dar: Subjekt, Prädikat, Objekt.

Es ist nun kennzeichnend, daß in dem ersten Abschnitt gerade die Reflexion in längeren Sätzen gegeben wird und daß weiterhin durch Umstellungen Gefühl einströmt: «Unendlich ist die jugendliche Trauer», so hebt sie an und füllt damit «unendlich» bedeutsam auf; die Wesensdeutung der Trauer wird als vorangestellte Apposition eindringlich gemacht: «Eine erste Ankündigung des Todes, bleibt die erste Trennung ...» Eine ähnliche Beschwerung erfahren im ersten Abschnitt durch Umstellung die «alten Melodien seines Innern».

Und während im zweiten Abschnitt das Geschehen und Empfinden des ersten Kusses auffällig verhalten berichtet wird, strömt reichster Gefühlsgehalt, geradezu Pathos in die Worte, mit denen Heinrich dann in der Einsamkeit seine Empfindungen ausdrückt, oder vielmehr: sein Bewußtsein, einen Zugang zu der bleibenden Welt gefunden zu haben: «Mit vollem Entzücken rief Heinrich aus: ,Euch, ihr ewigen Gestirne, ihr stillen Wandrer, euch rufe ich zu Zeugen meines heiligen Schwurs an. Für Mathilden will ich leben, und ewige Treue soll mein Herz an das ihrige knüpfen. Auch mir bricht der Morgen eines ewigen Tages an. Die Nacht ist vorüber. Ich zünde der aufgehenden Sonne mich selbst zum nie verglühenden Opfer an.'» Rückschauend wird nun deutlich, warum der Erzähler die «Melodien des Innern» unterstrich: auch sie sind (noch nicht recht ermessene) Begegnungen mit der bleibenden Welt.

So zurückhaltend der Erzähler bei Berichten von Geschehnissen ist, so sparsam ist er auch mit den Angaben über Äußeres. Der erste Abschnitt behandelt den Abschied des jungen Ofterdingen aus dem Eisenach des 13. Jahrhunderts. Aber wir bekommen nichts zu sehen. Keine Beschreibung der Stadt, des Weges, des Abschieds vom Vater. «Es war früh am Tag, als die Reisenden aus den Toren von Eisenach fortritten» – dieser lakonische, nur das Faktisch mitteilende Satz ist alles, was gesagt wird. Das Fehlen eigenwertiger Beschreibungen ist für den Stil kennzeichnend wie noch das Fehlen jedes Adjektivs, das visuelle Werte vermittelte. Dabei fehlt es dieser Prosa keineswegs an Adjektiven; sie sind – als solche Ausdruck ruhiger Betrachtung – sogar häufig. Aber sie beziehen sich fast immer auf seelische Zustände oder Wirkungen: freundlicher Wegweiser; tröstende Bekanntschaft; gerührte Stimmung; neue, unbekannte Gegenden; verlassene Landschaft; überraschter Jüngling; alte Melodien; trüber Wechsel; sonderbare Farben (sonderbar ist ein bevorzugtes Adjektiv). Diese Gefühlstönung durch Eigenschaftswörter ist so einheitlich, daß wir die «verdoppelte» Innigkeit fast als zu trocken, fast als leisen Stilbruch empfinden.

Alles Äußere in der ersten Probe löst Inneres aus. Es gibt nur solches Äußere. Die Dämmerung begünstigt Heinrichs Rührung; die aufgehende Sonne erweckt alte Melodien seines Innern, der Blick auf Thüringen schafft Ahnungen. Die Ferne aber verschmilzt völlig mit dem Inneren, sie formt sich um zur blauen Flut, in die Heinrich taucht. Diese Wandlungsfähigkeit, Mehrschichtigkeit, die durch die Metapher dargestellt wird, hebt die Ferne über die bloßen Äußerlichkeiten der Stadt, der Tore, der Dämmerung, Thüringens heraus. Sie wird durch die Metapher zu einem Zugang zum Eigentlichen; tatsächlich ruft die blaue Flut gleich die blaue Wunderblume herbei.

Die ständige Entgrenzung und Verinnerung des Äußeren wird durch die Sachverhalte, die Metaphern, die besonderen Adjektive sichtbar gemacht. Bei den Adjektiven fällt noch eine Gruppe besonders auf: es sind die mit unzusammengesetzten, die in unserm Text ein Stilmerkmal sind (vgl. zum Beispiel auch die 3. Hymne an die Nacht). Diese Bildung wird bei Novalis ausdrucksvoll, – abgesehen von den Bedeutungen und manchmal gegen sie. Die Bildungen mit un- sind Verneinungen. Sie sagen, was etwas nicht ist. Sie sind also zunächst kontradiktorische Gegenteile (weiß – nicht weiß). Man versteht, daß die Sprache solche Unbestimmtheit einschränkt, so daß die un-Bildungen meist zu konträren Gegenteilen geworden sind (weiß – schwarz). Aber fast immer noch sind sie offener, unbestimmter als die gegenüberstehenden Positiva und auch als die nebenstehenden Synonyma. Unzart, unschön, unfern sind unbegrenzter als zart, schön und fern, aber auch als roh, häßlich, nah. Daraus erklärt sich, daß zum Beispiel Untiefe sowohl Seichte bedeuten kann wie auch bodenlose Tiefe: nach beiden Seiten der Tiefe kann sich die un-Bildung entfalten. Durch ihre Häufung gewinnen solche Adjektive bei Novalis den ursprünglichen Ausdrucksgehalt der Entgrenzung in reichem Maße wieder und werden so ein eigenes sprachliches Mittel neben anderen, die das gleiche leisten. (Die im Text vorkommenden Adjektiva sind: unendlich, unerfahren, unentbehrlich, unveränderlich, unvergeßlich, unbekannt, unbemerkt, unbeschreiblich, unwillkürlich.)

Unsere Proben reichen nicht aus, um zu erkennen, daß die Perspektive des Erzählers auch die der anderen Gestalten ist. Tatsächlich sprechen sie alle, der Bergmann wie der Ritter wie Klingsohr wie die Morgenländerin und Mathilde, in dem gleichen Stil wie der Erzähler. Sie sind in ihren (ausführlichen) direkten Reden nicht individuell abgetönt. Es ist die gleiche Welt, an der sie teilhaben und die sie mit aufbauen.

Die Leitlinie sind die inneren Erfahrungen Heinrichs. Der Erzähler kennt nicht die Freude an der Fülle und Buntheit der Welt; Welt ist gerade in den beiden zitierten Abschnitten überhaupt nur soweit da, als sie für Heinrich seelische Bedeutung gewinnen kann. Der Erzähler folgt dauernd seinem Helden, Heinrich ist gleichsam eine Integration des Erzählers. So bleibt denn alles im Schatten, was in dieser Welt als Erscheinung oder Geschehen Eigenwert haben könnte; worauf aber Licht fällt, das wird zum Hinweis und Zugang zu der bleibenderen Welt. Nur ganz am Rande, gelegentlich in den Erzählungen anderer, gibt es Bosheit, Gemeinheit, niederes Streben und Begehren. Heinrichs Weg wird davon nicht gekreuzt. Ihm begegnet nur, was ihm taugt. Aber welches ist sein Weg? wie und warum geht er? Heinrich hat keine auf konkrete Dinge gerichteten Vorsätze, er will nichts Bestimmtes. Er ist einer jener «ruhigen Menschen», von denen im Roman gesagt wird, «deren Welt ihr Gemüt, deren Tätigkeit die Betrachtung ist». Er ist «von Natur zum Dichter geboren. Mannigfaltige Zufälle schienen sich zu seiner Bildung zu vereinigen ...»

Aber er ist nicht nur ein passiver Beobachter. Der Stil enthüllt etwas anderes, eine wesentliche Kraft dieser Welt: «so fielen dem überraschten Jüngling alte Melodien seines Innern ein ... Die Wunderblume stand vor ihm ... Ahndung, als werde er zurückkommen ... Er konnte sich nicht halten ...». Als Einfall, Ahndung, Traumbild dringt der geheimnisvolle Urgrund in Heinrichs Gemüt. Oder aber er fühlt in der Begegnung mit Erscheinungen des Seins eine magische Anziehungskraft, den «dunklen Zug», wie es die Morgenländerin in anderem Zusammenhang nennt. Immer gibt es geheime Zugkräfte, die ihn weiterlenken.

Das leise Gezogenwerden ist die typische Erscheinungsweise aller Bewegung in diesem Buch, in dieser Welt. Es ließe sich noch in der Gliederung der Prosa aufzeigen, weiterhin in der Satzverknüpfung (tröstende-tröstete; blaue Ferne–Wunderblume). Und wie es ein Stilbruch sein würde, wenn Heinrich im Begriff wäre, sich in die blaue Flut zu «stürzen», so wäre es undenkbar, daß Heinrich die Geliebte etwa stürmisch an sich risse. «Er neigte sich zu ihr» heißt es in stilreiner Erfüllung des Bewegungsgesetzes dieser Welt.

Die Zugkräfte, die aus dem Urgrund kommen, finden nun immer ihre Erfüllung. Heinrich fühlt sich unwiderstehlich zu Mathilde hingezogen; in ihr aber waltet die gleiche Zugkraft, und so vollzieht sich das Zueinander-Finden in einer Selbstverständlichkeit, die nur überraschen mag, wenn die Stelle herausgelöst wird. Innerhalb des Buches gibt es daran nichts Auffälliges. Auch für die anderen Gestalten hat die schnelle, umweglose Erfüllung nichts Überraschendes. Klingsohr, aber auch noch die Mutter und der Großvater kennen die Zugkräfte des Lebens und geben ihnen in der Begegnung und im Umgang mit Heinrich ebenso nach, wie es die Morgenländerin, der Bergmann, der Einsiedler tun. Jenes Wort von den «mannigfaltigen Zufällen» ist mißverständlich, wo nicht gar falsch. Heinrichs Weg ist keine Kette von Zufällen, wie wir sie sonst wohl von Romanen her kennen. Wir lesen das Buch in einer grundsätzlich anderen Haltung als einen «Roman». Wir sind auf Wunderbares gefaßt, wir erwarten seltsame Fügungen und glauben an ihren geheimnis- und sinnvollen Zusammenhang. Diese Welt hat durch die Zugkraft als Bewegungsgesetz, durch das Seltsame der Fügungen und die sichere und selbstverständliche Leichtigkeit der Erfüllungen etwas Märchenhaftes. Es paßt dazu, daß in völlig gleichem Stil wie die übrigen Teile verschiedene Märchen erzählt werden (das Märchen der Kaufleute; Klingsohrs Märchen).

Schon im ersten Teil löste sich die bis dahin als Realität aufgebaute Welt einen Augenblick auf, als Heinrich in dem seltsamen Buch des Einsiedlers seine zum großen Teil noch zukünftige Geschichte dargestellt findet. Im zweiten Teil sollte offensichtlich die Welt voll und ganz zur Märchenwelt werden.

So weit sind wir am Anfang noch nicht. Da ist die Welt noch «wirklich», da handelt es sich, wie der Erzähler kurz vor Heinrichs Abschied sagt, um eine bestimmte, historische Zeit, die freilich «unter schlichtem Kleide eine höhere Gestalt verbirgt». Da tritt der Erzähler noch anläßlich des «realen» Geschehens mit allgemeinen Reflexionen hervor, und auch die verkündenden Gespräche zwischen Klingsohr und Heinrich brauchen die Realität als Folie. Der Stil belehrt uns, daß es im ersten Teil darum geht, in einer zwar «tiefsinnigen und romantischen», aber doch real aufgebauten Welt das Sein und Walten des tieferen Urgrundes zu zeigen.

Aber schon im ersten Teil verzichtet der Dichter mehr und mehr auf die Gestaltung dieser totalen Welt. Immer stärker gibt er Heinrich und Klingsohr das Wort zu unmittelbaren Verkündigungen des innersten, poetischen Weltgehaltes. Diese Verkündigungen sagen uns nicht mehr viel, so schöne Zitate sich auch daraus brechen lassen. Es geht einem mit ihnen wie mit vielen Gedanken und Ideen des Novalis: nimmt man sie heraus oder begegnet man ihnen in geistesgeschichtlichen Arbeiten, wo sie als tiefe Philosophie bewundert und verarbeitet werden, so überkommt den reiferen Menschen ein Unbehagen angesichts so merklicher geistiger Unreife. Greift man aber wieder zum Werk, gerade zu den darstellenden Teilen, so gerät man immer wieder in den Bann dieser magischen, dichterischen Sprache und der von ihr in Märchengläubigkeit geschaffenen Welt. Mag man sich auch an dem Prophetenmantel stören, den der Erzähler gelegentlich seinen Gestalten oder sich selber umzuhängen beliebt, – es bleibt genug, um in Novalis einen der großen Zauberer der Sprache zu verehren.

2. STILBESTIMMUNG VON GEDICHTEN

(a) Hofmannsthal: Manche freilich ...

Bei der Stilbestimmung von Gedichten suchen wir zunächst einmal den Weg durch die einzelnen Schichten anzutreten, also Rhythmus, Lautung, Wort, Wortgruppen, Wortstellung und Satzbau sowie den Aufbau nacheinander zu befragen. Als erstes Beispiel dient ein Gedicht von Hugo von Hofmannsthal:

Manche freilich ...

Manche freilich müssen drunten sterben,
Wo die schweren Ruder der Schiffe streifen,
Andre wohnen bei dem Steuer droben,
Kennen Vogelflug und die Länder der Sterne.

Manche liegen immer mit schweren Gliedern
Bei den Wurzeln des verworrenen Lebens,
Andern sind die Stühle gerichtet
Bei den Sibyllen, den Königinnen,
Und da sitzen sie wie zu Hause,
Leichten Hauptes und leichter Hände.

Doch ein Schatten fällt von jenen Leben
In die anderen Leben hinüber,
Und die leichten sind an die schweren
Wie an Luft und Erde gebunden:

Ganz vergessener Völker Müdigkeiten
Kann ich nicht abtun von meinen Lidern,
Noch weghalten von der erschrockenen Seele
Stummes Niederfallen ferner Sterne.

Viele Geschicke weben neben dem meinen,
Durcheinander spielt sie alle das Dasein,
Und mein Teil ist mehr als dieses Lebens
Schlanke Flamme oder schmale Leier.

Diese Verse stehen in der Literatur- und Geschmacksgeschichte an besonderer Stelle. An ihnen und wenigen anderen Gedichten Hofmannsthals, zu denen dann noch seine beiden lyrischen Dramen *Der Tod des Tizian* und *Der Tor und der Tod* gehören, sowie an Gedichten Rilkes und seinem *Cornet* ist einem großen Teil der zwischen 1900 und 1925 Heranwachsenden das Wesen des Dichterischen aufgegangen, durch sie haben unzählige den Weg zur Dichtung gefunden. Eine Stilanalyse trägt vielleicht dazu bei, diese ihre geschichtliche Wirkung besser zu verstehen.

Der äußere Bau ist auffällig. Auf eine vierzeilige Strophe folgt eine sechszeilige, an die sich wieder drei vierzeilige schließen. Unregelmäßig ist auch der Bau der Zeilen: Mitten in der zweiten Strophe sinkt die Zahl der metrischen Akzente von 5 auf 4; in der dritten Strophe ist die erste Zeile fünfhebig, die drei folgenden haben nur vier. Von der folgenden Strophe an herrschen wieder fünf Hebungen. Unregelmäßig sind auch die Füllungen. Das Gedicht beginnt trochäisch; aber schon in der zweiten Zeile stellt sich eine zweisilbige Senkung ein, und daran fehlt es fortan nur wenigen Zeilen (I, 3; III, 1; IV, 2, 4; V, 3, 4); manche haben sogar zwei zweisilbige Senkungen (I, 4; II, 4; III, 2; IV, 3; V, 1). Hier wird keine vorgegebene Form erfüllt, sondern was sich als Schema des äußeren Baues abziehen läßt, ist ganz von dem sich bildenden Gedicht bestimmt.

Schon dadurch kann der Rhythmus, der dabei entsteht, nichts Einwiegendes und Einschmeichelndes haben, so wie uns etwa der Rhythmus eines Liedes einwiegt. Dazu kommt, daß die Hebungen nachdrücklicher gesprochen werden, daß das Tempo langsamer ist und die Kola auffällig groß. Selbst in den fünfhebigen Versen sind die Schnitte nur ganz leicht, so daß erst die Zeile als solche die rhythmische Einheit bildet. Die Hebungsschweren sind nicht sehr abgestuft, oder vielmehr: es gibt eine nachdrückliche Schwere, die immer wieder ins Ohr fällt, in jeder Zeile mindestens zweimal. Aber es gibt keine aufragenden Gipfel, die ihre weitere Umgebung beherrschen, gibt keine großen Spannungen und keine ausgedehnten Crescendi und Decrescendi. Und doch ist alle Starre vermieden – einmal durch die wechselnde Zahl und Lage der schweren Hebungen, zum andern durch die Unregelmäßigkeit der zweisilbigen Senkungen. Sogar dreisilbige kommen vor; in II, 2 zum Beispiel kann man – trotz des fünfhebigen metrischen Schemas – nur lesen: Wúrzeln des verwórrenen. Auch in II, 4 ist die Eingangshebung so schwach, daß fast ein dreisilbiger Auftakt entsteht.

Die größere Bewegtheit solcher Stellen wird aber schnell wieder aufgehalten. Nicht nur, weil sich in jeder Zeile mindestens zwei jener druckschweren Hebungen finden, sondern weil oft zwei solcher Hebungen unmittelbar aufeinander folgen. Gruppen wie Léichten Háuptes; léichter Hände; Férner Stérne; Schlánke Flámme; Schmále Léier sind typische Stauungen dieses langsam strömenden Rhythmus. Deshalb kommt andererseits die rhythmisch vereinzelte Zeile «Bei den Sibyllen, den Königinnen» ausdrucksvoll heraus.

Auffällig ist die vierte Strophe. Der unbefangene Leser möchte vielleicht betonen:

Kánn ich nicht ábtun von meinen Lidern,
Noch wéghalten von der erschrockenen Seele.

Aber damit dürfte er dem Gedicht kaum gerecht werden. Ein jambischer
Eingang «noch wég ...» ist hier undenkbar; blättert man in Hofmannsthals
Versen, so zeigt sich, daß bei ihm Betonungen wie herkámen, stillátmend,
eiskálten, aufquéllenden, durchsíchtig, mitléidig, Baumkrónen, ehrwürdig
u.s.f. geradezu häufig sind, und eine Betonung wie hinzíehn läßt abtún,
weghálten nicht als unmöglich erscheinen. In beiden Zeilen bekommen die
Präfixe den melodischen, die Stammsilben den Stärkeakzent. Aber es bleibt
gewiß eine Unregelmäßigkeit. Die dadurch erzwungene Tempominderung
und Nachdruckssteigerung ist indessen ausdrucksvoll: sie gestaltet rhythmisch das Erschrecken, die Verwirrung im Erleben. Und um so befreiender
wirkt dann die geordnetere Schlußstrophe, in der nur die leichte Unregelmäßigkeit des melodischen Akzentes auf «mein» (Und mein Teil) die Erregtheit des Sprechenden nachzittern läßt, der hier noch einmal von sich
spricht. Aber von da ab waltet klare Ordnung. Die drei aufeinanderfolgenden
Doppelhebungen sind die geregelteste Stelle des Gedichts. Denken wir
noch einmal an Lieder, so zeigt sich, daß der Rhythmus hier weniger selbstherrlich ist; er hilft vielmehr an der kräftigen Entfaltung der Bedeutungen.
Dafür wird ihnen vom Klang Kraft entzogen. Fast mit Überraschung stellt
man fest, daß das Gedicht gar nicht gereimt ist: so sehr ist es voller Musik,
voller bestrickender Klänge. Die Alliterationen sind ein wirksames Mittel:
die erste Strophe etwa häuft die Sch- und St-Klänge, in der dritten herrschen
die L-Anlaute. Nicht selten heben sich zwei Laute hervor: Stummes Niederfallen ferner Sterne. Dieses Beispiel zeigt zugleich, daß nicht nur die betonten Laute aufeinander abgestimmt sind. Aber wirksamer sind vielleicht noch
die vokalischen Anklänge und Gleichklänge. Fast in jeder Strophe gibt es
assonierende Zeilenschlüsse; innerhalb der Zeilen hebt sich oft ein Vokal
beherrschend heraus wie das lange o in I, 3, 4 oder das lange e in der dritten
Strophe. Anklänge wie Wurzeln- verworren; Länder der Sterne; ferner
Sterne steigern sich bis zum Binnenreim weben – neben (der dem Akzent
auf «neben» Nachdruck verleiht). Von bestrickender Klangwirkung ist aber
wieder der Schluß. Ferne Sterne – viele Geschicke – mein Teil – schlanke
Flamme – diese Assonanzen zwischen Attribut und Substantiv verbinden
sich wirksam mit der Doppelhebung an diesen Stellen. So vollzieht sich denn
doch kein eigenwertiges Musizieren mit sprachlichen Klängen, und es entsteht mehr als bloße klangliche Schönheit. Man darf vielleicht sagen, daß
die Klänge, was sie den Bedeutungen an begrifflicher Klarheit entziehen,
ihnen durch Steigerung des Ausdrucksgehaltes in reichem Maße zurück-
geben.

Ohne alle Härte, fast zögernd beginnt das Gedicht, als seien Erwägungen, Zweifel, Fragen vorhergegangen und erhöbe sich nun die Stimme eines, dem beim Sprechen Wissen zukommt. Zögernd und ein wenig unbestimmt: manche freilich ... Wer sind die manche? Erst im Fortgang des Gedichts füllt es sich auf. Wie undeutlich das Wort «manche» ist, geht einem erst auf, wenn man es in eine andere Sprache übersetzen will. Die Wörter, die sich da anbieten, haben alle andere Entsprechungen im Deutschen, und neben diesen Synonyma wie einige, mehrere, viele u.s.f. behauptet «manche» seine Eigenart gerade durch seine Unbestimmtheit. Für das attributive «mancher» hat das Französische in «maint» eine Entsprechung; bezeichnenderweise ist es eines der von Mallarmé bevorzugten Wörter. (Im Singular steht neben «mancher» in substantivischer Verwendung «einer». Es findet sich bei Hofmannsthal nicht selten: weinten, wie einer weint *(Erlebnis)*; wird ein Weib, das einer liebt *(Weltgeheimnis)*. Auch Rilke hat eine Vorliebe für das unbestimmte «einer». Wieder stiften sich Beziehungen zu Mallarmé; für den Stil mancher Gedichte von ihm ist das adjektivische «*quelque*» bzw. «*quelconque*» kennzeichnend.) Die Offenheit des «manche» in unserem Gedicht ist um so ausdrucksvoller, als es im Gegensatz verwendet wird: manche – andere. Es sollen eben nicht «die einen – die anderen» sein.

Solche leichte Unbestimmtheit ist allem eigen, was dieser Sprechende sagen wird. Synonyma, von denen das zweite die Begrenztheit des ersten auflockert, sind ein Stilkennzeichen. So entgrenzt sich das gegensätzliche Bild der ersten Strophe durch das synonyme Bild der zweiten, in denen neue «manche» und neue «andere» hervorgerufen werden. So stellen sich neben den Vogelflug (I, 4) die Länder der Sterne und machen das Wissen der «andern» unbestimmter und weiter. So heben die Königinnen die Einmaligkeit des Platzes neben den Sibyllen auf, und indem auch die Hände leicht sind, wird die ganze Haltung leicht. In den Strophen III und IV reihen sich jeweils zwei synonyme Sachverhalte oder Vorgänge. Immer wieder entgrenzt sich so das Konkrete, Einmalige, Vordringliche des ersten; die Nennung eines zweiten Vorgangs lenkt den Blick auf ein gemeinsames Innere in den Erscheinungen. So gibt noch die Schlußzeile eine synonyme Doppelformel für das Sein des eigenen Ich.

Verschiedene sprachliche Mittel wirken in solcher Richtung. Ein Mittel der Entgrenzung ist die Auslassung des Artikels (Vogelflug, leichten Hauptes, leichter Hände, Luft, Erde, Niederfallen, Sterne). Innerhalb des Wortschatzes ist das «Streifen» der zweiten Zeile in der leichten Undeutlichkeit und fast Zartheit der Bewegung unerhört ausdrucksvoll, und immer wieder sind gerade die Verben einheitlich auf solchen Ausdruck abgestimmt (man fühlt sich fast an das Bewegungsgesetz in der Welt des Ofterdingen erinnert): ein Schatten fällt, abtun, weghalten, durcheinander spielen. Bei zwei solchen Wörtern stellt sich ein Goethenachklang ein: verworren (II, 2; es ist bei dem jungen Hofmannsthal sehr häufig) und weben sind Lieblingswörter des jungen Goethe, um eine undeutliche Bewegtheit auszudrücken. Aber sie sind hier völlig an ihrem Platze, und man muß sogar sagen: sind umgeformt und auf diese Welt abgestimmt. Das Weben hat sich durch den nebenstehenden schweren Akzent beruhigt, während sein Ausdrucksgehalt bei Goethe stets bewegter ist. (Deutlicher noch, und nun fast störend, ist der Goetheklang des Bildes II, 3. Im Parzenlied der *Iphigenie* heißt es:

> Der fürchte sie doppelt,
> Den je sie erheben!
> Auf Klippen und Wolken
> Sind Stühle bereitet
> Um goldene Tische.

Wo schon der Ton beider Gedichte so ähnlich ist, hätte ein solcher Anklang vielleicht vermieden werden sollen.)

Das Zögern des Sprechers, seine Scheu vor dem klaren Nennen und Begrenzen ist mehr als eine «subjektive» Eigenheit. Das Verworrensein des Lebens, das Weben der Geschicke, das Durcheinander-Gespieltwerden – all das sind Kennzeichen der Welt, wie sie hier aufgebaut wird. Es ist ihr Wesen, nicht starr begrenzt zu sein; Verhaltenheit, leichte Unbestimmtheit ist die gemäße Art, von ihr zu sprechen. Diese Offenheit der Welt, die durch den Stil gestaltet wird, sagen spätere Zeilen nun auch gedanklich aus: die scheinbar so getrennten Geschicke sind aneinandergebunden, was in unendlicher zeitlicher oder räumlicher Ferne vor sich geht, bedrückt noch hier und jetzt das Ich. Was eine isolierte Betrachtung des Gedankengehaltes aus diesem Gedicht herauslösen könnte, findet die Stilanalyse von Beginn an darin. Selbst die Aufhebung der Zeit (ganz vergessener Völker Müdigkeiten ...), die Zeitlosigkeit echten Seins, hat der Stil schon hervorgerufen: in dieser Welt kann man noch den Vogelflug kennen (der Verfasser jener Prosaskizze fühlte sich als Mensch, und das bedeutete: als moderner Mensch, ausgeschlossen aus jener großbeseelten Welt der Mythen); hier sind auch die Sibyllen noch ganz gegenwärtig. In diesem Gedicht ist aller Gehalt zugleich sprachliche Form.

Aber wir müssen uns verbessern. Dieser Wissende spricht ja keine Gedanken aus. Sondern er zeigt, zeigt Dinge und Vorgänge, ruft Bilder hervor. Er sagt nicht: die einen leben in Elend und die andern in Glück und nahe den waltenden Mächten. Sondern er gibt uns Bilder, reiht eines an das andere. Alle diese Bilder wirken auf uns zunächst einfach durch ihre Schön-

heit. Es gibt in dieser Welt nichts Häßliches, Gemeines, Unedles. Selbst die
Bilder des unteren Bezirks sind von einer bezwingenden Hoheit. Das wird
noch zu deuten sein. Zunächst kann die Betrachtung auch an ihnen eine
leichte Undeutlichkeit wahrnehmen. Wir sehen es nicht genau, wie es da
unten ist, wo die Ruder streifen, sehen auch nicht genau, wie es oben am
Steuer ist: wir werden gleich zum Vogelflug und den Ländern der Sterne
gewiesen. Aber alles ist hier räumlich-dinglich. Die Müdigkeiten ganz vergessener Völker legen sich auf die Lider, das ferne Niederfallen kann man
nicht abtun. Nur in den ersten drei Zeilen der Schlußstrophe wird die
Sprache weniger bildhaft und dafür gedanklicher, die Substantive, die hier
stehen, haben schwächeren gegenständlichen Gehalt als alle anderen Substantive des Gedichts.

Die leichte Verschwommenheit der Bilder weist darauf, daß ihr Sinn nicht
das Gesehen-Werden ist. Sie gelten nicht als gleichsam epische Bilder bunten Daseins. Die Stildeutung kann sich nicht mit dem Begriff des «Bildes» begnügen. Wir müssen die sprachlichen Leistungen genauer beobachten. Da
zeigt sich, daß die Bilder nicht starr sind, sondern daß sich in allen etwas
vollzieht, so sacht es auch ist. Der Raum ist jeweils bewegt. Das sterben,
wohnen, liegen (mit schweren Gliedern), sitzen (leichten Hauptes und
leichter Hände) ist ein Vollziehen, und die Verben fallen, abtun, weghalten,
weben, durcheinander spielen sind als Bedeutung schon Verben der Bewegung. Die Vorgänge finden nicht einmal, hier und jetzt, statt; die Plurale
(manche, andere, jene, andere, die leichten, die schweren) zwingen dazu,
die Vorgänge als Erscheinungen vielfaltigen Seins zu nehmen. Die Bilder
sind großgeschaute Ausdrucksgesten menschlichen Seins.

Diese Ausdrucksgesten sind nicht die «spielenden Gebärden», die der
«Fremde» in dem Gedicht *Gesellschaft* zeigen will. Sie sind auch nicht Ausdrucksgebärden, in denen seelische Gestimmtheit oder überhaupt seelische
Substanz sich kundgibt (solche Ausdrucksgebärden sind ein Stilkennzeichen
etwa in den *Neuen Gedichten* Rilkes). Sie wollen nicht lediglich gesehen und
nicht nur gefühlt, sondern erkannt werden. In den «bildhaften» Stil des Gedichts – wenn auch nicht zu seinem Gehalt – würde etwa das Bild des Tantalus passen, der, im Wasser stehend, nach den fruchtbehangenen Zweigen
langt, die immer wieder emporschnellen. Den Sinngehalt dieses Bildes gibt
Alciatus in den Erklärungen seiner *Emblemata*, und so dürfen wir vielleicht
sagen: diese Ausdrucksgesten sind als Sinn-Kundgaben, als Sinn-Bilder eine
Art von Emblemen (um das nichtssagende Wort Symbole zu meiden). Es
scheint nicht unwichtig, auf die leise Änderung wieder gegen den Schluß
hin zu weisen: in den beiden letzten Zeilen erstarrt die bisherige Bewegung
der Bilder, da wird mittels zweier dinghafter Embleme ein Urteil ausgesprochen. Der einzige andere Urteilssatz, als solcher gleichfalls «unbewegt»,

fand sich am Ende der dritten Strophe. Darüber wird beim Aufbau noch zu sprechen sein.

Die Sprache gibt uns noch zwei Hinweise zur rechten Erfassung des Sinngehaltes. Den Vogelflug und die Länder der Sterne zu kennen, bei den Wurzeln des verworrenen Lebens zu liegen, bei den Sibyllen zu sitzen, – das bedeutet, den geheimnisvollen Kräften des Daseins nahe zu sein. Die Welt, wie das Gedicht sie aufbaut, ist erfüllt von geheimnisvollen Kräften. (Auch in anderen Gedichten Hofmannsthals ist es so: in dem *Sonett der Seele* sind schwirrende Vogelflüge eine unerkannte «Weltenkraft», der wir uns verwandt fühlen.) Nun erhellt sich, worin die Hoheit, die Schönheit der Bilder lag. Und nun begreift sich auch die Verhaltenheit des Sprechenden.

Den anderen Hinweis geben wieder die Prädikate: sterben müssen, die Stühle sind gerichtet, gebunden sein (notwendig wie an Luft und Erde), nicht abtun können, nicht weghalten können – überall drückt die gleichsam passivische sprachliche Formgebung ein höheres Bestimmtsein, ein aller Willkür und Zufälligkeit Enthobensein, ein von weither Angeordnetsein aus. Wenn später das Dasein als Lenker der Geschicke genannt wird, so wird der Betrachtung kaum mehr zugänglich als wir bereits in uns aufgenommen, als Gestaltung erlebt haben.

Neu ist in der letzten Strophe nur die entschiedene Aussage über das eigene Ich; eine entschiedene und doch zugleich verhüllte Aussage. Das Ich sagt auch sich als bestimmt aus, als «Teil»; aber es sagt nicht den Inhalt seiner Bestimmung. Es sagt nur, daß der Inhalt durch die Allverbundenheit der Geschicke mehr ist als der Sinngehalt der beiden Embleme «schlanke Flamme» oder «schmale Leier».

In der Entschiedenheit sind wir auf eine neue Kategorie des Formens gestoßen. Aber sie wirkt nicht erst am Schluß. Neben aller Undeutlichkeit, Verhaltenheit wirkt sie von Beginn an mit am Aufbau dieser Welt. Die Entschiedenheit und mehr noch: eine Kraft zur Ordnung verrät sich in dem ganzen Satzbau. Überall werden geschlossene Sachverhalte als solche klar erfaßt und dargestellt. Wir spüren hier fast nichts von jener Tendenz zur Verselbständigung einzelner Satzteile, zur Schwächung des Satzcharakters, des «Setzens», wie sie uns so oft in der Verssprache und besonders wieder im Lied begegnete. Die Sachverhalte sind hier klar erfaßt und bauen sich regelmäßig aus Subjekt, Prädikat und (vorzugsweise) Ortsbestimmungen auf. Die Kraft zur Ordnung verrät sich auch in der gleichmäßigen Ausdehnung der Bilder: bis zur letzten Strophe hin bergen immer zwei Zeilen einen Sachverhalt. Straff geordnet ist aber auch die Folge der Bilder, der Aufbau des Gedichts.

Antithetisch stehen sich die Bilder in den ersten beiden Strophen gegenüber (drunten – droben; schwer – leicht). Die entsprechenden Paare binden sich noch durch die Anaphern: manche – andere. Die beiden Antithesen kehren wörtlich in der dritten Strophe wieder, die nun die Verbindung zwischen den bisher so gesonderten Bezirken gestaltet bzw. aussagt. Die vierte Strophe spricht die Erfahrung der Verbundenheit als parallele Erlebnisse des eigenen Ich aus. Die letzte Strophe wendet sich von den Erlebnissen des Ich zu seinem Sein. Zwei Teile lassen sich so unterscheiden, und der Doppelpunkt ist die Stelle des Umschlagens. Der erste Teil spricht über die Welt der anderen, der zweite über die des Ich. In jedem Teil vollzieht sich eine gedankliche Bewegung zum Schluß hin. Die beiden Sätze sind jeweils Urteilssätze.

So hat die Stildeutung verschiedene Kategorien erfassen können. Wenn wir die Einheit der Haltung angeben sollten, so ließe sich vielleicht sagen, daß es die Haltung eines Wissenden ist, die die sprachliche Formung bestimmt, eines, der um die Ordnungen des Lebens und das eigene Ich weiß. Und doch fühlt man eine Unzulänglichkeit. Die Bestimmung der einzelnen Kräfte mochte gelingen, aber ihre Zusammenschau erscheint gezwungen. Sie bleiben im Grunde noch isoliert, die Art und Notwendigkeit ihres Zusammenwirkens entzieht sich noch dem Zugriff, die Einheit, die das Werk so eindrucksvoll besitzt, kommt in der Stildeutung noch nicht in gleicher Evidenz heraus. Die Stilforschung hat wohl ihre Grenze erreicht. Es scheint nötig, noch über sie hinauszudringen, und vermutlich wird sich von da aus das Zusammenwirken der Kräfte·und die Einheitlichkeit der Formung besser verstehen und bestimmen lassen. Zugleich dürfen wir hoffen, daß dann auch die Gestalt des Gedichtes, das heißt die Ganzheit des lyrischen Vorgangs zugänglich wird und der Sinn dieser Ganzheit.

(b) Mário de Sá-Carneiro: Estátua Falsa

Als zweites Beispiel untersuchen wir ein Gedicht des bedeutendsten portugiesischen Symbolisten, Mário de Sá-Carneiro. Das Gedicht wurde 1913 geschrieben, drei Jahre bevor sich der zweiunddreißigjährige Dichter in Paris erschoß.

Estátua Falsa

Só de ouro falso os meus olhos se douram;
Sou esfinge sem mistério no poente.
A tristeza das coisas que não foram
Na minh' alma desceu veladamente.

Na minha dor quebram-se espadas de ânsia,
Gomos de luz em treva se misturam.
As sombras que eu dimano não perduram,
Como Hontem, para mim, Hoje é distância.

Já não estremeço em face do segredo;
Nada me aloira já, nada me aterra:
A vida corre sobre mim em guerra,
E nem sequer um arrepio de medo!

Sou estrela ébria que perdeu os céus,
Sereia louca que deixou o mar;
Sou templo prestes a ruir sem deus,
Estátua falsa ainda erguida ao ar ...

Die folgende Übersetzung schließt sich eng an das Original:

Falsches Standbild

Nur an falschem Gold vergolden sich meine Augen;
Ich bin Sphinx ohne Geheimnis im Untergang.
Die Traurigkeit der Dinge, die nicht waren,
In meine Seele sank sie hüllend ein.

In meinem Schmerz zerbrechen Leidenschafts-Degen,
Lichtpollen mischen sich in Dunkelheit.
Die Schatten, die ich werfe, dauern nicht,
Wie Gestern, ist Heute für mich Ferne.

Ich bebe nicht mehr vor dem Geheimnis;
Nichts erregt mich mehr, nichts schreckt mich:
Das Leben läuft über mich dahin in Krieg,
Und nicht einmal ein Schauer von Furcht!

Ich bin trunkener Stern, der die Himmel verlor,
Verblendete Sirene, die das Meer verließ;
Ich bin Tempel kurz vorm Einsturz, ohne Gott,
Falsches Standbild, noch in die Luft ragend.

Da das Gedicht nur wenigen Lesern in seinem Sprachleib anschaulich werden kann, bleiben Rhythmus und Klang unbeobachtet. Nur so viel mag festgestellt werden, daß der Rhythmus immer gleichmäßiger, fast starr wird. In der Schlußstrophe liegen die Einschnitte fast alle genau in der Mitte der Zeile und die Hebungen regelmäßig auf der zweiten und vierten, achten und zehnten Silbe.

Wenn wir die Untersuchung der sprachlichen Formen in der Schicht des Wortes beginnen, so liefert bereits der Artikel Material. Es fällt auf, daß die Aussagen über das eigene Sein ohne Artikel gegeben werden: ich bin Sphinx, ich bin Stern, Sirene, Tempel, Standbild. Man braucht nur einmal den Artikel einzusetzen, um den Unterschied kraß zu empfinden: ich bin

Tempel – ich bin ein Tempel. Mit dem Artikel wird das Ich eines jener bekannten Dinge, die man Tempel nennt, es ist klassifizierbar und hat zugleich feste Form. «Das ist eine Bronze» – dieser Satz meint einen festen
Gegenstand; «das ist Bronze» gibt nur die Substanz an, enthält aber keine
räumliche Begrenzung, schließt sie geradezu aus. Das Ich, das hier von sich
spricht, ist also nicht eines aus einer Reihe vieler gleicher, sondern enthüllt
sich in seiner Substanz und als unbegrenzt, formlos. So ungeformt, daß
selbst die Adjektiva nicht einen Gegenstand näher charakterisieren, sondern mit dem Substantiv verschmelzen, zur Substanz gehören.

Ohne Begrenzung sind weiterhin mistério, ânsia, luz, treva, Hontem, Hoje,
medo, guerra da. Und ähnlich wirkt die Artikellosigkeit bei den Pluralen:
espadas de ânsia, gomos de luz. Es wird nicht wahrgenommen, ob es einige,
mehrere, viele «Exemplare» sind. Nur als wogende Substanzen, formlos
zerteilt, wird das Gegenständliche in dieser Welt wahrgenommen, nur so
ist es da. Und nun erkennt man leicht, wie ein anderer Stilzug sich dem zuordnet, von gleicher Leistungskraft ist, obwohl er an sich negativ ist: das
Fehlen der Adjektive formt diese Welt mit! Keine Substanz wird individualisiert und charakterisiert, sie tauchen als reine Substanzen auf. Man braucht
nur zu «vida» oder zu «céu» ein Adjektiv zu setzen, um die Umformung
dieser Welt zu spüren.

Wie aber ist diese Welt? Da hören wir zunächst von den Augen eines
Ich, die sich nur mit falschem Golde vergolden. Weiter erhebt sich die Traurigkeit von Dingen, die nicht da waren. Und die Traurigkeit desceu (stieg
herab), sie hat Wesen, sie ist «konkret» wie die «dor» (Schmerz), an der
Degen zerbrechen. Es gibt weiterhin als Wesen Hontem (Gestern) und
Hoje (Heute) (schon durch den Druck werden sie als solche ausgewiesen),
und sie verwandeln sich in Raum, in Distância, wie sich alles in der Berührung mit diesem Ich verwandelt. Es fällt nun kaum noch auf, daß das «Leben» Wesen hat und läuft. Es ist keine vertraute Welt, die sich da aufbaut.
Man spürt zunächst wohl dunkel, daß sie in sich einheitlich ist, und die Beobachtung der Sprache stößt immer wieder auf Metaphern, die die Eigenart dieser Welt hervorrufen. Diese Metaphern sind kein Schmuck und entstammen nicht der Kombinationsfähigkeit des Verstandes, der ein Bekanntes mit einem mehr oder weniger fernliegenden Anderen in Beziehung setzt.
Diese Metaphern sind im Grunde «eigentlich», sie nennen diese Welt, wie
sie eben ist.

Wenn man die «espadas de ânsia» (Leidenschafts-Degen) als leichten
Bruch empfindet, so nicht wegen der Metaphorik an sich. Aber hier ist
plötzlich zu genau gesehen, man empfindet die espadas als vom Sprecher
«gemacht», während die gomos de luz (Lichtpollen) wieder ganz aus dem
Gewoge der Welt selber kommen.

Aber diese Welt ist nicht bloßes Gewoge, es gibt eine Ordnung im Räumlichen: es gibt den Bereich des Ich und den davon deutlich getrennten Bereich des Nicht-Ich, des Draußen. Der Sprecher selber weiß von der Gegensätzlichkeit, und zwar ist es ein von lange her erworbenes Wissen, wie sich durch die Aussageform der ersten Zeile und die Urteilsform (sou ...) der zweiten Zeile ausdrückt. Und nun folgen, die ganze zweite und dritte Strophe hindurch aneinandergereiht, Erfahrungen dieser Gegensätzlichkeit von Ich und Welt da draußen.

Der Stil drückt dabei nun Näheres von dem Wesen der beiden Sphären aus. Auf der Seite des Draußen ist alles Gegenständliche von Affekten erfüllt: espadas de ânsia, gomos de luz, Hontem, Hoje, segredo, vida, guerra. Auf der Seite des Ich aber antwortet kein Gefühl; in der dritten Strophe heben sich immer wieder die Verneinungen hervor: não, nada, nem sequer. Weiterhin ist auf der Seite des Draußen alles von Dynamik, von quellender Lebenskraft von Zeit erfüllt; neben die dynamisch geladenen Substantive treten die Verben: aloira, aterra, corre. Auf der Seite des Ich aber bricht sich alle Bewegung, da setzt sich sogar zeitliche Folge in räumliche Starre um. In dieser Sphäre herrscht nicht nur Teilnahmslosigkeit, Indifferenz, sondern eine große Kraft des Lähmens. Es gibt keinen Übergang; stilistisch drückt sich das noch in dem Fehlen der transitiven Verben aus: in dem einzigen Fall (aloira, aterra) ist nada das Subjekt. Es gibt zwischen Ich und Welt nur eine räumliche Beziehung, weil beides Raumsphären sind: stilistischer Ausdruck sind die Raumbestimmungen: na minha alma, na minha dor, em treva, em face, sobre mim.

Die Untersuchung hat bisher in der Hauptsache die Schicht der Wörter abgehorcht; wir wenden uns dem Satzbau und seinem Gehalt zu. Fast jede Zeile der zweiten und dritten Strophe enthält einen geschlossenen Satz, setzt einen Sachverhalt, nämlich eine Erfahrung. Das Präsens als Darstellungszeit drückt einen Dauercharakter der Erfahrungen aus, ihre Zeitlosigkeit gleichsam. Jeder Sachverhalt wird mit den sparsamsten Mitteln gegeben: Subjekt, Prädikat und gewöhnlich adverbielle Bestimmung des Raumes genügen. Keine Inversionen oder andere Mittel laden mit Affekt oder heben einzelne Satzteile heraus: der Satzcharakter, der Setzungscharakter wirkt uneingeschränkt; auf die objektive Darstellung der Sachverhalte kommt es einzig an. So scheint sich hier zu bestätigen, was andere Stilzüge und was der begriffliche Inhalt besagten: die völlige Indifferenz des Sprechenden, seine Unrührbarkeit. Aber ein Satz folgt dem andern. Sie sind gereiht und weithin parallel gereiht. In dieser Reihung nun drückt sich ein besonderer Gehalt aus; die Tatsache, daß immer wieder solche Sachverhalte der Gegensätzlichkeit da sind, wird mit besonderer Eindringlichkeit erlebt. Der Sprecher ist gar nicht teilnahmslos, wie die Wortbedeutungen an sich besagen. Und nun müssen wir Früheres noch einmal aufnehmen und ergänzen: die Tatsache, daß er die Artung des Seins draußen, seine Bewegtheit, seine Emotionalität, seine Lebenskraft sagen und gestalten konnte, zeigt, daß er diesen Eigenschaften gegenüber nicht unempfänglich ist, daß er erleben möchte und nur nicht zum Erleben kommt, weil die beiden Sphären nicht richtig ineinandergreifen und nicht richtig aufeinander organisiert sind. In der Reihung drückt sich ein Krampf, eine Qual aus (wie auch in dem immer starrer werdenden Rhythmus).

Und das steigert sich nun noch durch die vierte Strophe, die noch paralleler reiht und in der das Ich sich noch einmal selber deutet. In vier Bildern erfolgt diese Selbstaussprache. Gemeinsam ist ihnen allen das Getrenntsein von dem Wesensgrund: der Stern ohne Himmel, die Sirene ohne Meer, der Tempel ohne Gott. Wie ja schon im Anfang die Sphinx ohne Geheimnis war, leer und starr. Aber wieder wird ein leichter Bruch im Stil spürbar: der «trunkene» Stern (ébria), die «verblendete» Sirene (louca) sind von zuviel Bewegung erfüllt, ihre Raserei paßt nicht zu der Haltung, in der durch das ganze Gedicht die Sphäre des Ich gesehen und gestaltet war. Dagegen erscheinen die Deutungen als Tempel und Statue gerade um ihrer Leere, Starre, Isoliertheit willen als wirklich gültige Deutungen für dieses Ich. Und zugleich enthüllen sie etwas Neues an diesem Ich. Bisher zeigte sich, daß es nicht auf die Zeitlichkeit der Welt organisiert war: jede Bewegung des Draußen erstarb in seiner Sphäre, und die Folge des Gestern und Heut erstarrte zu Raum. Jetzt aber, indem das Getrenntsein beim Sprechen mit aller Intensität erlebt wird, zeigt sich die Einordnung des Ich in höhere Zeitlichkeit: prestes a ruir (bereit zu fallen), ainda erguida (noch ragend). Und wie sich eine Zukunft enthüllt, so enthüllt sich auch eine Vergangenheit: der Stern verlor den Himmel, die Sirene verließ das Meer. Die Starre der Sphinx löst sich etwas, das Ich gewinnt mit der Zeitlichkeit menschlichere Züge.

Die inhaltlichen Aussagen über die Unempfindlichkeit und Zeitlosigkeit sind nicht das letzte und eigentliche Wort, der begriffliche Inhalt drückt nicht den vollen Gehalt des Gedichtes aus, sowenig wie der Gehalt eines Romans oder eines Dramas in seinem Inhalt besteht. Erst im Stil drückte sich der tiefste Gehalt aus, erst seine Untersuchung konnte zeigen, was und wie da offenbart wurde. Indem die Stilanalyse die «Menschlichkeit» und die Qual des Ich sichtbar machte, läßt sie verstehen, wie es zum Sprechen des Gedichts kam, zum Reden eines Ich über sein Verhältnis zur Welt. Das Verhältnis vom Ich zur Welt ist das Motiv des Gedichtes, im Sinne von seelischem Antrieb und in jenem strengen, formalen Sinne, der früher beschrieben wurde.

Das ganze Gedicht ist von diesem Motiv umfaßt und erfüllt. Das Weltverhältnis wird als Qual, als fragwürdig, als problematisch erlebt, und man darf sagen, daß das Motiv Problemträger ist. Es schließt die Probleme der Zeitlichkeit, des Göttlichen, des Transzendenten in sich ein. Hier aber gelangt die Stiluntersuchung wieder an eine Grenze. Sie hat zeigen können, wie die Welt ist, wie das Ich ist, wie das Verhältnis zwischen ihnen ist, sie hat zeigen können, wie das sprechende Ich das erlebt, welches das Motiv – im doppelten Sinne – ist. Aber sie kann nicht sagen, was denn eigentlich das Ergebnis des Sprechens ist, was dieses Gedicht ist. Sie kann wohl verfolgen, wie es sich aufbaut, aber sie kann die letzte Einheit der Gestalt dieses Gedichtes und die Bedeutung dieser Gestalt nicht erfassen. Probleme behandelt man in der Form der «Erörterung», die mit der Beantwortung der klar gestellten Frage ihren Abschluß findet. Hier ist das Problem weder klar gestellt, noch wird es klar beantwortet: das Gedicht ist keine Erörterung. Was es dann aber ist, darüber dürfen wir erst vom nächsten Kapitel Aufschluß erwarten.

(c) Mallarmé: Apparition

Wenn wir im folgenden noch ein weiteres Beispiel für die Stiluntersuchung geben, so verzichten wir dabei von vornherein auf Vollständigkeit. Es geschieht vielmehr, um noch einige andere, bisher nicht behandelte Sprachformen in ihrem stilistischen Wirken zu beobachten. Und zugleich wird damit ein Versprechen eingelöst, das früher bei der Feststellung von «Merkmalen» gegeben wurde (vgl. S. 139). Das Gedicht Mallarmés, von dem da einige Zeilen zitiert wurden, lautet vollständig:

Apparition

La lune s'attristait. Des séraphins en pleurs
Rêvant, l'archet aux doigts, dans le calme des fleurs
Vaporeuses, tiraient de mourantes violes
De blancs sanglots glissant sur l'azur des corolles.
– C'était le jour béni de ton premier baiser.
Ma songerie aimant à me martyriser
S'enivrait savamment du parfum de tristesse
Que même sans regret et sans déboire laisse
La cueillaison d'un Rêve au cœur qui l'a cueilli.
J'errais donc, l'œil rivé sur le pavé vieilli
Quand, avec du soleil aux cheveux, dans la rue
Et dans le soir, tu m'es en riant apparue
Et j'ai cru voir la fée au chapeau de clarté
Qui jadis sur mes beaux sommeils d'enfant gâté
Passait, laissant toujours de ses mains mal fermées
Neiger de blancs bouquets d'étoiles parfumées.

Wenn man von dem bestrickenden Klang absieht, so drängen sich als Stil-
eigenheiten zunächst auf eine ungewöhnliche Fülle des Gegenständlichen,
die Bildhaftigkeit und, wie wir früher bereits bemerkten, die zeitliche Schichtung der dichterischen Welt.

Die Dichte der Gegenständlichkeit zeigt sich sprachlich in dem starken
Überwiegen der vollbedeutenden Wörter über die anderen wie Artikel,
Konjunktionen u.s.f. Jede Statistik könnte das eindeutig zeigen – das Hilfsmittel vergleichender Statistiken braucht die Stilanalyse nicht zu scheuen.
Am aussagekräftigsten wäre in unserem Fall eine Statistik über die Substantiva, in der zugleich eine rohe Scheidung in Abstrakta und Konkreta vorgenommen würde. Man vergleiche zum Beispiel die Substantive bei Mallarmé mit denen in den folgenden Zeilen Lamartines:

> Triomphe, immortelle nature,
> A qui la main pleine de jours
> Prête des forces sans mesures,
> Des temps qui renaissent toujours!
> La mort retrempe ta puissance;
> Donne, ravis, rends l'existence
> A tout ce qui la puise en toi!
> Insecte éclos de ton sourire,
> Je nais, je regarde et j'expire:
> Marche, et ne pense plus à moi!

In der *Apparition* begegnen kaum Abstrakta (regret, déboire); eine Bedeutung wie «songerie» ist in dieser Welt ein Wesen, das sich an Düften wis-
send berauscht. Ebenso wird der Traum, wie es schon das Druckbild aus-
weist, zum Wesen. Eigenschaften verdichten sich zu Gegenständlichem:
calme, azur, tristesse, clarté. Wenn aber die sanglots als weiß erfaßt werden, so zeigt sich darin noch mehr: diese Welt ist nicht nur gegenständlich
voll, sondern auch sinnlich voll. Das Nebeneinander von Geruchs-, Gehörs-,
Gesichts- und Tastqualitäten ist für sie typisch, die Synästhesien sind ein
Stilzug.

Man hat den Drang nach Konzentrierung als durchgängige Eigenheit des
Mallarméschen Stils, als Eigenheit des Personalstils hingestellt. Die Umarbeitungen, die der Dichter vornahm und bei denen oft genug Hilfsverben,
Artikel, Partikeln aller Art, blasse Bedeutungen gestrichen wurden, lassen
das deutlich erkennen. Aber wenn aus: et quand je ferme le livre wurde:
fermé le livre – oder aus: j'ai encore vu la mer que j'ai si souvent traversée:
j'ai vu le large, si souvent traversé –, dann zeigt sich darin noch mehr.
Durch die Änderungen wird nicht nur die Gegenständlichkeit dichter und
sinnlicher, die einzelnen Dinge werden zugleich selbständiger. Das Schlie-

ßen des Buchs wird aus der Beziehung zu dem Ich entlassen und dadurch ein
Eigenphänomen.

Dieser Zug zur Verselbständigung des Gegenständlichen kennzeichnet,
freilich in einem bald einzuschränkenden Sinne, auch das zitierte Gedicht.
Rhythmus und Satzbau tragen in den ersten Zeilen dazu bei, allen Gegenständen ein gewisses Eigenleben zu verleihen, eigene Sachverhalte an ihnen
darzustellen. Zugleich wird an den Gegenständen mehr ihr Wesen als ihre
Form wahrgenommen; die Artikellosigkeit schafft auch hier eine leichte
Entgrenzung (des séraphins, en pleurs, de mourantes violes, de blancs sanglots, laissant . . . neige, de blancs bouquets, d'étoiles parfumées). Entgrenzt
als Bedeutungen sind auch schon die Substantive le calme, l'azur.

Und doch hat die Selbständigkeit bestimmte Grenzen. Die Struktur des
Satzes bleibt in den Zeilen 1–4 deutlich spürbar und klar, ebenso wie in den
letzten vier Zeilen des Gedichts. Die Welt löst sich nicht in isolierte Phänomene auf, die impressionistisch wahrgenommen würden, sondern stellt
sich durchaus als geordnet dar. Die Satzteile sind deutlich in einen großen
Satz eingegliedert, die kleinen Bilder sind doch nur Teile an einem großen,
das von geschlossenem Gestaltcharakter ist.

Zu der Einheit gerade des ersten Bildes trägt der so stark zum Ausdruck
kommende einheitliche seelische Gehalt bei: pleurs (nach dem vorangehenden attristait), mourantes, sanglots geben dem Bild die Tönung und erwecken auch in Bedeutungen wie calme, glissant solche Obertöne, sogar
einige Klänge selber scheinen einzustimmen. Als parfum de tristesse wird
bald darauf die einheitliche Tönung zusammengefaßt.

Auf das erste große Bild folgt gleich ein zweites; das ganze Gedicht wirkt
ja überhaupt wie ein Bilderteppich, über den man schreitet. Zwischen den
ausführlichen Bildern am Anfang und am Schluß steht das Bild von der songerie, die sich berauscht, und steht das Bild von der Frau mit der Sonne in
den Haaren. Dieses Bild ist offensichtlich aus geringerem Abstand gestaltet, es ist eindringlicher, weniger geformt, «impressionistischer» wahrgenommen bzw. aufgebaut. Das wird zu einem Teil von der Fügung geleistet.
Eine Umstandsbestimmung, ein optischer Eindruck steht an der Spitze, das
Glänzen intensiviert sich noch durch den dunkleren Hintergrund (dans la
rue et dans le soir). Dann erst stellt sich der personale Träger dar, das
«tu». Durch die Verzögerung ist es affektisch stark geladen; in allen anderen Bildern steht der Träger, der Satzgegenstand, an der Spitze. Aber die
Eigenheit dieses Bildes wird auch durch die besondere Zeitstufe geschaffen,
und die Zeitstufen schienen uns ja im ersten Eindruck schon von starker
konstitutiver Kraft in dieser poetischen Welt.

Im entfernenden, Zuständlichkeit ausdrückenden Präteritum ist der erste
Teil dargeboten. Im zweiten Teil scheint ein Vorgang einzusetzen: in enivrer

drückt das Präfix die Aktionsart des Beginnens aus. Aber der Vorgang setzt sich nicht fort, er wird sofort von der Feststellung einer ständigen Erfahrung überdeckt, die im Präsens (laisse, auch in «aimant» steckt schon Ständigkeit) gegeben wird. Ein Stück dauernder Ordnung dieser Welt, dauernder Beziehung zwischen Herz und Traum ist sichtbar geworden. Von daher erscheint denn der Endzustand des «Vorgangs» als schlichte Selbstverständlichkeit: j'errais donc. Dahinein bricht nun etwas Augenblickliches: zweimal schafft das zusammengesetzte Perfekt die Eindringlichkeit und Vergegenwärtigung. Aber dieses Bild gleitet in ein anderes, weiter zurückliegendes und wieder zuständliches: die Fee der Kinderträume.

In dem Hinübergleiten offenbart sich das Gefüge dieser poetischen Welt. Es gibt wohl Plötzliches, Hervorbrechendes. Das machte schon die Überschrift deutlich. Aber es erzeugt keinen Wirbel, der mitrisse. Es wird vielmehr überdeckt von einem zuständlichen, geordneten Bild von dauernder Geltung.

Damit enthüllt sich ein weiterer Stilzug: diese Welt, die in vier zeitlich gesonderten Schichten, in vier Bildern aufgebaut wurde, steckt voller Bezüge. Am sichtbarsten sind sie zwischen der «Erscheinung» und der Kindheit: das «tu» weist auf die Fee, wie «soleil aux cheveux» auf den chapeau de clarté weist. Aber voller Bezüge stecken auch die beiden großen, umrahmenden Bilder: doigts korrespondiert mit mains, die fleurs und corolles mit den bouquets, die blancs sanglots mit neiger de blancs bouquets, die fleurs vaporeuses mit den étoiles parfumées; vor allem korrespondieren die Bildzentren, die immer Figuren sind: die séraphins, die fée, das tu. (Selbst die songerie als Träger des zweiten Bildes ist «Person».)

Der Aufbau des Gedichts (die beiden großen, und zwar gleich großen Bilder als Umrahmung, das Hinübergleiten von dem tu-Bild in das fée-Bild) drückt die Überordnung dieser beiden dauernden Bilder über die beiden flüchtigeren aus. Indem sie als Traum bzw. im Traum erlebt werden, hebt sich eine Schichtung der Welt heraus, wobei der Traumsphäre gleichsam ein höherer Seinscharakter zukommt.

Die Stiluntersuchung darf sich nicht durch Geschmacksfragen stören lassen; es mag Leser geben, denen die Frische und Herzhaftigkeit der «niederen» Realität der Impressionen mehr zusagt als die so sentimentale «höhere». Man hat die «künstlichen» letzten Reimwörter als Anleihe aus Victor Hugos *Chants du crépuscule (X)* entschuldigen wollen. Aber sie stehen nun nicht nur da, sondern sind ganz fest hineingewoben (parfumées, parfum de tristesse, vaporeuses). Diese Reime sind kein Stilbruch. Es zeigt sich vielmehr, daß die Tristesse am Anfang stark ist, daß sie durch die «Erscheinung» und das sie überdeckende Fee-Bild überwunden wird. In dem Gedicht vollzieht sich gerade die Umformung eines Urbildes in ein zwar Zug um Zug ähnliches, aber als Ganzes doch anderes Urbild, eine Umformung unter dem Erlebnis einer Impression. Wieder erreicht die Stiluntersuchung damit ihre Grenze; sie kann wohl sagen, was sich im Gedicht vollzieht, aber nicht, was das Gedicht als Vollzug der Umformung, als diese Gestalt ist.

Stilistisch bietet das Gedicht noch manche Fragen. So wäre etwa das Bildhafte noch weiter zu untersuchen. Die umrahmenden Bilder sind von einer seltsamen Festigkeit und In-sich-Geschlossenheit. Dehnte man die Untersuchung auf die anderen Werke des Dichters aus, so käme man wohl von da zu der Erfassung des Mallarméschen «Symbolismus» in seiner Frühstufe.

Der Satzbau führte bereits auf die Frage nach dem Wesen des sprechenden Ich. Eine Schichtung deutete sich auch da an: die Erregbarkeit angesichts der Impressionen und selbst angesichts der «Urbilder», und gleichzeitig eine Diszipliniertheit, Formungskraft und Helle des Geistes, die die Erregtheit niederhalten und die Ordnungen ausformen kann. Das Nebeneinander wird sogar durch Bedeutungen ausgesprochen: s'enivrait savamment. Auf jeden Fall herrscht hier als stil- und perzeptionsbestimmend eine Zuordnung von Welt und Mensch, wie sie auch für Hofmannsthals Gedicht kennzeichnend war. Von der Isoliertheit und Fremdheit des Ich, die den Stil der «Estátua Falsa» bestimmte, ist nichts zu finden. Es ist hier nicht der Ort, die drei Gedichte zu vergleichen. Aber es leuchtet ohne weiteres ein, daß ihr Beitrag etwa zu einer problemgeschichtlichen Arbeit über «Ich und Welt», und umspanne sie auch nur den «Symbolismus», recht verschieden ist. Der Beitrag aber, den unser Gedicht und überhaupt das Werk Mallarmés zu dem Problem des Traumes liefern kann, ist bereits ausgewertet in dem ausgezeichneten Buch von Albert Béguin: *L'âme romantique et le rêve.*

Die *Apparition* ist – oft mehrmals – in viele Sprachen übersetzt worden. (In dem Buch von K. Wais findet man darüber genaue Angaben.) Es wäre eine lohnende Aufgabe, alle diese Fassungen stilistisch zu vergleichen. Wir begnügen uns hier mit dem bloßen Abdruck der Übertragung durch Stefan George. In unserer Behandlung des Mallarméschen Gedichtes blieben Klang und Rhythmus unberücksichtigt: gerade hier sind die Wandlungen am sinnfälligsten. Aber sie sind auch darüber hinaus merklich, obwohl die Übertragung nach größter Treue strebt – so sehr, daß die Zeilen 8/9 erst im Blick auf das Original verständlich werden.

Erscheinung

Der mond war in trauer und weinende engel im traum ·
Den bogen in ihren händen im blumigen raum ·
Im hauchenden · ließen aus den sterbenden saiten

Wie weiße seufzer auf azurne kelche gleiten.
Es war deines ersten kusses gesegneter tag.
Mein schwärmen quälte mich mit geißelndem schlag
Und tauchte mich weise unter im dufte der trauer
Der ohne nachgeschmack läßt und ohne bedauern
Das pflücken eines traums fürs herz das ihn pflückt.
Ich irrte das auge aufs alternde pflaster entrückt –
Da kamst du mit der sonne im haar auf den wegen
Und in dem abend auf einmal mir lächelnd entgegen.
Ich glaubte, ich sähe die fee im strahlenhut
Die einst überm schlaf des verwöhnten kindes geruht
Mit halbverschlossenen händen vorübergleiten
Draus weiße sträuße von duftenden sternen schneiten.

(Stefan George, Gesamtausgabe, Bd. XVI)

3. METHODISCHES ZUR STILUNTERSUCHUNG

Die Rückschau auf die vorgenommenen Analysen erlaubt einige methodische Feststellungen.

Wohl ließen sich die Schichten der Lautung und des Rhythmus noch einigermaßen gesondert auf Stilzüge hin durchforschen. Aber sobald die eigentlich sprachlichen Formen befragt wurden, konnte die strenge systematische
Einteilung in die Schichten der Wörter, Wortgruppen und Syntax nicht
mehr aufrechterhalten werden. Die Ausdeutung eines Stilzuges führt auf
eine Kategorie, deren formende Kraft sich auch in Erscheinungen der anderen Schichten auswirken kann. Die verschiedenartigsten sprachlichen Formen hängen unter Umständen von einer Kategorie ab, wie andererseits ein
Stilzug mehrere Kategorien tragen kann.

Wohl ist es unbedingt nötig, daß man erst einmal sehen und fühlen lernt,
was sprachliche Formen sind und was alles sprachlicher Ausdrucksträger
sein kann. In diesem Sinne sind die Aufzählungen im 4. Kapitel unentbehrliche Voraussetzung. Aber die Stiluntersuchung kann nicht so vorgehen, daß
sie die Tabellen der dort genannten Formen (auch wenn sie vollständiger
wären) an das Werk anlegt, um auf diese Weise ihr Material in die Hände
zu bekommen. Ginge sie so vor, so behielte sie stets nur zerstückelte Teile
in der Hand, aus denen das Leben entwichen ist und die sich nie wieder zur
Einheit des Stils zusammenfügen ließen. Fast muß man sagen: es führt von
jenen Übersichten über die Formen kein unmittelbarer Weg zur Stiluntersuchung eines Werkes. Ein Sprung ist nötig, ein völliger Neubeginn in
möglichster Unbefangenheit.

Wer den Stil eines Werkes untersuchen will, der muß zunächst das Werk voll und tief auf sich wirken lassen, ohne alle Nebengedanken an Stilzüge und Formen. Bei einer wiederholten Lesung kann dann auf Stilzüge geachtet werden, oder bessser: man muß sich von ihnen ansprechen lassen. Es werden mehrere sein; die Arbeit kann nun bei einem beginnen und darauf vertrauen, daß sich bei der stilistischen Auswertung eine Kategorie darbietet, die wie eine Wünschelrute die Untersuchung weiterführt. Eine Stiluntersuchung ist kein mathematischer Beweis; um beginnen zu können, braucht sie Fingerspitzengefühl und Intuition, und sie braucht beides während der weiteren Arbeit. Sie steigt nicht ständig von Kleinem und Einfachem zu höheren Schichten auf, und manchmal erspürt man vielleicht eine Kategorie eher, als man ihre sprachliche Ausformung erkennt. Während der Arbeit wird sich dabei manches anfänglich bereits Festgestellte schärfer fassen lassen oder verschieben.

Das dauernde Hin- und Herschreiten ist dem Wesen der gestellten Aufgabe gemäß. Denn der Stilforschung kommt es ja nicht nur darauf an, zu beobachten, was sich Ausdruck schafft, sondern zugleich, wie es sich Ausdruck schafft, sie will erkennen, was Sprache leisten kann und wie sie es leistet.

Die Möglichkeiten des Fehlens, die in dem intuitiven Charakter der Stiluntersuchung liegen, können nur durch größte Behutsamkeit und Ehrlichkeit bei der Arbeit ausgeschaltet bzw. zurückgedrängt werden. Es ist vor allem not, nicht zu schnell die «Einheit des Stils» ins Treffen zu führen und im Vertrauen darauf nicht passende Stilzüge oder Kategorien zu entwerten oder zu verschweigen.

Jeder, der eine Stiluntersuchung durchführt, wird erleben, wie er bei der Arbeit von Ehrfurcht und Begeisterung ergriffen wird, wenn sich immer neue Geheimnisse der Sprache enthüllen, wenn sich die Leistungskraft der Sprache immer eindrucksvoller zeigt, wenn sich das Zusammenwirken der verschiedenen sprachlichen Formen im Stil und zum Stil immer klarer hervorhebt. In solcher Begeisterung und gänzlichen Hingabe an das Werk darf aber nicht die Möglichkeit zum Abstandnehmen verlorengehen und jene Festigkeit des Blickes, die Stilfehler wahrzunehmen erlaubt. Eine «heilige Nüchternheit» wird der Arbeit und den Dingen am ehesten gerecht.

KAPITEL X

DAS GEFÜGE DER GATTUNG

1. DAS PROBLEM

Im ersten Teil über die ANALYTISCHEN Grundbegriffe wurden bestimmte Phänomene des literarischen Werkes isoliert und einzeln erklärt. Es geschah in dem vollen Bewußtsein, daß ein solches Verfahren nur vorläufig sein könne, da es den Dingen nicht adäquat ist. Im lebendigen Kunstwerk gibt es keine Isolierung einzelner Teile: alle Formen weisen stets über sich hinaus und wirken stets zusammen. Selbst die SYNTHETISCHEN Grundbegriffe, die im zweiten Teil besprochen wurden, waren doch nur vorläufige Einheiten, die sich der Betrachtung enthüllten. Jede auch dieser Schichten wies dauernd über sich hinaus; vor allem zeigte sich vom Stil her, wie innig das Zusammenwirken aller Kräfte ist, die an dem Aufbau des literarischen Kunstwerks beteiligt sind.

Aber die Betrachtung fand fast in jedem Kapitel Bestimmtheiten, deren letzte Quelle noch unerkennbar blieb. So verrieten schon gleich im Anfang manche Motive eine besondere Qualität; einige gehörten dem Märchen zu, andere dem Drama u.s.f. Immer wieder tauchten Namen wie Roman, Novelle, Lied und andere auf: als Bezeichnungen für Gebilde, die durch ein immanentes einheitliches Bildungsgesetz bestimmt sind. So stellen sich verschiedene Fragen, auf die dieses Kapitel Antwort geben muß, etwa: was ist damit gesagt, wenn ein Werk der Dichtung als Lied, Novelle u.s.f. bezeichnet wird? wie äußert sich dieses Lied-Sein, Novelle-Sein, und wie verhalten sich dazu die bisher behandelten Phänomene wie Aufbau, Rhythmus, Gehalt, Stil? welche Gebilde dieser Art gibt es, und wie läßt sich ihr Dasein verstehen?

Man bezeichnet solche Gebilde wie Lied, Novelle u.s.f. herkömmlicherweise als GATTUNGEN. Aber damit erheben sich bereits die Schwierigkeiten. Denn was herkömmlicherweise als Gattung bezeichnet wird, ist völlig heterogen. Man findet etwa aufgeführt: Roman, Briefroman, Dialogroman, pikarischer Roman, historischer Roman; Ode, Elegie, Sonett, Tagelied; Auto, Vaudeville, Tragödie, Komödie, griechische Tragödie, Melodrama; weiterhin spricht man auch von beschreibender Gattung, lehrhafter Gattung, Briefgattung u.s.f. u.s.f. Alle diese Bezeichnungen sind Gruppenbezeichnungen, aber man erkennt auf den ersten Blick, daß die Prinzipien der Gruppenbildung völlig verschiedener Art sind. Bald sind sie äußerlich-formal und hatten so in früheren Kapiteln ihren Platz (Sonett, Briefform u. s. f.), bald sind sie inhaltlicher Art, so daß also das so gefaßte Gattungshafte nichts Neues und Eigenes in sich schließt. Das gilt auch von den Fällen, wo Epochenbegriffe die Bildung der Gruppen bestimmten. Diese Entleerung des Begriffs der Gattung, die nun nichts Eigenes mehr meint, sondern nur noch den Sinn von «Gruppe» hat, ist der äußerste Gegensatz zu jener dogmatischen Haltung in den älteren Poetiken, die für eine bestimmte Zahl von Gattungen feste Regeln aufstellten, nach denen sich Dichter und Kritiker zu orientieren hatten. Solcher normativen Einstellung lag der Glaube zugrunde, daß die Gattungen von der «Natur» gewollte Formen seien und daß die Griechen diese Form realisiert und damit die ewig geltenden Muster gegeben hätten. Diesem Glauben gab etwa Pope Ausdruck:

> Learn hence for ancient rules a just esteem;
> To copy Nature is to copy them.

In Frankreich äußerte noch der «letzte» Klassiker», André Chénier:

> La nature dicta vingt genres opposés
> D'un fil léger entre eux chez les Grecs divisés;
> Nul genre, s'écartant de ses bornes prescrites,
> N'aurait osé d'un autre envahir les limites.

Aber jener Glaube, daß die Griechen die Natur erfüllt hätten, überdauerte den «Klassizismus». So sagte A. W. Schlegel in seinen *Vorlesungen über dramatische Kunst und Literatur:* «Wenn wir aber jene drei Gattungen (er meint hier die lyrische, epische und dramatische, aus denen er alle «Nebenarten» ableitet) in ihrer Reinheit auffassen wollen, so gehen wir auf die Gestalt zurück, worin sie sich bei den Griechen zeigen. Die Theorie läßt sich auf die Geschichte der griechischen Poesie am bequemsten anwenden: denn die letztere ist, sozusagen, systematisch; sie bietet für jeden unabhängig von der Erfahrung abgeleiteten Begriff die entsprechenden Beispiele am urkundlichsten dar.»

Es hat im 19. Jahrhundert nicht an Denkern gefehlt, die bei geradezu beneidenswerter Belesenheit und Kenntnis der Weltliteratur die Gattungen als System entwickelt und dargestellt haben. Die beiden größten Leistungen auf diesem Gebiet sind wohl die *Ästhetik* von Hegel und die *Ästhetik* von F. Th. Vischer. Man könnte ihnen viele Namen anreihen: in England etwa Matthew Arnold, in Frankreich F. Brunetière, in dessen Gattungslehre es sich um eine biologisch fundierte Geschichtsphilosophie der Gattungen handelte. Aber alle diese Denker beeinflußten doch die zünftige Arbeit der Literarhistoriker nur wenig. Denn die beschränkte sich – positivistisch-philologisch oder deskriptiv-verstehend – auf die Behandlung des Historisch-Individuellen, wobei ein tiefer gefaßter Gattungsbegriff nichts helfen, vielmehr nur hätte stören können. So kam es schließlich zu jener Entleerung des Begriffs Gattung.

Am schärfsten hat dann Benedetto Croce die Wesenlosigkeit des Gattungshaften vertreten. Auch Karl Voßler und seine Schule zeigten ein deutliches Mißtrauen. Bestimmend war nicht nur die Hohlheit der herkömmlichen Bezeichnungen: für die genannten Forscher und viele andere ist jedes dichterische Werk von solcher wesensmäßigen Einmaligkeit und das Poetische so einheitlich in sich selber, daß jegliche Einordnung in irgendwelche Gruppen für sie nur an Äußerlichkeiten haften kann.

Aber gerade die scharfe Negation Croces hat positiv gewirkt. Seit einigen Jahrzehnten ist das Gattungsproblem, dieses jahrtausendalte und, wie man sagen darf, älteste Problem der Literaturwissenschaft, geradezu in das Zentrum des wissenschaftlichen Interesses gerückt. Der 3e Congrès International d'histoire littéraire, der im Jahre 1939 in Lyon abgehalten wurde, war ausschließlich dem Problem der literarischen Gattungen gewidmet. Die dabei gehaltenen Vorträge zeigen freilich eine fast verwirrende Fülle disparater Auffassungen, und man darf sogar feststellen, daß die Forscher, die vielleicht die wesentlichsten Beiträge zum Gattungsproblem geliefert haben, auf dem Kongreß gar nicht zugegen waren. So liegt es in der Forschungslage begründet, wenn die folgenden Bemerkungen in eine ganz bestimmte Art des Fragens, Denkens und Arbeitens einführen, die dem Verfasser für das vorliegende Problem die verheißungsvollste zu sein scheint.

2. LYRIK – EPIK – DRAMATIK
UND LYRISCH – EPISCH – DRAMATISCH

Der kurze Überblick über die Geschichte des Gattungsproblems hat gezeigt, daß das Wort Gattung in verschiedenem Sinn verwendet wird. Es wird vor allem auf zwei deutlich getrennte Größenordnungen bezogen. Einmal meint es die drei großen Phänomene LYRIK, EPIK und DRAMATIK. Zum andern meint es bestimmte Phänomene wie Lied, Hymne, Epos, Roman, Tragödie, Komödie u.s.f., die also innerhalb jener drei Ebenen zu liegen scheinen.

Ob ein Werk zur Lyrik, Epik oder Dramatik gehört, wird gewöhnlich nicht zweifelhaft sein. Die Zugehörigkeit ist durch die Form bedingt, in der das Kunstwerk sich darstellt. Wo uns etwas erzählt wird, da handelt es sich um Epik, wo verkleidete Menschen auf einem Schauplatz etwas agieren, um Dramatik, und wo ein Zustand empfunden und von einem «Ich» ausgesprochen wird, um Lyrik.

Daran können uns abweichende Titel (Divina Commedia, Comédie humaine, A Winter's Tale) sowenig irremachen wie die Beobachtung, daß innerhalb der Werke mitunter Teile vorhanden sind, die einer anderen Gattung zugehören: wenn wir in Romanen und Dramen Lieder finden, wenn in einem Drama ein Bote etwas erzählt u. s. f.

Dieser Gattungsbegriff nach der äußeren Darbietungsform braucht uns hier nicht zu beschäftigen. Denn was an einem Werk dadurch bestimmt wird, ist in früheren Kapiteln, vor allem in dem über die Darbietungsweisen, besprochen worden. Aber die Gattungsbezeichnungen Lyrik, Epik, Dramatik werden offensichtlich noch in einem anderen Sinne verwendet.

Wir lesen eine Erzählung und vergessen völlig, daß uns etwas erzählt wird, wir werden in einer Weise gepackt und leben in einer Weise mit, wie wir es vom Drama her kennen: und empfinden und bezeichnen die Erzählung als dramatisch. Oder wir empfinden andererseits ein Drama, trotz der äußeren Darbietungsform, als undramatisch, vielleicht als episch. So geht es oft bei der Dramatisierung eines Romans. Aber wir sprechen auch außerhalb der Dichtung von lyrisch, episch und dramatisch, ohne uns dabei metaphorisch ausdrücken zu wollen. Man empfindet einen Streit auf der Straße als dramatisch, man meint, ein Bekannter habe einen Roman erlebt, und an Brahms *Intermezzi* geht einem das Lyrische auf.

Es sind verschiedene Grundhaltungen, die mit jenen Worten bezeichnet werden. «Die Begriffe lyrisch, episch, dramatisch sind literaturwissenschaftliche Namen für fundamentale Möglichkeiten des menschlichen Daseins überhaupt», sagt E. Staiger in seinen *Grundbegriffen*, in denen er gerade diese Phänomene erhellt hat. Es scheint wichtig, zu betonen, daß es sich auf der Seite des Gegenständlichen, das die Grundhaltungen zu verkörpern scheint, wohl um ein von innen her Geformt-Sein, aber nicht um Formen im Sinne geschlossener Gefüge handelt. Ich brauche Anfang und Ende jenes Streites auf der Straße nicht mitzuerleben, um ihn doch als dramatisch zu empfinden, und um lyrisch gestimmt zu werden, genügen wenige Takte aus einem *Intermezzo*. (Kritiker des 18. Jahrhunderts behaupteten, bei einem herausgerissenen Verse die Gattung angeben zu können, der das Werk zugehörte.) Die wissenschaftliche Terminologie sollte sich an die lebendige Sprache halten: denn diese pflegt das Gattungshafte in diesem inneren Sinne mit den Adjektiven LYRISCH, EPISCH, DRAMATISCH zu bezeichnen, während die Bezeichnung auf Grund der Darbietungsform mit Hilfe der Substantive Lyrik, Epik und Dramatik zu erfolgen pflegt. Manche Forscher haben übrigens, Goetheschem Sprachgebrauch folgend, das Lyrische, Epische, Dramatische nicht als Gattungen, sondern als NATURFORMEN der Poesie bezeichnen wollen. Dieses Verfahren, für das sich besonders Karl Viëtor eingesetzt hat und das einen Teil der herrschenden Mißverständnisse beseitigt, scheint durchaus berechtigt.

Die Dreiteilung Lyrisch, Episch, Dramatisch ist heute wohl Allgemeingut der wissenschaftlichen Denkweise; das DIDAKTISCHE pflegt dann als eine besondere Gattung abgegrenzt zu werden, die als zweckbestimmte und also nicht mehr autonome Literatur außerhalb der eigentlichen Dichtung liegt. Es mag überraschen, daß jene Dreiteilung und vor allem der Begriff des Lyrischen in seinem umfassenden Sinne sich erst verhältnismäßig spät durchgesetzt hat. Irene Behrens hat gezeigt, daß er erst um 1700 in Italien fest wurde, im 18. Jahrhundert dann in Deutschland und von hier aus nach Frankreich drang. In der Antike war die Bezeichnung LYRIKER den neuen Meistern Alkman, Alkaios, Sappho, Pindar u.s.f. vorbehalten und wurde höchstens auf die Dichter ausgedehnt, die dem Versmaß und Ton jener Meister folgten. Heute läßt sich wohl nur noch in der französischen Terminologie ein gewisses Schwanken beobachten. Wenn zum Beispiel van Tieghem in einem Aufsatz über *La question des genres littéraires* (Helicon I) sagt: «... il existe une différence, non de dignité sans doute, mais d'espèce, entre l'ode et la chanson, résultat, d'abord, d'une différence d'aptitudes: tout bon chansonnier n'est pas bon poète lyrique, et réciproquement ...», so wird hier das Wort «lyrique» in einem auffällig engen Sinne gebraucht. Gewöhnlich wird gerade das Lied als wesentlichste Offenbarung des Lyrischen angesehen (zum Beispiel von E. Staiger). Aber auch aus Frankreich lassen sich genug Stimmen beibringen, die völlig zu der in andern Ländern herrschenden Terminologie passen.

Die Dreiteilung scheint so sicher und sachgemäß zu sein, daß man immer wieder Versuche unternommen hat, sie aus größeren Tiefen her als notwendig zu verstehen, wozu ihr überdichterischer Charakter ja alles Recht gibt. Hegel und Vischer leiteten sie als These, Antithese und Synthese aus der Subjekt-Objekt-Beziehung ab (Subjektiv: Lyrik; Objektiv: Epik; Subjektiv/Objektiv: Dramatik). Andere unternahmen es von drei Typen der Weltanschauung her, oder von den drei psychologischen Erlebnisformen des Vasomotorischen, Imaginativen und Motorischen, oder von den drei Seelenvermögen des Fühlens, Denkens, Wollens, oder von drei Menschentypen u.s.f. Und wenn schon Jean Paul eine Grundlegung mit Hilfe der Zeitauffassung angedeutet hatte: «Das Epos stellt die Begebenheit, die sich aus der Vergangenheit entwickelt, das Drama die Handlung, welche sich für und gegen die Zukunft ausdehnt, die Lyrik die Empfindung dar, welche sich in die Gegenwart einschließt» (§ 75 der *Vorschule der Ästhetik*), so wird dieser auch von Vischer erwogene Gedanke in der Gegenwart von Emil Staiger vertieft. (Grillparzer hat in einem Aperçu die Gattungen des Lyrischen, Epischen und Dramatischen von der Raumauffassung her als «Standpunkte der Anschauung» zu deuten versucht: als Aussicht, Umsicht, Ansicht. Diesem Gedankenblitz scheint freilich wenig erhellende Kraft zuzukommen).

Staiger bezieht übrigens noch einen anderen Aspekt ein. Er empfindet es mit Recht als Stärkung, daß sich die Dreiheit Lyrisch, Episch, Dramatisch unmittelbar mit den Ergebnissen verknüpfen läßt, die von der neueren Sprachphilosophie erarbeitet wurden. Er beruft sich in den *Grundbegriffen* auf Ernst Cassirers *Philosophie der symbolischen Formen I: Die Sprache* (Berlin 1923). Cassirer nennt als Stufen der Sprache die Phase des sinnlichen Ausdrucks, die Phase des anschaulichen Ausdrucks und die Sprache als Ausdruck begrifflichen Denkens. Fast gleichzeitig bestimmte H. Junker (in der Festschrift für Streitberg 1924) und ebenfalls unter Benutzung der sprachphilosophischen Forschungen die drei Leistungen der Sprache, die als KUNDGABE, FORDERUNG oder AUSLÖSUNG, MITTEILUNG oder DARSTELLUNG bezeichnet werden. Junker gab das folgende Schema:

Leistung	Richtung	Person	Erlebnissphäre	Gruppen
Kundgabe	expressiv	ich	emotional	Stimmung, Gefühl
Auslösung	impressiv	du	intentional	Befehl, Wunsch
				Frage, Zweifel,
				Streben
Darstellung	faktiv	er, sie, es	rational	Vorstellung,
	(demonstrativ)			Denken

In dieser Tafel sind gleichsam stillschweigend das Lyrische, Dramatische und Epische schon mitenthalten, die damit also im Grunde der Sprache selbst, in ihrem dreifachen Leistungsvermögen ihren Ursprung haben. (Vgl. dazu auch Br. Snell, Der Aufbau der Sprache, 1952.)

Ein kundgebender Ausruf, des Schmerzes, des Jubels, der Klage, stellt demnach das Urphänomen des (sprachlich) Lyrischen dar: in der Interjektion Ach! wurzelt sozusagen alle Lyrik. Entsprechend kann man in einem auslösenden Anruf die Urzelle des Dramatischen sehen und in der hinweisenden Geste des Da ... (Voilà! Eis!) die Urzelle des Epischen.

Aber der Weg, der von den Urphänomenen zu lyrischen, epischen und dramatischen Dichtungen führt, ist nicht geradlinig. Einmal offenbart sich ja beim Übergang von der Interjektion zur satzhaltigen Rede, daß in der Sprache immer alle drei Leistungen lebendig und gegenwärtig sind. Schon in dem Ein-Wort-Satz «Feuer!» liegt Kundgabe (des Schreckens, etwa), Darstellung (es brennt) und Auslösung (helft löschen). So zeigt sich, daß im Gegensatz zu der grenzscharfen und eindeutigen Klassifizierung nach der Darbietungsweise die hier gemeinten Phänomene des Lyrischen, Epischen und Dramatischen sich nicht gegenseitig ausschließen. Wichtiger ist noch, daß wir beim Eintritt in den Bezirk der Literatur in ein eigenes Reich eintreten, ja es nur durch einen Sprung erreichen. Dichterische Sprache ist von der Zweckbestimmtheit und «Realitäts»-Bezogenheit der Alltagssprache befreit. Die von ihr hervorgerufene Gegenständlichkeit hat eine eigene Seinsweise, und die Sprache steht in besonderen Gefügen. Damit machen alle Begriffe, die sich auf jener Tafel fanden, eine Wandlung durch.

Das lyrische Gedicht ist nun nicht mehr die Kundgabe dieses bestimmten Menschen in diesem bestimmten Augenblick und dieser bestimmten Situation, und wer es als solche biographische Kundgabe seines Autors liest, verfehlt sein Wesen. Deswegen geraten auch alle jene Grundlegungen des Lyrischen, Epischen und Dramatischen von Begriffen wie Subjekt – Objekt oder auch von der «Existenz» her in Schwierigkeiten (die Hilfskonstruktionen, die etwa Vischer in seiner *Ästhetik* aufführen muß, der die Schwierigkeiten lebhaft empfindet, sind ein Beweis dafür); denn alle diese Begriffe arbeiten im Reiche der Dichtung nicht mehr richtig.

Man hat neuerdings selbst die Kennzeichnung der Lyrik als SUBJEKTIV angegriffen. Nicht ohne Grund, denn der Begriff des Subjektiven lenkt immer noch die Aufmerksamkeit auf das Subjekt, auf das reale Subjekt des Sprechenden vielleicht, das als solches überhaupt nicht zum lyrischen Werk gehört. Und schließlich verdunkelt der Begriff, daß es auch im Lyrischen nicht an Gegenständlichkeit fehlt, – schon weil die Dichtung die Situation schaffen muß, aus der heraus kundgegeben wird. Aber die Gegenständlichkeit ist im Lyrischen nicht bloße Basis für subjektive Kundgabe. Sie bleibt nicht starr gegenüber: im Lyrischen fließen Welt und Ich zusammen, durchdringen sich, und das in der Erregtheit einer Stimmung, die nun das eigentlich Sich-Aussprechende ist. Das Seelische durchtränkt die Gegenständlichkeit, und diese verinnert sich. Die VERINNERUNG alles Gegenständlichen in dieser momentanen Erregung ist das Wesen des Lyrischen. (Wir ziehen den Ausdruck «Verinnerung» dem von E. Staiger gewählten der «Erinnerung» vor, schon um allen zeitlichen Nebensinn auszuschließen.) Aus dem Wesen des Lyrischen erklärt sich jene Unschärfe der Konturen, jene Lockerheit der «Sachverhalte» und Unfestigkeit der Sätze, andererseits die starke Wirksamkeit von Vers, Klang und Rhythmus, die alle lyrische Sprache gegenüber der epischen und dramatischen kennzeichnen. Der Vollzug der Verinnerung in der Erregung ist der lyrische Vorgang.

Ein kleines Beispiel mag den Blick für das Wesen des Lyrischen schärfen. Es fällt nicht schwer, sich eine konkrete Situation des Alltags auszumalen, in der einer zu einem anderen – oder sich selbst – sagt: «Ende gut, alles gut.» Das ist wahrlich nichts Lyrisches. Es ist einer jener Sätze, wie man sie hundertfach sagt und hört, in denen eine Erfahrung abschließend als Wahrheit ausgesprochen wird: ein SPRUCH mithin. Dem sei nun folgendes Stück Sprache gegenübergestellt:

Epigram

Respice finem

My soul, sit thou a patient looker-on;
Judge not the play before the play is done:
Her plot hath many changes; every day
Speaks a new scene; the last act crowns the play.

(Francis Quarles)

Es wird keinen Leser überraschen, diese Verse in einer Sammlung lyrischer Gedichte zu finden: sie sind da am Platze. Und das gewiß nicht nur, weil es sich um Verse mit Reim handelt. Gereimte Verse gibt es auch außerhalb des Lyrischen, gibt es sogar als Sprichwörter, jener geläufigsten Erscheinungsweise des Spruches. Dabei haben jene Verse keineswegs aufgehört, Spruch zu sein. Auch sie sprechen eine Wahrheit als Abschluß von Erfahrungen aus, auch sie sind von jener prägnanten, feststellenden und festgefügten Art, die dem Spruch eigentümlich ist. Aber sie sind doch auch lyrisch. Nicht weil sie voller Gegenständlichkeit sind und das entsprechende Sprichwort «abstrakt». Wir hätten ein anderes wählen können: «Man soll den Tag nicht vor dem Abend loben», – und schon wäre Gegenständlichkeit da. Es ist sogar den meisten Sprichwörtern eigen, den Gegenstandsbezirk sichtbar zu machen, in dem die Erfahrung gemacht wird (Auf einen Streich fällt keine Eiche). Bedeutsamer scheint schon zu sein, daß die Verse einen gegenständlichen Vorgang aufbauen: der Zuschauer ist da, das Stück läuft ab, immer neue Szenen folgen, bis dann einmal der letzte Akt kommt. Aber das Wort von «Tag» und «Abend» schließt auch einen Verlauf ein, so skizzenhaft er bleiben mag.

All das ist nicht entscheidend. Entscheidend ist, daß die ausgesprochene «Wahrheit» nicht nur als Erkenntnis formuliert und zum Erkanntwerden ausgesprochen wird, sondern daß sie zugleich aus gefühlsmäßigem Erleben kommt und gefühlsmäßig erlebt werden will. Diese Wirkung nun ist möglich, weil die Wahrheit hier und jetzt erlebt und gesprochen wird. Ein Ich wendet sich – hier und jetzt – an seine Seele: eine eigene Welt wird aufgebaut, aus dem Sprecher, seiner Seele (die offensichtlich unruhig ist) und ihrem weiteren Leben in der Zeit. Die «Wahrheit» wird nicht nur als solche und in allgemeiner Geltung ausgesprochen, sondern zunächst in ihrer Geltung für die Seele, für ihr ganz bestimmtes Leben. Das vollzieht sich unter dem Einfließen merklichen Gefühlsgehaltes. Eine Verinnerung hat statt.

Die Anrede «my soul» schafft Disposition für «Innerlichkeit» und wirkt selber ausdrucksgeladen. Das ganze folgende Gebot steigert diesen Eindruck, wobei das «patient» die Linie des Horizontes der Innerlichkeit weiterzeichnet. Das Folgende ist «prosaisch»; erst am Ende der dritten Zeile wird das «every day» durch seine Stellung nach einer starken Pause und vor einer starken Pause (Zeilenschluß) mit Gefühlsgehalt aufgeladen. Als Antithese zu «every» und durch seine Stellung (wieder nach langer Pause) gewinnt das Wort «last» überraschend starke Ausdruckskraft. Selbst das «crowns» beginnt aufzuleuchten, und Gefühlstiefen werden sogar noch, wenn auch ganz verschwommen, in «play» lebendig. In dem ganzen Schluß-satz spürt man Besorgtheit, inneres Ergriffensein von der bedeuteten Wahr-heit.

Die Verse sind spruchhaft. Aber indem sie zugleich aus merklicher Er-griffenheit kommen, werden sie dichterisch. Um die sprachliche Gestaltung der Ergriffenheit zu ermöglichen, war die Vergegenwärtigung einer ein-maligen dichterischen Situation nötig. Die Gestimmtheit, die in den Wor-ten lebendig wird, bedeutet, daß die dichterische Substanz der Verse lyri-sche Substanz ist. Ihre Mächtigkeit braucht man dabei gar nicht zu über-schätzen. Gerade weil die Verse nicht große Dichtung sind, ließ sich so leicht der sprachliche Übergang vom Sprichwort zum lyrischen Sinnspruch zeigen.

3. HALTUNGEN UND FORMEN DES LYRISCHEN

(a) Haltungen

Wir haben den Begriff Gattung in seinem ersten Sinn behandelt. Wir stie-ßen dabei auf zwei Aspekte: von Lyrik, Epik, Dramatik spricht man in einem mehr äußeren Sinne, wobei die Darbietungsform des Werkes entscheidend für die Zuordnung ist. In einem mehr inneren Sinne wurde vom Lyrischen, Epischen und Dramatischen gesprochen, und dabei zeigte sich, daß die Grenzen keineswegs so starr wie im ersten Fall waren. Als «Naturformen» der Poesie oder Grundhaltungen gingen das Lyrische, Epische und Dra-matische auf die drei Vermögen der Sprache selbst zurück.

Wir deuteten aber gleich an, daß das Wort GATTUNG nun noch in einem engeren Sinne gebraucht wird, indem Gebilde wie Lied, Novelle, Tragödie u.s.f. als Gattungen bezeichnet werden. Und jetzt werden wir wohl damit zu rechnen haben, daß wir auf irgendeine Weise mit geschlossenen Struk-turen, mit Formen, zu tun haben werden. An einigen Takten, an einigen Zeilen kann uns wohl das Lyrische aufgehen, aber ein Lied ist offenbar et-was, was wir vom ersten bis zum letzten Wort erfassen müssen, oder wir haben es eben als Lied nicht erfaßt; wenn wir aus dem Theater in der Pause nach Haus gehen, so haben wir wohl Dramatisches erlebt, aber nicht die Tragödie. All diesen Problemen haben wir uns jetzt zuzuwenden, und zwar bleiben wir zunächst im Bezirk des Lyrischen und der Lyrik.

Lyrisches Sprechen war die Kundgabe einer jeweiligen Erregtheit, in der Gegenständliches und Seelisches sich durchdrungen hatten. In dem Beispiel, an dem wir die «Lyrisierung» zu zeigen versuchten, wurde die Erregtheit, die Gestimmtheit Sprache, aber die Verschmelzung von Gegenständlichem und Subjektivem ging doch nur bis zu einem gewissen Punkte. Gewiß wurde eine gegenständliche Erfahrung gefühlsmäßig erlebt, und gewiß war es die seelische Gestimmtheit, die Anlaß des Sprechens war, die alles tönte und sich dem Leser mitteilte. Aber daß es im Drama wie im Leben auf das «finis» ankommt, – das «gilt», ob es nun gefühlsmäßig erlebt wird oder nicht. Der Sinn der Zeilen war letztlich, gerade die «objektive» Stellung dieses Sachverhaltes auszusagen. Das Ich, das poetische oder lyrische Ich, stand ihm gegenüber, erfaßte ihn und sagte ihn aus.

Wir meinen damit eine speziellere lyrische Grundhaltung ermittelt zu haben, die wir immer wieder finden können. Wir bezeichnen sie als LYRISCHES NENNEN. Beim Rückblick auf jene drei Leistungen der Sprache zeigt sich, daß hier – durchaus innerhalb des Lyrischen – gewissermaßen eine epische Haltung vorliegt: das Ich steht einem «Es», einem «Seienden» gegenüber, erfaßt und sagt es.

Ist diese Deutung richtig, so ergeben sich notwendig noch zwei weitere und nur noch zwei weitere lyrische Grundhaltungen. Die eine ist die «dramatischere»: hier bleiben seelische und gegenständliche Sphäre nicht getrennt gegenüber, sondern wirken aufeinander, entfalten sich in der Begegnung, die Gegenständlichkeit wird zum «Du». Das lyrische Kundgeben vollzieht sich in der Erregtheit dieses gegenseitigen Ergreifens. Wir bezeichnen ein solches Sprechen als LYRISCHES ANSPRECHEN.

Die dritte Grundhaltung ist dann die eigentlichste lyrische Haltung. Hier gibt es keine gegenüberstehende und auf das Ich wirkende Gegenständlichkeit mehr, hier verschmelzen beide völlig miteinander, hier ist alles Innerlichkeit. Die lyrische Kundgabe ist die einfache Selbstaussprache der gestimmten Innerlichkeit oder inneren Gestimmtheit. Wir bezeichnen ein solches Sprechen als LIEDHAFTES SPRECHEN.

Diese drei lyrischen Grundhaltungen sind die einzigen, die es gibt und in der Sprache geben kann. Alle lyrische Dichtung, die je gedichtet worden ist, lebt innerhalb der drei Haltungen, aus diesen drei Haltungen. Damit ist nicht gesagt, daß in einem vorliegenden lyrischen Gedicht nur eine von ihnen produktiv war. So enthalten die sogenannten *pseudohomerischen Hymnen* nur kleine Teile, die in jener von der Begegnung ergriffenen Haltung gesprochen werden, die wir als lyrisches Ansprechen bezeichneten (und die heute als Wesen der Hymne überhaupt gilt.) Zu ihrem größten Teil sind sie in der Haltung des Nennens gesprochen, und man darf sogar mit Recht behaupten, daß sie um des vorgangshaften Charakters im Gegenständlichen,

um der episch erzählenden Haltung willen im Grunde epische Poeme sind.
Noch deutlicher ist die Vielfalt von Haltungen in den *Epinikien* Pindars.
Nachdem der Glaube früherer Jahrhunderte an die Rauschhaftigkeit des
Sprechens und den ungebundenen Flug der Phantasie hinsichtlich des Gefüges zerstört war, hatte die Forschung eine Zeitlang angesichts der Fülle
und Verschiedenheit der Teile darauf verzichtet, nach der Einheit zu fragen.
Tatsächlich finden sich ja die Haltungen spruchhaften Nennens und hymnischen Aufsingens, jeweils noch mehrfach abgetönt, in buntem Wechsel.
Demgegenüber verlangte Werner Jaeger in der *Paideia* (I, S. 278): «Aber
das Kunstwerk als Ganzes bleibt ein unabweisbares Problem, und gerade
bei einem Dichter, der seine Kunst so streng an eine einzige ideale Aufgabe
bindet, ist die Frage doppelt berechtigt, ob es eine Einheit der Form in seinen Siegesliedern gibt, die über die bloße Einheit des Stils hinausgeht.»
Jaeger selber sieht die Einheit der Haltung in dem Preisen der den Sieger er-
füllenden Arete, und die Frage der Einheit hat die Forschung seitdem lebhaft beschäftigt. Danach sind also Pindars Epinikien nicht, wie man es von
solchen Gedichten erwarten dürfte und wie es deren ja manche auch aus griechischer Zeit gibt, Gedichte, in denen ein Sieger und ein Sieg gebührend
als solche «genannt» werden, vom festen und gesicherten Standpunkt des
sprechenden Ich. Es sind vielmehr echte Hymnen, in denen aufgesungen
wird zu einer höheren Macht. In der Begegnung mit ihr (und nicht nur in
der Gestalt des Siegers begegnet sie hier) wird das Ich gleichsam empor-
gehoben, vom Numinosen erfüllt, so daß es nicht in logischer Folge spricht,
sondern in «Dunkelheit»: man braucht nur die klare logische Folge in jenem Epigramm des Francis Quarles neben die berühmte Dunkelheit Pindars
zu stellen, um den sprachlichen Unterschied der zwei Haltungen sinnfällig
zu haben. Uns scheint an den Diskussionen über Pindars Epinikien noch bedeutend, daß von der Forschung so einhellig die «Einheit des Stils» betont
wird. Damit ist gesagt, daß der von der hymnischen Grundhaltung geprägte
Stil auch die Teile ergreift, die in den Epinikien zweifellos «nennen» und
sogar zu sententiöser Zuspitzung kommen. Die Analyse des Stils bereitet
also die Erkenntnis jener letzten Einheit der Haltung vor, die zu dem
«Kunstwerk als Ganzem» gehört.

Damit werden zugleich Grundlagen für kritische Wertungen gewonnen.
Wo sich zwischen der Einheit des Stils und der Einheit der Haltung unüber-
brückbare Diskrepanzen auftun, wird das Werk brüchig. Wo der Wahr-
heitsgehalt einer Erfahrung ausgesprochen werden soll, also die Haltung
des Spruch-Sprechens zugrunde liegt, da verfehlt sich das Gedicht, da man-
gelt ihm die Einheit des wahren Kunstwerks, wenn die Aussprache völlig
liedhaft getönt ist. Um anschauliche Beispiele zu nennen, darf man vielleicht
auf den jungen Schiller weisen, der zu leicht in einen hymnischen Ton ver-

fiel, auch wo es dem Sinn und Zentrum seines Gedichts nicht angepaßt war, während die Aufklärer auch da «nannten», wo sie aus der Verschmolzenheit, der seelischen Gestimmtheit heraus singen wollten.

Pindar ist die immer wieder aufsprudelnde und befruchtende Quelle der europäischen Hymnendichtung geworden. Es wäre Aufgabe des Literarhistorikers, das im einzelnen zu zeigen. Die andere Quelle ist die christliche Hymnendichtung, die vor allem auf die Psalmen zurückgeht. (Bei näherer Untersuchung erwiesen sich freilich viele sogenannte Hymnen als Gedichte des «Nennens».)

Man erkennt leicht, daß die HYMNE eine klar bestimmte Besonderung innerhalb jener allgemeinen Grundhaltung ist, die wir als lyrisches Ansprechen bezeichneten. In der Hymne handelt es sich bei dem begegnenden Du um höhere, göttliche Mächte, zu denen das ergriffene Ich aufsingt. Steigert sich die Ergriffenheit bis zur Ekstase, so erhalten wir jene besondere Prägung des lyrischen Ansprechens, die herkömmlich als DITHYRAMBUS bezeichnet wird. Die Tatsache, daß zwischen Dithyrambus und griechischem Drama Zusammenhänge bestehen, bestätigt die Sachgemäßheit jener angenommenen Dreiteilung der lyrischen Grundhaltungen. Der Dithyrambus gehört zu der mehr «dramatischen» Art, bei der die Spannungen zu einem Du Anlaß des Sprechens werden. (Die innere Affinität des Dithyrambus zum Drama besteht weiterhin darin, daß hier das Phänomen der Verwandlung sichtbar wird, das Grundphänomen der Dramatik.)

Als dritte in der Geschichte der Lyrik ausgeprägte Besonderung dieser Grundhaltung erscheint die ODE. Hier handelt es sich bei dem begegnenden Du nicht lediglich um höhere, numinöse Mächte, zu denen man nur in weihevoller Ergriffenheit sprechen kann. Das Du liegt hier gewöhnlich dem Sprechenden näher, es wird der Betrachtung zugänglich, entfaltet sich in der Begegnung, und der feierliche «Preis» ist nicht mehr die gemäße Einstellung zu ihm. Die ganze Art des Sprechens ist rationaler, umsichtiger; die Gegenständlichkeit ist im einzelnen konturenfester und im Ganzen geordneter, beziehungsklarer; das Ich steht fester, ist greifbarer und gleichsam vertrauter als der vates der echten Hymnen. Indem auch die «niedere» Realität in den Blick tritt, enthüllt sich in der Ode am klarsten, was im Grunde für alles Du-Ansprechen gilt: in der Begegnung heben sich Normen heraus. Die Begegnung führt zu einer Sichtung und drängt zu einer Stellungnahme. (Auch darin liegt ja eine innere Gemeinsamkeit mit dem Dramatischen.) So können in der Ode durchaus höhere Mächte vor den Blick treten, aber inmitten einer irdischeren Wirklichkeit, sie entfalten ihr Ethos, aber nicht ihr Mysterium.

Es hat in der Geschichte der europäischen Odendichtung nicht an stilistischen Einbrüchen von seiten der Pindarischen Hymnen gefehlt (die ja als

«Oden» galten), aber immer wieder hat das große Beispiel des Horaz gewirkt, der mit vielen seiner Gedichte als der stilreine Erfüller der Ode gelten kann. An einem Gedicht wie dem berühmten *Odi profanum vulgus* läßt sich die «Odenhaltung» studieren: wie sich das Gedicht – nach dem feierlichen und schon normerfüllten Eingang – in den Beobachtungen des Lebens entfaltet, des sorgenvollen Lebens der Mächtigen der Erde, wie dann die Schlaflosigkeit des «impius» den Gegenbezirk des bescheidenen Bauern weckt, der ruhig schlafen kann, – wie seine, immer in gegenständlicher Fülle gezeigte Sorgenlosigkeit wieder den Gegenbezirk hervorruft, in dem Timor et Minae das Leben bestimmen, - bis aus all diesen Zeugnissen sorgenvollen Daseins der Entschluß zur Genügsamkeit sich festigt und das Leben im Sabinertal nun seinen vollen Sinn bekommt. Die sprachliche Fassung des Entschlusses als Frage: cur moliar ... cur permutem ...? ist echt odenhaft, sie drückt noch einmal die ganze persönliche Ergriffenheit aus, in der sich die Begegnung mit der sorgenbeherrschten Gegenständlichkeit vollzog, ist Ausdruck der lyrischen Substanz.

An solchen «reinen» Gedichten muß die Ode studiert werden; dann erkennt man leicht, daß so, wie bei Pindar das hymnische Sprechen sich auch andersartiger Teile des Gedichts bemächtigte, auch bei Horaz das odische Sprechen sich bei anderen Anlässen machtvoll durchsetzt. So etwa bei den Versen an Diana, die ein Hymnus hätten werden können (III, 22), so in III, 12, wo das innerlich Liedhafte überdeckt wird, oder in dem berühmten Schlußgedicht des 3. Buches (III, 30): Exegi monumentum ..., das der Grundhaltung nach ein «Nennen», ein Wahr-Sagen ist, sich aber nun doch odisch entfaltet.

Solcher Gedichte, in denen die Odenhaltung die nennende Haltung überlagert, gibt es bei Horaz zahlreiche. Man wird dabei nicht von Brüchen sprechen wollen: die verhältnismäßige Festigkeit des sprechenden Ich, die rationale Helle des Sprechens lassen verstehen, wie leicht eine solche Verbindung zustande kommt.

Das aber war in III, 30 um so eher möglich, als hier die genannte Wahrheit selber etwas Feierliches, Gehobenes war: die Göttlichkeit des Dichter-Seins. Wie sich die Grundhaltung des lyrischen Ansprechens verschieden ausprägen konnte – je nach dem Wesen des begegnenden Du –, so sondert sich auch das Nennen. Ist das Genannte numinoser Art, so ergibt sich das VERKÜNDEN, und begreiflicherweise enthält der sprachliche Stil viel Gemeinsames mit dem gehobenen Stil des Ansingens.

Wie neben dem «göttlichen» Hymnus die «menschlichere» Ode steht, so steht neben dem Verkünden höheren Seins das niedere SINN-SPRECHEN. Hier wird der in bestimmten «realen» Erscheinungen liegende Sinn genannt. Ein Beispiel solchen Sprechens gab uns Francis Quarles mit seinem Epigramm.

Auf der Seite des liedhaften Sprechens scheint es keine verschiedenen Ausprägungen der Grundhaltung zu geben: die Verschmelzung von Seelischem und Gegenständlichem, das Sich-Kundgeben einer Gestimmtheit ist offensichtlich nur innerhalb einer bestimmten Höhenlage möglich, so gewiß der Ausdruck eines Jubels lebhafter sein wird als der einer Klage. Beherrschend und formend ist letztlich doch immer das Liedhafte in der sprachlichen Kundgabe.

Im liedhaften Vorgang entfalten sich keine Beziehungen und heben sich keine Normen heraus. Vielmehr vollzieht sich der lyrische Vorgang hier in Reihungen ohne Unterordnung und Schichtung, vielleicht ist es richtiger zu sagen: vollzieht er sich in einem Kreisen. Alles reiht sich und kreist um jenes geheime Zentrum der Gestimmtheit. Es gibt daher auch keine sprachlichen Angelpunkte (wie etwa der ruhige oder unruhige Schlaf bei Horaz oder die Sorglosigkeit), von denen aus neue Bezirke betreten und ausgemessen würden. Es gibt dafür SCHLÜSSELWORTE (key-notes), die statt ins Horizontale in die Tiefe, in das Zentrum weisen. Oft läßt sich beobachten, wie sich solche Schlüsselworte wiederholen, aber mit immer größerem Gehalt. Eine solche lyrische Integration fand sich bei Verlaines *La Lune blanche* (l'heure). Sie findet sich in dem zweiten Nachtlied des Wanderers von Goethe: wenn das «Ruh» der zweiten Zeile zum Schluß wiederkehrt, aber nun in bedeutungsvoller Beschwerung und Vertiefung, als echt lyrische Integration: «ruhest du auch».

(b) Innere Form

Wir wenden uns noch einmal zu der Ode des Horaz: Odi profanum vulgus ... Sie soll uns helfen, eine letzte Formschicht des Kunstwerks zu erkennen und zu erfassen. Stellen wir uns vor, das Gedicht sei ohne die beiden letzten Strophen überliefert, die vor allem die beiden Fragen enthalten. Ohne Zweifel, das Gedicht wäre auch dann noch eine Ode; jedes Wort, das in ihr gesagt wird, wird aus der typischen Haltung der Ode heraus gesagt, und dieser ihr Charakter wird durch die Lücke nicht im geringsten angetastet. Und doch erkennt man sofort, daß dem Gedicht ohne den jetzigen Schluß etwas Wesentliches fehlen würde. Nicht nur etwas an gegenständlicher Fülle und gedanklichem Gehalt, – das wäre nicht entscheidend. Sondern an Rundung, Geschlossenheit, an FORM. Alles Vorhergehende, der ganze lyrische Vorgang, der sich entfaltete, strebt dem Ende mit den Fragen zu, die einen Entschluß enthalten, den Entschluß zu einer bestimmten Lebensform angesichts der Sorgenhaftigkeit des Daseins. Der Entschluß stellt einen unentbehrlichen Schlußstein dar, der dem Bau erst seinen Halt gibt.

Das aber heißt, nun allgemein gesprochen: im lyrischen Kunstwerk wirkt als Gattungsaspekt zweierlei zusammen: eine Haltung, in der gesprochen wird – in unserem Fall die Odenhaltung als spezielle Ausprägung des lyrischen Ansingens –, und eine Form, in der das Sprechen sich rundet, zur Einheit und Ganzheit wird: in unserem Fall können wir die Form als Entschluß-Fassung bezeichnen. Wir stehen vor dem gleichen Sachverhalt wie bei den Redeweisen und Redeformen: es gibt eine Art des Sprechens, und es gibt eine Form, in der es zu sich selber kommt und seine Geschlossenheit als Gefüge findet. Dabei erweist sich sofort die innere Zusammengehörigkeit des Sprechens und der Form: das Entschluß-Fassen als Form bedarf einer Begegnung zwischen Du und Ich, einer Entfaltung des Du und der Beziehungen, der Entschluß ist eine der Odenhaltung innerlich zugeordnete Form; andererseits drängt die Odenhaltung, die Entfaltung der Spannungen, zu einem Schluß. Man könnte fast das Sprechen in einer bestimmten Haltung als Mutterlauge bezeichnen und die Form als die immanente Form, in der sie kristallisiert. Freilich wäre der Vergleich etwas schief; denn er erweckt den Eindruck, als gäbe es nur die Gestalt des ENTSCHLUSSES, in der eine Ode Form bekommen könnte, während es in Wahrheit noch andere gibt. So rundet sich in der Ode III, 2 das Entfalten zur MAHNUNG. Man erkennt dabei leicht, daß die innere Form von sich aus formend in die Sprache greift und typische eigene SPRACHGEBÄRDEN schafft: so sind die «cur»-Fragen in III, 1 sprachliche Gebärden des Entschlusses.

Zur Ermittlung der Form trägt wesentlich das Studium des Aufbaues bei. Es wäre eine Hilfe, wenn die Forschung eine Reihe solcher Formen bestimmt und erläutert hätte; aber das Gelände ist hier unkultivierter als im entsprechenden Fall der elementaren epischen Formen. Wir geben einige Hinweise, die begreiflicherweise nur vorläufigen Charakter haben können. Als eine innere Form bei der Hymne fanden wir den PREIS des Göttlichen, Numinosen. Als LOBPREIS auf eine Person, eine Stadt, eine Landschaft u.s.f. tritt eine ähnliche Form auf der Seite des Nennens auf, während auf der Seite des liedhaften Sprechens, wo es ja kein Gegenüber gibt, der JUBEL (etwa des Liebesglücks) die entsprechende Form wäre. Der KLAGE im Liedhaften, zum Beispiel der Abschiedsklage, wie sie vor allem aus Volksliedern bekannt ist, entspräche auf der Seite des Ansprechens die ANKLAGE oder «Herausforderung» oder gar «Verfluchung» (Goethe: Prometheus); auf der Seite des Nennens fände sich dazu die BEKLAGUNG, etwa eines Gestorbenen. (Die Beklagung schließt Vergangenheit und damit gegenüberliegende Welt auf; zugleich dringt begreiflicherweise leicht der liedhafte Ton des Klagens ein: das, was heute gewöhnlich als ELEGIE bezeichnet wird, ist wohl eine solche Verbindung mehrerer lyrischer Grundphänomene.) Deutlich erkennbare Formen sind weiterhin die BITTE, das GEBET, der ZUSPRUCH. Sie finden sich vor allem als Formen des liedhaften Sprechens. Die Sonderung in ein Ich und ein Du ist dabei nur vorläufig; die Formen erfüllen sich als Ausdruck reiner Gestimmtheit.

Allgemein wird sich vielleicht beobachten lassen, daß das liedhafte Sprechen nicht so von innen nach einer umschließenden Form drängt wie etwa die Ode, die vom Entfalten her zu einer Rundung strebt. Beim Lied kann es, wie zum Beispiel viele Lieder Brentanos zeigen, beim dauernden Reihen bzw. Kreisen bleiben. Aber die vollkommensten Lieder auch Brentanos sind doch schließlich die, in denen es zu einer Geschlossenheit kommt. Andererseits sind alle Lieder Goethes ein Zeugnis dafür, wie liedhaftes Sprechen sich in einer starken Form vollendet. Der Reichtum und der Rang der Goetheschen Lieder beruht zu einem Teil auf der Fülle der inneren Formen, die mit der liedhaften Haltung aufs innerlichste verbunden sind. So vollendet sich das erste der Nachtlieder des Wanderers als Gebet (Der du von dem Himmel bist), das zweite als Zuspruch (Über allen Gipfeln ...).

Als eine der Formen des Nennens erscheint der SINNSPRUCH, das heißt die Nennung des eigentlichen Sinngehaltes in einem bestimmten, einmaligen Vorgang. In der Geschichte der Lyrik ist diese Form als EPIGRAMM verwirklicht worden, wobei der entscheidende Satz als Pointe aufgesetzt wird. Andere Formen des Nennens sind die VERKÜNDIGUNG bzw. BESCHWÖRUNG, die Nennung des Wesens eines Seienden. Als historische Realisierung der Beschwörung begegnet im ZAUBERSPRUCH einer der ältesten Formtypen. Als dichterisches Beispiel einer Verkündigung ist Schillers *Nänie* zu nennen. (Wir geben also Beißner recht, der in den Diskussionen um die innere Form des Gedichts die Auffassung als Elegie ablehnt [*Geschichte der deutschen Elegie*, S. 148]. Wir können auch noch der von ihm gebrauchten Wendung von den «hymnischen Klängen» zustimmen, da wir die stilistische Nähe von Hymne und Verkündigung schon beobachtet haben. Aber im Innern ist das Gedicht eben nicht aus der entfalteten Spannung in der Begegnung mit einem Numinosen gesprochen, sondern im sicheren Gegenüber und im Wissen. Es ist nicht Hymne, sondern Verkündigung.)

Andere Formen des Nennens sind die PROPHEZEIUNG als Nennung eines Sein-Werdenden, sowie das BEKENNTNIS, das eine Verkündigung voraussetzt bzw. mit sich bringt, und sie nun in ihrer Geltung für das Ich ausspricht (con-fiteor).

Eine der häufigsten Formen, die auf der Seite des Nennens erscheint, ist von den Erörterungen über die in der Epik begegnenden Formen her vertraut: das BILD. Da es gegenüberliegendes Sein darstellt, erklärt sich sein Auftauchen auch in Erzählungen. Als Gedicht, als lyrisches Bild, ist es voll und ganz von der Erregtheit durchtränkt und gestaltet, die das sprechende Ich erfüllt.

Es erscheint überflüssig, die üblichen Bezeichnungen für angeblich lyrische Gattungen aufzuführen und auf ihren Sinn zu prüfen. Es kommt nicht darauf an, Namen zu verstehen und sich an Definitionen zu klammern. Es kommt vielmehr darauf an, die im lyrischen Sprechen wirksamen Kräfte zu erkennen und das Kunstwerk als von ihnen geformtes Gefüge zu verstehen. Als die drei einzigen Grundhaltungen, die als lyrische Kundgabe Gefüge schaffen, erkannten wir das lyrische Ansprechen, das liedhafte Sprechen und das lyrische Nennen. RUF, LIED und SPRUCH sind die drei lyrischen Gattungen. Ruf und Spruch prägen sich jeweils besonders aus, wobei in diesen Ausprägungen «das Lyrische» wie «die Grundhaltung» völlig aufgegangen sind. Aber zum Erfassen des einzelnen Kunstwerks unter dem Gattungsaspekt gehört neben der Haltung noch die innere Form, die mit ihr in geheimer Wahlverwandtschaft steht. Von daher aber, von der Haltung und inneren Form, erfaßt die Deutung des Werkes die Funktion aller anderen sprachlichen Phänomene, die in den früheren Kapiteln behandelt wurden, und von daher erkennt sie ihr Zusammenwirken. Wo die Wirkungen nicht zusammenklingen, wo die Kräfte heterogener Art sind, das heißt unvereinbarer Herkunft, ist das Werk brüchig in sich. So legen sich denn an dieser Stelle feste Maßstäbe der Wertung in die Hand, – Stilbrüche innerhalb der gleichen Schicht wurden bereits auf früherer Stufe erkennbar.

Uns liegt am Ende dieses Abschnittes noch ob, früher offengelassene Fragen zu beantworten. Nachdem wir die Grenzen überschritten haben, die der bloßen Stiluntersuchung gesetzt sind, wenden wir uns noch einmal den drei Gedichten von Mário de Sá-Carneiro, H. v. Hofmannsthal und Mallarmé zu.

(c) Haltung und Form in drei Gedichten

Wir beginnen mit der *Estátua Falsa* von Mário de Sá-Carneiro. Die Stiluntersuchung hatte auf die Frage geführt, was das Gedicht als Ganzes denn eigentlich sei, worin die letzte Einheit des Gefüges bestehe und was die Einheit dieses Gefüges bedeute.

Es fällt jetzt leicht zu erkennen, daß wir als Haltung die des Spruch-Sprechens vor uns haben. Das Ich steht einer Gegenständlichkeit gegenüber und nennt sie. Daß die Gegenständlichkeit hier das eigene Ich ist, ändert nichts an der grundsätzlichen Haltung. In diesem Gedicht entfaltet sich nicht die Spannung in einer Begegnung: die Stilanalyse hatte hinlänglich gezeigt, wie hier abgeschlossene Sätze gereiht werden, isolierte, feste Sachverhalte als solche gesagt werden. (Wenn die Stilanalyse zugleich eine Qual des sprechenden Ich dabei aufwies, so offenbart sich in dieser seelischen Erregtheit die lyrische Substanz des Gedichtes.) Aber die Analyse des Aufbaus hatte weiterhin gezeigt, daß es sich nicht um plane Reihung handelt, sondern um eine Steigerung zum Schluß hin. Das Gedicht könnte nicht weitergehen, es hat mit der letzten Zeile seine Form erfüllt. Die vier gereihten Nennungen der Schlußstrophe liegen tiefer als die vorangehenden, sie fassen zusammen, sie sind «Urteilssätze», sie verkünden das Wesen des Gegenständlichen. Es liegt dabei im Ton (ausdrucksvolle Anaphern) wie im Gehalt (céus, templo, deus, estátua – offensichtlich ein Götterstandbild) etwas Numinoses. Verkündet wird aber nun kein Heil, sondern das Fehlen der echten Heiligkeit, die Falschheit, geradezu das Un-heil. Das Gedicht ist eine Anti-Verkündigung, eine UNHEIL-VERKÜNDIGUNG.

Literarhistorisch ist noch zu sagen, daß diese letzte Wesensdeutung nicht abstrakt, sondern durch Gegenstände, uneigentlich, symbolisch ausgesprochen wird: von hier aus könnte sich die Einbeziehung Mários de Sá-Carneiro in den «Symbolismus» vollziehen. Dazu stehen auch die Wege vom Inhalt (Ich-Deutung) wie von der Form her (Verkündigung) offen.

Zu der Form der Unheil-Verkündigung aber sei noch auf einen Zusammenhang aufmerksam gemacht, der systematischer Erforschung bedarf. Wir haben alle die Form der Verkündigung und genauer noch: die Ich-Deutung als Heil-Verkündigung in der Bibel erlebt, und da haben sie die Dichter erlebt. Als Menschen mit besonderer Sprach- und Formbegabung vermutlich tiefer als andere (es ist hier vom Morphologischen, nicht vom religiösen Gehalt die Rede). «Ich bin die Auferstehung und das Leben, wer an mich glaubt, der wird leben, ob er gleich stürbe; und wer da lebt und glaubt an mich, der wird nimmermehr sterben» – das ist eine der unverlierbaren, beispielhaften Ich-Verkündigungen der Bibel, die wir alle in uns tragen. Es soll nicht behauptet werden, daß Mário de Sá-Carneiro sein Gedicht im bewußten Hinblick auf diese oder eine andere biblische Heil-Verkündigung geschaffen hat (obwohl es keineswegs ausgeschlossen ist); aber die innere Beziehung ist unleugbar vorhanden. Die Bibel gibt in unserem Kulturkreis für fast alle lyrischen Formen (Verkündigung, Prophezeiung, Gebet u. s. f.) die großen Vorbilder und Beispiele, die unverlierbar in allen Angehörigen unseres Kulturkreises leben. Wir zitierten früher das Wort A. W. Schlegels von dem vorbildhaften, weil urkundlichen und systematischen Charakter der griechischen Poesie, – es scheint uns notwendig, neben die griechische Poesie ausdrücklich die Bibel zu stellen. (Auf die Bibel weist auch der in der Schlußstrophe so sinnfällige Stilzug der Aufzählung: das ist wohl das bedeutendste Ergebnis in Spitzers Studie über die *Enumeración).*

Wir haben mit dem Gedicht von Mário de Sá-Carneiro begonnen, weil an ihm die Erkenntnis der Haltung und der Form wohl leichter fällt als an dem Gedicht von Hofmannsthal. Aber gerade durch die vorangehenden Erörterungen drängen sich nun auch für diese Verse die Antworten auf, die die Stiluntersuchung nicht geben konnte.

Auch hier wird in der Haltung des Verkündens gesprochen. Die klare Reihung geschlossener Sachverhalte ist ihre notwendige sprachliche Erscheinungsform wie auch die Nachdrücklichkeit des Sprechens. Auch hier rührt das Verkünden an Numinoses, an waltende «Weltenmächte», und so erweisen sich die Verhaltenheit und Hoheit des Tones als der Haltung immanente Formungskräfte. Jetzt erst enthüllt sich etwas von der bisher nicht recht zugänglichen Einheit des Stils.

Es bleibt nicht bei dem reihenden Verkünden. Die Untersuchung der Komposition offenbarte eine letzte Geschlossenheit: ein erster Teil war die Basis für einen zweiten, und Klang, Rhythmus, sprachliche Formen wie Aufbau wiesen auf den Schluß als bedeutsamste Stelle des Gedichts. Die innere Form ist auch hier eine Verkündigung, eine ICH-VERKÜNDIGUNG. Zwei Urteilssätze finden sich in den Zeilen; einer steht am Ende des ersten Teils, der andere am Ende des ganzen Gedichts. (Wie auch bei Sá-Carneiro die Urteilssätze abschlossen.) Sie müssen da stehen; sie sind die Sprachgebärden, in denen die innere Form der Verkündigung sich erfüllt. Was die Stilanalyse nur feststellen konnte, läßt sich vom Standpunkt der Gattung aus in seiner inneren Notwendigkeit begreifen. «Mein Teil ist ...» – das ist der Urteilssatz der Ur-Verkündigung «Ich bin die Auferstehung ...». Gewiß, hier wird in der Ich-Deutung kein Heil und auch kein Un-heil verkündet. Es bleibt bei der Wesensverkündigung, und diese ist noch überaus verhalten und unbestimmt.

Im Vergleich wäre es nun leicht, die Individualität der beiden Gedichte genauer und feiner zu bestimmen, – auf den ersten Blick drängt sich die größere Straffe, Deutlichkeit und klangliche Sprödigkeit des portugiesischen Gedichts auf. Der Vergleich kann eben so aufschlußreich werden, da die Gemeinsamkeit in Haltung und Form so groß ist. Die gleichen sprachlichen Grundkräfte sind in beiden Gedichten am Werk.

Bei der Behandlung der Mallarméschen *Apparition* war die Stilanalyse bei der Feststellung stehengeblieben, daß die Bilder aufeinander bezogen waren, daß sich ein gemeinsames Urbild im Vollzug heraushob. Jetzt ist wieder ein genaueres Zugreifen möglich. Als erstes ergibt sich, daß auch hier Gegenständliches genannt wird. Wir finden auch hier die Haltung des Nennens im Gegenüberstehen. Stilistisch weist schon die zeitliche Schichtung auf solches Getrenntsein. Auch hier handelt es sich nicht um nacktes und abstraktes Sinnaussprechen, sondern, stärker noch als bei Sá-Carneiro, um Nennung von Gegenständlichkeit. Und auch hier handelt es sich deutlich um eine numinos erfüllte Gegenständlichkeit: séraphins, le jour béni, la fée, aber auch martyriser, s'enivrer, avec du soleil aux cheveux, bouquets d'étoiles schaffen schon als Bedeutungen kräftig eine solche Atmosphäre.

Auch dieses Gedicht ist in der Haltung des Verkündens bzw. Beschwörens gesprochen. Sie fiel schon den Zeitgenossen auf als Kennzeichen Mallarmés überhaupt, ja sie war vielen Symbolisten als Anliegen ihrer Kunst bewußt. K. Wais gebraucht in seinem Buch über Mallarmé (S. 372) Ausdrücke

wie «Bannsprüche», «Zauberformeln», «Beschwörungen» und erinnert an
Royère, Valéry u.a., die solche Deutungen gegeben haben. Vor allem zitiert
Wais die Stelle aus Stefan Georges Mallarmé-Aufsatz: «Denken wir an jene
sinnlosen sprüche und beschwörungen die von unbezweifelter heilkraft
im volke sich erhalten und die hallen wie rufe der geister und götter · an
alte gebete die uns getröstet haben ohne daß wir ihren inhalt überlegt · an
lieder und reime aus grauer zeit die keine rechte klärung zulassen bei
deren hersagung aber weite fluten von genüssen und peinen an uns vor-
überrollen und blasse erinnerungen auferstehen die wie schmerzhafte
schwestern uns schmeichlerisch die hände geben.» (XVII. S. 53).

Das Zeugnis dieses Symbolisten (zumindest war er es in jener Zeit) über
einen anderen Symbolisten bestätigt die gegebene Deutung der inneren
Haltung als Beschwören. Was George über die Wirkung sagt (weite Fluten
von Genüssen und Peinen ...), rührt wieder an die lyrische Substanz dieser
Kunst und auch unseres Gedichtes. Dagegen scheint uns die Deutung als
«sinnlos», «keine rechte Klärung» für die *Apparition* nicht recht gültig. Die
frühere Behandlung deckte die Ordnung und sinnvolle Bezogenheit der vier
bildhaften Situationen auf und entließ uns bei dem Begriff eines Urbildes
als Sinnverkörperung, der selber nicht ausgesprochen wurde. Das Beschwören rundet sich, das Gedicht erfüllt sich durch das Schlußbild von der
Fee zur geschlossenen Form. Was beschworen wird, ist nun von keinem
leicht faßbaren Sinngehalt. Es bleibt Bild, das dem wissenden Sprecher andere Bilder deuten hilft und somit über sich hinausweist. Wir werden wieder an den alten Alciatus gemahnt und seine Holzschnitte, die immer über
sich hinauswiesen und die Welt verständlicher machten. Wir dürfen auch
bei der inneren Form der *Apparition* von Emblem sprechen. Das Gedicht
ist in seinem Innersten EMBLEM-BESCHWÖRUNG. Der Literarhistoriker
hat damit wohl wieder einen Schlüssel zum Verständnis des Symbolismus in
die Hand bekommen: Emblem-Beschwörungen scheinen typisch für die
Lyrik dieser Bewegung zu sein.

4. HALTUNGEN UND FORMEN DES EPISCHEN

(a) Strukturelemente der epischen Welt

Die epische Ursituation ist: ein Erzähler erzählt einer Hörerschaft etwas,
was geschehen ist. Der Standpunkt des Erzählers liegt also dem zu Erzählenden gegenüber, eine Verschmelzung wie beim Lyrischen kann hier nicht
eintreten. Der deutliche sprachliche Ausdruck dessen ist das Präteritum, in
dem das Erzählte als Vergangenes und das heißt als Unveränderliches,

Festliegendes vorgetragen wird. Derselben Einstellung entstammen die epischen Vorausdeutungen. Nicht in der Erregtheit des Ergriffenwerdens, sondern in Freude an der Buntheit der Welt, in mehr oder weniger ruhiger Gelassenheit trägt der Erzähler vor. Von seinem entfernten Standpunkt nimmt er die Fülle des Weltausschnitts wahr, der sich da ausbreitet. «Der Zweck des epischen Dichters liegt schon in jedem Punkte seiner Bewegung; darum eilen wir nicht ungeduldig zu einem Ziele, sondern verweilen uns mit Liebe bei jedem Schritte» – diese Worte Schillers an Goethe (21. Mai 1797) gelten gerade heute bei den Theoretikern als Formulierung des EPISCHEN GESETZES. In dem «mit Liebe verweilen» liegt die verhältnismäßige Eigenwertigkeit der Teilelemente in der gegenüberliegenden Welt und darin sogar eine morphologische Tendenz. Die Teilstücke sind in der Epik ungleich selbständiger als es im Lyrischen und Dramatischen der Fall ist. Schiller zog in demselben Brief ausdrücklich diese Folgerung: «Die Selbständigkeit seiner Teile macht einen Hauptcharakter des epischen Gedichtes aus.»

Andererseits bleiben es aber natürlich Teilstücke in dem Ganzen einer Welt, sie hängen mit anderen zusammen und weisen auf sie. Das braucht nicht das Vorausweisen und Herausfordern von etwas Kommendem zu sein, so daß sich eine Handlung fest fügt. Es kann sich um die Erweiterung des Räumlichen an sich handeln, um die Öffnung weiterer Horizonte in allen Richtungen. E. Staiger hat an Homer überzeugend dargetan, wie der epische Dichter mit der Frage Woher? Welt aufschließt. Es ließe sich hinzufügen, daß es sich bei Homer vor allem um das Woher? der Abstammung handelt, also um die Einstellung der Sage (daneben aber auch um echte Fälle des mythischen Woher). Bei Dante schließt die Frage nach dem Woher eine Welt von Taten auf, die unter Gesetzen stehen; bei Ariost eine Welt des Überraschenden, Wunderbaren, Märchenhaften u.s.f.

Nun haben die Bemerkungen über die Lyrik des Rufes und des Spruches bereits gezeigt, daß die gegenüberliegende Gegenständlichkeit recht verschiedener Art sein kann. Es hat nicht an Ansätzen gefehlt, die epischen Gattungen nach dem bloßen Inhalt des Erzählten zu sondern. So sind denn die Worte des Horaz über den Inhalt des Epos: «res gestae regumque ducumque et tristia bella» oft genug als Gattungsbestimmung zitiert worden. So wurde bis etwa zum Jahre 1000 der (spätgriechische) Roman als EROTIKON bezeichnet, und ähnlich bestimmten ihn die beiden französischen Theoretiker des 17. Jahrhunderts, Bernard Lamy *(Nouvelles reflexions sur l'art poétique,* 1678) und Pater Huet (*De l'origine des romans,* 1670), als erdichtete Liebesgeschichte. Das Wesen des Märchens erscheint in solcher Blickrichtung durch seinen wunderbaren Inhalt bestimmt, die Fabel durch ihre Tiere. Aber nicht jede Erzählung von Tieren ist eine Fabel, und andererseits nicht jeder Roman eine Liebesgeschichte, wie den älteren Theoretikern schon der Don Quijote und der pikarische Roman hätten zeigen können. Wenn man später die besonderen Gruppen des historischen Romans, des sozialen Romans, des Bauernromans u.s.f. aufgestellt hat, so bedeutete das im Grunde einen Verzicht, *den* Roman vom Inhalt zu bestimmen. Auf diesem Wege kann man zu keiner Erfassung von epischen Gattungen kommen.

Wir müssen dazu etwas weiter ausholen. A. Jolles hat in einem Buch, das für alle morphologische Arbeit grundlegend ist, die EINFACHEN FORMEN bestimmt, die noch unterhalb der «Literatur» liegen. Es ist die Sprache selber, die hier, gelenkt von einer «Geistesbeschäftigung», ein Stück Welt ergreift und in einer Form bündig macht. Als solche Formen gelten ihm: Legende, Sage, Mythe, Rätsel, Spruch, Kasus, Memorabile, Märchen, Witz. Daß hier jeweils deutlich eine Form vorliegt, läßt sich vielleicht am leichtesten beim Witz erkennen. Es gibt Menschen, die keine Witze erzählen können; sie vermögen es nicht, die Pointe richtig zu formulieren, sie verlieren sich schon vorher in Nebensächlichkeiten, die gar nicht «dazu» gehören, sie bringen es nicht fertig, auf die Pointe hin zu spannen, – sie können eben die Form nicht realisieren, die der Witz als solcher verlangt bzw. ist.

In der «Literatur» pflegen diese Gebilde in dem Augenblick aufzusteigen, wo sie nicht von der Sprache selbst gemacht werden, sondern wo sie von einem bestimmten Erzähler bewußt realisiert werden (Jolles sagt: wo sie bezogen werden). Die Erzähler einer Legendensammlung, einer Märchensammlung, einer Schwanksammlung u.s.f. sind Gestalten, die in der Literaturgeschichte aufgeführt werden (Perrault, Brüder Grimm u. s. f.). Der schöpferische Macher, der Erzähler ist conditio sine qua non aller epischen Literatur.

Nun wäre an sich der Versuch denkbar, von den ERZÄHLUNGSWEISEN her zu einer Gliederung des Epischen zu kommen. Manche literaturwissenschaftlichen Termini wie komischer Roman, komisches Epos, lyrischer Roman u.s.f. scheinen das nahezulegen. Es wäre überflüssig, die Macht der Erzählhaltung für die Konstituierung einer literarischen Erzählung noch lange erörtern zu wollen. Und es leuchtet ohne weiteres ein, daß die Erzählhaltungen in der Prosa differenzierter sein werden als in der Verserzählung, bei der eben der Vers mit seinem einheitlichen Ethos trägt. (Der persönlichste ältere Verserzähler ist Ariost. Er wirkte deshalb – neben Cervantes – auf den englischen Roman des 18. Jahrhunderts, wo die Fielding, Smollett, Goldsmith, Sterne immer neue Erzählhaltungen erprobten. Am machtvollsten vielleicht Sterne, bei dem die Großerzählung überwiegend durch die Erzählhaltung konstituiert wird.) Aber selbst, wenn es gelänge, zu einer Typologie der Erzählhaltungen zu kommen, so wäre damit für eine Gattungslehre von der Epik nicht sehr viel gewonnen. Denn Epik breitet Welt aus. In der Lyrik wurde die Welt in der Ergriffenheit eingeschmolzen: die Haltungen, in denen die Kundgabe erfolgte, waren entscheidend für den Gattungscharakter. In der Epik dient das Erzählen dem Erschaffen von Welt. Es stimmt sich selber auf die Artung der zu erzählenden Welt ab: die morphologische Frage, wie die Welt aufgebaut ist, kann allein die Frage nach den möglichen Gattungen lenken.

Als morphologische Gebilde hatten sich die einfachen Formen erschlossen. Nun läßt sich leicht erkennen, daß viele umfangreiche Erzählungen eine einfache Form in sich bergen. Wenn sich in den letzten Jahrzehnten viele Romane als SAGA bezeichnen, so weist das darauf, daß (auf dem Umweg über die isländischen Sagas) wohl eine Sage (im Sinne «Familiengeschichte») den Kern bildet. Man hat auch für die Großform des Epos eine Sage als eigentliche Keimzelle behauptet. Und wenn wir mit A. Jolles unter Märchen eine Form verstehen, die die Welt als «ein Geschehen im Sinne der naiven Moral» erfaßt, das heißt als ein Geschehen, das so verläuft, «wie es unserem Empfinden nach in der Welt zugehen müßte», so ist deutlich, daß viele Romane, aber auch manche Dramen als Kern ein Märchen bergen. (Und andere ein Anti-Märchen: indem alles gerade nicht so verläuft, wie es verlaufen sollte.)

Wie aber ist die Erweiterung zu einer GROSSFORM möglich? Ein Roman, ein Epos sind doch grundsätzlich etwas anderes als eine Sammlung von gleichartigen Geschichten. Der Pitaval, Tausend und eine Nacht, die Kinder- und Hausmärchen der Brüder Grimm, selbst noch der Till Eulenspiegel, in dem es immerhin schon den roten Faden der einen Gestalt gibt, sind keine Großformen, obwohl ihr Umfang größer ist als der mancher echten.

Eine Großform lebt aus anderen Kräften. In einer epischen Großform wird Welt erzählt, reiche, bunte Welt. Wie kann diese Welt werden? Wenn es gelingt, die schaffenden Kräfte zu erfassen, so besteht die Hoffnung, daß wir auf diese Weise zu einer Gliederung kommen, die in den Dingen selber liegt.

Drei Elemente schaffen Welt und stellen damit die Strukturelemente der epischen Formen dar: FIGUR, RAUM und GESCHEHEN. Sie können in verschiedenem Maße bei der Schaffung von Welt beteiligt sein. Das wird besprochen werden. Zunächst rücken wir jedes Strukturelement einzeln vor den Blick. Wir sprechen zunächst von der FIGUR.

Unter einer Großform kann eine einfache Form liegen. Bekannt ist etwa die einfache Form Rätsel. Bekannt ist aber auch die Großform, die aus ihr erwachsen ist: die Kriminalgeschichte. In ihr wird ein Verbrechen verrätselt und verrätselt sich der Verbrecher vor seinen Verfolgern. Der Gehalt der Form Rätsel ist mehr als bloße Scharfsinnsprobe. Verrätselt wird, so belehren uns die Kulturhistoriker, was Geheimnis für eine Gruppe ist, und die Auflösung des Rätsels bedeutet Gleichberechtigung, also Aufnahme in den Bund. So ist es ja noch sinnfällig beim heutigen Examen, wo der Kandidat durch Auflösung der gestellten Rätsel seine Gleichberechtigung erweist und in den Bund aufgenommen wird. In der Kriminalgeschichte wird ein Verbrechen verrätselt; gelingt die Auflösung, dann ist das Geheimnis der Verbrecherwelt gesprengt, ihre Sonderexistenz aufgehoben und ein unheimlicher Gefahrenherd beseitigt. Solange es bei dem bloßen Bericht einer solchen Rätsellösung bleibt, stellt sich für uns kein Problem. Solche Erzählungen können, wenn der Erzähler deutlich als solcher sichtbar wird, zur Literatur gehören.

Die Großerzählung «Kriminalgeschichte» erwächst einmal aus der Ausweitung des Geschehnishaften. Wir lassen das hier beiseite. Denn daß es zum Kriminalroman kam, ist einer anderen Kraft zu danken. Den Detektiv hatte an sich schon E. A. Poe als technisches Mittel bei der Enträtselung eingeführt. Conan Doyle nun machte ihn mit genialem Griff zur «Figur». Als Figur war Sherlock Holmes mehr als der Enträtseler dieses speziellen Falles; er hatte eigene Existenz, er lebte sichtbar fort auch nach der Aufdeckung des Falles; er war nicht nur das personifizierte Prinzip des Enträtselns, sondern gewann dadurch, daß ihn sein Erfinder zum Amateurdetektiv machte, besondere ethische Anlagen und Antriebe, die nun zugleich den Triumph der Enträtselung zu seinem persönlichen Triumph machten: er wurde zu einer Art Held. (Der Held ist die faßlichste literarische Figur.)

Eulenspiegel hat noch nicht die Fülle einer echten Figur. Es läßt sich wohl an ihm beobachten, was sich auch sonst häufig beobachten läßt: daß eine Neigung waltet, Witze, Streiche u. ä. einer Figur zuzuschreiben. Es besteht schon unterhalb der Literatur eine Neigung zur Erdichtung und Verdichtung von Figuren. Eulenspiegel ist es durch den Erzähler des Volksbuches noch nicht ganz geworden. Beim Faustbuch ist der Prozeß schon weiter fortgeschritten, – aber gelungen ist es auch noch nicht. Faust blieb das Prinzip der Zaubereien (oder der Träger von Reiseerlebnissen); erst echte Dichter haben ihn als Figur von seinem Prinzip befreit. Der Aufstieg zur nun schon fortlaufenden Erzählung von der reinen Figur her, die als solche die Reihe ihrer Streiche überwächst, läßt sich gerade im humoristischen Schrifttum immer wieder beobachten. Wir nennen aus jüngerer Zeit nur E. Wincklers *Tollen Bomberg*, P. G. Wodehouses *Jeeves* oder Aquilino Ribeiros *Malhadinhas*. Graf Bobby harrt noch seines Erzählers.

Der Aufstieg zur Figur ist auch von der Lyrik aus möglich: sobald nämlich das Gedicht nicht nur als Kundgabe geschlossen ist, sondern den Sprecher als bestimmte Figur aufbaut. So ist Milton dabei, durch lyrische Rede den Allegro und den Penseroso als Figuren zu konstituieren, oder Goethe, die Gestalt des Prometheus als den Sprecher der Herausforderung aufzubauen. Schließlich kann die Literatur immer wieder Beschreibungen psychologischer oder sozialer Typen als Vorarbeit benutzen. Es kann gar nicht überschätzt werden, was Theophrast, John Earle (*Microcosmographia* 1628), La Bruyère (*Les Caractères* 1688) u.a. durch skizzierte «Figuren» für die Ausbildung literarischer Figuren bedeutet haben. Das gilt in erster Linie für den Roman, dann aber auch für das Drama, das ja ebenfalls Figur braucht.

In der Großerzählung ist die Figur immer ein Strukturelement neben anderen. Es gibt indessen Kurzformen, in denen gleichsam die Figur allein die Struktur bestimmt, in denen die Struktur eine (bestimmte) Figur ist. A. Jolles pflegte als Beispiel die Geschichte von dem ertrunkenen Mädchen aus dem Werther anzuführen, die in eindrucksvollster Weise eine Figur beschwöre.

Wir nannten als zweites Strukturelement das GESCHEHEN. Wieder läßt sich fragen, ob es nicht Kurzformen gibt, die ausschließlich vom Geschehen her bestimmt sind, so daß sich an ihnen beobachten läßt, wie die Substanz «Geschehen» Form gewinnt. Es gibt tatsächlich solche Kurzformen. Die eine erfaßt Geschehen gleichsam nur auf seinem Höhepunkte, und zwar in der Form der Begegnung. Die Bedeutsamkeit, die die Begegnung haben muß, um dichterisch erzählbar zu werden, liegt in dem entscheidenden und abschließenden Charakter der Begegnung: sie ist schicksalvoll. Die Form, in der ein Geschehen als schicksalvolle Begegnung erfaßt und erzählt wird, heißt BALLADE. Unter dem Eindruck des Untergangs, Verlustes, mit einem Worte: der Fallhöhe – wird die Erzählung leicht stimmungsvoll und einheitlich in der Gestimmtheit. Nicht selten findet eine leichte Verschiebung statt, so daß die Gestimmtheit zur eigentlichen Substanz wird, die sich kundgibt, und das Geschehnis der Begegnung nur der Anlaß. Auf solches In-Einander-Übergehen muß die Erforschung unter dem Gattungs-Gesichtspunkt gefaßt und sogar aufmerksam sein: es liegt im Wesen der Dinge selbst, und rigorose theoretische Grenzziehungen wären so unangebracht wie vorschnelle Verurteilungen als «unreine Formen». Es kommt nur darauf an, daß man die Orientierungspunkte im Felde der Dichtung, die «reinen» Formen kennt, dann wird die Fülle der Übergangserscheinungen übersichtlich und verständlich.

Der Übergang von der Ballade zum lyrischen Gedicht ist zum Beispiel in dem Gedicht *Barca Bela* von A. Garrett schon vollzogen, wo aus der Besorgtheit im Vorausblick auf die Begegnung mit der Sirene gesprochen wird, während in Heinrich Heines *Loreley* aus der melancholischen Gestimmtheit im Rückblick auf die Begegnung gesprochen wird. Eichendorffs *Waldgespräch* und *Der stille Grund* halten genau auf der Grenze zwischen Ballade und Lyrik.

Eine andere Form erfaßt ein Geschehen als zunächst «reales» und einmaliges, das heißt örtlich und zeitlich genau festgelegtes Geschehen. Im weiteren erfaßt sie es als EREIGNIS, das heißt nicht als geradlinige Durchführung einer Absicht, sondern gerade als plötzliche, unerwartete Fügung, die die Absicht durchkreuzt. Überall gibt es solche seltsamen Punkte, die geheimnisvoll aufeinander bezogen sind, bis das Ereignis auf dem Höhepunkt wieder schicksalbestimmend ist. Diese Form, die, wie die Literaturgeschichte zeigt, dauernd als solche verwirklicht wird (wobei Boccaccio mit seinem *Decamerone* die Rolle des großen Beispiels und Anregers zugefallen ist), heißt NOVELLE. Der Name weist als solcher auf den Erzählungscharakter hin und nicht auf eine Gestalt. Wie wenig fest er ist, verrät sich noch heute darin, daß er im Englischen und Spanischen (novel, novela) andere Gebilde meint als im Italienischen, Deutschen, Französischen (novella, Novelle, nouvelle). In früheren Zeiten umfaßte die Bezeichnung noch andere Gebilde wie zum Beispiel das Märchen; auch die Geschichten im Decamerone gehören nicht alle der Form Novelle zu.

Aber all das kann nicht verdunkeln, daß es eine Form gibt, die, wo sie als Novelle erfüllt wird, die besondere Gestaltung eines Geschehens in jenem Sinne ist. Diese Struktur als Ereignis-Geschehen wirkt bis in typische Sprachgebärden. Wendungen wie: nun geschah es, daß ... so kam es, daß ... kaum war ..., als plötzlich ... werden keiner Novelle fehlen. Die Figuren können hier gar nicht eigenwertig sein: sie sind durchaus Teile der Geschehnisstruktur. Ebenso bleibt kein Raum für große Beschreibungen und Episoden und Bilder von der Welt. Die Novelle ist im Grunde nicht rein episch, sie verweilt nicht mit Liebe bei jedem Schritt, sondern nähert sich mit ihrer Konzentrierung auf das Ereignis und ihrer zeitlichen Gespanntheit dem Dramatischen. Damit ist auch die Rolle des Erzählers eingeengt. Er kann nicht weit abschweifen, er muß sachlich erzählen, und seinem Tone merkt man an, daß er selber von der Unheimlichkeit der Welt beeindruckt ist, wie sie die Novelle erfaßt und gestaltet.

Wenn zu ausgedehnte und selbstherrliche Umwelts-Schilderungen dem Geist der Novelle, ihrer Weltauffassung nicht gemäß sind, so stehen wir damit vor dem dritten Strukturelement. Die dritte epische Substanz ist der Weltausschnitt oder RAUM.

Wir stellen wieder die Frage, ob es nicht Kurzformen gibt, die nur als Ausformung dieser Substanz bestehen, so daß an ihnen das Wesen des «Raums» studiert werden kann. Figuren und Geschehen brauchen nicht zu fehlen; unter «Raum» ist nicht etwa bloße Landschaft zu verstehen. Aber sie sind völlig vom Raum her bestimmt, sie haben ihre Bedeutung als Ausdruck des Raumes. In einer Kurzform würde er als eigener, geschlossener Ausschnitt erfaßt. Es entstände ein Bild. Bild oder vielmehr Bildchen heißt auf griechisch eidyllion, und die IDYLLE ist die dichterisch realisierte Form, die wir erwarten durften. Theokrit und Vergil sind die klassischen Meister der Idylle; heute denken wir freilich bei Idylle mehr an die Ausprägung, die sie im empfindsamen 18. Jahrhundert bekommen hat. Das Bild von einem friedlichen, naiven, stilisierten Raum steigt auf, in dem Menschen (Schäfer), Tiere (vor allem Schafe), Pflanzen, Gewässer und Gestirne ganz vom Raum her geformt sind, einheitlichen Stellenwert haben. Geßner als Repräsentant der Empfindsamkeit hat die Idylle oft schon ins lyrische Bild hinübergeführt, während Maler Müller, Voß u. a. sie wieder epischer und «realistischer» zu halten suchten. Dichtungen eines Byron oder einer Annette zeigen, daß dabei Kurzdichtungen in einer anderen Auffassung vom Raum möglich sind, als sie die Idyllen des 18. Jahrhunderts verkörpern.

(b) Das Epos

Figur, Geschehen und Raum sind die drei Substanzen, aus denen sich die epische Welt aufbaut. Wie das nun geschehen kann, ermittelt die Struktur-untersuchung der Werke, in denen epische Welt aufgebaut worden ist.

Wir lenken kurz den Blick auf das Werk, in dem am totalsten Welt gestaltet worden ist und das sich für die Geschichte der Dichtung wie für die Theorie als das große Vorbild erwiesen hat, Homers *Ilias*. Neuere Forschung hat uns wieder die Einheit und Ganzheit des Werkes sehen gelehrt, nachdem der Blick lange Zeit durch eine ungemäße Theorie von seiner Entstehung getrübt war. Es ergab sich, daß die strukturelle Führung einem Geschehen zufällt, einem in bestimmtem Sinne geformten Geschehen. Das strukturführende Geschehen ist der Zorn des Achill von seinem Anlaß bis hin zur Wiederherstellung der Ehre und bis zur vollzogenen Rache für Patroklos, dessen Tod ja Folge des Zürnens war. Dieses Geschehen erlaubt es, die Figuren lebendig zu machen und mit Hilfe retardierender und querlaufender Motive die weite Welt aufzuschließen, wie es einem epischen Werk zukommt. Durch das Geschehen gewinnt das Werk Anfang, Mitte und Ende, gewinnt es Ganzheit und Geschlossenheit.

Die Ilias repräsentiert eine Gattung. Ihr Wesen ist, daß eine totale Welt gestaltet wird und daß diese Gestaltung von einem geformten Geschehen als tragender Substanzschicht möglich wird. Wir scheuen uns, dafür den Namen Epos schlechthin einzusetzen. Denn dann müßten neue Namen für die Erzählungen von der totalen Welt geprägt werden, die von der ausgeformten Figur oder dem ausgeformten Raum als tragenden Substanzschichten möglich werden. Das EPOS an sich scheint vielmehr – nach dem herrschenden Sprachgebrauch – die Erzählungen von der totalen Welt überhaupt zu meinen, wobei in den Begriff noch der gehobene Ton der Erzählweise und sogar die äußere Form des Verses eingegangen ist.

Es gibt nun tatsächlich neben dem GESCHEHENS-EPOS, also der durch die Ilias vertretenen Gattung, ein FIGUREN-EPOS: neben der *Ilias* steht die *Odyssee*. Der moderne Leser muß sich hüten, Odysseus zu sehr als Gatten, Vater und Großgrundbesitzer zu nehmen. Wer nach langer Zeit die Odyssee wieder liest, ist überrascht, wie wenig das Bild, das man mehr oder weniger klar von ihr hat, dem wirklichen Werk entspricht. Vor allem die ersten Gesänge, in denen Odysseus gar nicht sichtbar wird, leuchten ganz neu auf. Für die Heimkehr des Odysseus bedeuten sie nichts, mit ihr ist die Reise des Telemach gar nicht verknüpft. Sie bedeuten sogar fast gar nichts für den unmittelbaren Zweck, den Telemach mit seiner Reise verbindet. Er weiß bei seiner Heimkehr kaum mehr von seinem Vater als bei seiner Abfahrt. Aber er weiß nun aus den Erzählungen Nestors und Menelaos' (und erfährt es ja in gewissem Sinne dann auch am eigenen Leibe), was «Heimkehr» ist. Die ganze Griechenwelt, die in diesen Gesängen sichtbar wird, ist eine Welt der Heimkehrer. Und Odysseus ist der größte, intensivste Heimkehrer. Odysseus ist nicht irgendein Vater, Gatte, Privatmann, er ist Heerführer, Verfolgter Poseidons und Schützling Athenes, er ist eine welthaltige Figur größten Ausmaßes: er ist letztlich der Grieche, der auf Kriegszug (oder Handel oder Kolonisation) ausgezogen ist und sich dem schrecklichen Meer hat anvertrauen müssen. Und Ithaka ist die männerlose Heimat, in die er zurückkehrt und in der sich die Daheimgebliebenen breit gemacht haben (unter diesem Aspekt wird ja auch die Welt in den Erzählungen der Nestor und Menelaos gestaltet). So schließt denn diese Figur wieder die totale Welt auf; alles Geschehen (oder doch fast alles) ist ihr zugeordnet, während in der Ilias umgekehrt die Figuren (zunächst einmal) dem Geschehen zugeordnet waren.

Wir fragen nach der dritten Gattung des Epos: der Gestaltung der totalen Welt unter Führung der RAUMSUBSTANZ. Der größte Repräsentant ist Dantes *Divina Commedia*. Daß es sich beim Gang durch die Hölle, Fegefeuer und Paradies nicht um die irdische Welt des Daseins handelt, macht nichts aus, da es dem Dichter vollauf gelingt, von da aus diese wirkliche Welt hereinzuholen. Am besten wohl im ersten Teil, dem Inferno, in dem den Gestalten ihre irdische Lebensform erhalten geblieben ist und der mit seiner Weltfülle zweifellos der eigentlich und wahrhaft epische Teil ist. (Wie man übrigens auch an Miltons und Klopstocks Epen festgestellt hat, daß epischen, sinnlich-konkreten Charakter im Grunde nur die Teile haben, die in der Hölle spielen.) In den späteren Teilen verflüchtigt sich bei Dante der epische Weltgehalt. Allegorien, und das heißt «gemachte» Gebilde aus Sinn-Substanz, drängen sich vor, und mit solcher Sinn-Aussprache nähert sich das Werk den in epischer Erzählweise vorgetragenen Lehrdichtungen, den Theogonien des Altertums oder Werken wie Lucrez' *De natura*, die sich als didaktische Werke jenseits des Reiches der Dichtung anlegen: an die Grenze des Epischen, wie sich das Sprichwort an die Spruch-Lyrik anlegte.

Aber schon im ersten Teile der Divina Commedia wird eine Schwierigkeit sichtbar. Kompositionsprinzip ist die Aneinanderreihung zahlreicher Einzelheiten, zahlreicher Figuren und Geschehnisse, die alle «Stellenwert» haben. Das ist typisch für eine Gattung, die vom Raum her strukturiert wird. Ihre Struktur wird niemals so fest sein wie da, wo ein Geschehen zur tragenden Schicht wird. Der Dichter hat in diesem Falle gestrebt, durch eine sehr straffe äußere Gliederung (mit eigenem Bedeutungsgehalt!) die immanente Lockerheit auszugleichen.

Epische Dichtungen von begrenzterem Weltausschnitt sind dann besonders im 18. Jahrhundert beliebt gewesen. Wenn der Klassizismus dabei durch Benutzung der griechischen Mythologie den hohen und totalen Charakter des Epos zu gewinnen suchte, so war das ein Mißgriff, da ja nun die dargestellte Welt in ihrem mythologischen Teil fiktiv und künstlich wurde, ohne die Wunderwelt des Märchens zu gewinnen. Glücklicher war da schon Thomson, der sich bewußt auf einen bestimmten, irdischen Weltausschnitt beschränkte und durch die Abfolge der Jahreszeiten noch weitere Gliederung gewann. Aber auch so bleibt, wie bei aller epischen Dichtung vom Raum, die Reihung von Einzelheiten das Kompositionsprinzip. Die Analyse einer solchen Dichtung hat zu untersuchen, wie der Dichter die Gefahr der «endlosen» Reihung bannt. Weiterhin ist zu untersuchen, wodurch der an sich beschränkte Weltausschnitt doch eine Gehobenheit und Ausweitung gewinnt, so daß der Kontrast zwischen der gehobenen, epischen Erzählweise (Vers!) und der Enge des Stofflichen nicht zu fühlbar wird. Denn der Kontrast ist da: Erzählweise und geformte Substanz sind einigermaßen heterogen; man darf feststellen, daß all diese Gebilde keine «reinen» Formen sind.

Daß damit noch kein Werturteil ausgesprochen ist (vielmehr nur von neuem die Erkenntnis, daß in der lebendigen Dichtung die Kräfte durcheinanderströmen und sich mischen), das zeigt Goethes *Hermann und Dorothea*. Erzähl- und Bauweise ist die des Geschehens-Epos. Die Substanz aber ist ein begrenzter Weltausschnitt, das bürgerliche Leben in einer Kleinstadt: es ist die Gattungsform Idylle, die hier am Werk ist. Goethes Formgefühl begnügt sich nun nicht mit dem Abschreiten dieser Welt, wie Dante, Thomson, E. v. Kleist, Haller u. a. durch ihre Ausschnitte schreiten: Goethe schließt seine Welt mit Hilfe eines Geschehens auf, einer Liebesgeschichte, die ganz dieser Welt zugehört und ihre Formung möglich macht.

(c) Der Roman

Hegel und Vischer haben dargelegt, in welch schwieriger Lage sich in späteren Zeiten der Dichter von Epen befindet. Er kann sich nicht auf geglaubte Sagen und Mythen stützen, seine Welt ist «prosaisch eingerichtet», sie ist als «erfahrungsmäßig erkannte Wirklichkeit» unmythisch und wunderlos geworden. Und der Dichter findet keine versammelte Hörerschaft, sondern muß für Leser schreiben. Schon dadurch ändert sich die ganze Erzählhaltung. Aber die Wandlung in der gegenüberliegenden Welt, von der erzählt wird, greift noch tiefer. Wie der Erzähler jetzt nicht mehr auf dem erhöhten Standplatz des Rhapsoden steht, sondern als persönlicher Erzähler spricht (vgl. das materialreiche Kapitel *Sprachliche Stilformen des Romans* bei Koskimies), wie die Hörerschaft zur persönlichen, privaten Leserschaft geworden ist, so ist die ganze Welt, von der erzählt wird, privater geworden. Als persönlicher Mensch nimmt der Leser auf, und so wird von persönlichen Erlebnissen erzählt. Selbst wenn der Stoff – wie etwa in vielen historischen Romanen – noch ein großes, völkerumspannendes Geschehen ist, in dieser Blickrichtung werden es immer nur persönlich gemachte Erlebnisse: die Kreuzzugzeit heißt *Ivanhoe*, die Spätrenaissance *Vittoria Accorombona* u.s.f.

Die Figuren sind nun nicht mehr so welthaltig wie Odysseus, der König, der Götterliebling, der griechische Heimkehrer, – es sind «persönliche», private Figuren: Tom Jones, Yorick, David Copperfield, Julien Sorel, Wilhelm Meister, die Brüder Karamasow. Und wenn Madame Bovary stirbt, so ist das etwas anderes, als wenn Hektor stirbt oder Kriemhilde. Und wenn Heinrich von Ofterdingen träumt, so ist das etwas anderes als wenn Vasco da Gama in den *Lusiaden* träumt. Der Raum schließlich ist persönlich erfahrener Weltausschnitt; selbst wo er noch so weit sein will wie im Epos, bleibt es doch der Raum, in dem Individuen leben, bestenfalls der Raum, der großes Geschehen trägt und vielleicht erzeugt.

Die Erzählung von der totalen Welt (in gehobenem Tone) hieß Epos; die Erzählung von der privaten Welt in privatem Tone heißt ROMAN.

Man versteht leicht, daß der Roman seit je eine Tendenz gehabt hat, in der prosaischeren Welt, die er darstellt, gerade die Bezirke und Motive herauszuheben, die von einem poetischen Schimmer umkleidet sind, schon weil sie ungewöhnlich sind: der Räuber, der Verbrecher, der Zigeuner, der Jesuit, der Millionär, für bestimmte Kreise der Adlige oder der freie Künstler u.s.f. sind Lieblingsmotive des Romans, und die fruchtbare Rolle des überraschenden Zufalls begreift man leicht als Versuch zur Poetisierung der Welt: all das ist in das Adjektiv «romanhaft» eingegangen. Das Publikum erlaubt, es verlangt geradezu die Poetisierung der nüchternen Welt. Es waltet eine seltsame coincidentia oppositorum: auf der einen Seite wünscht man, daß der Roman der Phantasie als dichterischster Kraft entstamme (FICTION ist ein treffender Fachausdruck), auf der anderen Seite wünscht man doch die Wahrscheinlichkeit, die Realität, ja, die «Beglaubigung» des Erzählten.

Natürlich wandelt sich die Auffassung von dem, was «poetische» Bezirke und Motive sind und was poetisch erlaubt ist. Der Publikumsgeschmack ist beim Romanschaffen ein wesentlicherer Faktor als bei anderen literarischen Formen. Und kritisch wird die Lage, wo man von dem fiktiven Charakter nicht mehr viel wissen will, wo man Faktisches, «Reales» wünscht und damit Information. Denn nun wird der Roman aus dem Reich der Literatur in das Reich der Zweckliteratur gedrängt; gerade in der Gegenwart wuchert auf dem Grenzgebiet in reichem Maße eine historische oder geographische Belletristik. (Die Gegenwartskrise des Romans beruht zugleich auf der empfundenen Unzulänglichkeit der «privaten» Weltsicht überhaupt.)

Der Roman ist keine Gattung im Sinne der Ballade, Novelle, Idylle, sondern ist zunächst das Erzählen von privater Welt in privatem Tone. Man kann dem Satz eines der bedeutendsten Theoretiker des Romans, Edwin Muir, völlig zustimmen: der Roman sei die «most complex and formless of all its divisions» (its: der Literatur). Und doch ist damit das Formproblem nicht erledigt (auch für Muir nicht). Dem Formproblem bzw. Gattungsproblem nähern wir uns erst, wenn wir nach den formbaren Substanzen fragen. Geschehen, Figur und Raum sind die drei Substanzschichten in aller Epik; wird eine von ihnen ausgeformt und tragend, so ergibt sich eine Gattung. Mit anderen Worten: die drei Gattungen des Romans sind GESCHEHNISROMAN, FIGURENROMAN und RAUMROMAN.

Der Literaturhistoriker wird diese aus dem Wesen der Dinge gewonnene Einteilung bestätigen können. Sie ähnelt zum Beispiel der Typologie, zu der Muir durch Sichtung der Romane, das heißt auf induktivem Wege gekommen ist, wenn er von dramatic-novel, character-novel und chronicles spricht (er nennt freilich noch mehrere Typen). In der Einteilung von Robert Petsch, der Entwicklungsroman und Ereignisroman sondert, lassen sich vielleicht zwei von unseren Gattungen wiederfinden, während Günther Müller *(Gestaltfrage)*, gleichfalls auf induktivem Wege, zu einer Gliederung gekommen ist, die der unseren ähnelt; er nennt die drei Arten: Roman der Entwicklungen, Roman der Seele, Roman der Zuständlichkeiten.

Am leichtesten faßbar ist der GESCHEHNISROMAN. Da das Geschehen für festen Anfang, Mitte und Ende sorgt, ist jede Erfüllung dieser Gattung von einer Geschlossenheit, die den anderen Gattungen nicht so leicht erreichbar ist. Auch historisch gesehen erscheint diese Form als erste; denn der spätgriechische Roman, der von so weitreichender Wirkung werden

sollte, ist Geschehnisroman. (Als «*griego poeta divino*» wird Heliodor noch
von der so gebildeten Nise in Lopes *La Dama Boba* gepriesen, und Mme. de
Scudéry bekennt: «Je vous dirai donc que j'ai pris et que je prendrai toujours pour mes uniques modèles l'immortel Héliodor et le grand Urphé. Ce
sont les seuls maîtres que j'imite et les seuls qu'il faut imiter.») Den spät-
griechischen Roman hatten Lamy und Pater Huet im Blick, als sie den Roman als erdichtete Liebesgeschichte bezeichneten: die Liebe ist ja wohl das
wichtigste und zugleich poetischste Geschehen, an dem der Mensch als pri-
vates Wesen teilhat. So verwirklicht sich denn der Geschehnisroman zuerst
ausschließlich und später noch überwiegend als Liebesroman. Die Fabel beginnt mit der ersten Begegnung (die Liebe auf den ersten Blick stammt daher), dann kommt es zur Trennung, wobei die Kurven weit auseinander
führen, und schließlich zur Vereinigung. Der spätgriechische Roman enthält schon die für diesen Typ kennzeichnenden Motive, die später als solche
oder leicht verändert immer wiederkehren: Schiffbrüche, Überfälle, Ge-
fangenschaft, entflammte Tyrannen, Verwechslungen auf Grund von Ver-
kleidungen u.s.f. Auch das trennende Motiv der ethnischen Verschiedenheit fehlt nicht, aus dem im bürgerlichen Roman das der hemmenden Armut
oder des Standesgegensatzes wird.

Eine eigene Typik von festen Motiven und Motivgruppen entwickelt der
interessante Typus des Schauerromans. Er hat den «höheren» Roman übrigens nachhaltig beeinflußt. Jean Paul, Balzac, Dostojewski wurzeln mehr
oder weniger stark in ihm; W. Scott regte seinen Freund zu einer *Apology
for Tales of Terror* an, und der von ihm geprägte historische Roman steckt
voll davon (vgl. auch *Notre Dame*, *Quo vadis* usw.). Dabei schwebte Scott zutiefst wohl der Roman vom Raum vor, den er aber eben, weil er dem Geschehen verfiel, nicht rein erfüllte. Es geht ein merklicher Riß durch die
meisten seiner Romane. Der heutige Leser überspringt ihn, das heißt er
überspringt die langen Beschreibungen, – Strukturelemente des Raumromans.

Von ungewöhnlicher Straffe im Geschehen und starker Konzentration
schon im Weltausschnitt sind Goethes *Wahlverwandtschaften*. Manche Kritiker haben sich an die Novelle erinnert gefühlt. Aber es ist doch nicht zu
übersehen, daß Goethe in echt romanhafter und geradezu vorbildhafter
Weise das strukturtragende Geschehen in den individuellen Menschen ver-
ankert und nicht als Geschehen an sich gestaltet. Das Geschehen schließt
Welt auf, hier besonders individuelle Welt, und das Ganze ist echtester
Roman.

Der FIGURENROMAN unterscheidet sich strukturell vom Geschehnis-
Roman schon durch die eine Hauptfigur, während es dort gewöhnlich zwei
sind. Es zeigte sich schon ein Weg, der zu ihm führt: sobald der zunächst

einheitliche Träger einer Reihe von gleichartigen Kurzgeschichten Eigenleben gewinnt. Gerhart Hauptmann hat den Versuch gemacht, die Gestalt des Eulenspiegels zu erlösen. Sein Ziel war sogar, sie vom Standpunkt des Rhapsoden zu sehen, ihr Weltgehalt zu geben und mit ihr keine private, sondern die «große» Welt aufzuschließen. Ein Epos von der welthaltigen Figur, das freilich nicht entfaltet wird, steckt auch in Machiavellis *Principe*.

Es war der Genius Cervantes, der den modernen Roman von dieser Seite her begründete. An sich war der *Don Quijote* zunächst nur der Antiheld für die Abenteuer aus den Ritterbüchern, und den damaligen Lesern stiegen wohl noch hinter den meisten seiner Heldentaten die entsprechenden Abenteuer aus den Ritterromanen auf, deren Welt damit ironisiert wurde. Aber Cervantes gab seiner Figur eben doch jene Wesensfülle, Tiefe und Geschlossenheit, die sein Werk zum unsterblichen Vertreter des Figurenromans machte. Trotz der glücklichen Kontrastierung durch eine zweite Figur wird dabei eine Schwierigkeit auch dieser Gattung deutlich: es ist schwer, von der tragenden Substanzschicht her Anfang, Mitte und Ende zu bekommen. Man versteht, daß in der Unterhaltung zwischen Napoleon und Goethe das Gespräch vom Werther auf das Problem des Romans ohne Ende kam, das beim Geschehnisroman nicht auftaucht. Und man versteht, daß der Roman von der Figur, wenn ihre Substanz vor allem nach der Seite der Passivität, Einsamkeit und Seelenhaftigkeit ausgeformt wird, leicht zur Lyrisierung neigt, wie man an Goethes *Werther*, Hölderlins *Hyperion*, Lamartines *Raphaël*, Benjamin Constants *Adolphe* u. a. beobachten kann. Goethe ist im übrigen vorbildhaft für die Art, wie er aus der Figur selber und nur aus ihr die bündige Fabel für seinen Roman gewinnt.

Ein anderer Weg zum Figurenroman führte von der Autobiographie her. Sobald der Schreiber sein eigenes Ich nicht nur als Träger isolierter Geschehnisse, Empfindungen u. s. f. sah, sondern die Entwicklung als sinnvolles Ganzes, war die Bahn zum Entwicklungsroman beschritten. Augustins *Bekenntnisse* sind immer wieder wirksam geworden, und die in diesem Typ so beliebte Ich-Form bezeugt weiterhin die Nähe zur Autobiographie. Er mußte, möchte man sagen, einer der festgeprägtesten Typen des Romans sein, sobald die Empfindung von der persönlichen Individualität die Orientierung im Dasein leitete. Das war im 18. Jahrhundert und danach der Fall. Im übrigen begünstigt der Entwicklungsroman das Aufschließen der Welt von der tragenden Substanzschicht her; denn nur im dauernden Kontakt mit der Welt kann sich Entwicklung vollziehen.

Man pflegt als besonderen Typ noch den Bildungsroman abzugrenzen. Die Entwicklung führt dann zu einem endgültigen, innerlich angelegten Reifezustand, und der Held hat seine Anlagen zu einem harmonischen Ganzen ausgebildet. Die weltanschaulichen Voraussetzungen dieses Typs führen freilich leicht zu einer Stilisierung und Schematisierung und verhindern so die volle Entfaltung des Epischen: der weite und umfassende Blick auf die bunte Fülle der Welt trübt sich und engt sich ein.

Spanien hat in der Neuzeit nicht nur mit dem Don Quijote den Figurenroman zuerst ausgeprägt, sondern mit dem pikarischen auch den RAUMROMAN. Auf den ersten Blick könnte es scheinen, als hätte sich hier das gleiche vollzogen wie dort: als sei der einheitliche Träger einer Reihe von gleichartigen Kurzgeschichten zur Figur des pícaro gewachsen. Aber dann hätte sich kein Typus des pikarischen Romans bilden können; die Wiederholung derselben «Figur» als tragender Schicht wäre eine Nachahmung, aber keine fruchtbare Weiterbildung geworden. Tatsächlich erkennt man bei näherem Zusehen, daß die Gestalt des pícaro keinen Eigenwert zu erlangen braucht. Vielfach kommt es nicht einmal zur einheitlichen Individualität. Man hat mit viel Scharfsinn versucht, den Helden des vielleicht bedeutendsten Romans aus der ersten Ausbreitungswelle des pikarischen Romans, Grimmelshausens *Simplizissimus*, als geschlossene, tragende Figur aufzufassen und den Roman selber als Entwicklungs-, ja sogar als Bildungsroman. Es sind Versuche am untauglichen Objekt. Man hat auch am Helden von Lesages *Gil Blas* die Charakterzeichnung und -entwicklung rühmen wollen, während andere zu einem Schluß gekommen sind, den Lanson etwas überspitzt formuliert hat: «Il n'a que le nom individuel.» Wenn aber Lanson zugleich die zahllosen Episoden als kompositorische Schwäche und schädliche Einschübe ansieht, dann ist das Wesen der Gattung verkannt. Auf die Darstellung der vielfältigen, offenen Welt kommt es ja gerade an. Das Mosaikhafte, die Addition ist das notwendige Bauprinzip, und die Fülle der Schauplätze und auftretenden Figuren wird von innen her verlangt.

Hier liegt die Gefahr des Kein-Ende-finden-könnens im Wesen der Sache, solange eben nicht die Totalität der persönlich erfahrbaren Welt abgeschritten ist. Oft haben die Autoren Fortsetzungen an das veröffentlichte Buch angefügt, und nicht selten haben andere das für sie besorgt. Denn diese Autoren, die echtesten epischen Erzähler, die es gibt, die sich an der Fülle der Welt und ihrer Vorkommnisse begeistern, sperren sich von Natur aus gegen die Einengung durch eine übergreifende, für Anfang, Mitte und Ende sorgende Form. Der pikarische Roman endet gern mit dem Motiv der Einsiedelei, das heißt der gewaltsamen Absage an diese bunte Welt. Aber das ist ein drastisches äußeres Ende, das leicht aufgehoben werden kann, wie Grimmelshausen zeigt.

Die zweite Wirkungswelle des pikarischen Romans schlug im 18. Jahrhundert zunächst nach England (Fielding, Smollet) und ergriff von da aus

den Kontinent. Das Bewußtsein von der Individualität, wie es damals er-
wacht war (und das den Roman überhaupt zur herrschenden Dichtungsform
machte), verlangte größere Einheitlichkeit des weltaufschließenden Helden. Eine solche individuelle Ausprägung kann freilich im Raumroman
nicht sehr scharf werden. Es handelt sich um ein bezeichnendes Mißverständnis, wenn eine psychologisierende Betrachtungsweise an dem Helden
von Fieldings *Tom Jones* immer wieder die Charakterblässe getadelt hat.
Der pikarische Gehalt wird damit verkannt. Wie unbestimmt, unfest, biegsam bleibt auch Goethes Wilhelm Meister. Erst durch die mißdeutenden
Ratschläge des unepischen Schiller kam Goethe dazu, seinem Helden zugleich eine Entwicklung nachzusagen (aber auch nur das). Wie biegsam und
geschmeidig ist auch Thackerays Heldin Rebecca in *Vanity Fair*. Der echte
pícaro wird trotz aller Heldentaten nie zum Helden und trotz aller Verbrechen nie zum Verbrecher.

Der Raumroman bekommt im 19. Jahrhundert eine besondere Tönung
und zugleich Verengung. Als Ziel schwebt jetzt vielfach vor, diese jetzige,
gegenwärtige Welt darzustellen, oft in genau begrenztem Ausschnitt. Was
man als Zeitroman und Gesellschaftsroman zu bezeichnen pflegt, sind nur
besondere Typen des Raumromans. Neben das Hilfsmittel der einen Figur,
des Abenteurers, der gleichwohl unsterblich ist, treten noch andere Techniken. Tolstoi benutzte für *Krieg und Frieden* echte Entwicklungen, Fontane
und Eça benutzen, wie wir früher bereits sahen, Geschehnishaftes. (Der Begründer des Zeitromans in Deutschland, Immermann, hatte sich an Goethes
Wilhelm Meister angeschlossen, mit mehr Recht übrigens als die Autoren
von Bildungsromanen.)

Von besonderem Interesse ist der französische Roman, der ja gerade in
den drei großen Meistern Balzac, Stendhal und Flaubert die Zeittendenz
zum Raumroman verschieden verarbeitet. Balzac läßt in den *Illusions perdues*
einen Tadel über W. Scott aussprechen, weil er den modernen Roman zu
sehr dramatisiert habe. Das richtet sich deutlich gegen den Vorrang der
Handlung. (Victor Hugo hatte bezeichnenderweise in seiner Besprechung
des *Quentin Durward* die effets dramatiques und das vorzügliche «Gewebe»
gelobt.) Wenn Balzac seine Romane zu Serien zusammenfaßte: Etudes de
la vie privée, Etudes de la vie de province, Etudes de la vie parisienne, die
er dann wieder als Etudes sociales zusammensah, wenn er den umfassenden
Titel *Comédie humaine* prägte (und er hatte recht, den Schatten Dantes, des
Epikers des Raumes, zu beschwören), so weist das alles auf das tiefste Anliegen: die Welt als Raum zu erfassen. Die Fülle von Menschen (die gelegentlich in anderen Ausschnitten wiederkehren), die Pralle des Gegenständlichen und Geschehnishaften, eine gewisse Formlosigkeit aus unbändi-
ger Erzählbegier, die Skrupellosigkeit, mit der im einzelnen Roman Ge-

schehnisse und Figuren als Träger der Struktur benutzt, aber keineswegs immer konsequent beibehalten werden, – all das zeigt, daß eine Gattung hier ihren kongenialen Dichter gefunden hat.

In Stendhal vollzog sich ein Übergang zum Raumroman. Man kann ja schon *Rouge et Noir* nicht als reinen Entwicklungsroman lesen. Dem Helden kommt Stellenwert im Raum (das heißt in einem bestimmten Zeitausschnitt) zu, und der Weltausschnitt hat neben ihm fast Eigenwert: *Chronique de* 1830 lautet bezeichnenderweise der Untertitel. Steht dieser Roman gleichsam auf der Grenze, so neigt sich die *Chartreuse de Parme* eindeutig zum Raumroman; die Entwicklung von Fabrice wird eher zum Hilfsmittel, um große, leidenschaftliche Welt aufzuschließen.

Noch inniger als in Rouge et Noir ist die Verbindung von Entwicklungs- und Raum-Roman bei Flaubert. Am Schluß der *Madame Bovary* läßt der Autor Charles Bovary ein Wort sprechen, von dem er sagt: «un grand mot, le seul qu'il ait jamais dit». Es bezieht sich auf das Leben Emmas: «C'est la faute de la fatalité». Fatalité aber nicht im Sinne eines böswilligen, von außen hereinbrechenden Schicksals, sondern fatalité als im Raum liegende, unausweichliche Notwendigkeit. Man hat von daher Bau und Komposition, ja noch Einzelheiten der Romantechnik erhellen können. Die rasche Abfolge und fehlende Kausalität der Szenen bzw. Tableaus (freilich erst nach der Bovary kennzeichnend) gehören der Struktur der Gattung Raumroman an. Die weltanschaulichen Differenzen der drei großen französischen Romanschriftsteller haben hier ebenso unberücksichtigt zu bleiben wie die Unterschiede in der Erzählhaltung. Es kam nur darauf an, den Blick auf die Gattungskräfte zu lenken, mit denen im echten Kunstwerk geistiger Gehalt und Erzählhaltung in innerem Zusammenhang stehen. (Vielleicht läßt sich zu Flaubert noch sagen: seine disziplinierte, geistbestimmte Erzählhaltung kann wohl, wie es auch beim weltanschaulich bestimmten Bildungsroman möglich ist, im einzelnen vollendete Kunstwerke schaffen, aber die Geschichte des Romans nicht fruchtbar beleben, weil sie im Grunde nicht typisch romanhaft ist.)

Die Lage des Romans scheint seit einiger Zeit recht verworren. Sein Leben hängt davon ab, ob er immer wieder zu den drei möglichen, lebenspendenden Gattungen zurückfindet, aus denen ihm immer sein Leben gekommen ist. Wenn sich heute vieles als Roman bezeichnet, was nicht aus den drei Gattungen erwächst, so ist zu einem Teil die Unkenntnis der Autoren um die Lebensgesetze ihrer Kunst daran schuld. Zum andern wird es für die Forschung zur Aufgabe zu beobachten, ob nicht positive Kräfte aus anderem Bezirk als dem des Romans an der Arbeit sind.

(d) Die Erzählung

Uns bleibt zum Schluß ein Wort über die Erzählung. Sie ist ja ebensowenig eigene Gattung wie «der» Roman. Was sie als Einheit konstituiert, ist zunächst wohl, wie der Name andeutet, ihr Charakter, erzählt zu werden oder doch erzählt werden zu können. Die übliche Einkleidung als Rahmenerzählung weist darauf, daß sie «auf einen Sitz» aufgenommen werden kann, und das schimmert durch alle Erzählungen mehr oder weniger durch. Darin liegt denn notwendig ihre Kürze und Begrenztheit gegenüber dem totaleren Roman begründet. Von dem hat einer seiner besten Theoretiker gesagt, «that the extent should not be less than 50000 words» (Forster, *Aspects of the novel*). Unter Erzählung pflegt man dann zusammenzufassen, was eben kürzer ist. Aber so gewiß darin leichte Gestalttendenzen liegen, – die Kürze und Beschränktheit des Ausschnitts konstituieren die Erzählung noch nicht als Gattung. Vielmehr haben wir bereits gesehen, daß sie mancherlei in sich birgt: wir haben schon von Novellen, Märchen, Idyllen gesprochen, die man mit gutem Grund als Arten der Erzählung bezeichnen kann. Aus allen «einfachen» Formen lassen sich, indem ein Erzähler sie realisiert, Erzählungen machen. Der Deutung einer Erzählung sind durch die Erörterungen dieses Kapitels, wie wir vertrauen dürfen, alle Mittel an die Hand gegeben, um die Kernschicht zu finden und Ganzheit und Zusammenwirken aller Schichten in der Erzählung zu verstehen.

5. DIE GATTUNGEN DES DRAMATISCHEN

(a) Das Dramatische

Wir haben ein Drama vor uns, wenn auf einem besonderen Raum von Rollenträgern ein Geschehen agiert wird. Was sich auf diese Art darbietet, ist also durch dieselben drei Grundelemente bestimmt wie die Welt, die der Epiker darbietet: durch Geschehen, Raum und Figur. Darin liegt eine Gemeinsamkeit und zugleich der Grund, daß eine Erzählung, ein Roman, eine Novelle, auch ein Epos überhaupt dramatisiert, das heißt in jene Darbietungsweise gebracht werden kann. Der moderne Leser wird manchmal den Kopf schütteln, wenn er hört, welche Romane im 18. Jahrhundert dramatisiert wurden; aber das gleiche setzte sich auch im 19. Jahrhundert fort, wo zum Beispiel in Deutschland die Birch-Pfeiffer die beliebtesten Erzählungen ihrer Tage auf die Bühne brachte. Und vor kurzem sind in Portugal selbst Eças *Maias* dem Theaterpublikum vorgeführt worden.

Aber schon Lessing stellte die berühmte Frage: «Wozu die saure Arbeit der dramatischen Form? wozu ein Theater erbauet, Männer und Weiber verkleidet, Gedächtnisse gemartert, die ganze Stadt auf einen Platz geladen? wenn ich mit meinem Werke, und mit der Aufführung desselben, weiter nichts hervorbringen will, als einige von den Regungen, die eine gute Erzählung, von jedem zu Hause in seinem Winkel gelesen, ungefähr auch hervorbringen würde?»

Dem durch die Darbietungsform bestimmten Drama ordnet sich von Innen das Dramatische zu: als innere Einstellung und eigentliches Wesen der poetischen Welt. Das Dramatische ist neben dem Lyrischen und Epischen die dritte, in der Sprache selbst liegende Weltauffassung. E. Staiger hat mit Nachdruck die These verfochten, daß es zur dramatischen Darbietungsform erst vom Dramatischen her kommen konnte; man braucht nicht zu verkennen, daß es Anstöße und Vorstufen für die Bühne gibt, die außerhalb des «Dramatischen» liegen. So führt die Schaulust zu Schaustellungen, lebenden Bildern, historischen Umzügen aller Art, und im Verwandeln liegt ein geradezu magischer Reiz: wir verwandeln durch Ausschmückung Zimmer und Gärten bei besonderen Anlässen, wir empfinden, daß es mehr als bloße Spielerei ist, wenn Kinder sich leidenschaftlich gern verwandeln; bei Kostümfesten, zum Karneval kosten die Erwachsenen selbst den geheimen Reiz des Sich-Verwandelns: aber trotzdem hat Staiger wohl recht, daß unser heutiges Theaterwesen, daß die Bühne vom Dramatischen geformt worden ist.

Wo die Welt dramatisch wird, da hört jene ruhige Betrachtung, jenes weite Abstandnehmen, jene Liebe zu jedem einzelnen Punkte in der bunten Fülle des Daseins auf, die für die epische Einstellung kennzeichnend waren. Da ist der letzte Sinn des Sprechens nicht Kundgabe einer Verschmolzenheit oder Darstellung eines anderen Seienden, sondern da löst die Sprache aus, da pro-voziert das Wort etwas, was bisher nicht da war, da empfindet sich das Ich dauernd angesprochen, aufgefordert, angegriffen, da spannt sich alles auf das Kommende. Eben weil die so geartete Welt unmittelbar als solche erlebt werden soll, strebt das Dramatische zum Drama, in dem es nun kein Präteritum und keinen vermittelnden Erzähler mehr gibt. Gewiß finden sich auch in Erzählungen dramatische Stellen, und die Novelle ist mit ihrer Konzentrierung auf ein Geschehen, ihrer zeitlichen Gespanntheit, ihrem sachlichen Erzählton von dramatischem Geiste erfüllt (weswegen hier die Dramatisierungen sinnvoll sind). Gewiß haben auch Hymnus, Ode u. s. f. mit ihrem Spannungserlebnis etwas Dramatisches, wenn es auch nicht zu einem Verlauf und nicht zu Geschehen kommt, – aber die besondere Affinität des Dramatischen zur Bühne bleibt unverkennbar.

Das dauernde Angesprochensein zwingt das jeweilige Ich zu Entscheidungen und damit zum Urteil; die dramatische Welt ist geistiger, normenhafter als die epische. Indem so die Figuren dauernd «dem anderen» zugeordnet und in die Spannung auf das Kommende gestellt sind, indem andererseits auch der Raum, soweit er nicht neutraler Schauplatz ist, voller Spannungen steckt, kann man sagen, daß zum Dramatischen an sich der Vorrang des Geschehens gehört, so wie zur «privaten» Welt des Romans der Vorrang der Figur gehört. Es kann sein, daß ein Drama mit einer Idylle eröffnet (wie etwa Schillers *Wilhelm Tell*), aber nur, um durch plötzliche Veränderung auch die dramatische Spannung des Raums zu entfalten. Shakespeare beginnt übrigens fast immer «dramatisch», es sei als Beispiel nur auf den Eingang des *King Lear* gewiesen:

Kent: I thought the king had more affected the Duke of Albany than Cornwall.

Gloster: It did always seem so to us: but now ...

Eine bisherige Annahme erweist sich als falsch, die Sachlage ist anders und zwingt zur Umstellung. Unter dem Aspekt des Dramatischen gibt es keinen größeren Dichter als Shakespeare. Kein anderer hat Welt so stilrein als dramatisch erfaßt wie er.

(b) Figurendrama, Raumdrama, Handlungsdrama

Zu den Gattungen innerhalb des Dramatischen führt uns die Frage nach den Strukturen, die möglich sind. Die Erörterungen über das Epische weisen den Weg. Bei aller Eigenart der dramatischen Welt ist doch auch sie aus Geschehen, Figuren und Raum aufgebaut. So sind denn die drei möglichen Gattungen: GESCHEHNISDRAMA, FIGURENDRAMA, RAUMDRAMA. Diese Einteilung entspricht ungefähr den drei dramatischen Gattungen, die Schiller in dem monumentalen Anfang seiner Egmont-Rezension als die drei möglichen setzt: «Entweder es sind außerordentliche *Handlungen* und *Situationen*, oder es sind *Leidenschaften*, oder es sind *Charaktere*, die dem tragischen Dichter zum Stoff dienen; und wenngleich oft alle diese drei, als Ursach und Wirkung, in *einem* Stücke sich beisammenfinden, so ist doch immer das eine oder das andere vorzugsweise der letzte Zweck der Schilderung gewesen.» Die Bestimmungen, die Schiller weiterhin gibt, sind aus einer reinen morphologischen Sicht gewonnen worden.

Die Geschichte der Dichtung kann helfen, das näher zu verstehen, und wird vielleicht helfen, die Einteilung als richtig zu bestätigen. Beim FIGURENDRAMA läßt sich als Beispiel auf manche Dramen des Sturms und Drangs weisen, die aus der bloßen Begeisterung an dem «großen Kerl» erwuchsen. Oder an jenen elisabethanischen Sturm und Drang, den etwa Marlowe repräsentiert, und der gleichfalls von der Figur ausgeht. Marlowe ist nicht nur der erste, der Faust als wirkliche Figur gestaltet, er hat auch die Geschichte von der Gestalt her ins Drama gebracht. Allgemein ist die

Struktur des Figurendramas, das keineswegs selten ist, durch eine gewisse Lockerheit des Geschehens gekennzeichnet; Stationen auf Stationen folgen sich. Die Einheit liegt nicht in der Handlung, sondern in der Figur. Anfang, Mitte und Ende müssen aus ihrem Wesen gewonnen werden. Schiller sagte von der Struktur: «Ist endlich der Charakter sein vorzügliches Augenmerk, so ist er in der Wahl und Verknüpfung der Begebenheiten noch viel weniger gebunden, und die ausführliche Darstellung des *ganzen* Menschen verbietet ihm sogar, *einer* Leidenschaft zu viel Raum zu geben.» Schiller sah übrigens im Götz von Berlichingen «das erste (deutsche) Muster in dieser Gattung», der er mit Recht auch den Egmont zurechnete; in den Bedenken gegen die Gattung, die Schiller nicht unterdrücken kann, spürt man schon etwas von der klassischen Gesinnung, der die Handlungstragödie die reinste Form des Dramas sein wird: «Es ist hier nicht der Ort, zu untersuchen, wie viel oder wie wenig sich diese neue Gattung mit dem letzten Zwecke der Tragödie, Furcht und Mitleid zu erregen, verträgt; genug, sie ist einmal vorhanden, und ihre Regeln sind bestimmt.» (Schillers Einwände gegen den Egmont beruhen darauf, daß ihm hier *die* Regel verletzt scheint, die für ihn das Grundgesetz aller Tragödienkunst ist und für alle drei Gattungen gilt: der Begriff der Größe.)

An den großen Figurendramen läßt sich ablesen, wie eigen auch in aller Dramatik die Zeitordnung ist, in der die dichterische, hier von der Figur her aufgebaute Welt sich darstellt. Kleist gelingt es, den Donnersturz von Penthesileas Geschick in einem sich pausenlos folgenden Geschehen sinnfällig zu machen. In die «objektive Zeit» projiziert, würde es wesentlich längere Ausdehnung haben. Umgekehrt spielen sich die Geschehnisse in Goethes Götz der objektiven Zeitrechnung nach in wenigen Monaten ab; unserem Gefühl nach, wie es von Goethes Darstellung, dem inneren Verlauf des Geschickes gemäß, bestimmt wird, liegen zwischen der ersten und der letzten Szene Jahrzehnte.

Bleibt es beim bloßen Dramatisieren des Lebensablaufes, ist die Figur nur noch die äußere Verbindung zwischen den Bildern, aber nicht mehr strukturbildend, so geht das Figurendrama in das RAUMDRAMA über. Anders aber ist es eben da, wo der Held sich vertieft und aus seinem Wesen die Bewegung gewonnen wird. Die Heiligendramen (miracles), die Passionsspiele, aber auch die meisten Cäsardramen, die Dramen um Don Juan, Hölderlins *Tod des Empedokles* oder Ibsens *Peer Gynt*, um neuere Beispiele zu nennen, – sie alle formen aus der Substanz der Gestalt. Solche Dramen können voll und ganz tragisch sein, wie wir noch sehen werden; aber es läßt sich auch zugleich erkennen, daß das Figurendrama leicht Gefahr läuft, undramatisch zu werden: sobald nämlich der Held die Welt überwächst, nicht mehr zu ihr gehört, sie nicht mehr aufschließt.

Das Raumdrama ist besonders als historisches Drama realisiert worden. Die Fülle von Figuren und Schauplätzen, die Lockerheit des Geschehens, das Sich-Verlieren in Teilstücke, die selbstherrlich werden, das Auskosten lyrischer Bilder, das Genießen rhetorischer Reden, die auch sprachlich große Mannigfaltigkeit der Ausdrucksformen, – all dieses bunte Nebeneinander schafft Distanz und versetzt notwendig in jene Haltung des gegenüberstehenden Beobachtens, die im Grunde episch ist. Als Beispiel mag etwa «Wallensteins Lager» genannt sein, wenn wir es isolieren (sein eigentlicher Sinn liegt freilich im Zusammenhang mit der ganzen Tragödie). Die historischen Bilderbogen sind dann eine besonders krasse Ausprägung des Raumdramas gewesen, in denen an sich immanente Strukturtendenzen oft in geradezu karikaturistischer Vergrößerung sichtbar wurden.

Es kann trauriges und tragisches Geschehen geben, und für den Vordergrund und die Abrundung kann selbst ein durchgehendes Geschehen benutzt werden: im echten Raumdrama schließt es daneben- und dahinterliegende Welt auf, da haben die Phasen des Geschehens eine Tendenz, selbstherrlich zu werden, da sprossen überall neue Geschehnisreihen aus dem Boden. Dabei kann jeder kleine Ausschnitt völlig dramatisch erfaßt sein: im letzten waltet jene Überlegenheit des Abstandes, die sogar als Ironie merklich werden kann. Es hat viele Kritiker gegeben, die diese Gattung, obwohl sie so leicht entarten kann, als die künstlerischste hingestellt haben. Sie finden sich besonders unter den Romantikern; und wenn sie gerade deswegen Shakespeare so priesen, so sahen sie wohl richtig: viele Stücke Shakespeares, und nicht nur seine Historicals, enthüllen sich als Raumdramen. Wenn bei Shakespeare so oft am Ende ein neuer oder umfassenderer Raum sichtbar wird (*Titus Andronicus, Hamlet, Lear, Timon von Athen* u.s.f.), so weist dieses Strukturelement auf Dichtung vom Raum. Und es stellt sich die Frage, ob ähnliche Ausblicke am Ende von Hebbels Dramen stilrein sind oder nicht vielleicht Umbrüche vom Geschehnisdrama ins Raumdrama. Veranlaßt durch eine im Grunde «epische» Theorie.

Die letztliche Freiheit gegenüber der als Raum gestalteten dramatischen Welt rechtfertigt es vielleicht, diese Gattung als PLAY oder SPIEL zu bezeichnen.

Als dritte Gattung stellt sich das GESCHEHENSDRAMA dar. Indem ein Geschehen zum Träger der Struktur wird, die zeitliche Gespanntheit schafft, die ganze dramatische Welt sich zuordnet, verdichtet es sich zur HANDLUNG. Hier ist kein Raum mehr für Episoden, Nebenhandlungen, weil es keinen Raum außerhalb der als Handlung erfaßten Welt gibt. Hier ist für Anfang, Mitte und Ende gesorgt. Hier können die Figuren kein eigenes oder gar höheres Leben jenseits der Handlung führen. Schon ihre Zahl ist notwendigerweise kleiner als im Spiel. Ebenso ist auch im Sprachlichen die Tönung einheitlicher, als es dort wesensmäßig möglich ist.

rückschauend, nicht an den vierfachen ideellen Impuls, – noch im übrigen an einen der anderen genannten wie goldenes Zeitalter, Christentum, uneheliche Tochter. Und wir glauben nicht, vom Werk nach vorn schauend, daß seine Bedeutung und Wirkung auf den vier Dominanten beruhe (obwohl sie fraglos zum ideellen Gehalt des Werkes gehören). Unsere Antwort lautet zunächst für beide Blickrichtungen: das Werk entstand und wirkt als Tragödie.

Die Hochschätzung des Werkes gerade im Ausland, die sich in den Bemühungen so zahlreicher ausländischer Forscher um dieses Drama spiegelt, beruht wohl kaum auf seinem informatorischen, das heißt für portugiesisches Wesen dokumentarischen Charakter. Sondern auf seinem künstlerischen Rang. Das heißt aber auf seinem Tragödien-Charakter. Daß nun der entscheidende Anstoß die Absicht war, einmal eine richtige Tragödie zu schreiben, das könnte hinreichend mit den Worten des Autors belegt werden, denen wir in diesem Falle einmal vollen Glauben schenken. Sie stehen im *Bericht an das Konservatorium.*

Wir erfahren daraus sogar noch mehr: daß er eine Tragödie von antiker Einfachheit und Konzentration schreiben wollte. Es ging ihm an der Stoffquelle auf, daß hier eine Fabel vorlag, die «die ganze Einfachheit einer tragischen antiken Fabel» enthielt.

Bei dem Versuch, die besondere Tragödienstruktur dieses Werkes zu erfassen (alles Philologische ist von Andrée Crabbé Rocha endgültig klargestellt), gehen wir von der Fabel aus. Sie läßt sich etwa wiedergeben: Eine Frau verliert ihren Mann, der fern von der Heimat umkommt. Sie heiratet einen anderen, der ihr schon vorher nicht gleichgültig war. Der Ehe entspringt ein Kind. Nach Jahren kommt der totgesagte erste Mann wieder. Seine Rückkehr zerstört die ganze Familie.

Eine wirklich einfache Fabel, an der übrigens gleich auffällt, daß die Personen keine merkliche Aktivität entfalten können: es ist bestimmt keine tragische Fabel im Sinne der idealistischen Ästhetik. Wir wollen ohne solche Vorurteile herangehen und haben dann vom Wesen des Tragischen aus zu erwarten, daß die Situation der Familie im Augenblick der Heimkehr als völlig ausweglos dargestellt wird. Die Welt Garretts ist tatsächlich der Art, daß durch die Heimkehr die Frau und ihr Kind entehrt sind und ihnen der Lebensgrund entzogen ist. (Andere Gestaltungen des Heimkehrer-Motivs zeigen, daß die dichterische Welt auch anders organisiert sein kann.) Weiterhin bemerkt man sofort, daß Garrett die Ablaufzeit des Dramas nicht der Ablaufzeit der Fabel gleichsetzt, sondern eine starke Konzentration vorgenommen hat. Er hat die Form des analytischen Dramas gewählt, in dem das Bühnengeschehen nur den letzten, auf kurze Zeit zusammengedrängten Teil eines langen Geschehens vorführt.

Aber die Zeit in diesem Drama hat noch ganz eigene Besonderheiten. Es gibt in ihr als Gliederungen nicht nur Stunden und Tage und Jahre, sondern seltsam geladene Daten und Zeitspannen. Solche Daten fordern ein fatales Geschehen heraus, sie weisen auf eine dunkle Macht und deren gleichsam rhythmisches Wirken. Sieben Jahre liegen zwischen dem Tod des ersten und der Heirat mit dem zweiten Mann (die «Quellen» sprechen von 17 bis 18 Jahren), zweimal sieben Jahre sind seitdem vergangen. Der Freitag ist ein besonderer Tag für Madalena (II, 5); in II, 10 hören wir, daß ihre Hochzeit, die unheilvolle Schlacht, die Bekanntschaft mit Manuel auf denselben Tag im Jahre fallen, an ihm kommt nun der erste Gatte zurück. Auch für den «Pilger» ist damit der Tag der Heimkehr ein besonderes Datum (II, 14) u.s.f. Die Figuren haben ein lebhaftes Gefühl für solche Fatalität der Daten und Zeitspannen; sie empfinden die Angst vor der «fatalen Stunde» (III, 7), dem «fatalen Tag» (II, 10 u. öfter). Diese Zeitgestaltung ist Garretts Werk; gerade weil sie das ist, dürfen wir hier schon annehmen, daß sie für das Wesen des Dramas, für seine Tragödienstruktur, von besonderer Aussagekraft ist.

Konzentration war das erste Kennzeichen der Zeitgestaltung; sie kennzeichnet auch die Raumgestaltung. Der 1. Akt spielt im Palaste Manuels, der 2. und 3. in dem João de Portugals. Der Ortswechsel ist zwingend motiviert, mehr noch: der erste Schauplatz wird ausgelöscht, Manuel steckt seinen Palast an (ein historischer Zug), – der Schauplatz des 2. und 3. Aktes ist eine völlig in sich geschlossene Welt. Aber wie die Zeit, so ist auch der Raum von besonderer Artung. Nicht daß er führend würde: wir sollen an ihm nicht etwa sehen, was um 1600 ein Schloß ist und wie man damals auf Schlössern gelebt hat. Sondern der Schauplatz ist von ähnlichen Kategorien wie die Zeit geformt, mithin vom Geschehen her. Der Palast gehört dem Heimkehrer, er macht vergangenes Geschehen lebendig. Erinnerungen werden in dieser dramatischen Welt immer zugleich Vorahnungen. Der Raum kündigt kommendes Unheil an, er wirkt beklemmend, fatal, ominös. Denn ein Omen ist die sinnliche Ankündigung eines nahenden Fatums. Es gibt im Raum zwei besonders gewichtige Omina. Wenn das Bild Manuels verbrennt, so erscheint das in der Welt des Dramas als echtes Omen und wird so von den Figuren empfunden. Als Omen wirkt aber auch das zweite Bild, das des João de Portugal. Madalena, aber auch Maria sind von ihm geradezu gebannt. Es wird dann am Ende des 2. Aktes zum Erkennungsmittel.

Der Raum ist vom Geschehen geformt. Wir haben kein Raumdrama vor uns. Aber auch kein Figurendrama. Bei den Figuren zeigt sich zunächst die gleiche Konzentration: es sind nur wenige. Sie sind in auffälliger Weise einander zugeordnet und bilden ein geschlossenes Ganzes, nämlich eine Familie. Vater, Mutter, Tochter, Diener, der ganz Teil der Familie ist. Die einzige «technische» Figur von Belang wird noch zum Bruder Manuels. Fast kann man sagen: die Familie ist eine Figur, sie ist *die* Figur des Dramas.

Wenn man von einer bestimmten Auffassung des Tragischen her verlangt hat, daß eine tragische Figur immer eine aktive Figur sein müsse, daß sie sich für eine «Idee» einzusetzen habe, so zeigt sich die Enge einer solchen Auffassung. Denn davon gingen wir aus, und daran halten wir fest: daß der Frei Luiz de Sousa echte Tragödie ist. Kein Mitglied dieser Familie nun (und sie als Ganzes natürlich auch nicht) ist ein aktiver Held, keiner will Ideen verteidigen (die scheinbare Ausnahme, Manuels Brandstiftung als «Herausforderung an die Machthaber», haben wir noch zu besprechen). Wohl dürfen wir sagen, daß diese Familie sich als Familie erhalten will, daß diese Menschen zueinander gehören und zueinander gehören wollen. Die Familie ist als volle, lebendige Familie aufgebaut. Man kann nur die Kunst des Dichters bewundern, wie er das Verhältnis der Gatten, das Verhältnis der Tochter zu Vater und Mutter, das des Dieners Telmo zu den dreien zu individualisieren weiß, wie er die Familie plastisch macht.

Aber die Figuren sind nicht nur als Teile der Familie aufgebaut; auch sie sind deutlich auf das Geschehen hin angelegt. Madalena lebt mit ihrer Unruhe, ihrer Angst, ihren Ahnungen vom ersten Wort an in das kommende Geschehen hinein (wodurch diesem zugleich alles Zufällige genommen wird). Sie ist weiterhin konstruiert durch das Gefühl, ein «Verbrechen» begangen zu haben, indem sie Manuel schon zu Lebzeiten des ersten Gatten liebte. Das «crime» gehört also ganz zum Geschehen. (Zugleich fällt damit eine Art Makel auf Maria als sündhaft Geborene.) Maria hat als Besonderheit die Kränklichkeit, wodurch sie wiederum auf schließlichen Untergang hin angelegt ist. Telmo ist Teil der Familie; aber morphologisch gesehen ist er zugleich die Verkörperung der Vergangenheit, die drohend in die Gegenwart hineinreicht und ominös auf verhängnisvolle Zukunft weist. Telmo und Maria verbindet der Glaube an die Wiederkehr D. Sebastiãos (der legendäre portugiesische König der Wiederkehr). Dieses Motiv schafft nicht nur historische Atmosphäre, es trägt nicht nur Patriotismus. Wäre es nur dazu da, so wäre es ein der Gattung Spiel entsprechendes Motiv. Tatsächlich ist es Handlungsmotiv. Als Heimkehrer-Motiv spiegelt es das zentrale Motiv der Handlung. So wie im *König Ödipus* gleich im Anfang die frühere Befreiung von einem Unheil durch des Ödipus Rätsel-Raten das kommende Geschehen spiegelt.

Manuel endlich scheint am wenigsten auf das Geschehen hin angelegt zu sein, zumal im Anfang. An ihm prallen alle Ahnungen und Befürchtungen Madalenas ab, auf ihn wirken die Omina kaum. Dafür ist er aktiv, zielstrebig, und das in einer Richtung, die gar nicht zum Geschehen gehört. Das

Anzünden des eigenen Hauses ist als Herausforderung an die Machthaber gemeint. Aber das setzt sich nicht fort, mit keinem Worte, es bleibt «blindes Motiv». A. Crabbé Rocha hat einen inneren Zusammenhang mit dem Kommenden sehen wollen: «eine solche Geste ... bereitet den würdigen und stoischen Verzicht auf seine Affekte nach dem Verzicht auf seine Güter vor». Wir gestehen, daß wir weder am Ende einen stoischen Verzicht zu sehen noch das Anzünden als solchen Verzicht zu verstehen vermögen. Es scheint uns gerade Aktivität, Widerstandsgeist auszudrücken, und fast spüren wir einen Bruch zu der passiven Haltung am Schluß. Aber wir werden später sehen, daß das unzweifelhaft störende blinde Motiv doch nicht nur um seiner dramatischen und theatralischen Effekte willen verwendet wurde, so sehr sie im Vordergrund stehen.

Trotz allem ist aber auch Manuel dem Geschehen zugeordnet, gleich von Beginn an. Die Ahnungen seiner Frau sind ihm «Kinderschimären» (I, 11); aber gleich darauf sagt er: «Mein Vater starb unnatürlich, indem er in das eigene Schwert stürzte. Wer weiß, ob ich nicht in den Flammen sterben werde, die meine Hände entfachten?» Damit ordnet er sich als Figur einer Welt zu, in der Verhängnis waltet und mehr noch: erweist er sich als Angehöriger einer Familie, die besonders beladen ist, indem ihre Angehörigen den eigenen Untergang herbeiführen. Tatsächlich nimmt ihn das Schicksal beim Wort. Da, wo er aktiv war und scheinbar freie Entschlüsse ausführte (Aufgabe des Hauses und Übersiedlung in den Palast Joãos), hat er nur den Ablauf des über ihm und der Familie schwebenden Fatums gefördert.

So zeigen sich Raum und Figuren völlig vom Geschehen geformt und einer Welt zugehörig, die einem verhängten Untergang zuläuft. Sündhafte Heirat (Madalenas «crime») und dadurch der Schatten einer sündhaften Geburt, schicksalbedrohtes Geschlecht (der Sousas), Umsiedlung an einen ominösen Ort, Eintreten bedeutsamer Omina, Fatalität der Daten, der Heimkehrer, der Weltverzicht, – das sind die Motive, aus denen sich das Geschehen zu einem notwendigen Ablauf verknüpft und den eine Analyse des Aufbaues nun genauer zeigen könnte. (Das retardierende Moment in III, 5, 12 – der Heimkehrer veranlaßt Telmo, ihn als Betrüger auszugeben – wirkt in seiner Absichtlichkeit etwas störend, wie ja gelegentlich der Techniker und Theaterfachmann Garrett dem Tragiker ins Handwerk pfuscht; vgl. etwa die «tragische Ironie» in III, 6 u. öfter. Rodrigues Lapa weist in den Anmerkungen zu seiner Textaufgabe darauf.)

Es ist ein notwendiger Ablauf, der zu einem Untergang führt. Denn darüber läßt der Dichter keinen Zweifel, daß nicht nur Maria stirbt, sondern daß auch der Weltverzicht der Eltern ein Untergang ist: Für uns gibt es nur noch diese Todeslaken (III, 8); hier sterbe nur ich (III, 11). Und wieder dürfen wir Garretts Deutung anführen: «Die Katastrophe ist ein doppelter Selbstmord ... sie sind für die Welt tot.» Es ist ein vollständiger Untergang. Die ganze Familie ist ausgelöscht. Wieder ist eine Änderung an den Quellen bedeutungsvoll. Die wissen von Kindern aus Madalenas erster Ehe. Hätte Garrett das beibehalten, so wäre der Untergang nicht vollständig, die Welt nicht geschlossen.

Es ist ein notwendiger Ablauf und ein notwendiger Untergang. Es gibt keine isolierten Zufälle, und selbst Taten aus scheinbar freiem Entschluß dienen dem Verlauf des Geschehens. Hinter ihm wird eine einheitliche Macht als Lenkerin spürbar. Sie hat sich in Ahnungen, Visionen (Maria!), Omina angekündigt und gezeigt: als Schicksal, als Fatum.

Madalena trägt das Gefühl eines crime in sich, ihre zweite Heirat erscheint ihr als Vergehen. Damit stellt sich die Frage, ob das Schicksal die Eigenschaft einer moralischen Weltordnung bekommt und der Untergang den Aspekt eines sittlich notwendigen Untergangs. Die Frage ist berechtigt, aber sie wird durch das Werk selber widerlegt. Selbst wenn wir einmal eine Schuld Madalenas voll anerkennten, so wäre immer noch die Tatsache, daß dadurch nun auch die anderen, Unschuldigen in den Untergang gerissen werden, unheimlich, quälend, erschreckend. Aber die Schuld besteht nicht einmal für Madalena objektiv. (Objektiv: innerhalb der Welt des Dramas.) Das Wort «crime» ist eine von der Sensibilität Madalenas her verständliche Übertreibung, aber nicht gültige Bezeichnung für das Tatsächliche. Das Tatsächliche reicht nicht aus, den Untergang auch nur Madalenas als Herstellung eines Gleichgewichts erscheinen zu lassen. Die ganze Welt dieses Dramas ist zudem nicht moralisch strukturiert, sondern fatalistisch. Wieder erweist sich die idealistische Auffassung von Tragik, die nach persönlicher Schuld sucht und als Ende der Tragödie die Harmonie der Weltordnung verlangt, als zu eng angesichts dieser wirklichen Tragödie. Wer den Frei Luiz de Sousa so deuten wollte, zeigte sich zu weich und schwach vor der Härte und Größe dieser Tragik: eine sein-sollende Familie, als Wert völlig berechtigt und sinnvoll, wird sinnlos-sinnvoll ausgelöscht.

An dieser Stelle stellte sich die uralte Frage nach dem «Vergnügen an tragischen Gegenständen», nach dem Sinn solcher Dichtungen im Gesamt der Kultur. Wir gehen ihr nicht nach, weil wir damit das Gebiet der Ästhetik und Kulturphilosophie beträten. Wir bleiben bei diesem Werk. Und da ist noch etwas hinzuzufügen.

Garrett selber nämlich erweicht die Härte der Tragik ein klein wenig. Wir haben noch nicht von dem Titel gesprochen. Es überrascht, daß Garrett dafür nicht ein zentrales Motiv oder die Familie oder ein Omen gewählt hat (Gutzkow gab der Lucknerschen Übersetzung für die Dresdener Aufführung den Titel: Der Pilger), sondern nur eine Figur des Stückes. Aber Frei Luiz de Sousa ist gar keine Figur des Stückes, er gehört überhaupt nicht dazu. Er tritt nirgends auf, er existiert nicht. Noch nicht. Das Werk rechnet mit der Bildung des Zuschauers, der weiß, daß dieser Manuel einmal der große Frei Luiz sein wird. Manuel geht unter – und geht doch nicht unter. Über die Tragödie lagert sich etwas anderes. Und nun läßt sich vielleicht auch verstehen, warum der Dichter am Ende des ersten Aktes etwas über die Handlungs- und Tragödienstruktur hinausging: indem Garrett die Figur zugleich aus Zügen aufbaut, die die Handlung überragen, bereitet er ihr Weiterleben vor. Sie kann nur partiell, als Familienteil, nicht aber total als eigenwertige Figur vernichtet werden. Diese vollere Figur wird die partielle Vernichtung überdauern und sogar verarbeiten: das Leiden macht Manuel zum Autor. So überlagert sich der Tragödienstruktur – gewiß nur ganz leicht – eine andere: der Mythus vom Künstler. In romantischer Auffassung natürlich; auf die Frage: was ist der Dichter? gibt ein romantischer Mythos die Antwort: wer durch schwerstes irdisches Leid ging, wer vom Schicksal gezeichnet wurde.

Nur spurweise ist diese Struktur angedeutet. Diese Welt als solche ist Handlungsdrama, Tragödie, in der das Geschehen vom Schicksal gelenkt wird. Suchten wir nach einem passenden Namen, so könnte es nur sein: das Werk ist Tragödie, und zwar SCHICKSALSTRAGÖDIE.

Schauen wir tatsächlich nur etwas über das Drama hinaus, so belehrt schon geringe literarhistorische Kenntnis, daß wir in dem Frei Luiz de Sousa eine Struktur gefunden haben, die typisch ist und eben als Schicksalsdrama bezeichnet wird. Als Vorläufer pflegt man Lillo, Karl Philipp Moritz, Tieck, Schiller (*Braut von Messina*) zu nennen. Die eigentliche Ausprägung erfuhr die (romantische) Schicksalstragödie durch Zacharias Werners 24. *Februar*. Görner hat nachgewiesen, daß fünf Motivgruppen für die Schicksalstragödie typisch sind: Blutsünde, Weissagung eines Unheils, Familienfluch, Verwandtenmord, Heimkehr. Alle Motive gruppieren sich um eine Familie und verbinden sich zu einer lückenlosen Kette im Dienste eines waltenden Schicksals, das zur Zerstörung dieser Familie führt. Zeit und Raum sind bis zum Bersten mit Schicksal geladen das heißt ominös: im 24. Februar ist der im Titel genannte Tag das fatale Datum und je sieben Jahre die fatale Spanne. Messer, Dolche, Bilder sind die typischen fatalen Requisiten der Schicksalstragödie.

Wenn Garrett über die Dramen seiner Zeit höhnte: «Ein Totentanz von Morden, Ehebrüchen und Inzesten, aufgeführt unter Blasphemien und Verfluchungen», – so zeigt das einmal, wie gut er das Schicksalsdrama kannte. Aber er kann nicht darüber täuschen, daß sein Werk diesem Typ nahesteht. Ein Vergleich, für den hier nicht der Ort ist, könnte freilich die Veredlung und Verinnerlichung durch den portugiesischen Dramatiker zeigen. Garret kannte die deutsche Schicksalstragödie. Er kannte Schillers *Braut*, er kannte den *24. Februar* von Werner, den Mme de Staël als größten deutschen Dramatiker nach Schiller hingestellt und dessen Werk sie ausführlich behandelt hatte. Seit 1823 gab es eine französische Übersetzung, 1828 wies der führende *Globe* auf den Autor und das Werk in einem wichtigen Artikel hin. Seit 1827 – und das wird für Garrett wichtiger gewesen sein als seine Bekanntschaft mit der deutschen Literatur – wurde der Einfluß der Schicksalstragödie auf das französische Drama mächtig (Ducange und Dinaux, V. Hugo, Delavigne, A. Dumas u. a.). Aber er verbindet sich hier mit dem historischen Drama: Tragödienstruktur und Spiel überlagern sich vielfach. An diesem Punkt zeigt sich wieder die Größe Garretts: er gab historisches Kolorit nur soweit, wie es zur tragischen Handlung paßte (Sebastian-Motiv!), schuf aber im ganzen ein Werk, das reines Handlungsdrama, reine Tragödie ist und das man – wir schließen damit den literarhistorischen Ausblick ab – vielleicht als den Gipfel aller jener europäischen Dramatik bezeichnen darf, die zu dem weiten Gebirge des romantischen Schicksalsdramas gehört.

Wir glauben gezeigt zu haben, daß die Erfassung des Gattungshaften und nur sie fähig ist, festzustellen, was ein Werk im Grunde ist. Und es ergab sich zugleich, daß gerade damit die Literaturgeschichte wie die Wertung fruchtbarste Ansatzpunkte für ihre Arbeit bekommen.

(d) Komödie und Lustspiel

Das Tragische und das Komische sind Phänomene, die quer durch die Literatur hindurchgehen. Immerhin erkannten wir, daß das Tragische eine Affinität zur Struktur der Tragödie besitzt: als tragisches Handlungsdrama kommt es am reinsten zur Wirkung.

Beim Komischen scheint es etwas anders zu liegen: der komische Roman, der Schwank, die Anekdote, der Witz enthalten das Komische durchaus bündig, und bei den Clownspäßen im Zirkus begegnet es in einer Form, die nicht einmal des Wortes bedarf. Freilich weist gerade diese Verwirklichung darauf, daß die dramatische Vergegenwärtigung ein günstiger Nährboden ist. Aber auch das Dramatische? Auch eine dramatische Großform?

KOMISCH ist die überraschende Lösung einer Gespanntheit, die als unerwartete Umschaltung auf einen anderen Seinsbezirk zustande kommt. Das Komische hat einen Explosivcharakter. Damit es zu einem explosiven, befreienden Lachen kommt, muß das von der Umschaltung Betroffene seine Aufhebung vertragen können: je mehr eine absichtliche feindliche Tendenz spürbar wird, die auf grundsätzliche Aufhebung gerichtet ist, desto mehr tritt die Komik in den Dienst der SATIRE. Und je mehr die Satire als Sinn-Aussprache gemeint ist – durch gleichsam negierende Darstellung eines Negativen –, desto weiter entfernt sie sich aus der Literatur und begibt sich auf jenes Feld, das als didaktische Literatur bezeichnet wird.

Das Komische, das nur augenblicklich aufhebt, hat deshalb ein viel weiteres Betätigungsfeld als das Satirische. Es gibt nur wenige Dinge, mit denen man keinen Spaß treibt. Was sich die komischen Szenen des mittelalterlichen Dramas bei den Heiligen erlauben, zeigt, wie veränderlich die Einstellung der Hörerschaft im Laufe der Zeiten ist. Und zugleich zeigt sich der ausgesprochen soziale Charakter des Komischen: die Aufnehmenden müssen gleichgestimmt, einig, instinktgleich in der Zulassung dessen sein, was momentan aufgehoben werden darf, und sie müssen noch instinktgleich sein in der Abmessung der Fallhöhe. Zwischen den Völkern bestehen da sichtbare Unterschiede. Ohne gleichgestimmte Gruppen gibt es keine Komik. Wer für sich allein überall Komisches sieht und lacht, ohne daß die Umgebung es sieht, oder wer das Komische nicht zwingend sichtbar machen und gestalten kann, ist albern. Die Albernheit ist ein Hilfsmittel, der lästigen Gespanntheit des Daseins zu entrinnen. (Bei Kindern ist sie Symptom einer Altersstufe, nämlich des Hineinwachsens in die gespannte Welt der Erwachsenen.) Die Komik aber ist ein soziales Phänomen, und darin liegt der von der Literaturgeschichte immer wieder aufgewiesene Tatbestand begründet, daß eine blühende Komödiendichtung einen festen sozialen Nährboden, eine fest ausgebildete, in Gefühl und Geschmack und «Vorurteilen» genau übereinstimmende gesellschaftliche Grundlage hat.

Die Komik ist die plötzliche Umschaltung auf einen anderen Seinsbezirk, die Lösung einer Gespanntheit. Seit Urzeiten nutzt die dramatische Komik die Umschaltung von der dichterischen Illusion auf die nackte Realität: indem der Schauspieler plötzlich als reales Ich mit dem Publikum, mit dem Souffleur u. s. f. spricht. Und in reichster Fülle nutzt sie die Möglichkeiten der Sprache: indem die Wörter durch Gleich- und Anklänge sich selber plötzlich umschalten (Wortspiel).

Die Gespanntheit, die in der Komik liegt, stellt eine Affinität zum Dramatischen dar. Aber die jedesmaligen Lösungen, die ein Ende der Gespanntheit bedeuten, erschweren dem Dramatiker die Arbeit. Es ist kein Zufall, daß das Komische im Drama jahrhundertelang nur in einzelnen «komischen» Szenen, Zwischenspielen oder in den Kurzformen des Schwankes u. s. f. gelebt hat. Auch bei Aristophanes fehlt es mitunter an einheitlicher Handlung, und wenn Menander sich half, indem er Erzählschemata benutzte, so erkennt man, daß das Komische von sich aus keine besondere Disposition zu großen geschlossenen Strukturen, zu Großformen, mitbringt. (In den meisten Lustspielen, die geschrieben werden, geht es zwei Akte lang gut; der dritte ist matt. Nicht immer, weil der Autor schon sein Pulver verschossen hat. Aber hier, wo sich das Gefüge als Großform runden und schließen soll, empfindet der Zuschauer einen Mangel.)

Die Versuche, die Welt des Komischen oder das Komische als Welt einer Großform bündig zu machen, können nur die drei Strukturelemente benutzen, die dichterische Welt aufbauen. Je nach der strukturellen Führung ergeben sich also die drei Typen der GESCHEHNIS-KOMÖDIE, der CHARAKTER-KOMÖDIE, der RAUM-KOMÖDIE, die sich historisch besonders als Gesellschaftskomödie (Sittenkomödie) ausgeprägt hat.

Indem aber das Komische in eine umfassende Spannung hineingezogen wird, indem etwas überdauernd Bedeutsames da ist (das Wesen einer Figur, das Wesen eines Raumes), von dem das Komische dauernd herausgefordert wird, bekommt es selber wieder leicht jene Aggressivität, die für die Satire kennzeichnend ist. Die Charakterkomödie und die Gesellschaftskomödie sind tatsächlich überwiegend satirisch. (Das gilt auch für viele komische Romane, gerade wenn sie von festerer Struktur sind.)

Anders steht es mit dem Geschehen. Hier ist eine Formung möglich, die durchaus rein komisch bleiben kann. Wenn nämlich das Geschehen selber zu dauernden Umschaltungen Gelegenheit gibt, zur sogenannten SITUATIONSKOMIK. Weiterhin dürfen an dem Geschehen keine dauernden hohen Kräfte als Lenker beteiligt sein, vielmehr treibt der isolierte Zufall sein loses Spiel. Und nicht um hohe Werte wird der «aktive» Held kämpfen, sondern wird für sich oder andere etwas Handgreifliches erreichen wollen. Man erkennt: die INTRIGEN-KOMÖDIE ist eine Form der Geschehens-Komödie, die dem Geist des Komischen am weitesten entgegenkommt. Zugleich erfüllt sich so die Aufgabe, Anfang, Mitte und Ende zu schaffen, und die Charakter-Komödie und Gesellschafts-Komödie werden sich der Intrige um so lieber bedienen, je weniger sie bissig-satirisch sein wollen.

Wir sahen, wie leicht das Komische umformbar ist, indem es «Dauerndes» aufnimmt. Beim Satirischen wird ein dauernder Un-Wert sichtbar, der vielleicht durch Werthaltiges aufgehoben wird. Aber auch etwas Umgekehrtes ist möglich: daß das Werthaltige, Maß-volle aufgehoben wird. In der Karikatur z. B. wird die Norm, das Maß zerstört, und wir können lächeln, – selbst wo es sich nicht um Satire handelt, sondern wo wir das Maß voll bejahen.

Aber es ist schon kein reines Lächeln mehr, das uns bei echten GROTESKEN überkommt. Das Wort ist erst seit dem 18. Jahrhundert zum ästhetischen Begriff geworden (maßgeblich war dafür J. Mösers Schrift von 1761 *Harlekin oder Verteidigung des Groteske-Komischen*), während es bis dahin als Name für eine bestimmte Art der Ornamentik diente, wie sie von Malern der italienischen Renaissance unter dem Eindruck antiker Grotten-Malereien entwickelt worden war. Aber der ästhetische Begriff hat bis heute unter der Bindung an das Burleske bzw. Niedrig-Komische zu leiden gehabt, d. h. er hat die entsprechenden Phänomene nicht richtig begreifen können. Im Grotesken entfremdet sich die Welt, die Formen verzerren sich, die Ordnungen unserer Welt lösen sich auf (schon in der grotesken Ornamentik vermischen sich die Bereiche des Unbelebten, Pflanzlichen, Tierischen und Menschlichen; später sind Marionetten, Wachspuppen und andererseits Wahnsinnige, Somnambule, stets auch mehr-als-tierische Tiere beliebte Motive der grotesken Gestaltung), ein unheimlicher Mechanismus scheint über Dinge und Menschen gekommen zu sein. Entscheidend dabei ist, daß diese Entfremdung den Boden unter den Füßen fortzieht und keine Sinndeutung zuläßt: jedes Pathos oder jedes Werben um Mitleid für die Opfer würde das Groteske gefährden, und der harte, kalte Strich ist für Bosch und Breugel und Callot so kennzeichnend wie für Goya, W. Busch, Kubin oder Paul Weber. Unheimliche Kräfte brechen in unsere Welt ein und entfremden sie uns, und allem Lächeln über das Verzerren und Aus-den-Fugen-geraten ist immer ein Grauen beigemischt, wenn uns nicht das Lächeln überhaupt vergeht. Dabei ist es keineswegs so, daß die nächtlichen, abgründigen Mächte immer als Fratzen und Monstren sichtbar werden; in der Malerei hat Pieter Breugel d.Ä. in seinem Spätbild von den Blinden diesen Schritt zur Gestaltung einer aus ihr selber heraus entfremdeten Welt vollzogen. Oft freilich enthüllt sich der genaueren Analyse der unmenschliche, dämonische Charakter von Figuren. So ist Züs Bünzli in Kellers *Drei gerechten Kammachern* ein verkappter Dämon, jedenfalls bis zum Untergang der beiden älteren Gesellen.

Die bürgerliche Dichtung hatte in ihrem Streben nach Sicherung kein rechtes Verhältnis zum Grotesken, und auch die Forschung hat es nicht immer sehen können oder wollen. Es gibt da in der Literaturgeschichte noch viel zu entdecken; vor allem lohnte es, die bisher zu friedlich-idyllisch interpretierte Romantik daraufhin neu zu untersuchen. Schon bei den Theoretikern spielte das Groteske eine erstaunlich große Rolle (Fr. Schlegel, J. Paul, Cousin, V. Hugo, – in der Préface zum *Cromwell* ist es ein Zentralbegriff). Aber auch in der Dichtung erscheint es überaus häufig (Arnim, Hoffmann, Bonaventura, E. A. Poe, Byron etc.). Die englische Literatur überhaupt ist so voll davon wie – die spanische Malerei.

Wie das rein Komische, so ist das Groteske – wie ja auch der Blick auf die Malerei lehrt – nichts unmittelbar Gattungshaftes, sondern eine Kategorie der Perzeption, eine Kategorie der Welterfassung und Weltgestaltung. Als solche eigene Kategorie ist das Groteske erst seit kurzer Zeit von der Forschung wieder entdeckt und von der literarischen Interpretation erfaßt worden (die älteren Werke von Schneegans und Floegel sind noch nicht ersetzt). Wie sich das Groteske in größere Strukturen einlagert, bleibt noch zu untersuchen.

Aber dürfen wir, wenn wir uns noch einmal zur Komödie zurückwenden, darauf vertrauen, daß die Bemerkungen über das Komische und seine Verbindung mit Strukturen schon hinreichen, um die Fülle der Komödiendichtung aufzuschließen? Dürfen wir hoffen, daß die angegebenen Wege überall in das Innere der Werke und zum Verständnis ihrer Organisation führen?

An Shakespeares *Comedy of Errors* hält es gewiß nicht schwer, die strukturell tragende Schicht zu entdecken. Die Wiedervereinigung einer getrennten Familie, – das ist der Impuls, der den Vater und den Sohn nach Ephesus brachte und die Komödie in Bewegung setzt, und das ist schließlich das Ziel, das erreicht wird und damit für die Abrundung sorgt. Es handelt sich, wie man schnell erkennt, um eine Geschehniskomödie. Ein guter Teil der Komik entspringt unmittelbar aus diesem leitenden Geschehen; die Rolle des Intriganten fällt dabei dem Zufall zu, der immer wieder die fast unvermeidliche Wiedererkennung der Brüder verhindert. Darin eingebettet wird nun alle Komik, die aus der Voraussetzung entsteht, daß die beiden Brüder sich als Zwillingsbrüder völlig gleichsehen. Das Motiv der verwirrenden Ähnlichkeit verdoppelt sich durch die beiden Zwillingsdiener. Was einer der Söhne auch unternimmt, stets gerät der andere oder dessen Diener dazwischen: immer wieder entsteht Situationskomik, wie es der Geschehniskomödie gemäß ist. So wirkungsvoll die Verwechslungen an sich sind, in die eine Reihe von Nebenfiguren verwickelt werden, so fesselt uns doch immer wieder jene Hauptspannung des Wiedererkennens. Denkt man an den späteren Shakespeare, dann ist es geradezu auffällig, wie sehr er hier die Leitlinie des Geschehens betont, wie wenig er hier der Versuchung nachgibt, eine eigene Welt aufzubauen, in der jeder an sich und den anderen irre wird, weil die Möglichkeit der Identifikation aufgehoben ist. In der Komödie der Irrungen nehmen wir an diesem bestimmten Geschehen teil, das sich um diese Mitglieder dieser Familie abspielt. Mit dem Augenblick, da die Brüder sich erkannt haben und die Familie wieder vereint ist, hat das Geschehen und hat die Komödie ihr Ende gefunden. Alle Irrungen, die jetzt noch auf Grund der vorhandenen Ähnlichkeiten auftreten würden, wären fade und trotz der Ähnlichkeiten grundlos. Tatsächlich läßt Shakespeare die Erkennungsszene und damit sein Stück nur kurz «ausspielen».

Das Gefüge dieser Jugendkomödie ist nicht das der späteren Lustspiele Shakespeares. Zwar erhebt sich im Anfang des *Midsummer Night's Dream*, um ein späteres Beispiel zu nennen, die Spannung eines Geschehens: Was wird aus Hermia werden? aus Hermia, die Theseus vor die Alternative stellt:

> To fit your fancies to your father's will,
> Or else the law of Athens yields you up
> To death, or to a vow of single life.

Die Spannung steigert sich noch am Ende der ersten Szene, da Helena eine Intrige einleitet; sie wird die von Hermia und Lysander geplante Flucht verraten. So scheint sich eine Geschehniskomödie abzuspielen. Aber gleich die zweite Szene führt in einen Weltausschnitt, der mit der eingeleiteten Handlung nichts zu tun hat und offenbar wenig zu tun haben kann: die Welt der schauspielernden Handwerker. Alle Komik, die da aufbricht, liegt in dieser Welt selber begründet; es knüpft sich nicht einmal ein Geschehen, so sehr ist dieser Ausschnitt bloßer Raum. Mit der nächsten Szene (II, 1) öffnet sich eine neue Welt, als Elfenreich liegt sie über den beiden anderen. Hier schürzt sich eine Handlung, und wieder wächst die Spannung in die Zukunft, da Oberon eine Intrige einleitet. Dabei ist diese Handlung so eigenwertig, daß spätestens an dieser Stelle die Handlung um Hermia und Lysander auf den Anspruch verzichten muß, die führende Schicht darzustellen. (Ihr wird sogar innerhalb ihrer eigenen Ebene durch die Handlung um Helena und Demetrius Kraft entzogen.) Die drei Schichten der jungen Athener, der Handwerker und des Elfenreiches überlagern sich im folgenden teilweise, aber es kommt natürlich nicht zu einer Verschmelzung. Die Komik beruht vielmehr gerade darauf, daß jede Schicht von fester und unzerstörbarer Eigenart ist. Sie trennen sich wieder und endgültig in der ersten Szene des vierten Aktes, in der auch die Handlung um Hermia und Lysander ihr glückliches Ende erreicht hat. Schon damit ist besagt, daß sie nicht die strukturelle Führung haben kann; denn sonst schwebten der Rest des vierten und der ganze fünfte Akt, die ja kein bloßes «Ausspielen» bringen, völlig in der Luft. Welche Schicht hat aber dann die Führung?

Eine «Figur» kommt in solcher Funktion nicht in Betracht. Ebensowenig ein «Raum». Deutlich genug handelt es sich um drei Schichten. Man könnte sogar noch als vierte die um Theseus und Hippolyta nennen, die dem Ganzen den Rahmen gibt. Wir haben hier keine Gesellschafts- oder Sittenkomödie vor uns. Wir wissen als Zuschauer des Sommernachtstraumes um die Weite und Vielschichtigkeit der poetischen Welt und geben uns deshalb der jeweiligen Verwicklung, Spannung und auch Komik nie ganz hin. Wir wahren als Zuschauer unsere Freiheit, wir wohnen dem Ganzen in jener Sicherheit und mit jenem Humor bei, in dem die athenische Gesellschaft das Spiel von Pyramus und Thisbe an sich vorüberziehen sieht. (Das Spiel im Spiel ist hier eigenwertiger, es funktioniert strukturell anders als in der *Spanish Tragedy*, im *Hamlet* oder in spanischen Tragödien.) Unsere Haltung ähnelt der, die wir als die dem SPIEL gemäße beschrieben haben. Wir sind tatsächlich wieder in der Welt des Spiels. So stellt sich also neben die dramatischere Komödie eine mehr epische, welthaltige. Weite und viele Schauplätze, viele Figuren, überall aufbrechende Geschehnisreihen, vielerlei Töne und Sprechweisen sind ihre Kennzeichen. Es hat seinen guten Grund, wenn einige Sprachen wie das Deutsche und das Holländische zu einer Sonderung zwischen KOMÖDIE bzw. Komedie und LUSTSPIEL bzw. Blijspel gekommen sind.

Es war die Aufgabe dieses letzten Kapitels, in den innersten Kern eines Kunstwerks zu dringen und zu zeigen, wie sich von daher das geheime Leben bis in die letzten Verästelungen der Sprache, des Verses, der äußeren Form organisiert. Inhalt und Gehalt, Vers und Rhythmus, Sprache und Stil, Aufbau und auch Darbietungsform, die wir getrennt betrachtet haben, sie lassen sich wie wir meinen vom Gattungshaften in ihrem Zusammenwirken verstehen. Wenn es gelingt, dann wäre allen Forschungsrichtungen, die das Werk nun in historische Zusammenhänge stellen, ihr fester Platz und ihre Grenze gesetzt. Denn dann könnte keine dieser Richtungen, sie blicke nun auf den Zusammenhang mit dem Dichter, einer Strömung, einer Epoche, einer Gruppe, einer Klasse, einer Landschaft, einer Nation, einem kollektiven Unbewußten oder worauf auch immer, mit dem Anspruch auftreten, von ihrem außerhalb des Werks liegenden Standpunkt seinen Ursprung und mit ihm erst sein Wesen verständlich machen zu können. Das sprachliche Kunstwerk lebt als solches und in sich. Wenn dem so ist, dann droht nicht mehr die Gefahr einer Gleichsetzung von Literaturwissenschaft und Literaturgeschichte, dann droht aber auch nicht mehr jene Gefahr, der das Denken in den letzten Jahrzehnten oft hilflos ausgesetzt war: daß das Kunstwerk in den Strudel eines psychologischen oder historischen oder nationalen Relativismus gerissen würde. Wir sind der Meinung, daß gerade die Besinnung auf das Gattungshafte uns vor die – wir scheuen das Wort nicht: ewigen Gesetze führt, nach denen sich das sprachliche Kunstwerk bildet. Wir sind an die Stelle gekommen, wo der Literaturwissenschaftler dem Literarhistoriker einerseits und dem Philosophen andererseits die Hand reicht. Es geschehe unter den Worten aus dem *Vermächtnis* des Dichters, der neben Shakespeare stärker als irgendein anderer Dichter der Neuzeit aus dem Ewigen der Dichtkunst gelebt und geschaffen hat, unter den Worten Goethes:

> Kein Wesen kann zu Nichts zerfallen!
> Das Ewge regt sich fort in allen,
> Am Sein erhalte dich beglückt!
> Das Sein ist ewig: denn Gesetze
> Bewahren die lebendgen Schätze,
> Aus welchen sich das All geschmückt.

BIBLIOGRAPHIE

NEU DURCHGESEHEN UND ERGÄNZT VON JÜRGEN JACOBS

Verwendete Abkürzungen:

Archiv = Archiv für das Studium der neueren Sprachen und Literaturen.
Beitr. = Beiträge zur Geschichte der deutschen Sprache und Literatur.
DN Rds = Die Neue Rundschau.
DVj = Deutsche Vierteljahrsschrift für Literaturwissenschaft und Geistesgeschichte.
GRM = Germanisch-Romanische Monatsschrift.
N = Neophilologus.
PhLw = Philosophie der Literaturwissenschaft, hgb. E. ERMATINGER, Berlin 1930.
Rlc = Revue de littérature comparée.
Tr = Trivium. Schweiz. Vierteljahrsschrift für Literaturwissenschaft.
ZDA = Zeitschrift für deutsches Altertum.
ZDP = Zeitschrift für deutsche Philologie.

EINFÜHRUNG

Zur Gegenstandsbestimmung der Literaturwissenschaft:

A. C. BRADLEY, Poetry for Poetry's sake, in: *Oxford Lectures on Poetry* (1909), London 1934;
H. HEFELE, *Das Wesen der Dichtung*, 1922;
L. ABERCROMBIE, *The Theory of Poetry*, London 1924;
K. SCHULTZE-JAHDE, *Zur Gegenstandsbestimmung v. Philologie u. Lit.wiss.* 1928;
R. BOSCH, *Die Problemstellung der Poetik*, 1928;
R. INGARDEN, *Das literarische Kunstwerk*. Eine Untersuchg. aus d. Grenzgebiet d. Ontologie, Logik u. Literaturwiss., 1931, [2]1960;
A. E. HOUSMAN, *The Name and Nature of Poetry*, Cambridge 1933;
JEAN D'UDINE, *Qu'est-ce que l'éloquence et la poésie?*, Paris 1933;
L. LONGHAYE, *Théorie des Belles Lettres*. L'âme et les choses dans la parole, Paris 1934;
G. A. BORGESE, *Poetica dell'unità*, Milano 1934;
C. CAULDWELL, *Illusion and Reality*. A study of the sources of poetry, London 1937;
L. BERIGER, *Die literarische Wertung*, 1938;
EMIL STAIGER, *Die Zeit als Einbildungskraft d. Dichters*, Zürich 1939; [2]1953;
GÜNTHER MÜLLER, Über die Seinsweise von Dichtung, *DVj* 17, 1939;
CHARLES DU BOS, *What is Literature?*, London 1940;
–, *Qu'est-ce que la litterature?*, 1945;
G. STORZ, *Gedanken über d. Dichtung*, 1941;
ROBERT SALMON, *El problema central de la crítica literaria*, Mendoza 1942;
TH. C. POLLOCK, *The Nature of Literature*, Princeton 1942;

FIDELINO DE FIGUEIREDO, *A luta pela expressão*, Coimbra 1944;

E. G. WOLFF, *Ästhetik d. Dichtkunst*, Zürich 1944;

B. CROCE, *La poesia*. Introduzione alla critica e storia della poesia e della letteratura, 4. Aufl., Bari 1946;

ATTILIO MOMIGLIANO, *Tecnica e teoria letteraria*, Mailand 1948.

J. P. SARTRE, Qu'est-ce que la littérature?, in: *Situations II*, Paris 1948; dt. (als Taschenbuch) 1958;

M. WEHRLI, *Allgem. Lit.wissensch.* (Wissensch. Forschungsber., hgb. K. HÖNN), 1951;

W. EMRICH, Die Struktur der mod. Dichtung, Versuch ihrer Abgrenzung u. Wesensbestimmung, *Wirkendes Wort* 3, 1952/53;

G. WHALLEY, *The Poetic Process*, London 1954;

H. KUHN, Sprach- und Literaturwissenschaft als Einheit? in: *Festschr. f. J. Trier*, 1954;

–, Germanistik als Wissenschaft, in: *Dichtung u. Welt im Mittelalter*, 1959; (zuerst in *Festschr. f. J. Trier* 1954);

J. BOMHOFF, La stylistique littéraire et le jugement de valeur, *Etudes philosophiques* XII (1957);

C. GUILLÉN, Literatura como sistema. Sobre fuentes, influencias y valores literarios, *Filologia Romanza* IV (1957);

W. KAYSER, Lit. Wertung u. Interpretation, in: *Die Vortragsreise*, Bern 1958;

–, Vom Werten der Dichtung, in: *Die Vortragsreise*, Bern 1958;

H. SEIDLER, *Die Dichtung*. Wesen, Form, Dasein, 1959;

H. E. HASS, Das Problem der literar. Wertung, *Studium generale* 12, 1959;

B. WEINBERG, Les rapports entre l'histoire littéraire et l'analyse formelle, in: *Stil- und Formprobleme in der Lit.*, 1959;

H. HAECKEL, Über Verstehen und Werten von Dichtung, *ZDP* 79, 1960;

F. SENGLE, Zur Einheit von Lit.gesch. u. Lit.kritik, *DVj* 34, 1960;

M. BENSE, *Theorie der Texte*, Köln 1962;

W. EMRICH, Das Problem der Wertung und Rangordnung literarischerWerke, *Archiv* Bd. CC (1963);

H. KREUZER und R. GUNZENHÄUSER (Hrsg.), *Mathematik und Dichtung*, München 1965;

K. MAURER, Der gefesselte Prometheus. Tradition und Schöpfung im Urteil der modernen Literaturwissenschaft, *Archiv* Bd. CCI (1965);

Zur Methodik der Literaturwissenschaft:

FRANCESCO DE SANCTIS, *Teoria e storia della letteratura*, hgb. B. CROCE, 2 Bde, Bari 1926;

ERNST ELSTER, *Prinzipien der Literaturwiss.*, 2 Bde, 1897/1911;

F. BALDENSPERGER, *La Littérature: Création, succès, durée*, 2. Aufl., Paris 1934;

CH. M. GAYLEY u. B. P. KURTZ, *Methods and Materials of Literary Criticism*, Boston 1920;

LUIGI TONELLI, *La critica*, Roma 1920;

JOHN MIDDLETON MURRY, *Aspects of Literature*, London 1920;

ANDRÉ MORIZE, *Problems and Methods of Literary History*, Boston 1922;

O. WALZEL, *Gehalt und Gestalt im Kunstwerk d. Dichters*, 1923;

G. RUDLER, *Les techniques de la critique et de l'histoire littéraire*, Oxford 1923;

EMIL WINKLER, *Das dichterische Kunstwerk*, 1924;

I. A. RICHARDS, *Principles of Literary Criticism*, 2. Aufl., London 1944; ¹⁴1955;
–, *Practical Criticism*, 4. Aufl., London 1939; ⁹1954;
PIERRE AUDIAT, *La biographie de l'œuvre littéraire*, Paris 1925;
M. DRAGOMIRESCU, *La science de la littérature*, 5 Bde, Paris 1928 ff;
H. W. GARROD, *The Profession of Poetry*, Oxford 1929;
–, *The Study of Poetry*, Oxford 1936;
E. ERMATINGER, hgb.: *Philosophie d. Literaturwiss.*, 1930;
–, *Das dichterische Kunstwerk*, 3. Aufl., 1939;
TH. SPOERRI, *Präludium zur Poesie. Eine Einführg. in d. Deutung d. dichterischen Kunstwerks*, 1929;
–, *Die Formwerdung des Menschen. D. Deutung d. dicht. Kunstwerks als Schlüssel z. menschl. Wirklichkeit*, 1938;
LUIGI RUSSO, *Problemi di metodo critico*, Bari 1929;
–, *La critica letteraria contemporanea*, Bd. I, Bari 1942;
F. BOILLOT, *The Methodical Study of Literature*, Paris 1931;
David SHILLAN, *Exercises in Criticism*, London 1931;
OLIVER ELTON, *The Nature of Literary Criticism*, Manchester 1932;
DESMOND MACCARTHY, *Criticism*, London 1932;
N. ALONSO CORTES, *Elementos de preceptiva literaria*, 2. Aufl., Valladolid 1932;
W. MAHRHOLZ, *Literaturgesch. u. Literaturwiss.*, 2. Aufl. bearb. v. F. Schultz, 1933;
T. S. ELIOT, *The Use of Poetry and the Use of Criticism*, London 1933;
–, *Essays Ancient and Modern*, London 1936;
–, *Selected Essays*, London 1951;
HENRY HAZLITT, *The Anatomy of Criticism*, New York 1933;
N. R. F. MAIER u. H. W. RENINGER, *A Psychological Approach to Literary Criticism*, New York 1933;
AUGUSTO MAGNE, *Princípios elementares da literatura*, São Paulo 1935;
F. MONTANARI, *Introduzione alla critica letteraria*, Roma 1936;
P. F. SPECKBAUGH, *Some General Canons of Literary Criticism*, Washington 1936;
P. VALÉRY, *Introduction à la poétique*, Paris 1938;
HERBERT READ, *Collected Essays in Literary Criticism*, London 1938; ²1951;
A. THIBAUDET, *Réflexions sur la critique*, Paris 1939;
J. PETERSEN, *Die Wissenschaft von d. Dichtung I*, 1939, ²1944 (hrg. v. E. Trunz);
H. OPPEL, *Die Literaturwiss. in d. Gegenwart*, 1939;
–, *Morphologische Literaturwiss.*, 1947;
R. PETSCH, *Deutsche Literaturwiss.*, 1940;
J. CROWE RANSOM, *The New Criticism*, Norfolk 1941;
NORMAN FOERSTER, JOHN MACGALLIARD, RENÉ WELLEK u. a., *Literary Scholarship: its Aims and Methods*, Chapel Hill 1941;
FRANCESCO FLORA, *I miti della parola*, Bari 1942;
V. GIRAUD, *La critique littéraire: le problème, les théories, les méthodes*, Paris 1946;
S. DRESDEN, *Existentiephilosophie en literatuurbeschouwing*, Amsterdam 1946;
F. J. BILLESKOV-JANSEN, *Esthétique de l'œuvre d'art littéraire*, Kopenhagen 1948;
S. E. HYMAN, *The armed vision: a study in the methods of modern lit. criticism*, New York 1948;
R. WELLEK u. A. WARREN, *Theory of Literature*, New York 1949, 3. Aufl. 1956; übersetzt 1959; als Taschenbuch 1963;

J. KÖRNER, *Einführung in die Poetik*, 1949;

H. DINGLE, *Science and Literary Criticism*, London 1949;

W. H. BRUFORD, *Literary Interpretation in Germany*, Cambridge 1952;

E. LUNDING, *Strömungen u. Strebungen der mod. Lit.wiss.*, Aarhus 1952;

E. ROSE, Methodische Probleme der amerikan. Lit.wiss., *Wirkendes Wort* 3, 1952/53;

C. F. P. STUTTERHEIM, *Problemen der Literatuurwetenschap*, Antwerpen–Amsterdam 1953;

J. C. LA DRIÈRE, *Directions in Contemporary Criticism and Literary Scholarship*, Milwaukee 1953;

HARRY LEVIN, Zur Krise der Kritik, *DN Rds* 58, 1957;

K. HAMBURGER, *Die Logik der Dichtung*, 1957;

N. FRYE, *Anatomy of criticism*, Princeton 1957;

H. FRIEDRICH, Dichtung u. die Methoden ihrer Deutung, *Neue Dt. Hefte* 4, 1957/58;

R. WELLEK, Concepts of form and structure in 20th century criticism, *N* 42, 1958;

D. ALONSO, *Ensayo de métodos y límites estilísticos*, 1958;

H. GARDNER, *The business of criticism*, Oxford 1959;

W. BABILAS, *Tradition und Interpretation, Gedanken zur philologischen Methode*, München 1961;

H. KUHN, Wahrheit u. geschichtl. Verstehen, *Hist. Zs.* CXCIII, 1961/62;

P. SZONDI, Zur Erkenntnisproblematik in d. Lit.wiss.; *DN Rds* 73, 1962;

R. WEIMANN, «*New Criticism*» *und die Entwicklung bürgerlicher Literaturwissenschaft*, Halle 1962;

B. v. WIESE, Geistesgeschichte oder Interpretation? *Festschrift Maurer*, 1963;

I. SCHRÖBLER, Von den Grenzen des Verstehens mittelalterl. Dichtung, *GRM* XLIV (1963);

H. RÜDIGER, Zwischen Interpretation und Geistesgeschichte. Zur gegenwärt. Situation der dt. Literaturwiss. *Euphorion* LVII (1963);

F. SENGLE, Aufgaben und Schwierigkeiten der heutigen Literaturgeschichtsschreibung, *Archiv* CC (1963);

K. LUBBERS, Aufgaben und Möglichkeiten der Rezeptionsforschung, *GRM* XLV (1964);

E. HUBER, Wege und Grenzen der neueren Stilistik in der roman. Literaturwissenschaft, *Zschr. für frz. Sprache und Literatur* 74 (1964);

J. HERMAND, *Literaturwissenschaft und Kunstwissenschaft. Methodische Wechselbeziehungen seit 1900*, Stuttgart (Slg. *Metzler*) 1965;

W. MÜLLER-SEIDEL, *Probleme der literarischen Wertung*, Stuttgart 1965;

Zur Geschichte der Literaturwissenschaft:

R. WELLEK, *A history of mod. criticism* 1750–1830, New Haven 1955, übers. 1959;

L. SPITZER, Les études de style et les différents pays, in: *Langue et littérature, Actes du VIIIᵉ congrès de la FILLM*, Paris 1961;

Amerika:

NORMAN FOERSTER, *American Criticism*, Boston 1928;

V. LANGE und H. BOESCHENSTEIN, *Kulturkritik u. Literaturbetrachtung in Amerika*, 1938;

R. W. STALLMAN, *Critiques and Essays in Criticism 1920–48*, New York 1949;
W. K. WIMSATT and C. BROOKS, *Lit. criticism*, New York 1957;
R. FOSTER, The romanticism of the New Criticism, *Hudson Review* 12, New York 1959;
J. H. RALEIGH, The New Criticism as an historical phenomenon, *Comp. Lit.* 11, Eugene, Oreg., 1959;

Deutschland:

S. v. LEMPICKI, *Geschichte d. dt. Literaturwissenschaft bis zum Ende d. 18. Jahrhunderts*, 1920;
FRANZ SCHULTZ, Die philosophisch-weltanschauliche Entwicklung der literarhistorischen Methode, in *PhLw*, 1930;
J. PETERSEN, *Die Wissenschaft von d. Dichtung I*, 1939, ²1944;
KURT MAY, Über die gegenwärtige Situation einer deutschen Literaturwissenschaft, *Tr* V, 1947;
R. ALEWYN, Bericht über die Lage der Germanistik, *Dt. Univ.ztg.* 14, 1959;
M. JANSSENS, Die Dämmerungsjahre der geistesgeschichtlichen Methode 1925–1935, *Leuvense Bijdragen* 52 (1963);
V. SANTOLI, An den Anfängen der «nationalen Literaturgeschichte», *Festschrift G. Lukács* 1965;

England:

J. G. O'LEARY, *English Literary History and Bibliography*, London 1928;
M. ERTLE, *Englische Literaturgeschichtsschreibung, Ästhetik und Psychologie in ihren Beziehungen*, Diss. Berlin 1936;
GEORCE SAINTSBURY, *A History of English Criticism*, London 1936;
H. W. HÄUSERMANN, *Studien zur englischen Literaturkritik 1910–30*, 1938;
R. WELLEK, *The Rise of English Literary History*, Chapel Hill 1941;
G. TILLOTSON, *Criticism and the 19ᵗʰ Century*, London 1951;

Frankreich:

I. BABBITT, *Masters of Modern French Criticism*, London 1913;
E. v. JAN, Wandlungen der literatischen Kritik in Frankreich in d. letzten 100 Jahren, *GRM* 1933;
PAUL KRÜGER, *Fransk literaer kritik indtil 1830. Ideer og metoder*, Kopenhagen 1936;
F. BALDENSPERGER, *La critique et l'histoire littéraire en France au 19ᵉ et au début du 20ᵉ siècles*. En collaboration avec H. S. CRAIG jr., New York 1945;

Italien:

LUIGI TONELLI, *La critica letteraria italiana negli ultimi cinquant' anni*, Bari 1914;
GIOVANNI GETTO, *Storia delle storie letterarie*, «Idee Nuove», Milano 1942;
Un cinquantennio di studi sulla letteratura italiana (1886–1936). Saggi dedicati a V. Rossi, 2 Bde, Florenz 1937;
A. RUSCHIONI, *Sommario di storia della estetica letteraria*, Milano 1958;

Portugal:

FIDELINO DE FIGUEIREDO, *História da crítica literária em Portugal*, Lissabon 1916;

Rußland:

F. W. NEUMANN, Die formale Schule der russ. Lit.wiss. u. die Entwicklung der russ. Lit.theorien, *DVj* 29, 1955;

V. ERLICH, *Russian Formalism. History – Doctrine*, Den Haag 1955 (dtsch. München 1964);

Spanien:

MENÉNDEZ Y PELAYO, *Historia de las ideas estéticas en España*, 5 Bde, Madrid 1940;

F. C. SAINZ DE ROBLES, *Los movimientos literarios. Historia-interpretación, crítica*, Madrid ³1957.

KAPITEL I · PHILOLOGISCHE VORAUSSETZUNGEN
Kritische Ausgabe

ANDRÉ MORIZE, *Problems and Methods of Literary History*, Boston 1922;

G. WITKOWSKI, *Textkritik und Editionstechnik neuerer Schriftwerke*, 1924;

REINHOLD BACKMANN, Die Gestaltung des Apparats in d. kritischen Ausgaben neuerer dt. Dichter, *Euphorion* 25, 1924;

J. BÉDIER, La tradition manuscrite du Lai de l'ombre. Réflexions sur l'art d'éditer les anciens textes, *Romania* 1928;

–, De l'édition princeps de la «Chanson de Roland» aux éditions les plus récentes, *Romania* 63, 64, 1937, 1938;

G. PASQUALI, *Storia della tradizione e critica del testo*, Florenz 1934;

MICHELE BARBI, *La nuova filologia e l'edizione dei nostri scrittori da Dante al Manzoni*, Florenz 1938;

R. B. MACKERROW, *Prolegomena for the Oxford Shakespeare*. A study in editorial method, Oxford 1939;

W. W. GREG, *The Editorial Problem in Shakespeare*, Oxford 1951;

M. WINDFUHR, Die neugermanist. Edition. Zu den Grundsätzen krit. Gesamtausgaben, *DVj* 31, 1957;

H. ZELLER, Zur gegenwärtigen Aufg. der Editionstechnik, *Euphorion* 52, 1958;

H. ULDALL, On the preparation of a text, *Archivum linguist.* 11, 1959;

F. STRICH, Über die Herausgabe gesammelter Werke, in: *Kunst u. Leben*, Bern 1960;

M. BODMER, Die Bedeutung der Textüberlieferung in: *Geschichte der Textüberlieferung der antiken u. mittelalt. Literatur*, Bd. 1, Zürich 1961;

D. O. KRISTELLER, Aufgaben und Probleme der Handschriftenforschung, *Festschrift für F. Schalk* 1963;

H. W. SEIFFERT, *Untersuchung zur Methode der Herausgabe dt. Texte*, 1963;

F. BEISSNER, Editionsmethoden der neueren dt. Philologie, *ZDP* LXXXIII (1964), Sdheft;

H. PRASCHECK, Die Technifizierung der Edition – Möglichkeiten und Grenzen; in: *Mathematik und Dichtung*, hrsg. v. Kreuzer und Gunzenhäuser, München 1965;

In den romanischen Ländern ist die kritische Ausgabe literarischer Texte weithin zentralisiert; es gibt Textreihen, die nach den gleichen kritischen Grundsätzen gearbeitet sind, so daß alle veröffentlichten Bände wissenschaftlich zuverlässige Textgrundlagen darstellen. Es sei hingewiesen auf:

in Frankreich: *Les Grands Ecrivains de la France;*
                 La Société des anciens textes français;
                 La Société des textes français modernes;
                 Bibliothèque de l'Ecole des Chartes;

in Italien: *Scrittori d'Italia;*
Società Dantesca Italiana;
in Spanien: *Biblioteca de Autores Españoles;*
Clássicos Castellanos
Nueva Biblioteca de Autores Españoles.

Bestimmung des Autors
Anonymen- und Pseudonymen-Lexika:

Deutschland:
M. HOLZMANN u. H. BOHATTA, *Deutsches Anonymen-Lexikon* 1501–1926,
7 Bde, 1902–28; Nachdruck 1961;
–, *Deutsches Pseudonymen-Lexikon*, 1906;
H. GÜLTIG, *Echte Anonymität.* Ihre fortschreitende Freilegung in der Lit.-
gesch., Diss. Tübingen 1950;
G. SCHNEIDER, *Die Schlüsselliteratur*, 3 Bde, 1951–53;

England:
S. HALKETT u. J. LAING, *A Dictionary of Anonymous and Pseudonymous Eng-
lish Literature*, hgb. J. Kennedy, W. A. Smith u. A. F. Johnson, 7 Bde,
Edinburgh, London 1926–35;
C. A. STONEHILL, A. BLOCK u. H. W. STONEHILL, *Anonyma and Pseudonyma*,
4 Bde, London 1926 f.
A. TAYLOR u. F. J. MOSHER, *The bibliograph. history of Anonyma and Pseudo-
nyma*, Chicago 1951;

Frankreich:
A. A. BARBIER, *Dictionnaire des ouvrages anonymes*, 7 Bde, 3. Aufl., Paris
1872–79. Ergänzungen: *Supplément*, par G. BRUNET, Paris 1889; H. CE-
LANI, *Additions et corrections*, Paris 1902;

Italien:
G. MELZI, *Dizionario di opere anonime e pseudonime di scrittori italiani*, 3 Bde,
Mailand 1848–88; Neudruck 1958–60;

Niederlande:
A. DE KEMPENAER, *Vernomde nederlandsche en vlaamsche schrijvers*, 1928;

Portugal:
MARTINHO AUGOSTO DA FONSECA, *Subsídios para um dicionário de pseudóni-
mos, iniciais e obras anônimas de escritores portugueses*, Lissabon 1896;

Skandinavien:
BYGDEN, *Svenskt Anonym- og Pseudonym-Lexikon*, 2 Bde, Upsala 1898–1915;
HJALMAR PETTERSEN, *Norsk Anonym- og Pseudonym-Lexikon*, Oslo 1924;

Spanien:
E. PONCE DE LEÓN Y FREIRE u. F. ZAMORA LUCAS, 1500 *seudónimos modernos
de la literatura española* (1900–42), Madrid 1942;

Datierungsfragen
Zu literarischen Fälschungen:

J. M. QUÉRARD, *Les supercheries littéraires dévoilées*, 3 Bde, 1869/70;
J. A. FARRER, *Literary Forgeries*, London 1907 (Deutsche Übersetzung von
Kleemeier, 1907);

A. THIERRY, *Grandes mystifications littéraires*, 2 Bde, Paris 1911/13; ROGER PICARD, *Artifices et mystifications littéraires*, Montréal 1945;

Periodisierung:

J. PETERSEN, *Die literarischen Generationen*, Berlin 1930; H. PEYRE, *Les générations littér.*, Paris 1948; J. A. PORTUONDO, «Periodos» y «Generaziones» en la historiografía literaria hispanoamericana, *Cuadernos Americ.* 7, 1948; H. P. H. TEESING, *Das Problem der Perioden in der Lit.gesch.*, Groningen 1949; F. W. NEUMANN, Die Periodisierung der russ. Lit., *Neuphilol. Zs.* 3, 1951; F. SENGLE, Die Grundlagen der dt. Klassik, *Etudes germaniques* 9, Lyon 1954; E. E. TOLK, *The periodization of German lit.* (1624–1900), Diss. Columbia Univ. 1954; P. L. FRANK, Historical or stylistic periods? *Journal of Aesthetics and Art Criticism* 13, Baltimore 1955; H. OPPEL, Engl. u. dt. Romantik, *Die neueren Sprachen*, N. F. 5, 1956; N. A. DONKERSLOOT, De relativiteit der literaire generatie, *N* 43 (1959); A. T. LAUGESEN, *Middelalderen som litteraturhistorisk periode*, København 1962;

Zur Chronologie der Werke von

Hartmann von Aue: K. ZWIERZINA, Beobachtungen über den Reimgebrauch, in: *Festschr. f. R. Heinzel* und *Zeitschr. f. dt. Altertum* 44, 45; Nibelungen:V.MICHELS,*Abhandlungen d. Sächs. Akademie d. Wissensch.* 39, 1928; H. HEMPEL, in *ZDA* 69; H. HEMPEL, Zur Datierung des N.s, *ZDA* 90, 1960; Rolandslied und Kaiserchronik: R. MENÉNDEZ PIDAL, *La Chanson de Roland y el neotradicionalismo.* Origines de la épica románcia, Madrid 1959; F. URBANEK Zur Datierung d. K. Entstehung, Auftraggeber, Chronologie, *Euph* 53, 1959; E. E. STENGEL, Nochmals die Datierung d. K., *Dt. Arch f. d. Erforschg. d. MA's* 16, 1960; F. NEUMANN, Wann entstanden Kaiserchronik und Rolandslied? *ZDA* XCI (1962); G. ZINK, ‹Rolandslied› et ‹Kaiserchronik›, *Études germ.* XIX (1964); D. KARTOSCHKE, *Die Datierung des deutschen Rolandsliedes*, Stuttgart 1965; König Rother: K. SIEGMUND, *Zeitgesch. u. Dichtung im K. R.* Versuch einer Neudatierung, 1959; G. KRAMER, Zum K. R. Das Verhältnis des Schreibers der Heidelberger Hs. zu seiner Vorlage, *Beitr.* (Halle) 82, 1960; Lope de Vega: MILTON A. BUCHANAN, *The Chronology of Lope de Vega's Plays*, Toronto 1922; A. HÄMEL, *Studien zu Lope de Vegas Jugenddramen*, Halle 1925; S. G. MORLEY u. C. BRUERTON, *The Chronology of Lope de Vega's Comedias*, New York 1940; Calderón: H. W. HILBORN, *A Chronology of the Plays of D. Pedro Calderón de la Barca*, Toronto 1938; Shakespeare: (über den gegenwärtigen Stand der Forschung unterrichtet übersichtlich:) PETER ALEXANDER, *Shakespeare's Life and Art*, 2. Aufl., London 1944; vgl. auch *Cassell's Encyclopaedia of World Literature*, Bd. II, London 1953, S. 1474; K. BRUNNER, *W. Shakespeare*, 1957; Goethe: M. MOMMSEN, *Die Entstehung von Goethes Werken in Dokumenten* Bd. 1f., 1958ff.; Zu Goethes «Wanderer» und den Antezipationen bei Goethe: J. PETERSEN, Goethe als Gestalter, in: *Drei Goethe-Reden*, 1942;

Allgemeine Nachschlagewerke:
Répertoire chronologique des littératures modernes, hgb. P. v. TIEGHEM, Paris 1935ff.;
F. SCHMITT u. G. FRICKE, *Dt. Lit.gesch. in Tabellen*, 3 Bde, 1949–52;
A. SPEMANN, *Vergleichende Zeittafel der Weltliteratur*, 1951;
H. u. E. FRENZEL, *Daten dt. Dichtung*. Chronolog. Abriß d. dt. Lit.gesch. von den Anfängen bis zur Gegenwart, ³1962 (auch als Taschenbuch);

Wichtige Balladensammlungen:

Dänemark: GRUNDTVIG, *Danmarks gamle Folkeviser* I–IV, 1851–90; VI–VIII (Olrik) 1898ff; A. OLRIK u. IDA FALBE-NANSEN, *Danske Folkeviser i udvalg*, I³ 1913, II 1909;
Deutschland: Deutsche Literatur in Entwicklungsreihen, Reihe «*Deutsches Volkslied*», hgb. JOHN MEIER; *Deutsche Volkslieder* mit ihren Melodien, hgb. JOHN MEIER, Berlin 1935 f; Neudruck Darmstadt 1964;
England: F. J. CHILD, *English and Scottish Popular Ballads*, hg. H. C. SARGENT u. G. L. KITTREDGE, London 1922; A. QUILLER-COUCH, *The Oxford Book of Ballads*, 1910;
Spanien: *Romancero general*, hgb. A. DURAN (Bibl. de autores esp. X, XVI); *Romances viejos*, hgb. WOLF u. MENÉNDEZ Y PELAYO (Antología Bd. VII–X); *Flor nueva de romances viejos*, hgb. MENÉNDEZ PIDAL, Madrid 1933. R. MENÉNDEZ PIDAL, *Romancero tradicional de las Lenguas hispanicas*, 2 Bde. (Madrid 1957–1963);

Hilfsmittel

Sachwörterbücher:

Reallexikon der dt. Literaturgesch., neu bearb. von W. KOHLSCHMIDT u. W. MOHR, ²1958ff.;
JOHN MULGEN, *The Concise Oxford Dictionary of English Literature*, 1939 u.o.;
GRENTE, PAUPHILET u.a., *Dictionnaire des lettres françaises*, Beauchesne 1939ff;
Dictionary of World Literature. Criticism – Forms – Technique. Ed. J. T. SHIPLEY, New York 1943, ²1954;
Lexikon der Weltliteratur, hgb. H. KINDERMANN u. M. DIETRICH, ⁴1953;
J. P. HART, *Oxford Companion to American Literature*, 1957;
Kleines literarisches Lexikon, ⁴hgb. H. RÜDIGER u. E. KOPPEN (Slg. Dalp Bd. 17), 1966;
Cassel's Encyclopaedia of Literature, hgb. H. STEINBERG, 2 Bde, London 1953;
Sachwörterbuch d. Lit., hgb. G. v. WILPERT, 1955, ⁴1964;
D. C. BROWNING, *Dictionary of Literary Biography English and American*, 1958;
Encyclopedia of Poetry and Poetics, hgb. A. PREMINGER u.a., Princeton 1965;

Nationalbibliographien:

Amerika: *American Bibliography;*
Deutschland: *Deutsche Nationalbibliographie* (Leipzig); *Deutsche Bibliographie* (Frankfurt);
England: *The English Catalogue of Books;*
Frankreich: *Bibliographie de la France; Les livres de l'année;*
Italien: *Bollettino delle pubblicazioni italiane;*

Niederlande: *Brinkmans catalogus der boeken ;*
Österreich: *Österreichische Bibliographie*;
Schweiz: *Bibliographisches Bulletin der Schweiz ;* seit 1943: *Das Schweizer Buch*;
Spanien: *Bibliografía española ;*

Fachbibliographien:
Übersicht über bestehende Bibliographien:
TH. BESTERMANN, *A World Bibliography of Bibliographies and of Bibliographical Catalogues, Calendars, Abstracts, Digests, Indexes and the like*[3], 4 Bde, Genf 1955–58;
W. TOTOK, R. WEITZEL, K.-H. WEIMANN, *Handbuch der bibliograph. Nachschlagewerke*[3] 1966;

Fachbibliographien:
Deutschland:
(Serien:)
Jahresberichte über d. Neuerscheinungen auf d. Gebiet d. german. Philologie (einschl. Literatur d. Mittelalters u. d. 16. Jhs., 1879–1939) 61 Bde;
Jahresberichte für neuere dt. Lg. (1890–1915) 16 Bde;
Jahresberichte über d. Neuerscheinungen auf d. Gebiet d. neueren dt. Literatur, (1921–1939) 19 Bde;
Jahresbericht f. dt. Sprache u. Lit. Bd. 1 ff. (Bibliographie f. 1940–45 ff). Berlin 1960 ff;
Germanistik. Internat. Referatenorgan mit bibliogr. Hinweisen, Bd. I (1960) ff.
(Handbücher:)
R. F. ARNOLD, *Allg. Bücherkunde zur neueren dt. Literaturgesch.*, 1910, [3]1931;
J. DRESCH, *Guide de l'étudiant germaniste*, Paris 1945;
J. KÖRNER, *Bibliographisches Handbuch des deutschen Schrifttums*, Bern [4]1966;
O. OLZIEN, *Bibliographie z. dt. Lit.gesch.*, 1953;
H. W. EPPELSHEIMER, *Bibliographie der dt. Lit.wiss.*, Bd. I (1945–53) 1957. Die folgenden Bde bearb. von C. KÖTTELWESCH; bisher 6 Bde (erfassen den Zeitraum bis 1964);
J. HANSEL, *Bücherkunde für Germanisten*, 1959; Studienausgabe [2]1963;
–, *Personalbibliographie z. dt. Lit.gesch.*, 1960;
P. RAABE, *Einführung in die Bücherkunde zur dt. Literaturwiss.* 1961 (Slg. Metzler);
(Forschungsberichte:)
M. WEHRLI, *Allgem. Literaturwiss.* (Wissensch. Forschungsberichte, hgb. K. Hönn), 1951;
H. FROMM, *Germanist. Bibliographie seit 1945.* Theorie u. Kritik, 1960 (enthält die Forschungsberichte aus *DVj* 26, 1952 u. 33, 1959);
England:
R. B. MACKERROW, *An Introduction to Bibliography for Literary Students,* Oxford 1927;
The Cambridge Bibliography of English Literature, hgb. F. W. BATESON, Cambridge 1941;
Annual Bibliography of English Language and Literature, Cambridge 1924 ff;
The Year's Work in English Studies, Oxford 1921 ff;
R. S. CRANE u.a., *English Literature*, 1660–1800: *a Bibliography of Modern Studies*, Princeton, Bd. I, 1950; Bd. II, 1952;

K. E. Schmidt, *Anglistische Bücherkunde*, 1953;
R. D. Altick und A. Wright, *Selective bibliography for the study of English and American literature*, ²1963;
Frankreich:
G. Lanson, *Manuel bibliographique de la littérature française* (1500–1906), supplément jusqu'en 1925;
F. Varillon u. H. Holstein, *Bibliographie élémentaire de littérature française*, Paris 1935;
J. Giraud, *Manuel de bibliographie littéraire pour les XVIᵉ, XVIIᵉ et XVIIIᵉ siècles français* (1921–35), Paris 1939 (Ergänzung zu Lanson);
E. Bouvier u. P. Jourda, *Guide de l'étudiant en littérature française*, Paris;
O. Klapp, *Bibliographie der französischen Lit.wiss.*, Bd. I (1956–1958) 1960; Bd. II (1959–1960) 1961; Bd. III (1961–1962) 1963;
H. W. Klein, *Französisch. Eine kritische Bibliographie für Lehrende und Studierende*, 1960;
Italien:
Guido Mazzoni, *Avviamento allo studio critico delle lettere italiane*, 3. Aufl., Florenz 1932;
Giuseppe Prezzolini, *Repertorio bibliografico della storia e della critica della letteratura italiana dal 1903 al 1932*, 2 Bde, Rom 1937/39;
N. D. Evola, *Bibliografia degli studi sulla letteratura italiana* (1920–34), 3 Bde, Mailand 1938/40;
T. L. Rizzo, *Manuale per lo studio critico della letteratura italiana*, Palermo 1946;
R. Frattaroli, *Introduzione bibliografica alla letteratura italiana*, Roma 1963;
Portugal:
Aubrey Bell, *Portuguese Bibliography*, London 1923;
Spanien:
R. Foulché-Delbosc u. L. Barrau-Dihigo, *Manuel de l'hispanisant*, 2 Bde, New York 1920–1924;
R. L. Grismer, *A New Bibliography of the Literatures of Spain and Spanish America*, Minneapolis 1941 ff.;
G. Rohlfs, *Manual de filología hispánica. Guía bibliográfica, crítica y metódica*, Bogotá 1957;

Umfassende Fachbibliographien:
Revue de littérature comparée, Paris 1921 ff.;
Publications of the Modern Language Association of America (*PMLA*), Annual Bibliography (vgl. 37 ff; 1922 ff);
Supplementhefte der *Zeitschrift für Romanische Philologie : Bibliographie*. Erscheint seit 1938, erfaßt den Zeitraum seit 1927. (Auch für den Germanisten wichtig die Abschnitte Poetik, Stilistik, Metrik u.a.);
The Year's Work in Modern Language Studies, Cambridge 1931 ff.;
Journal of aesthetics and art criticism, Baltimore 1941/42 ff;
Jahrbuch für Ästhetik u. allg. Kunstwissenschaft, 1951 ff. (Dichtungstheorie);
F. Baldensperger u. W. P. Friederich, *Bibliography of Comparative Literature*, Chapel Hill 1950;
Yearbook of comparative and general literature, ed. by W. P. Friederich, Chapel Hill 1952 ff.
Bibliographisches Handbuch zur Sprachinhaltsforschung, hrsg. L. Brandt, 1961 ff;

Titellexika:

Für die deutschsprachige Lit.: MAX SCHNEIDER, *Deutsches Titelbuch*, ²1927; (Neudruck 1965);

Kindlers Literatur Lexikon, Zürich-München 1965 ff. (auf der Grundlage des «Dizionario delle Opere di tutti i Tempi e di tutte le Letterature», hgb. VALENTINO BOMPIANI);

Bio-bibliographische Lexika:

Brasilien:

R. BORBA DE MORAES, *Bibliographia Brasiliana*, 2 Bde, Amsterdam u. Rio de Janeiro 1958;

Deutschland:

K. GOEDEKE, *Grundriß zur Geschichte der dt. Dichtung.* (Anfänge bis 1830), 13 Bde, z.T. in 3. Aufl., Dresden; Weiterführung bis 1880 begonnen; *Verfasserlexikon des dt. Mittelalters*, hgb. W. STAMMLER, Berlin-Leipzig seit 1933; (Bd. 4 u. 5 hgb. K. LANGOSCH);

W. KOSCH, *Dt. Literaturlexikon.* Biographisches und bibliographisches Handbuch. 4 Bde, Bern ²1949-58; (Ausgabe in einem Band, bearb. v. B. BERGER, 1963); 3. Aufl. 1966 ff.

England:

JOHN EDWIN WELLS, *A Manual of the Writings in Middle English* (1050 bis 1400), New Haven 1916, Suppl. 1919, 1920 u. ff;

Frankreich:

Neben den Werken von Lanson, Giraud vgl. H. P. THIEME, *Guide bibliographique de la littérature française de 1800 à 1930*, 3 Bde, Paris 1933;

H. TALVART u. J. PLACE, *Bibliographie des auteurs modernes de langue française*, 1801-1958, bisher 14 Bde, Paris 1929ff;

Italien:

A. D'ANCONA u. O. BACCI, *Manuale di letteratura italiana*, 6 Bde, Florenz 1925-34;

Österreich:

H. GIEBISCH u. G. GUGITZ, *Bio-bibliographisches Literaturlexikon Österreichs v. d. Anfängen bis z. Ggwart*, Wien 1964

Portugal:

INNOCÊNCIO (FRANCISCO DA SILVA), *Dicionário bibliográfico portugês*, 21 Bde, Lissabon 1858-1914;

Biographische Lexika:

Amerika:

Dictionary of American Biography, 20 Bde, New York 1928-1936; Index, 1937; Supplement I (bis 1935), 1944;

Deutschland:

Allgemeine deutsche Biographie, 56 Bde, 1875-1912; *Neue Deutsche Biographie*, Bd. Iff, 1953ff; *Die großen Deutschen*, 5 Bde, ²1956-57; G. v. WILPERT, *Deutsches Dichterlexikon*, Stuttgart 1963;

England:

Dictionary of National Biography, 63 Bde, London 1885-1900; Supplement I, 3 Bde, 1901; Suppl. II, 3 Bde, 1912;

J. W. Cousin, *A Short Biographical Dictionary of English Literature*, London 1942;

Frankreich:
Michaud, *Biographie universelle ancienne et moderne*, 45 Bde, Paris 1843 bis 1865;
Dictionnaire de biographie française, bisher 3 Bde, Paris 1919 ff;

Italien:
D. Cinti, *Dizionario degli scrittori italiani classici, moderni e contemp.*, Mailand 1939;
G. Casati, *Dizionario degli scrittori d'Italia*, 3 Bde;
Dizionario biografico degli Italiani, Roma (Inst. della Enciclop. Italiana) 1960 ff.;
U. Renda und P. Operti, *Dizionario storico della letteratura italiana*, Torino 1959;

Niederlande:
Nieuw Nederlandsch biograf. woordenboek, 8 Bde, Leiden 1937 ff;
K.ter Laan, *Letterkundig Woordenboek voor Noord en Zuid*, 2. Aufl., Den Haag 1952;

Schweiz:
Historisch-biographisches Lexikon der Schweiz, 7 Bde, Neuenburg 1921 bis 1926;

Spanien:
Francisco Agramonte Cortijo, *Ensayo de un diccionario biográfico cronológico de los siglos XV al XX*, Madrid 1942;
Diccionario de Literatura Española, Revista de Occidente, 2. Aufl., Madrid 1953;

Internationale Dichterlexika:

G. Vapereau, *Dictionnaire universel des contemporains*, 6. Aufl., Paris 1893/95;
H. W. Eppelsheimer, *Handbuch der Weltliteratur* (mit Bibliogr.); 1947, ³1960;
Henrique Perdigão, *Dicionario universal de literatura*, 2. Aufl., Porto 1940 (nach Geburtsjahren geordnet);
Columbia Dictionary of Modern Literature, hgb. Horatio Smith, New York 1947;
Die Weltliteratur. Biographisches, lit.historisches u. bibliogr. Lexikon, hgb. E. Frauwallner, H. Giebisch u. E. Heinzel, 3 Bde, 1951–1954;
Kleines literarisches Lexikon, ³I, hgb. W. Kayser, 1961; ³II hgb. H. Rüdiger 1961;
C. Buddingh, *Encyclopedie voor de wereldliteratuur*, Utrecht 1954;
Dizionario universale della letteratura contemporanea, Milano 1959 ff;
Lexikon der Weltliteratur im 20. Jh., 2 Bde, 1960–61;
Lexikon der Weltliteratur. Biograph.-bibliograph. Handwörterbuch nach Autoren u. anonymen Werken, hgb. G. v. Wilpert, 1963;

Übersetzungs-Bibliographien:

Index Translationum, Paris 1932 ff; *Neue Serie* für 1948 ff: Paris (UNESCO) 1950 ff;

H. Fromm, *Bibliogr. dt. Übersetzungen aus dem Französischen*, 1700–1948; 6 Bde, 1950–53;
I. Wenger, *Zehn Jahre dt. Übers. aus dem Französ.* (1945–1955), 1956;
Übersetzungen aus der dt. Sprache. Eine bibliograph. Reihe, hgb. R. Mönning, 1959 ff;
L. M. Price, *English Literature in Germany*, Univ. of Calif. Publ., 37, Berkeley 1935; dt. Übers. Bern 1961;

Zeitschriften:

Es werden hier die wichtigsten von denen aufgeführt, die das Gesamtgebiet der germanischen und romanischen Literatur umfassen:
Archiv für das Studium der neueren Sprachen (Herrig)
Comparative Literature
DVj
Edda. Nordisk tidskrift for litteraturforskning
Euphorion. Zeitschrift für Literaturgeschichte
GRM
Harvard studies and notes in philology and literature
Helicon. Revue internationale des problèmes généraux de la littérature
Modern language notes
Modern language quarterly
Modern language review
Modern philology
Modern philology quarterly
N
Orbis litterarum
Philological quarterly
Publications of the Modern Language Association of America
Revue de litt. comp.
Revue de philologie
Rivista di letterature mod. e comp.
Rlc
Studia neophilologica
Tr

KAPITEL II · GRUNDBEGRIFFE DES INHALTS

F. Paulhan, *Psychologie de l'invention*, 2. Aufl., Paris 1911;
K. Wiegand, *Geschichte der dt. Dichtung*, 2. Aufl. 1928;
J. Körner, Erlebnis, Motiv, Stoff, in: *Festschrift f. Walzel* 1924;
R. Petsch, Motiv, Formel, Stoff, in: *Deutsche Literaturwiss.*, 1940;
O. Walzel, *Das Wortkunstwerk*, 1926;
O. Görner, *Vom Memorabile zur Schicksalstragödie*, 1931;
R. Peacock. *D. Leitmotiv bei Th. Mann*, 1934;
W. Krogmann, Motivübertragung u. ihre Bedeutung für d. literarhistorische Forschung, *N* 17, 1937;
Kenneth Burke, *A Grammar of Motives*, New York 1945;
Herman Meyer, *De Levensavond als litterair motief*, Amsterdam 1947;
E. A. Wirtz, Zitat und Leitmotiv bei Th. Mann, in: *German Life and Letters*, 7, London 1954;

Z. Czerny, Contribution à une théorie comparée du motif dans les arts, *Stil- u. Formprobleme in der Literatur*, hrsg. P. Böckmann, 1959;
R. Trousson, Plaidoyer pour la Stoffgeschichte, *Rlc* XXXVIII (1964);

Hilfsmittel zur Stoff- und Motivgeschichte :

E. Frenzel, *Stoffe der Weltliteratur. Ein Lexikon dichtungsgeschichtlicher Längsschnitte*, Stuttgart 1962;
E. Frenzel, *Stoff-, Motiv- und Symbolforschung*, Stuttgart (Slg. *Metzler*) 1963;

Textsammlungen:

Theater der Jahrhunderte (Langen-Müller-Verlag, München), bisher: Die hl. Johanna, Herakles, Medea, Orest, Orpheus und Eurydike;
Für die französische Literatur:
«*Les thèmes poétiques*», Verlag Garnier, Paris (z.B. Charles Le Goffic, *Les poètes de la mer du moyen âge à nos jours*, 2. Aufl., 1928);
Für die spanische Literatur:
Textsammlungen von José Manuel Blecua in der Editorial Hispánica, Madrid; Bd. 1: *Vögel* (1943); Bd. 2: *Blumen* (1944); Bd. 3: *Das Meer* (1945);

Darstellungsreihe:

«*Stoff- und Motivgeschichte*», hgb. P. Merker u. G. Lüdtke, Verlag W. de Gruyter & Co., Berlin (z.B. W. Grenzmann, *Die Jungfrau von Orléans in d. Dichtung ;* W. Golther, *Tristan u. Isolde in der französischen u. dt. Dichtung*);

Bibliographien:

A. Luther – H. Friesenhahn, *Land u. Leute in dt. Erzählung*, 1954;
F. A. Schmitt, *Beruf und Arbeit in dt. Erzählung*, 1952;
–, *Stoff- u. Motivgeschichte der dt. Lit.* Eine Bibliographie. Begr. von K. Bauer- horst, Berlin 1965;

Märchenforschung:

Den Begriff des Motivs hat die finnische Schule in das Zentrum der Märchenforschung gestellt; vgl.
Kaarle Krohn, *Die folkloristische Arbeitsmethode*, Oslo 1927.
Wichtigstes Organ sind die 1910 von Krohn begründeten *Folklore Fellow Communications*, Helsinki. Darin:
Nr. 3: Antti Aarne, *Verzeichnis der Märchentypen*, 1910 (als Nr. 73 von Stith Thompson überarbeitet, 1928);
Nr. 96: Kaarle Krohn, *Über einige Resultate d. Märchenforschung*, 1931;
Max Lüthi, *Das europäische Volksmärchen*, Form und Wesen, eine literaturwissenschaftliche Darstellung, Bern ²1961;
–, *Volksmärchen u. Volkssage*, ²1966;

Motiv-Lexika :

J. Bolte u. G. Polivka, *Anmerkungen zu d. Märchen der Brüder Grimm*, 5 Bde, 1913 ff;
Stith Thompson, *Motif-Index of Folk-Literature*, 6 Bde, Bloomington, Indiana, 1932–36, Kopenhagen 1955–1958;

DOMINIC P. ROTUNDA, *Motif-Index of the Italian Novella in Prose*, Bloomington 1942;

Einige wichtige motivgeschichtliche Arbeiten:

N. PERQUIN, W. *Raabes Motive als Ausdruck seiner Weltanschauung*, Amsterdam 1928;

C. F. E. SPURGEON, *Leading Motives in the Imagery of Shakespeare's Tragedies*, Oxford 1929;

I. SICILIANO, *François Villon et les thèmes poétiques du moyen âge*, Paris 1934;

LAWRENCE ECKER, *Arabischer, provenzalischer u. dt. Minnesang*. Eine motivgeschichtliche Untersuchung, Leipzig 1934;

HERMAN MEYER, *Der Typus des Sonderlings in d. dt. Literatur*, Amsterdam 1943; Neudruck 1963;

A. CHAPUIS, *Les automates dans les œuvres d'imagination*, Neuchâtel 1947;

E. M. BUTLER, *The Myth of the Magus*, Cambridge 1948;

H. PETRICONI, *Verführte Unschuld*, 1953;

TH. C. VAN STOCKUM, *Das Jedermann-Motiv u. das Motiv des Verlorenen Sohnes im niederländ. u. im niederdt. Drama*, Amsterdam 1958;

H. PETRICONI, Die verlorenen Paradiese, *Romanist. Jb.* 10, 1959;

M. STAUFFER, *Der Wald*. Zur Darstellung u. Deutung der Natur im Mittelalter, Bern 1959;

M. MILNER, *Le diable dans la littérature française de Cazotte à Baudelaire*, 2 Bde, Paris 1960;

K. HAMBURGER, *Von Sophokles zu Sartre. Griechische Dramenfiguren antik und modern*, Stuttgart 1962;

R. S. LOOMIS, *The Grail. From Celtic myth to Christian symbol*, Cardiff 1963;

Vijf eeuwen Faust. Elf belichtingen door J. M. M. ALER u.a., Den Haag 1963;

R. TROUSSON, *Le thème de Prométhée dans la littérature européenne*, 2 Bde, Genève 1964;

Zur Toposforschung:

J. L. LOWES, *Convention and Revolt in Poetry*, 2. Aufl. London 1930;

E. R. CURTIUS, *Gesammelte Aufsätze z. roman. Philologie*, Bern 1960;

–, *Europäische Literatur und lateinisches Mittelalter*, Bern ⁴1963;

MARIA ROSA LIDA, Transmisión y recreación de temas grecolatinos en la poesía española, *Revista de Filología Hispánica* 1, 1939;

BL. GONZÁLEZ DE ESCANDÓN, *Los temas del «Carpe diem» y la brevedad de la rosa en la poesía española*, Barcelona 1938;

HERBERT J. C. GRIERSON, *Rhetoric and English Composition*, London 1944, Edinburgh ²1951;

TH. HEINERMANN, Die grünen Augen, *Roman. Forschungen* 58/59, 1944–47;

G. HIGHET, *The Classical Tradition*, Oxford 1949;

W. STAMMLER, *Frau Welt*. Eine mittelalterl. Allegorie, Freiburg (Schweiz) 1959;

P. ZUMTHOR, Recherches sur les topiques dans la poésie lyrique des XIIe et XIIIe siècles, *Cahiers de civilisation médiévale* 2, 1959;

W. VEIT, Toposforschung. Ein Forschungsbericht, *DVj* XXXVII (1963);

H. MEYER, Hütte und Palast in der Dichtung des 18. Jhs., *Festschrift Böckmann* 1964;

Zur Emblematik:

HENRY GREEN, *Alciati and his Book of Emblems*. A biographical and bibliographical study, London 1872;

M. P. Verneuil, *Dictionnaire des symboles, emblèmes et attributs*, 1987;

A. G. C. de Vries, *De Nederlandsche Emblemata*, Diss. Amsterdam 1899;

M. Brunet, Emblèmes, *Revue archéologique* VIII;

L. Volkmann, *Bilderschriften der Renaissance*, 1923;

E. N. S. Thompson, *Literary Bypaths of the Renaissance*, New Haven 1924;

Mario Praz, *Marinismo in Inghilterra*, Florenz 1925;

–, *Studies in 17th century Imagery*, London 1939;

–, *A Bibliography of Emblem Books*, (Studies II) London 1947;

H. Rosenfeld, *Das dt. Bildgedicht*, 1935;

J. L. Liersay, St. Guazzo and the Emblemata of Alciati, *Philol. Quarterly XVIII*, 1939;

B. Knipping, *De Iconografie van de Contra-Reformatie in de Nederlanden*, 2 Bde, Hilversum 1939f;

M. Romero-Navarro, Las alegorías del «Criticón»(Gracián), *Hispanic Review IX*, 1941;

Henri Stegemeier, Problems in Emblem Literature, *Journal of Engl. and Germ. Philol.* 46, 1946;

Rosemary Freeman, *English Emblem Books*, London 1948.

E. Jacobsen, *Die Metamorphosen der Liebe u. Spees «Trutznachtigall»*, Kopenhagen 1954;

F. P. Pickering, Der zierlichen Bilder Verknüpfung. Goethes Alexis u. Dora, 1796, *Euph.* 52, 1958;

R. J. Clements, *Picta poesis*. Literature on humanistic theory in Renaissance emblem books, Roma 1960;

A. Henkel, «*Wandrers Sturmlied*», 1962.

A. Schöne, *Emblematik und Drama im Zeitalter des Barock*, München 1962;

D. Tschiževskij, Emblematische Literatur bei den Slaven, *Archiv* CCI (1965);

KAPITEL III · GRUNDBEGRIFFE DES VERSES

Allgemeines :

Metrica in: *Enciclopedia Italiana di scienze, letter ed arti*, Rom 1929–49;

A. W. de Groot, *Algemene Versleer*, Den Haag 1946;

T. S. Eliot, *Der Vers*. 4 Essays (1942–51), dt. Übers. 1952;

W. Beare, *Latin verse and European song*, London 1957;

M. Burger, *Recherches sur la structure et l'origine des vers romans*, Genève 1957;

R. Poggioli, Poetics and metrics, *Comp. Lit. Proceedings* 1959;

Antiker Vers :

W. Christ, *Metrik der Griechen u. Römer*, 2. Aufl., 1870;

W. K. Hardie, *Res metrica*, 1920;

U. v. Wilamowitz, *Griechische Verskunst*, 1921;

P. Maas, Griechische Metrik, in: Gercke u. Norden, *Einleitung in d. Altertumswissenschaft I*, 1923;

Fr. Vollmer, Römische Metrik, *ebda*;

J. P. Postgate, *Prosodia latina : an Introduction to Classical Latin Verse*, London 1923;

E. Fraenkel, *Iktus und Akzent im latein. Spruchvers*, 1928;

O. Schröder, *Griechische Versgeschichte*, 1930;

W. J. W. Koster, *Traité de métrique grecque*, 1936;

K. RUPPRECHT, *Einführung in d. griechische Metrik*, ³1950;
M. CARY u.a., *Oxford Classical Dictionary*, 1949;
L. ROUSSEL, *Le vers grec ancien*, Montpellier 1954;
B. SNELL, *Griechische Metrik*, 1955, ²1957;
F. CRUSIUS, *Römische Metrik*, hrsg. v. H. Rübenauer, ⁵1959;

Deutscher Vers :

J. MINOR, *Neuhochdeutsche Metrik*, 2. Aufl., 1902;
F. SARAN, *Deutsche Verslehre*, 1907;
A. HEUSLER, *Deutscher u. antiker Vers*, 1917;
–, *Deutsche Versgeschichte*, 3 Bde 1925–29, ²1956;
K. WAGNER, Phonetik, Rhythmik, Metrik, in: *German. Phil., Festschr. f. Behaghel*, 1934;
O. PAUL u. J. GLIER, *Deutsche Metrik*, 1930, ⁴1961;
W. P. LEHMANN, *The development of Germanic verse form*, Austin 1956;
S. BEYSCHLAG, *Die Metrik der mittelhochdt. Blütezeit* 1950, ⁵1963;
W. KAYSER, *Kleine deutsche Versschule*, Bern 1946, ¹¹1965;
–, *Geschichte des dt. Verses*, Bern 1960;
W. BENNET, *German verse in classical metres*, Den Haag 1963;

Englischer Vers:

G. SAINTSBURY, *History of English Prosody*, 3 Bde, London 1923;
J. W. BRIGHT u. R. D. MILLER, *The Elements of English Versification*, Boston, London 1910;
L. ABERCROMBIE, *Principles of Engl. Prosody*, London 1923;
GILBERT MURRAY, *The Classical Tradition in Poetry*, Oxford 1927;
P. F. BAUM, *The Principles of English Versification*, Cambridge, Mass. 1927;
P. VERRIER, *Essai sur les principes de la métrique anglaise*, 3 Bde, Paris 1900 bis 191.0;
G. W. ALLEN, *American Prosody*, New York 1935;
C. MLewis, *The Principles of English Verse*, Yale 1946;
D. DAVIE, *Purity of diction in English verse*, London 1952;
E. TSCHOPP, *Zur Verteilung von Vers u. Prosa in Shakespeares Dramen*, Bern 1956;

Französischer Vers:

TH. SPOERRI, *Französische Metrik*, 1929;
P. VERRIER, *L'isochronisme dans le vers français*, Paris 1912;
–, *Le vers français*, 3 Bde, Paris 1931–32;
M. GRAMMONT, *Le vers français*, 4. Aufl., Paris 1937;
–, *Petit traité de versification française*, 2. Aufl., Paris 1946;
M. FORMONT u. A. LEMERRE, *Le vers français. Versification et poétique*, Paris 1937;
J. SUPERVIELLE, *Histoire et théorie de la versification française*, 2. Aufl., Paris 1946;
GEORGES LOTE, *Histoire du vers français. I: Moyen-Âge*, Paris 1949, 2 Bde;
W. SUCHIER, *Französische Verslehre auf hist. Grundlage*, 1952;
Y. LE HIR, *Esthétique et structure du vers français d'après les thèoriciens, du XVIᵉ siècle à nos jours*, Paris 1956;
W.TH. ELWERT, *Frz. Metrik*, München 1961

Italienischer Vers:

P. E. Guarnerio, *Manuale di versificazione italiana*, Mailand 1893;
T. Casini, *Le forme metriche italiane*, Florenz 1900;
F. D'Ovidio, *Versificazione italiana*, Mailand 1910;
–, *Versificazione romanza*, Neapel 1932;
M. Fubini, *Metrica e poesia. Lezioni sulle forme metriche italiane. I. Dal Due-cento al Petrarca*, Milano 1962;

Niederländischer Vers:

G. S. Overdiep, *Beknopte Nederlandse versleer;*
G. Stuiveling, *Versbouw en ritme in de tijd van '80*, 1934;

Portugiesischer Vers;

A. Pimenta, *Tratado de cersificação portuguesa*, Lissabon 1928;
João da Silva Correia, *A rima e a sua acção linguística, literária e ideológica*, Lissabon 1930;
Amorim de Carvalho, *Tratado de versificação portuguesa*, Porto 1941;

Spanischer Vers:

Menéndez y Pelayo, Noticias para la historia de nuestra métrica, in: *Estudios y discursos de crítica histórica y literaria VI*, Madrid 1942;
E. Benot, *Prosodia castellana y versificatión*, 3 Bde, Madrid 1902;
Dorothy Clarke, *Una bibliografía de versificación española*, Revista de Filología Hispánica 1941;
D. J. Geers, *Het Vierhefflingsvers in het Spaans*, Amsterdam 1954;
(Vgl. auch die Studien von D. Clarke zu einzelnen spanischen Vers- u. Strophenformen in: *Rev. de Filol. Hisp.* 1941; *Hispanic Review* 1941, 1942 u.a.m.);
A. C. Picazo, *Métrica española*, Madrid 1956;
T. Navarro, *Métrica española, reseña histórica y descriptiva*, New York 1956;
R. Baehr, *Spanische Verslehre auf historischer Grundlage*, Tübingen 1962;

Schallanalyse:

E. Sievers, Ziele u. Wege der Schallanalyse, in: *Festschr. f. Streitberg* 1924 u. Separ.;
G. Ipsen u. F. Karg, *Schallanalytische Versuche*, 1928;
J. Vendryes, La phonologie et la langue poétique, in: *Proceedings of the 2nd Intern. Congress of phonet. sciences* (London 1935), Cambridge 1936.
P. Delbouille, *Poésie et sonorités*, Paris 1961;

KAPITEL IV · DIE SPRACHLICHEN FORMEN

Zu den rhetorischen Figuren:

R. Volkmann, *Die Rhetorik der Griechen u. Römer*, [2]1874;
E. Norden, *Die antike Kunstprosa*, 2 Bde, 1915/16;
R. M. Meyer, *Deutsche Stilistik*, 1913;
D. L. Clark, *Rhetoric and Poetry in the Renaissance*, New York 1922;
C. S. Baldwin, *Mediaeval Rhetoric and Poetic*, New York 1928;
–, *Ancient Rhetoric and Poetic*, New York 1929;

L. LAURAND, L'art oratoire des anciens, in: *Manuel des études grecques et latines III*, 1929 (mit Bibliogr.);

AUGUSTO MAGNE, *Princípios elementares de literatura*, São Paulo 1935;

Sir HERBERT J. C. GRIERSON, *Rhetoric and English Composition*, Edinburgh, London 1944;

L. ARBUSOW, *Colores rhetorici. Eine Auswahl rhetorischer Figuren*, ²1963;

H. LAUSBERG, *Elemente d. literar. Rhetorik*, ²1963;

E. R. CURTIUS, Antike Rhetorik u. vergl. Lit.wiss. (1949), in: *Ges. Aufsätze z. roman. Philologie*, Bern 1960;

R. SKELTON, *The Poetic Pattern*, London 1956;

H. MEYER, Schillers philosoph. Rhetorik, *Euph* 53, 1959;

H. LAUSBERG, *Handbuch der liter. Rhetorik*. Mit Registerbd. u. Bibliogr., 1960;

H. MORIER, *Dictionnaire de poétique et de rhétorique*, Paris 1961;

A. SCHIAFFINI, Rivalutazione della retorica, (Forschungsbericht), *Zschr. f. roman. Philologie* 78 (1962);

Zum Wortschatz :

ULRICH LEO, *Fogazzaros Stil u. d. symbolistische Lebensroman*, 1928;

I. TRIER, *Der dt. Wortschatz im Sinnbezirk des Verstandes*, 1931;

DÁMASO ALONSO, *La lengua poética de Góngora*, Madrid 1935;

ERNST BENDZ, *P. Valéry et l'art de la prose*, Göteborg 1936;

-, *A. Gide et l'art d'écrire*, Paris 1939;

M. CRESSOT, *La phrase et le vocabulaire de J.-K. Huysmans*, Paris 1938;

Zum deutschen literarischen Wortschatz vgl. die Beiträge in:

Deutsche Wortgeschichte, hgb. FR. MAURER u. FR. STROH, 3 Bde, 1943 (mit Bibliogr.), ²1958-60;

HALLIG u. WARTBURG, Begriffssystem als Grundlage für die Lexikographie, 1952; dazu
    GLINZ, Die Darstellung eines Wortschatzes, *Zs. f. Mundartenforschung*, 1954;

P. GUIRAUD, *Index du vocabulaire du symbolisme*, Paris 1953 ff;

A. LANGEN, *Der Wortschatz des Pietismus*, 1954;

G. V. PROSCHWITZ, *Introduction à l'étude du vocabulaire de Beaumarchais*, Stockholm 1956;

H. PRANG, Der moderne Dichter u. das arme Wort, *GRM* 38, 1957;

D. RUPPRECHT, *Tristitia*. Wortschatz u. Vorstellung in den ahd Sprachdenkmälern, 1959;

H. WEHRLE, H. EGGERS, *Deutscher Wortschatz* ¹²1961;

F. GOMEZ, *Vocabulario de Cervantes*, Madrid 1962;

M. L. GANSBERG, *Der Prosawortschatz des dt. Realismus*, Bonn 1964;

H. MEIER, *Deutsche Sprachstatistik*, Bd I, Hildesheim 1964;

A. JUILLAND, E. C. RODRIGUEZ, *Frequency Dictionary of Spanish Words*, La Haye 1964;

Zur Metapher u. ä.:

TH. MEYER, *Das Stilgesetz d. Poesie*, 1901;

HEINZ WERNER, *Die Ursprünge der Metapher*, 1919;

G. ESNAULT, *Métaphores occidentales*, Paris 1925;

W. P. KER, The simile, in: *Form and Style in Poetry*, London 1928;

H. PONGS, *Das Bild in der Dichtung*, Bd. I 1927, ²1960, Bd.II 1939;

P. JOSEF FLESCH, *Metaphysik des Symbols u. der Metapher*, Diss. Bonn 1934;

I. A. RICHARDS, *The Philosophy of Rhetoric*, 1936;

ROLLAND DE RENÉVILLE, *L'expérience poétique*, 4. Aufl., Paris 1938;

H. KONRAD, *Étude sur la métaphore*, Paris 1939;

H. ADANK, *Essai sur les fondements psychologiques et linguistiques de la métaphore affective*, Genève 1939;

C. F. P. STUTTERHEIM, *Het begrip metaphoor*, Amsterdam 1941;

MARC EIGELDINGER, *Le dynamisme de l'image dans la poésie française*, Neuchâtel 1943;

C. DAY LEWIS, *The poetic image*, London 1947;

ST. ULLMANN, *The image in the modern French novel*, Cambridge 1960;

W. ISER, Manieristische Metaphorik in der englischen Dichtung, *GRM* 41 (1960);

H. WEINRICH, Semantik der kühnen Metapher, *DVj* 37 (1963);

B. MÜLLER, *Góngoras Metaphorik. Versuch einer Typologie*, Wiesbaden 1963;

M. MARACHE, La métaphore dans l'œuvre de Kafka, *Etudes germ.* XIX (1964);

V. SEGALEN, Les synesthésies et l'école symboliste, *Mercure de France* 42, 1902;

H. LAURES, *Les synesthésies*, Paris 1908;

A. WELLEK, Das Doppelempfinden in d. Geistesgeschichte, *Zeitschr. f. Ästhetik*, 23, 1929;

–, Renaissance- u. Barocksynästhesien, *DVj* 9, 1931;

–, Das Doppelempfinden im 18. Jahrhundert, *DVj* 14, 1936;

C. S. BROWN, The Colour Symphony before and after Gautier, *Compar. Literature V*, 1953;

Zur Syntax :

K. BÜHLER, Vom Wesen der Syntax, in: *Festschr. f. K. Vossler*, 1922;

O. JESPERSEN, *Language*, London 1922;

–, *The System of Grammar*, London 1933;

J. RIES, *Beiträge zur Grundlegung der Syntax*, 3 Bde, Prag 1927–31;

H. AMMANN, *Die menschliche Rede*, 2 Bde, 1928;

W. HAVERS, *Handbuch der erklärenden Syntax*. Ein Versuch zur Erforschung der Bedingungen u. Triebkräfte in Syntax u. Stilistik, 1931;

EINAR LÖFSTEDT, *Syntactica II*, Lund 1933;

W. V. WARTBURG, *Einführung in Problematik und Methodik der Sprachwissenschaft*, 1943 (franz. Übersetzung in Paris 1946);

E. OTTO, *Stand u. Aufgabe der allg. Sprachwiss.*, 1954;

L. TESNIÈRE, *Éléments de syntaxe structurale*, Paris 1959;

F. SCHMIDT, *Logik der Syntax*, ⁴Berlin 1962;

Zur deutschen Syntax :

O. ERDMANN, *Grundzüge der dt. Syntax*, 1886 ff;

O. BEHAGHEL, *Deutsche Syntax*, 1923 ff;

H. WUNDERLICH u. H. REIS, *Der dt. Satzbau*, 2 Bde, 3. Aufl., 1924/25;

H. GUMBEL, *Dt. Sonderrenaissance in dt. Prosa*. Strukturanalysen dt. Prosa im 16. Jahrhdt., 1930;

E. DRACH, *Grundgedanken der dt. Satzlehre*, 1937;

ERNST OTTO, *Grundlinien der dt. Satzlehre*, Brünn 1943;

H. GLINZ, *Die innere Form des Deutschen*, Bern ⁴1965;

–, *Der deutsche Satz*, ³1963;

Hans Weber, D. Tempussystem des Deutschen und d. Französischen, Bern 1954;
K. Boost, Neue Untersuchungen zum Wesen u. zur Struktur des dt. Satzes, 1955;
H. Renicke, Grundlegung der neuhochdt. Grammatik. Zeitlichkeit-Wort u. Satz, 1961;
H. Brinkmann, Die dt. Sprache, Gestalt und Leistung, 1962;

Zur englischen Syntax :

O. Jespersen, A Modern English Grammar on Historical Principles, Teil V: Syntax, 4 Bde, 1914–40; Bd. 5–7, hgb. N. Haislund, Kopenhagen 1940–47;
M. Deutschbein, System der neuenglischen Syntax, 1931;
H. Straumann, Newspaper Headlines, a Study in Linguistic Method, London 1935;
S. Robertson, The Development of Modern English, London 1936;
E. H. Partridge u. J. W. Clark, British and American English since 1900, London 1947;
H. Galinsky, Die Sprachen des Amerikaners, 2 Bde, 1951/52;
G. Dietrich, Erweiterte Form, Präteritum u. Perfektum im Englischen, 1955;
B. Carstensen, Studium zur Syntax des Nomens, Pronomens u. der Negation in den «Paston Letters», 1959 (Beitr. z. engl. Philol. 42);

Zur französischen Syntax :

F. Brunot, Histoire de la langue française, Paris 1913 ff;
E. Lerch, Historische französische Syntax, 3 Bde, 1925–34;
Snijders de Vogel, Syntaxe historique du français, 2. Aufl., Groningen 1927;
W. v. Wartburg, Evolution et structure de la langue française, 8. Aufl., Bern 1967;
– u. P. Zumthor, Précis de syntaxe du français contemporain, 2. Aufl., Bern 1958;
E. Gamillscheg, Historische französ. Syntax, 1957;

Zur portugiesischen Syntax :

Said Ali, Formação de palavras e syntaxe do português histórico, 2. Aufl., São Paulo 1931;
Epifánio Silva Dias, Syntaxe histórica portuguesa, 2. Aufl., Lissabon 1933;

Zur spanischen Syntax:

R. K. Spaulding, Syntax of the Spanish Verb, New York 1931;
Alice Brauer, Beiträge zur Satzgestaltung d. span. Umgangssprache, 1931;
H. Kenniston, The Syntax of Castilian Prose. The 16th century, Chicago 1937.
S. Gili y Gaya, Curso superior de sintaxis espãnola, Mexiko 1943 (⁴Barcelona 1954);
M. Alonso, Evolución sintàctica del espanol. Sintaxis historica del español desde el iberoromano hasta nuestros días, Madrid 1962, ²1964;

Zur Syntax des Verbums:

F. Maurer, Untersuchungen über d. dt. Verbstellung in ihrer geschichtlichen Entwicklung, 1926;
E. Koschmieder, Zeitbezug u. Sprache, 1929;
–, Zu den Grundfragen der Aspekttheorie, Indogerm. Forschungen 53, 1935;

F. BRUNOT, *L'expression des relations et l'expression des modalités*, Paris 1932;

A. SCHOSSIG, *Verbum, Aktionsart und Aspekt*, 1936;

E. HOLLMANN, *Untersuchungen über Aspekt u. Aktionsart*, Diss. Jena, 1937;

A. LOMBARD, *L'infinitif de narration dans les langues romanes*, Upsala 1937;

M. DELBOUILLE, A propos de l'infinitif historique dans les langues romanes, *Revue belge de philologie* 18, 1939;

HORST RENICKE, *Die Theorie der Aspekte und Aktionsarten*, Diss. Marburg 1949 und *Beitr.* 72, 1950;

H. WEBER, *Das Tempussystem des Deutschen u. des Französischen*, Bern 1954;

H. HARTMANN, Zur Funktion des Perfekts, in: *Festschrift f. B. Snell*, 1956;

H. WAGNER, *Das Verbum in den Sprachen der britischen Inseln*, Tübingen 1959;

M. BIERWISCH, *Zur Morphologie des dt. Verbalsystems*, Diss. Leipzig 1961;

–, *Grammatik des dt. Verbs*, Berlin 1963;

H. WEINRICH, *Tempus. Besprochene und erzählte Welt*. Stuttgart 1964;

HARRI MEIER, Personenhandlung u. Geschehen in Cervantes Gitanilla, *Romanische Forschungen* 51, 1937 (m. Bibliogr. zur Inversion);

E. LERCH, Die Inversion im modernen Französischen, in: *Festschr. f. Bally*, Genf 1939;

BRITTA MARIAN CHARLESTON, *Studies on the Syntax of the English Verb*, Bern 1941;

JOHN R. FREY, The historical present in narrative literature, partic. in modern German fiction, *Journal of Engl. and Germ. philology* 45, 1946;

M. CRESSOT, *Le style et ses techniques*, Paris 1947 (mit Bibliogr.);

Zur Tempusmischung in den spanischen Romanzen:

K. VOSSLER, Spanischer Brief, in: *Eranos, Festschr. f. H. v. Hofmannsthal;*

L. SPITZER, *Stilstudien II*, 30 ff, 1928;

Zum Geist der französischen Sprache:

K. VOSSLER, *Frankreichs Kultur u. Sprache*, ²1929;

–, Nationalsprachen als Stile, in: *Geist u. Kultur in d. Sprache*, 1925;

E. LERCH, *Französische Sprache u. Wesensart*, 1933;

A. DAUZAT, *Le génie de la langue française*, Paris 1943;

A. FRANÇOIS, *Histoire de langue française cultivée des origines à nos jours*, 2 Bde, Genève 1959;

H. WEINRICH, Die clarté der franz. Sprache und die Klarheit der Franzosen, *Zschr. f. roman. Philologie* 77 (1961;)

Zur Wortstellung:

ELISE RICHTER, Grundlinien der Wortstellungslehre, *Zeitschr. f. roman. Philol.* 40, 1920;

E. LERCH, Typen der Wortstellung, in: *Festschr. f. Vossler*, 1922;

A. SÉCHEHAYE, *Essai sur la structure logique de la phrase*, Paris 1926;

A. BLINKENBERG, *L'ordre des mots en français moderne*, 2 Bde, Kopenhagen 1928, 1933;

F. BOILLOT, *Psychologie de la construction de la phrase française moderne*, Paris 1930;

CH. BALLY, *Linguistique générale et linguistique française*, 4. Aufl., Bern 1965;

DÁMASO ALONSO, *La lengua poética de Góngora*, Madrid 1935;

F. Brunot, *La pensée et la langue*, 3. Aufl., Paris 1936;

J. Marouzeau, *L'ordre des mots*, 1938;

B. Ulvestad, *A structural approach to the description of German word-order*, Oslo 1960;

Zu Opitz: R. Alewyn, *Vorbarocker Klassizismus*, 1926;

Zu Proust: L. Spitzer, *Stilstudien II*, 1928;

Zur erlebten Rede:

Marguerite Lips, *Le style indirect libre*, Paris 1926 (mit Bibliogr. bis 1925);

O. Walzel, Von erlebter Rede, in: *Das Wortkunstwerk*, 1926;

W. Günther, *Probleme der Rededarstellung*. Untersuchungen zur direkten, indirekten u. «erlebten» Rede im Deutschen, Französischen u. Italienischen. Diss. Bern 1928;

F. Todemann, Die erlebte Rede im Spanischen, *Roman. Forschungen* 44, 1930;

Dujardin, *Le monologue intérieur*. Son apparition, ses origines, sa place dans l'œuvre de J. Joyce et dans le roman contemporain, 1931;

W. Bühler, *Die erlebte Rede im englischen Roman*, Zürich, 1937;

O. Funke, Zur «Erlebten Rede» bei J. Galsworthy, in: *Wege u. Ziele*, Bern 1945;

M. J. Friedman, *Stream of Consciousness*: A Study in Literary Method, Yale Univ. Press, 1955;

A. Neubert, *Die Stilformen der «Erlebten Rede»*, Halle 1957;

G. Storz, *Sprache u. Dichtung*, 1957;

R. Langbaum, *The Poetry of Experience*, London 1957;

F. Stanzel, Episches Präteritum, erlebte Rede, historisches Präsens, *DVj* 33 (1959);

W. Hoffmeister, *Studien zur erlebten Rede bei Th. Mann und R. Musil*, 1965;

Zur Einwirkung des Symbolismus auf die französische Syntax:

F. Brunot, La langue française de 1815 à nos jours, in: L. Petit de Juleville, *Hist. de la langue et littér.*, Bd. 8, Paris 1899;

O. Hachtmann, *Die Vorherrschaft substantivischer Konstruktionen im modernen französischen Prosastil*, 1912;

L. Spitzer, Die syntaktischen Errungenschaften der Symbolisten, in: *Aufs. zur roman. Syntax u. Stilistik*, 1918;

A. Lombard, *Les constructions nominales dans le français moderne*, Upsala 1930;

Zu Periode und Redeform:

W. Porzig, *Aischylos*, 1926;

R. Bräuer, *Der Stilwille Mérimées*, Genf 1930;

G. Ipsen, Gespräch u. Sprachform, *Blätter f. dt. Philosophie VI*, 1932;

R. Petsch, Die epischen Grundformen, in: *Wesen u. Formen der Erzählkunst*, 1934;

W. Kayser, Sprachform und Redeform in d. Heidebildern der Annette v. Droste-Hülshoff, *Jahrb. d. Freien Dt. Hochstifts*, 1940;

M. Cressot, La liaison des phrases dans «Salammbô», *Le Français moderne*, 1941;

E. Staiger, Kleists Bettelweib v. Locarno, in: *Meisterwerke dt. Sprache*, 1943, [4]1961;

Sir HERBERT J. C. GRIERSON, The paragraph, in: *Rhetoric and English Composition*, Edinburgh, London 1944;
H. DÜWEL, Studien zum Periodenbau u. Satzstil in der dt. Prosa, *Wiss. Zs. d. Univ. Rostock* 8. 1958/59.

KAPITEL V · DER AUFBAU
KAPITEL VI · FORMEN DER DARBIETUNG

Allgemeines :

GILBERT MURRAY, Unity and organic construction, in: *The Classical Tradition in Poetry*, Oxford 1927;
L. E. A. SAIDLA, *Essays for the Study of Structure and Style*, New York 1936;
R. TROJAN, Wege zu einer vergleichenden Wissenschaft von d. dichterischen Komposition, in: *Festschr. f. O. Walzel;*
HANS KLEIN, Musikalische Komposition in d. Dichtkunst, *DVj* 8, 1930;
V. LARBAUD, *Technique*, Paris 1932;
HAROLD WESTON, *Form in Literature*. A theory of technique and construction, London 1934;
K. BURKE, *The Philosophy of Literary Form*, London 1941, New York ²1957;
H. M. SHEFFER, *Structure, Method and Meaning* (mit ausf. Bibliogr.), New York 1951;
K. HAMBURGER, *Die Logik der Dichtung*, 1957;
H. KUHN, Struktur u. Formensprache in Dichtung u. Kunst, in: *Dichtung u. Welt im Mittelalter*, 1959;
Stil- u. Formprobleme in der Literatur. Vorträge d. 7. Kongr. d. Intern. Vereinigung f. mod. Sprachen u. Literatur, hrg. v. P. Böckmann, Heidelberg 1959;

Zur Lyrik: (Vgl. auch unten S. 431)

MARIANNE THALMANN, *Gestaltungsfragen der Lyrik*, 1925;
GÜNTHER MÜLLER, Studien zum Formproblem des Minnesangs, *DVj* 1, 1923;
-, hgb. Abschatz, *Anemons u. Adonis Blumen*, 1929;
LEO SPITZER, Über zeitliche Perspektive in d. neueren franz. Lyrik, in *Stilstudien II*, 1928;
W. SCHADEWALDT, *Der Aufbau des Pindarischen Epinikion*, 1928;
ROBERT GRAVES, *Contemporary Techniques of Poetry*, 2. Aufl., London 1929;
JOACHIM MÜLLER, Das zyklische Prinzip in d. Lyrik, *GRM* 20, 1932;
E. VOEGE, *Mittelbarkeit u. Unmittelbarkeit in d. Lyrik*, 1932;
F. GENNRICH, *Grundriß einer Formenlehre des mittelalterlichen Liedes*, 1932;
-, Das Formproblem des Minnesangs, *DVj* 15, 1937;
H. LÜTZELER, Gedichtaufbau u. Welthaltung des Dichters, aufgewiesen am Werk Stefan Georges, *Dichtum u. Volkstum* 35, 1934;
R. PETSCH, Die Aufbauformen des lyr. Gedichts, *DVj* 15, 1937;
M. ITTENBACH, *Der frühe dt. Minnesang*. Strophenfügung und Dichtersprache, 1939;
HELEN MEREDITH MUSTARD, *The lyric Cycle in German Literature*, Columbia Univ. Press 1947;
J. WIEGAND, *Abriß der lyr. Technik*, 1951;
C. BECKER, Das Buch Suleika als Zyklus, in: *Festschr. f. K. Reinhardt*, 1953;
Die dt. Lyrik. Form u. Geschichte. Interpretationen. Hrg. B. v. WIESE, 2 Bde, 1957, ⁴1962;

Zum Drama: (Vgl. auch unten S. 432)

G. FREYTAG, *Die Technik des Dramas,* ³1876;
C. STEINWEG, *Corneille.* Kompositionsstudien, 1905;
–, *Racine.* Kompositionsstudien, 1909;
O. SPIESS, *Die dramat. Handlung in Goethes Clavigo, Egmont u. Iphigenie.* Ein Beitrag zur Technik d. Dramas, 1918 (= Bausteine Nr. 17; mehrere Hefte dieser von F. Saran hgbn. Reihe enthalten Analysen von Dramen);
L. HERRRMANN, *Le théâtrde Sénèque,* Paris 1924;
O. WALZEL, Shakespeares dramatische Baukunst, in: *Wortkunstwerk,* 1926;
H. BRINKMANN, Die Eigenform d. mittelalterl. Dramas in Deutschland, *GRM* 18, 1930;
F. JUNGHANS, *Zeit im Drama,* 1931;
W. MARTINI, *Die Technik der Jugenddramen Goethes,* 1932;
E. F. FREDRICK, *The Plot and its Construction in the* 18th *century Criticism of French Comedy,* London 1934;
R. PETSCH, Drei Haupttypen des Dramas, *DVj* 12, 1934;
E. VOLLMANN, *Ursprung u. Entwicklung d. Monologs bis Shakespeare,* 1934;
D. DIBELIUS, *Die Exposition im dt. naturalist. Drama,* Diss. Heidelberg 1935;
E. KOHLER, L'art dramatique de Lope de Vega, *Revue des cours et conférences* 1936/37;
ALLARDYCE NICOLL, *The English Theatre,* London 1938;
B. W. HEWITT, *The Art and Craft of Play Production,* Toronto 1940;
–, *Play Production, Theory and Practice,* Chicago 1952;
GEORG SEIDLER, Musik u. Sprache im Drama Schillers u. Kleists. Versuch einer neuartigen Verserforschung im Drama, *Dichtung u. Volkstum* 42, 1942;
UNA ELLIS-FERMOR, *The Frontiers of Drama,* London 1945;
RONALD PEACOCK, *The Poet in the Theatre,* London 1946;
J. R. NORTHAM, *Ibsen's Dramatic Method,* London 1953;
J. GASSNER, *Form and Idea in Modern Theatre,* New York 1956;
Das dt. Drama vom Barock bis zur Gegenwart, hgb. B. v. WIESE, 2 Bde, 1958, ³1962;
V. KLOTZ, *Geschlossene u. offene Form im Drama,* 1960;
E. TH. SEHRT, *Der dramatische Auftakt in der elisabethanischen Tragödie,* Göttingen 1960;
J. KAISER, *Grillparzers dramatischer Stil,* München 1961;
O. BÜDEL, Contemporary theater and aesthetic distance, *PMLA* 76 (1961);
H. HENEL, Szenisches und panoramisches Theater. Gedanken z. mod. dt. Drama *DNRs* 74 (1963);
W. MITTENZWEI, *Gestaltung und Gestalten im mod. Drama. Zur Technik des Figurenaufbaus in der sozialist. und spätbürgerl. Dramatik,* Berlin u. Weimar 1965;

Zur Epik: (Vgl. auch unten S. 433)

F. SPIELHAGEN, *Beiträge zur Theorie u. Technik d. Romans,* 1883;
R. RIEMANN, *Goethes Romantechnik,* 1903;
K. FRIEDEMANN, *Die Rolle d. Erzählers in d. Epik,* 1910;
G. R. CHESTER, *Art of Short Story Writing,* Cincinnati 1910;
F. LEIB, *Erzählungseingänge in d. dt. Literatur,* Diss. Gießen 1912;
CLAYTON HAMILTON, *The Art of Fiction,* New York 1918 (1939);

PERCY LUBBOCK, *The Craft of Fiction*, London 1921;
W. DIBELIUS, *Englische Romankunst*. Die Technik d. engl. Romans im 18. u.
Anfang d. 19. Jhs., 2. Aufl., 1922;
E. WHARTON, *The Writing of Fiction*, London 1925;
E. PRESTON, *Recherches sur la technique de Balzac*, Paris 1926;
O. WALZEL, Objektive Erzählung, in: *Wortkunstwerk*, 1926;
HENRY LÜDEKE, *Die Funktion d. Erzählers in Chaucers epischer Dichtung*, 1928;
E. MUIR, *The Structure of the Novel*, London 1928;
E. SPRANGER, Psychologischer Perspektivismus im Roman, *Jahrbuch d. Freien
dt. Hochstifts*, 1930;
M. E. GILBERT, *Das Gespräch in Fontanes Gesellschaftsromanen*, 1930;
L. SPITZER, Das Gefüge einer cervantinischen Novelle, in: *Romanische Stil-
u. Literaturstudien II*, 1931;
CL. LUGOWSKI, *Die Form der Individualität im Roman*, 1932;
W. WICKARDT, *Die Formen der Perspektive in Dickens' Romanen*, 1933;
G. SCHEELE, *Der psychologische Perspektivismus im Roman*, Diss. Berlin 1933;
B. HOGARTH, *The Technique of Novel Writing*, London 1934;
H. BLAKKERT, *Der Aufbau der Kunstwirklichkeit bei M. Proust*. Aufgezeigt an
d. Einführung d. Personen, 1935;
O. LÖHMANN, *Die Rahmenerzählung des Decameron, ihre Quellen u. Nachwir-
kungen*, 1935;
R. KOSKIMIES, *Theorie des Romans*, Helsinki 1936;
L. LERNER, *Studien zur Komposition des höfischen Romans*, 1936;
W. KELLERMANN, *Aufbaustil und Weltbild Chrestiens im Percevalroman*, 1936;
C. E. KANY, *The Beginnings, of the Epistolary Novel in France, Italy and Spain*,
Berkeley 1937;
E. VOGELREICH, *Sternes Verhältnis zum Publikum u. d. Ausdruck dieses Ver-
hältnisses im Stil*, Diss. Marburg 1938;
N. SAPEGNA, *Tecnica, poetica e poesia nelle opere giovanili di Dante*, Rom 1939;
F. G. BLACK, *The Epistolary Novel in the Late 18th Century*. A descript. and
bibliogr. study, Eugene (Oregon) 1940;
E. M. FORSTER, *Aspects of the Novel*, 5. Aufl., New York 1940;
JOAQUIN CASALDUERO, La composición de El Ingenioso Hidalgo D. Quijote,
Revista de Filología Hispánica 2, 1940;
–, *Sentido y forma de las novelas ejemplares*, Buenos Aires 1943;
–, La composición del segundo Quijote, *Realidad* 2, 1947;
H. STOLTE, *Motivreim u. Aufbaustil: Eilhart und Gottfried*, 1941;
W. v. WARTBURG, Flaubert als Gestalter, *DVj* 19, 1941;
R. TRAUTMANN, *Zu Form und Gehalt der Novellen Turgenjews*. Mit 22 Dia-
grammen. 1942 (Des XLIV. Bandes der Abhandlungen der Philologisch-
Historischen Klasse der Sächsischen Akademie der Wissenschaften Nr. III);
PHYLLIS BENTLEY, *Some Observations on the Art of Narrative*, London 1946;
H. HAYCRAFT, *The Art of the Mystery Story*, London 1946;
AMERICO CASTRO, La estructura del Quijote, *Realidad* 2, 1947;
W. MATZ, *Der Vorgang im Epos*, 1947;
T. H. UZZELL, *The Technique of the Novel*, London 1947;
Forms of Modern Fiction, Essays collected in honour of J. Warren Beach, ed. by
W. V. O'Connor, Minneapolis 1948;
H. PETRICONI, «Le Sopha» von Crébillon d. J. und G. Kellers «Sinngedicht»,
Roman. Forsch. 62, 1950;

K. K. Polheim, D. künstler. Aufbau von Mörikes Mozartnovelle, *Euph.* 48, 1954;

M. D. Zabel, *Craft and character*. Texts, method, and vocation in modern fiction, London 1957;

E. Kahler, Die Verinnerung des Erzählens, *DN Rds* 68 u. 70, 1957 u. 1959;

W. Kayser, Wer erzählt den Roman? in: *Die Vortragsreise*, Bern 1958;

H. Fromm, Die Erzählkunst des Rother-Epikers, *Euph* 54, 1960;

K. Wölfel, Epische u. satir. Welt. Zur Technik des satirischen Erzählens, *Wirkendes Wort* 10, 1960;

K. Reichenberger, Vergleich und Überbietung. Strukturprinzipien im Epos des Camões, *GRM* 41 (1960);

W. Rasch, *Die Erzählweise Jean Pauls, Metaphernspiele und dissonante Strukturen*, München 1961;

W. C. Booth, *The rhetoric of fiction*, Chicago 1961, ⁴1963;

H. Meyer, *Das Zitat in der Erzählkunst*, 1961;

B. Romberg, *Studies in the narrative technique of the first-person novel*, Stockholm 1962;

F. K. Stanzel, Innenwelt. Ein Darstellungsproblem des englischen Romans, *GRM* XII (1962);

Der dt. Roman. Vom Barock bis zur Gegenwart. Struktur und Geschichte. Hgb. B. v. Wiese, 2 Bde, Düsseldorf 1963;

M. Henning, *Die Ich-Form und ihre Funktion in Thomas Manns «Doktor Faustus» und in der dt. Literatur der Gegenwart*, Tübingen 1966;

KAPITEL VII · DER GEHALT

Zeitschriften für geistesgeschichtliche Forschung:

Deutsche Vierteljahrsschrift (seit 1923);
Journal of the History of Ideas (seit 1940);
Realidad. Revista de ideas (seit 1946);
The Cambridge Journal (seit 1947);
Archiv für Begriffsgeschichte (seit 1955);

Geistesgeschichtliche Literaturforschung:

W. Dilthey, *Das Erlebnis u. d. Dichtung*, ¹³1957;

–, Einleitung in d. Geisteswissenschaften, in: *Ges. Schriften* Bd. I, 1922, ⁴1959;

–, Studien z. Gesch. d. dt. Geistes. Leibniz u. s. Zeitalter, in: *Ges. Schriften* Bd. III, ²1959;

H. A. Hodges, *W. Dilthey*. An introduction, London 1944;

E. Wechssler, *Über d. Beziehungen zw. Weltanschauung u. Kunstschaffen*, 1911;

F. Medicus, Philosophie u. Dichtung, *Logos* 4, 1913;

R. Buchwald, Die Weltanschauung im Kunstwerk, *GRM* 1913;

J. Petersen, *Literaturgeschichte als Wissenschaft*, 1914;

H. Nohl, *Stil u. Weltanschauung*, 1920;

H. Cysarz, *Literaturgeschichte und Geisteswissenschaft*, 1926;

H. Read, *Reason and Romanticism*, London 1926;

–, *The Meaning of Art*, London 1954;

E. Ermatinger, Die Idee im Dichtwerk, *Blätter f. dt. Philos.* 2, 1928;

R. Unger, *Aufsätze zur Prinzipienlehre der Literaturgeschichte*, Ges. Studien I, 1929;

P. Böckmann, Von den Aufgaben einer geisteswissenschaftl. Literaturbetrachtung, *DVj* 9, 1931;

E. Gilson, *Les idées et les lettres*, Paris 1932;

Basil Willey, *The 17th Century Background*, London 1934;

–, *The 18th Century Background*, London 1940;

–, *19th Century Studies*, London 1949;

Edmund Wilson, *The Wound and the Bow : Seven Studies in Literature* (u. a. über Dickens), London 1941;

Bernard Heyl, *New Bearings in Esthetics and Art Criticism*. A study in semantics and evolution, New Haven 1943;

Henry Peyre, *Writers and their Critics*, Cornell Univ. Press 1944 (mit Bibliogr. zum Problem d. zeitgen. Kritik);

K. Vietor, Deutsche Literaturgeschichte als Geistesgeschichte, *Publications of the Mod. Language Assoc.* 60, 1945;

C. Dockhorn, D. Rhetorik als Quelle des vorromant. Irrationalismus in d. Literatur- u. Geistesgeschichte, *Nachr. d. Akad. d. Wiss. Göttingen* 1949;

F. Diaz de Cerio Ruiz, *W. Dilthey y el problema del mundo histórico*, Barcelona 1959;

M. Janssens, W. Dilthey en de oorsprong van de «Geistesgeschichte» in de duitse literatuurwetenschap, *Revue belge de phil. et d'histoire* 37, 1959;

R. Wellek, W. Diltheys Poetik u. literar. Theorie, *Merkur* 14, 1960;

Einige große geistesgeschichtliche Darstellungen:

F. Gundolf, *Shakespeare und d. dt. Geist*, 1911, München [11]1959;

E. Cassirer, *Freiheit und Form*, 1916;

–, *Idee und Gestalt*, 1921;

R. Unger, *Hamann und d. Aufklärung*, [2]1925;

–, *Herder, Novalis u. Kleist*. Studien über d. Entwicklung d. Todesproblems vom Sturm u. Drang zur Romantik 1922;

H. A. Korff, *Geist der Goethezeit*, 4 Bde u. Reg.-Bd, Leipzig 1923–53, [2]1955;

A. Castro, *Pensamiento de Cervantes*, Madrid 1925;

W. Rehm, *Der Todesgedanke in d. dt. Dichtung vom Mittelalter bis zur Romantik*, 1928;

–, *Griechentum u. Goethezeit*. Geschichte eines Glaubens, 3. Aufl., Bern 1951;

Aufriß d. dt. Literaturgeschichte, hgb. Korff u. Linden, 1930;

P. Kluckhohn, *Die Auffassung der Liebe in der Literatur des 18. Jahrhunderts und in der deutschen Romantik*, [2]1931;

L. Tonelli, *L'amore nella poesia e nel pensiero del Rinascimento*, Florenz 1933;

Paul Hazard, *La crise de la conscience européenne* (1680–1715), Paris 1935 (deutsche Übersetzung: *Die Krise des europäischen Geistes* 1680–1715. Übers. v. Harriet Wegener 1939);

–, *La pensée européenne au XVIIIᵉᵐᵉ siècle*. De Montesquieu à Lessing, 3 Bde, Paris 1946 (dt. Übers.: *Die Herrschaft der Vernunft* 1949);

C. S. Lewis, *The Allegory of Love*, Oxford 1936;

E. Franz, *Deutsche Klassik u. Reformation*, 1937;

A. Béguin, *L'âme romantique et le rêve*, 2 Bde, Marseille 1937;

Günther Müller, *Geschichte der dt. Seele*. Vom Faustbuch zu Goethes Faust, 1939; (Neudruck 1962);

–, *Der Mensch im irdischen Geheimnis*. Schicksal u. Seinsglück, Salzburg 1939;

Arthur O. Lovejoy, *Essays in the History of Ideas*, Baltimore 1948;

Einzelnes:

Zu Hebbel: KLAUS ZIEGLER, *Mensch u. Welt in d. Tragödie Hebbels*, 1938;
Zu Hölderlins «An die jungen Dichter»: H. O. BURGER, Die Entwicklung des Hölderlinbildes seit 1933, *DVj* 18, 1940 (vgl. d. entsprechenden Referate in *DVj* 1926 (v. Grolman) u. 1934 (Hoffmeister);
W. REHM, Götterstille u. Göttertrauer, *Jahrbuch d. Freien dt. Hochstifts*, 1931, jetzt in *Götterstille und Göttertrauer*. Aufsätze zur deutsch-antiken Begegnung. Bern 1951;
P. BÖCKMANN, *Hölderlin u. seine Götter*, 1936;
W. STEINKUHL, *Hölderlins Kurzoden*, Diss. Münster 1939;
M. KOMMERELL, Die kürzesten Oden Hölderlins, *Deutschunterricht im Ausland* 1943/44 Heft 1.
W. BINDER, Hölderlins Odenstrophe, *Hölderlin Jb.* 1952.

KAPITEL VIII · DER RHYTHMUS

(vgl. Bibliographie zum Kapitel: Vers)

Bibliographisches:

A. RUCKNICH, A Bibliography of Rhythm, *The American journal of psychology*, 1913, 1915; *Zeitschrift f. Ästhetik*, Bd. XXI;
Proceedings of the International Congress of Phonetic Sciences (2. Kongreß: Cambridge 1935; 3. Kongreß: Gent 1938);
H. CHR. WOLFF, D. Problem d. Rhythmus in d. neuesten Literatur (ca. 1930 bis 1940), *Arch. f. d. ges. Phonetik V*, 1941;
L. SCHEITHAUER, *Rhythmus u. Volkslied*. Ein Beitr. z. method. Problem d. Rhythmusanalyse, Diss. Leipzig 1952 (mit bibliogr. Anhang z. Rhythmusforschung bis 1950);

Rhythmusforschung:

KARL BÜCHER, *Arbeit und Rhythmus*, 61924;
J. H. SCOTT, *Rhythmic Verse*, Iowa City 1925;
PIUS SERVIEN (Coculesco), *Essai sur les rhythmes toniques du français*, Paris 1925;
–, *Lyrisme et structures sonores*, Paris 1930;
–, *Les rhythmes comme introduction physique à l'esthétique*, Paris 1930;
–, *Science et poésie*, Paris 1947;
W. SUCHIER, Vortrag u. Rhythmus d. französ. Verses, *Zeitschr. f. franz. Sprache u. Liter.* 64;
G. BECKING, *D. musikalische Rhythmus als Erkenntnisquelle*, 1928;
E. W. SCRIPTURE, *Grundzüge d. engl. Versswissenschaft*, 1929;
ALBERT VERWEY, *Ritme en metrum*, 1931 (dt. Ausgabe unter d. Titel: *Rhythmus u. Metrik*, 1934);
A. W. DE GROOT, Der Rhythmus, *N* 17, 1932 (mit Bibliogr.);
MARTHA AMREIN-WIDMER, *Rhythmus als Ausdruck inneren Erlebens in Dantes Divina Commedia*, Zürich 1932;
PH. A. BECKER, *Der gepaarte Achtsilber in d. franz. Dichtung*, 1934;
W. SCHURIG, *Das Prinzip d. Abstufung im dt. Vers*, 1934;
J. W. HENDREN, *A study of Ballad Rhythm*, Princeton 1936;
FORMONT-LEMERRE, *Le vers français*. Versification et poétique, Paris 1937;
C. CETTI, *Il ritmo in poesia*. Teoria razionale, Como 1938;

A. ARNHOLTZ, *Studier i poetisk og rytmik I :* Princip. Studien zur vergleich. Rhythmik, Kopenhagen 1938;

K. PÖRSCHKE, *Die Versgestalt in Hölderlins Elegienzyklus «Menons Klagen um Diotima» mit einer Untersuchg. über Aufgabe u. Methode wissenschaftl. Versbetrachtung,* Diss. Kiel 1936;

D. SECKEL, *Hölderlins Sprachrhythmus,* 1937;

E. LACHMANN, *Hölderlins Hymnen in freien Strophen,* 1937;

W. KAYSER, Vom Rhythmus in dt. Gedichten, *Dichtg. u. Volkstum* 1939;

H. LEEB, *Vom Wesen des Rhythmus,* 1941;

I. A. RICHARDS, Rhythm and Metre in: *Principles of Literary Criticism,* 3. Aufl., London 1944;

LUDWIG KLAGES, *Vom Wesen des Rhythmus,* 2. Aufl., Zürich 1944;

AUGUST CLOSS, *Die freien Rhythmen in der deutschen Lyrik,* Bern 1947;

I. TRIER, E. ROTHACKER, R. POPHAL, R. STEGLICH u.a. in *Studium generale 2,* 1949;

T. S. ELIOT, *Der Vers,* 1952;

F. G. JÜNGER, *Rhythmus u. Sprache im dt. Gedicht,* 1952;

H. NOHL, Der Rhythmus, *Die Sammlung IX,* 1954;

W. BEARE, *Latin Verse and European Song,* London 1957;

L. A. SCHÖKEL, *Estética y estilística del ritmo poético,* Barcelona 1959;

F. MAYER, *Schöpferische Sprache und Rhythmus,* Berlin 1959;

F. LOCKEMANN, *Der Rhythmus des dt. Verses.* Spannungen u. Bewegungsformen in der nhd. Dichtung, 1960;

H. ENDERS, *Stil und Rhythmus. Studien zum freien Rhythmus bei Goethe,* Marburg 1962;

B. KIPPENBERG, *Der Rhythmus im Minnesang,* München 1962;

R. BRÄUER, *Tonbewegungen und Erscheinungsformen des sprachl. Rhythmus. Profile des dt. Blankverses,* Berlin 1964;

Zum Kursus:

W. MEYER-SPEYER, Die rhythmische latein. Prosa, in: *Ges. Abhandl. zur mittellatein. Rhythmik II,* Berlin 1905;

ALBERT C. CLARK, *The Cursus in mediæval and vulgar Latin,* Oxford 1910;

E. NORDEN, *Antike Kunstprosa,* 2 Bde, 1915/16;

M. G. NICOLAU, *L'origine du «cursus» rhythmique,* Paris 1930;

M. R. DELANEY, *A Study of the Clausulæ in the Works of St. Ambrose,* Diss. Cathol. Univ. Washington 1934;

CARL ERDMANN, Leonidas. Zur wissenschaftl. Lehre von Kursus, Rhythmus u. Reim, in: *Festschr. f. K. Strecker,* 1941;

Zum Prosarhythmus:

G. SAINTSBURY, *History of English Prose Rhythm,* London 1912;

WILLIAM M. PATTERSON, *The Rhythm of Prose,* New York 1916;

P. FIJN VAN DRAAT, *Rhythm in Engl. Prose,* 1910;

H. BRÉMOND, *Les deux musiques de la prose,* Paris 1924;

E. MARTIN, *Les symétries du français littéraire,* Paris 1924;

K. BURDACH, Über d. Satzrhythmus d. dt. Prosa, in: *Vorspiel II,* 1925;

M. FAESSLER, *Untersuchungen zum Prosarhythmus in C. F. Meyers Novellen,* 1925;

R. BLÜMEL, Der Rhythmus der nhd. Prosa, *Zeitschr. f. dt. Philol.* 1935;
R. BRENES-MESÉN, El ritmo de la prosa española, *Hispania* 1938;
M. VANSELOW, Vom Rhythmus des Satzes, *Zeitschr. f. Deutschkunde* 1939;
A. CLASSE, *The Rhythm of English Prose*, Oxford 1939;
J. BRÖMMEL, *Der Rhythmus als Stilelement in Mörikes Prosa*, 1941;
P. F. BAUM, *The other Harmony of Prose : an Essay in English Prose Rhythm*,
    Durham (N. C.) 1952;
E. K. BROWN, *Rhythm in the Novel*, Toronto 1950.
G. LINDHOLM, *Studien zum mittellateinischen Prosarhythmus*, Stockholm 1963;

KAPITEL IX · DER STIL

A. DER BEGRIFF DES STILES

Zeitschriften für Stilforschung:

Trivium (1943–51);
*World Journal of the Linguistic Circle New York devoted to the study of linguistic
    science in allits aspects*, hgb. S. F. VANNI, New York (seit 1945);

Bibliographien:

H. HATZFELD, Romanistische Stilforschung, *GRM* 1929, 1931;
–, Nuveas investigaciones estilísticas en las literaturas románicas (1932–45),
    Boletín del Instit. de Filología de la Univ. de Chile IV, 1946;
E. K. MAPES, Implications of some Recent Studies on Style, *Rlc* 18, 193;
J. PETERSEN, *Die Wissenschaft von d. Dichtung I*, 1939, ²1944;
H. ANDERSEN, Bibliografi over nordisk stilforskning, *Nysvenska Studier* 19,
    1940;

Das Problem der Stilgeschichte:

E. HOFFMANN-KRAYER, *Geschichte des deutschen Stils in Einzelbildern*, 1925;
J. NADLER, Das Problem d. Stilgeschichte, in: *PhLw*, 1930;
H. BRINKMANN, Grundfragen d. Stilgeschichte, *Zeitschr. f. Deutschkunde* 47;
J. VAN DAM, Literaturgesch. als Stilgesch., *N* 1938;
M. GRAF SOLMS, Geistesgeschichtliche u. soziologische Betrachtungen über
    das Stilproblem, *Studium generale* 7, 1954;
E. STAIGER, *Stilwandel*, Zürich 1963;

Der Stilbegriff:

W. P. KER, *Form and Style in Poetry* (London lectures 1914/15) London 1929;
A. VERWEY, *Europäische Aufsätze*, 1919;
E. RICKERT, *New Methods for the Study of Literature*, 1927;
H. PONGS, Zur Methode d. Stilforschung, *GRM* 17, 1929;
K. SCHULTZE-JAHDE, *Ausdruckswert u. Stilbegriff*, 1930;
AMADO ALONSO u. R. LIDA, *Introducción a la estilistica romance*, Buenos Aires
    1932 (enth. neben Aufsätzen d. Hgber Übersetzungen v. Aufs. v. Bally,
    El. Richter, Loesch, Hatzfeld);
JUAN CHABÁS, *Vuelo y estilo*, 4 Bde, Madrid 1934ff;
W. KRAMER, *Inleiding tot de stilistiek*, Groningen 1935;
JOHN MIDDLETON MURRY, *The Problem of Style*, 5. Aufl., London 1936;
ZYGMUNT LEMPICKI, *Le problème de style*, Warschau 1937 (vgl. *Helicon I*, 299);
A. GÖRLAND, *Ästhetik*. Kritische Philos. d. Stils, 1937;
TH. SPOERRI, Die stilkrit. Methode, in: *Die Formwerdung d. Menschen*, 1938;

Y. GANDON, *Le démon du style*, Paris 1938;

LOUIS ESTÈVE, *Etudes philosophiques sur l'expression littéraire*, Paris 1938;

E. FALQUI, *Ricerche di stile*, Florenz 1939;

AMADO ALONSO, The stylistic interpretation of literary texts, *Mod. Lang. Notes* 57, 1942;

W. H. D. ROUSE, Style, in: *Essays and Studies by Members of the English Association*, hgb. N. C. SMITH, Oxford 1942;

F. J. SNIJMAN, *Literêre stijl met die oog op stijlonderzoek*, Assen 1945;

EMMY L. KERKHOFF, *Het begrip stijl*, Groningen 1946;

–, *De Kunst der Stijlinterpretatie*, 1951;

C. F. P. STUTTERHEIM, *Stijlleer*, Den Haag 1947;

MARCEL CRESSOT, *Le style et ses techniques*, Paris 1947;

DAMASO ALONSO, *Poesia española*. Ensayo de métodos y limites estilísticos. Madrid 1951; dt. Übers. Bern 1962;

H. SEIDLER, *Allgemeine Stilistik*, 1953;

W. KAYSER, Der Stilbegriff der Literaturwissenschaft, in: *Die Vortragsreise*, Bern 1958;

Stil- und Formprobleme in der Literatur, hgb. P. BÖCKMANN, 1959;

Analyse stylistique, in: *Langue et littérature. Actes du VIIIe congrès de la FILLM*, Paris 1961, pp. 229–346;

Normative Stilistik:

R. M. MEYER, *Deutsche Stilistik*, ²1913;

A. ALBALAT, *Comment il ne faut pas écrire*, Paris 1921;

–, *L'art d'écrire*, 26. Aufl., Paris 1926;

F. STROHMEYER, *Der Stil der französischen Sprache*, ²1924;

W. SCHNEIDER, *Kleine deutsche Stilkunde*, 1925;

M. DEUTSCHBEIN, *Neuenglische Stilistik*, 1932;

L. REINERS, *Stilkunst*, 1949, ⁸1959;

RODRIGUES LAPA, *Estilistica da lingua portuguesa*, Lissabon 1945;

A. QUILLER-COUCH, *On the Art of Writing*, London 1945;

M. ALONSO, *Ciencia del lenguaje y arte del estilo*, Madrid ⁵1960;

Stilistik der Sprachwissenschaft:

CH. BALLY, *Traité de stylistique française*, Heidelberg, Paris 1921;

–, *Le langage et la vie*, Paris 1916;

FR. PAULHAN, *La double fonction de la langue*, Paris 1929;

E. WINKLER, *Grundlegung der Stilistik*, 1929;

–, *Stilprobleme d. franzöz. Gegenwartslyrik*, Wien 1928;

J. MAROUZEAU, *Précis de stylistique française*, Paris 1941, 2. Aufl., 1946;

J. LEHMANN, Besprechg. v. A. Séchehaye, Les trois linguistiques saussuriennes, Zürich o.J., *Deutsche Liter.-Zeitung* 63, 1942, S. 812–19;

E. AGRICOLA, Fakultative sprachliche Formen, *Beitr.* 79, 1957;

H. GLINZ, *Die innere Form des Deutschen*, Bern ²1961;

A. MALBLANC, *Stylistique comparée du français et de l'allemand*, Paris 1961;

Le style c'est l'homme même:

B. CROCE, *La poesia*, Bari 1936 u.o.;

K. VOSSLER, Croces Sprachphilosophie, in: *Aus d. roman. Welt IV*, 1942;

–, *Geist und Kultur in d. Sprache*, 1925;

–, *Frankreichs Kultur u. Sprache*, 3. Aufl., 1929;

L. Spitzer, *Aufsätze zur roman. Syntax u. Stilistik*, 1918;
–, *Stilstudien*, 2 Bde, 1928;
–, *Romanische Stil- u. Literaturstudien*, 1931;
G. Bertoni, *Lingua e pensiero*, Florenz 1932;
–, *Lingua e poesia*, Florenz 1937;
–, *Lingua e cultura*, Florenz 1939;
D. Bartling, *Aantekeningen over stijl, persoonlijkheid en kunstwerk*, Assen 1938;
H. Morier, *La psychologie des styles*, Genève 1959;
E. R. Curtius, *Balzac*, 2. Aufl., Bern 1951;
A. Thibaudet, G. *Flaubert*, Paris 1932;
–, *Réflexions sur la littérature*, 2 Bde, Paris 1938ff;
R. Johannet, Péguy écrivain et poète, in: *Itinéraires d'intellectuels*, Paris 1921;
A. Köhne, *Stilzerfall u. Problematik des Ich*. Stilkrit. Studie z. Sprache von H. Brochs Roman «Der Tod des Vergil», 1961;

A. Thibaudet, Psychanalyse et critique, *Nouv. revue française* 1. April 1921;
E. Aulhorn, Dichtung u. Psychoanalyse, *GRM* 10, 1922;
O. Rank, *Das Inzestmotiv in Dichtung u. Sage*. Grundzüge einer Psychologie d. dichter. Schaffens, [2]1926;
E. Alker, Psychoanalyse u. Literaturwiss., *N* 12, 1927;
C. G. Jung, Psychologie u. Dichtung, in: *PhLw*, 1930;
–, *Gestaltungen des Unbewußten*, Zürich 1950;
W. Muschg, *Psychoanalyse u. Literaturwiss.* Zürich 1930;
H. Pongs, Psychoanalyse u. Dichtung, *Euphorion* 34, 1933;
J. F. Pastor, Zur Problematik d. Anwendung d. psychoanalyt. Methode auf literar. Gebiet, *N* 22, 1936/37;
Pierre Trahard, La poésie et la psychanalyse, in: *Le mystère poétique*, Paris 1940;
C. S. Lewis, *Psycho-Analysis and Literary Criticism*. Essays and Studies XXVII, 1941;
F. J. Hoffmann, *Freudianism and the lit. mind*, Baton Rouge 1957;
L. Edel, Literature and Psychology, in: *Comparative Literature. Method and Perspective*, ed. by N. P. Stallknecht and H. Frenz, Carbondale 1961;

Stilistik unter dem Einfluß der Kunstwissenschaft:

H. Wölfflin, *Kunstgeschichtliche Grundbegriffe*, 1915;
O. Walzel, *Gehalt u. Gestalt im Kunstwerk d. Dichters*, 1923;
–, *Wechselseitige Erhellung d. Künste*, 1917;
–, *Das Wortkunstwerk*, 1926;
K. Vossler, Über wechsels. Erhellung d. Künste, in: *Aus d. roman. Welt II*, 1940;
H. Nohl, *Stil u. Weltanschauung*, 1920;
F. Strich, *Deutsche Klassik u. Romantik*, 5. Aufl., Bern 1962;
–, Der literar. Barock, in: *Kunst und Leben*, Bern 1960;
F. Schürr, *Das altfranzös. Epos*. Zur Stilgesch. u. inneren Form der Gotik, 1926;
Th. Spoerri, *Renaissance u. Barock bei Ariost u. Tasso*, Bern 1932;
E. Ermatinger, Zeitstil u. Persönlichkeitsstil, *DVj* 4, 1926;
W. Schneider, *Ausdruckswerte d. dt. Sprache*, 1931;

W. Kayser, *Das Groteske* (in Malerei u. Dichtung), 1957, (als Taschenbuch 1960);
G. R. Hocke, *Manierismus*, 2 Bde, 1957 u. 1959;

Stil als Werkstil:

H. Ammann, *Die menschliche Rede*, 2 Bde, 1928;
R. Alewyn, *Vorbarocker Klassizismus.* Vergleich zwischen d. Antigone d. Sophokles u. d. Übersetzung v. Opitz, 1926;
E. Staiger, *Die Zeit als Einbildungskraft d. Dichters*, Zürich ²1953;
–, *Meisterwerke dt. Sprache*, 1943, ⁴1961;
–, *Die Kunst der Interpretation*, Zürich ⁴1963;
K. May, *Faust II. Teil.* In der Sprachform gedeutet, 1936, ²1962;
–, *Form u. Bedeutung.* Interpretationen dt. Dichtung d. 18. u. 19. Jh., 1957;
H. Krapp, *Der Dialog bei Georg Büchner*, 1958;
A. Schöne, Zum Gebrauch des Konjunktivs bei R. Musik, *Euph* 51, 1957;
U. Leo, *Interpretaciones Hispanoamericanas. Ensayos de teoría y prática estilisticas*, Santiago de Cuba 1960;
R. Baumgart, *Das Ironische und die Ironie in den Werken Thomas Manns*, München 1964;

Zum Problem des literarischen Realismus:
R. Alewyn, Naturalismus bei Neidhart, *Zeitschr. f. dt. Philol.* 54;
–, *J. Beer*, 1932;
Cl. Lugowski, *Wirklichkeit u. Dichtung.* Untersuchungen zur Wirklichkeitsauffassung H. v. Kleists, 1936;
K. Vossler, *Realismo e religião na poesia luso-espanhola do século de oiro*, Lissabon 1944;
E. Auerbach, *Mimesis.* Dargestellte Wirklichkeit in d. abendl. Literatur, Bern ³1964;
Ch. Cauldwell, *Illusion and Reality.* A study of the sources of poetry, London 1947;
E. R. Curtius, *Europäische Literatur u. latein. Mittelalter*, Bern ⁵1965, p. 400ff;
G. Lukács, *Probleme des Realismus*, Berlin 1955;
R. Brinkmann, *Wirklichkeit u. Illusion*, 1957;
R. Wellek, *The concept of realism in literary scholarship*, N 45 (1961);
Problemy realisma, Moskau 1959; dtsch.: *Probleme des Realismus in der Weltliteratur*, Berlin 1962;
Nachahmung und Illusion, Vorlagen und Verhandlungen des Koloquiums Gießen 1963, hrg. H. R. Jauss, München 1964;
K. Fehr, *Der Realismus in der schweizerischen Literatur*, Bern u. München 1965;

Sprache und Stil:

P. Binswanger, *Die ästhet. Problematik Flauberts.* Untersuchungen zum Problem v. Sprache u. Stil in d. Literatur, 1934;
F. Kaufmann, Sprache als Schöpfung, *Zschr. f. Ästhet.* 38, 1934;
A. Church, *A Bibliography of Symbolic Logic*, Baltimore 1937–39;
Kazimierz Woycicki, *L'unité du style dans l'œuvre poétique* (vgl. *Helicon* 1, S. 299);

W. M. Urban, *Language and Reality*. The philosophy of language and the principles of symbolism, London 1939;

Rolf Pipping, *Språk och stil*, Stockholm 1940;

E. Fenz, *Laut, Wort, Sprache und ihre Deutung*, Wien 1940;

M. Kommerell, Die Sprache u. das Unaussprechliche, in: *Geist u. Buchstabe*, ²1942;

H. Maeder, *Versuch üb. d. Zusammenhang v. Sprachgeschichte u. Geistesgeschichte*, Zürich 1945;

W. Empson, *Seven Types of Ambiguity*, ²London 1947;

F. Strich, Dichtung u. Sprache, in: *Der Dichter u. d. Zeit*, Bern 1947;

Leo Spitzer, *Linguistics and Literary History;* Essays in Stylistics. Princeton 1948;

–, *A Method of Interpreting Literature*, Northampton 1949;

J. Pfeiffer, *Umgang mit Dichtung*, ²1949;

L. Weisgerber, Die Sprache im Bereich der Kunst, in: *Die Muttersprache im Aufbau unserer Kultur*, 1950;

G. Storz, *Sprache und Dichtung*, 1957;

A. Schöne, *Säkularisation als sprachbildende Kraft*, 1958;

F. Meyer, *Schöpferische Sprache u. Rhythmus*, 1959;

P. M. Schon, *Studien zum Stil der frühen frz. Prosa*, Frankfurt 1960;

H. J. Bayer, *Untersuchungen zum Sprachstil weltlicher Epen des dt. Früh- und Hochmittelalters*, Berlin 1962;

C. Segre, *Lingua, stile e società. Studi sulla storia della prosa italiana*, 1963;

B. STILFORSCHUNG

Zu Mallarmé:

A. Thibaudet, *La poésie de Mallarmé*, 2. Aufl., Paris 1926;

F. Rauhut, *Das Romantische u. Musikalische in d. Lyrik Mallarmés*, 1926;

–, *Das französische Prosagedicht*, 1929;

J. Royère, *Mallarmé*, Paris 1927;

Ch. E. Rietmann, *Vision et mouvement chez Mallarmé*, Paris 1932;

H. Cooperman, *The Aesthetics of Mallarmé*, New York 1935;

W. Naumann, *Der Sprachgebrauch Mallarmés*, 1936;

D. A. K. Aish, *La métaphore dans l'œuvre de Mallarmé*, Paris 1938;

A. Béguin, *L'âme romantique et le rêve*, 2 Bde, Marseille 1937;

K. Wais, *Mallarmé*. Dichtung, Weisheit, Haltung, ²1952;

C. M. Bowra, *The Heritage of Symbolism*, London 1943;

Th. Spoerri, Stil der Ferne, Stil der Nähe, *Tr* 2, 1944;

Svend Johansen, *Le symbolisme*, Kopenhagen 1945;

Carlo Bo, *Mallarmé*, Mailand 1945;

Zeitschrift «Les Lettres», numéro spécial: *Mallarmé;* 3ᵉ année, Paris 1948;

Zeitschrift L'Immagine, *Omaggio a Mallarmé;* vol. II, nr. 9–10, 1948;

Zeitschrift The Romanic Review: *The Poetics of French Symbolism;* vol. XLVI, nr. 3, 1953;

J. Scherer, *Le «Livre» de Mallarmé*. Premières recherches sur des docs inéds, Paris 1957;

Klangstilistik:

Mallarmé, *Les mots anglais*, Paris 1878;

–, *La musique et les lettres*, Paris 1891;

René Ghil, *Traité du verbe*, Paris 1886 (Programm d. sogen. Instrumentisme);

P. BEYER, Über Vokalprobleme u. Vokalsymbolismus in d. neueren dt. Lyrik, in *Festschr. f. B. Litzmann*, 1920;

E. FIESEL, *Die Sprachphilosophie d. dt. Romantik*, 1927;

A. J. TRANNOY, *La musique des vers*, Paris 1929;

P. SERVIEN (Coculesco), *Lyrisme et structures sonores*, Paris 1930;

H. WERNER, *Grundfragen der Lautphysiognomik*, 1932;

H. LÜTZELER, Die Lautgestaltung in d. Lyrik, *Zeitschr. f. Ästhetik* 29, 1935;

J. VENDRYES, La phonologie et la langue poétique, *Revue des cours et conférences*, 1935/36;

L. TARUSCHIO, *Nuova stilistica, ovvero dell'elemento musicale in letteratura*, Macerata 1936;

K. KNAUR, Die klangästhetische Kritik d. Wortkunstwerks am Beispiel französ. Dichtung, *DVj* 15, 1937;

W. SCHNEIDER, Über die Lautbedeutsamkeit, *Zschr. f. dt. Phil.* LXIII, 1938;

F. KAINZ, Die Sprachästhetik d. Jüngeren Romantik, *DVj* 16, 1938;

R. PETSCH, Zur Tongestaltung in d. Dichtung, in: *Festschr. f. J. Petersen*, 1938;

E. SITWELL, *A poet's notebook*, London 1943;

F. TROJAN, *D. Ausdruck von Stimme u. Sprache. E. phonet. Lautstilistik*, 1948;

F. FLORA, *La Poesia Ermetica*, 2. Aufl., Bari 1947;

F. LOCKEMANN, *D. Gedicht u. seine Klanggestalt*, 1952;

Einzelne Stilzüge:

Bild, Symbol:

E. HUGUET, *Les métaphores et les comparaisons dans l'œuvre de V. Hugo*, 2 Bde, Paris 1904/05;

PIERRE DE LA JULLIÈRE, *Les images dans Rabelais*, 1912;

L. CH. BAUDOUIN, *Le symbole chez Verhaeren*, Genf 1924;

FEDERICO OLIVERO, A Study on the Metaphor in Dante, *Giornale dantesco* 1925;

–, *The Representation of the Image in Dante*, Turin 1936;

H. PONGS, *Das Bild in der Dichtung*, Bd. I 1927, ²1960, Bd. II 1939;

–, Lichtsymbolik in der Dichtung seit der Renaissance, *Studium generale* 13, 1960;

R. CRÈTIN, *Les images dans l'œuvre de Corneille*, 1927;

EUNICE JOINER GATES, *The Metaphors of Luis de Góngora*, Philadelphia 1933;

F. E. SPURGEON, *Shakespeare's Imagery*, Cambridge 1935;

W. CLEMEN, *Shakespeares Bilder*, 1936;

IRMA TIEDKE, *Symbole u. Bilder im Werke Prousts*, Hamburg 1936;

M. PRAZ, *Studies in 17th century Imagery I*, London 1939;

MARION B. SMITH, *Marlowe's Imagery and the Marlowe Canon*, Philadelphia 1940;

E. FISER, *Le symbole littéraire. Essai sur la signification du symbole chez Wagner, Baudelaire, Mallarmé, Bergson et Proust*, 1941;

H. PEYRE, L'image du navire chez Baudelaire, *Mod. Language Notes* 44;

MARC EIGELDINGER, *Le dynamisme de l'image dans la poésie française*, Neuchâtel 1943;

E. DE BRUYNE, *Etudes d'esthétique médiévale*, 3 Bde, Brugge 1946;

ROSEMOND TUVE, *Elizabethan and Metaphysical Imagery*, Illinois 1947;

FRITZ STRICH, Das Symbol in d. Dichtung, in: *Der Dichter u. d. Zeit*, Bern 1947;

R. BULTMANN, Zur Gesch. d. Lichtsymbolik im Altertum. *Philologus* 97, 1948;
CLEANTH BROOKS, *The Well Wrought Urn*, London 1949;
MAUD BODKIN, *Archetypal Patterns in Poetry*, London ³1951;
–, *Studies of type-images in Poetry, Religion and Philosophy*, London 1951;
F. MARCH, *Wordsworth's Imagery*, New Haven 1952;
W. EMRICH, D. Problem der Symbolinterpretation im Hinblick auf Goethes
«Wanderjahre», *DVj* 26, 1952; jetzt auch in: *Protest u. Verheißung*, 1960;
–, Symbolinterpretation u. Mythenforschung, *Euph.* 47, 1953;
–, *Die Symbolik von Faust II*, Bonn ²1957;
H. v. BEIT, *Symbolik des Märchens*, 1952, ²1960;
W. Y. TINDALL, *The Literary Symbol*, New York 1955;
A. CLOSS, Substance and symbol in poetry, in: *Medusa's mirror*, 1957;
W. KILLY, *Wandlungen des lyrischen Bildes*, ⁴1964;
R. GRIMM, K.-A. HAEGER, H. DEMPE, Zur Symbolforschung, *Paedag. Provinz*
12, 1958;
C. BROOKE-ROSE, *A grammar of metaphor*, London 1958;
B. BÖSCHENSTEIN, *Hölderlins Rheinhymne*, Zürich 1959;
E. BLOCH, Vergleich, Gleichnis, Symbol, *DN Rds* 71, 1960;
H. NEUMANN, Die Schiffsallegorie im Ezzolied, 1960;
Images, métaphores, symboles, topoi, in: *Langue et littérature, Actes du VIIIᵉ
congrès de la FILLM*, Paris 1961, pp 371–397;
B. A. SØRENSEN, *Symbol und Symbolismus in den ästhetischen Theorien des 18.
Jh.s und der Romantik*, Kopenhagen 1963;
K. H. GÖLLER, Shelleys Bilderwelt, *GRM* XLIV (1963);
A. FLETCHER, *Allegory. The theory of a symbolic mode*, Ithaca (N. Y.) 1964,
²1965;
J. KLEINSTÜCK, *Mythos und Symbol in englischer Dichtung*, Stuttgart 1964;
D. W. JÖNS, *Das «Sinnen-Bild». Studien zur allegorischen Bildlichkeit bei An-
dreas Gryphius*, Stuttgart 1966;

Epitheton:

E. J. ROBERTSON, *L'épithète dans les œuvres lyriques de V. Hugo*, Paris 1927;
G. B. ROBERTS, *The Epithet in Spanish Poetry of the Romant. Period*, Iowa 1936;

Aufzählung:

L. SPITZER, *La enumeración caótica en la poesía moderna* (Colección de Estudios
Estilísticos, Anejo I), Instituto de Filología, Buenos Aires 1945;

Raum und Zeit:

RENÉ WEHRLI, *Eichendorffs Erlebnis u. Gestaltung d. Sinnenwelt*, 1938;
D. SECKEL, Hölderlins Raumgestaltung, *Dichtg. u. Volkstum* 39, 1938;
H. A. STEIN, *Die Gegenstandswelt im Werke Flauberts*, Diss. Köln 1938;
E. STAIGER, *Die Zeit als Einbildungskraft d. Dichters*, Zürich 1939, ²1953;
FR. MEHMEL, *Virgil u. Apollonius Rhodius. Untersuchungen über d. Zeitvor-
stellungen in d. antiken epischen Erzählung*, 1940;
M. Buland, *The Presentation of Time in the Elizab. Drama*, Yale Univ. 1946;
G. MÜLLER, *Die Bedeutung der Zeit in der Erzählkunst*, 1947;
A. A. MENDILOW, *Time and the Novel*, London 1952;
G. HESS, Die Landschaft in Baudelaires Fleurs du Mal, *Sitz.-Ber. Heidelberg*
1953;

H. MEYER, Raum u. Zeit in W. Raabes Erzählkunst, *DVj* 1953;
–, Raumgestaltung u. Raumsymbolik in der Erzählkunst, *Stud. gen.* 1957;
R. ALEWYN, Eine Landschaft Eichendorffs, *Euph* 51, 1957;
G. BACHELARD, *La poétique de l'espace*, Paris 1957;
dt.: *Poetik des Raumes*, München 1960;
M. MERKEL-NIPPERDEY, G. Kellers *«Martin Salander»*. *Untersuchungen zur Struktur des Zeitromans*, 1959;
W. PABST, Funktionen des Raumes in der mod. frz. Literatur, in: *Universitätstage 1960, Veröffentlichungen d. Freien Univ. Berlin ;*
W. STAROSTE, Symbolische Raumgestaltung in Goethes «Natürlicher Tochter», *Jb. der dt. Schillergesellschaft* VII (1963);

Stilmonographien:

ALFREDO GALLETTI, *La poesia e l'arte di G. Pascoli*, Bologna 1924;
H. HATZFELD, *Don Quijote als Wortkunstwerk*, 1927;
M. DEUTSCHBEIN, *Shakespeares Macbeth als Drama d. Barock*, 1936;
C. PRIVITERA, *La poesia e l'arte di Tasso*, Messina 1936;
J. M. M. ALER, *Im Spiegel der Form*. Stilkritische Wege zur Deutung von Stefan Georges Maximindichtung, Amsterdam 1947;
LEVIN L. SCHÜCKING, *Shakespeare und der Tragödienstil seiner Zeit*, Bern 1947;
C. M. BOWRA, *The Romantic Imagination*, London 1950;
H. MEYER, Schillers philos. Rhetorik, *Euph* 1959;
W. RASCH, *Die Erzählweise Jean Pauls*. Metaphernspiele u. dissonante Strukturen, 1961;
Für die französische Literatur vgl. die Collection *«Mellotée»*; darin z.B. E. FARAL, *La chanson de Roland*, Paris 1933; GUSTAVE REYNIER, *Etude et analyse de «Les femmes savantes» de Molière*, Paris 1936 u.a.;

Zum Prosastil:

G. LANSON, *L'art de la prose*, Paris 1908;
G. LOESCH, *Die impressionistische Syntax d. Brüder Goncourt*, 1919;
EUGÈNE-LOUIS MARTIN, *Les symétries de la prose dans les principaux romans de V. Hugo*, Paris 1925;
V. ŠKLOVSKIJ, *O teorii prozy*, Moskau 1925; dtsch.: *Theorie der Prosa*, 1966;
GASTON GUILLAUMIE, *L. Guez de Balzac et la prose française*, Paris 1927;
L. SPITZER, *Stilstudien*, 2 Bde, 1928;
HERBERT READ, *English Prose Style*, London 1928;
B. DOBRÉE, *Modern Prose Style*, 1934;
R. OLBRICH, *Syntaktisch-stilische Studien über Benito Pérez Galdós* 1937;
E. BENDS, *P. Valéry et l'art de la prose*, Göteborg, 1937;
G. JAHN, *Studien zu Eichendorffs Prosastil*, 1937;
H. LINDIG, *Der Prosastil L. Tiecks*. Diss. Leipzig 1937;
J. DUSTMANN, *Eichendorffs Prosastil*, Diss. Bonn 1938;
JOH. PRADEL, *Studien zum Prosastil Brentanos*, 1939;
RENATA EGGENSCHWYLER, *Saggio sullo stile di B. Cellini*, Zürich 1940;
ANTÓNIO M. G. FERREIRA, *O estilo de «Eurico» de Alex. Herculano*, Coimbra 1945;
M. BENSE, *Über existentielle Prosa*, Sammlung 3, 1948;
E. KERKHOFF, *Ausdrucksmöglichkeiten neuhochdt. Prosastils*, Amsterdam 1950;

R. A. SAYCE, *Style in French Prose : a Method and Analysis*, London 1953;

A. SCHÖNE, Zum Gebrauch des Konjunktivs bei Robert Musil, *Euphorion* 55 (1961);

A. SCHÖNE, Über einen Kondolenzbrief Goethes, in: *Festgabe für B. v. Wiese*, 1963;

J. STENZEL, *Zeichensetzung. Stiluntersuchungen an dt. Prosadichtung*, Göttingen 1966;

Stiluntersuchungen verschiedener Fassungen:

A. ALBALAT, *Le travail du style enseigné par les corrections manuscrites des auteurs* Paris 1905;

R. GLOTZ, *Essai sur la psychologie des variantes des «Contemplations» de V. Hugo*, Paris 1924;

F. A. DE BENEDETTI, *L'arte di Ludovico Ariosto*, Bologna 1925;

LEON PIERRE-QUINT, *Comment travaillait Proust*, Paris 1928;

H. W. HAGEN, *Rilkes Umarbeitungen*, 1931;

H. KEIPERT, *Die Wandlungen Goethescher Gedichte zum klassischen Stil*, 1932;

A. PANTKE, *G. Flauberts «Tentation de St. Antoine». Ein Vergleich d. drei Fassungen*, Diss. Leipzig 1936;

D. L. DEMOREST, Les suppressions dans le texte de Mme Bovary, in: *Mélanges Huguet*, 1940;

TINO KAISER, *Vergleich der verschiedenen Fassungen von Kleists Dramen*, Bern 1944;

H. KUNISCH, *A. Stifter*, 1950 (zu den Fassungen der «Mappe»);

F. BEISSNER, Hölderlins Trauerspiel Der Tod des Empedokles in seinen drei Fassungen, in: *Hölderlin*, 1961; zuerst N 1958.

KAPITEL X · DAS GEFÜGE DER GATTUNG

Allgemeines:

F. BRUNETIÈRE, *L'évolution des genres dans l'histoire de la littérature*, Paris 1890;

R. LEHMANN, *Deutsche Poetik*, 1908;

E. BOVET, *Lyrisme, épopée, drame. Une loi de l'histoire littéraire expliquée*, Paris 1911;

B. CROCE, *Estetica*, Bari 1902 u. o.; übers. 1930 (K. FEDERN);

–, Per una poetica moderna, in: *Festschr. f. K. Vossler*, Heidelberg 1922;

–, *La poesia*, Bari 1936 u.o.;

R. K. HACK, The Doctrine of the Literary Forms, *Harvard studies in classical philol.* 27, 1916;

ERNST HIRT, *Das Formgesetz der epischen, dramat. u. lyrischen Dichtung*, 1923;

R. HARTL, *Versuch einer psycholog. Grundlegung der Dichtungsgattungen*, Wien 1924;

R. PETSCH, *Gehalt u. Form*, 1925;

–, Gattung, Art u. Typus, *Forschungen u. Fortschr.* 10 (Nr. 7);

J. PETERSEN, Zur Lehre von den Dichtungsgattungen, in: *Festschr. f. Sauer*, 1926;

–, *Die Wissenschaft von d. Dichtung I*, 1939, ³1944 (hrsg. E. TRUNZ);

G. MÜLLER, Bemerkungen zur Gattungspoetik, *Philosoph. Anzeiger* 3, 1929;

–, *Die Gestaltfrage in d. Literaturwiss. u. Goethes Morphologie*, 1944;

–, Morphologische Poetik, *Helicon* 5, 1943;

H. FRIEDEMANN, *Die Welt der Formen*, 2. Aufl., 1930;

A. JOLLES, *Einfache Formen*, 1930, [3]1965;

K. VIËTOR, Probleme der literarischen Gattungsgeschichte, *DVj* 9, 1931;

J. E. SPINGARN, *Creative Criticism*, 2. Aufl., Oxford 1931;

N. NAVA, *Introduzione ad una poetica nova*, Modena 1936;

MARIANNE WEICKERT, *Die literarische Form von Machiavells Principe. Eine morpholog. Untersuchung*, 1937;

P. v. TIEGHEM, La question des genres littéraires, *Helicon* 1, 1938;

G. P. SCARLATA, *I fondamenti della poetica*, Palermo 1939;

Actes du 3e Congrès international d'histoire littéraire (Lyon 1939, sämtlich zum Gattungsproblem), *Helicon* 2, 1940;

IRENE BEHRENS, *Die Lehre von d. Einteilung der Dichtkunst*, 1940;

GUILLERMO DIAZ PLAJA, *Teoría y historia de los géneros literários*, 2. Aufl., Barcelona 1941;

K. BURKE, *The Philosophy of Literary Form*, 1941;

K. KRAUSE, *Werkstatt d. Wortkunst*. Eine Poetik in Selbstzeugnissen der Dichter, 1942;

J. SCHWARZ, Der Lebenssinn d. Dichtungsgattungen, *Dichtg. u. Volkstum*, 42, 1942;

J. J. DONOHUE, *The Theory of Literary Kinds* I, Iowa 1943, II, 1949;

KURT BERGER, Die Dichtung im Zusammenhang d. Künste, *DVj* 21, 1943;

A. WARREN, *Theories of Genres from the Renaissance to the Present*, (vgl. DWL, S. 105);

W. KAYSER, *O problema dos géneros literários*, Separ. Coimbra 1944;

STEPHEN GILMAN, El tiempo y el género literario en la Celestina, *Revista de filol. hispánica* 1945;

E. STAIGER, *Grundbegriffe der Poetik*, 1946, [5]1961;

H. FOCILLON, *La vie des formes*, Paris [3]1947; dt. Übers. Bern 1954;

M. FUBINI, Genesi e storia dei generi letterari, in: *Problemi ed orientamenti critici di lingua e di letteratura italiana*, hsg. A. Momigliano, Bd. II. Mailand 1948;

W. FLEMMING, Das Problem von Dichtungsgattung u. -art, *Studium generale* 12, 1959;

J. ORTEGA Y GASSET, Traktat über die literar. Gattungen, *Merkur* 13, 1959;

H. SEIDLER, *Die Dichtung*, 1959, bes. vierter Teil: Entfaltung der dichterischen Möglichkeiten;

K. REICHENBERGER, Cervantes und die literarischen Gattungen, *GRM* XLIV (1963);

Zur Lyrik : (Vgl. oben S. 415)

F. SIEBURG, *Die Grade d. lyrischen Formung*, Diss. Münster 1920;

J. B. HABBELL, *An Introduction to Poetry*, New York 1922;

W. P. KER, *The Art of Poetry*, Oxford 1923;

J. PFEIFFER, *D. lyr. Gedicht als ästhet. Gebilde*, 1931;

HERBERT READ, *Form in Modern Poetry*, London 1932;

R. PETSCH, *Die lyrische Dichtkunst*, 1939;

GÜNTHER MÜLLER, Die Grundformen d. dt. Lyrik, in: *Von dt. Art in Sprache u. Dichtg. V*, 1941;

M. KOMMERELL, *Gedanken über Gedichte*, 1943, [2]1956;

E. KAHLER, Was ist ein Gedicht? *DNRds* 1950;

GOTTFRIED BENN, *Probleme der Lyrik*, 1951, [5]1958;

F. LOCKEMANN, *D. Gedicht und seine Klanggestalt*, 1952;
M.-H. KAULHAUSEN, *Die Gestalt des Gedichtes, seine sprechkundl. Interpretation u. Nachgestaltung*, 1953;
H. FRIEDRICH, *D. Struktur d. mod. Lyrik*, 1956;
W. KILLY, *Wandlungen des lyr. Bildes* ⁴1964;
H. O. BURGER, Von der Struktureinheit klass. u. moderner dt. Lyrik, in: *Festschrift f. F. R. Schröder* 1959;
J. G. FUCILLA, *Estudios sobre el petrarquismo en España*, Madrid 1960;
H. R. JAUSS, Zur Frage der «Struktureinheit» älterer und moderner Lyrik *GRM* XLI (1960);
P. BÖCKMANN, Wandlungen der Ausdruckssprache in der dt. Lyrik des 19. Jh.s, in: *Langue et littérature, Actes du VIIIe congrès de la FILLM*, Paris 1961;
C. HESELHAUS, *Deutsche Lyrik der Moderne*, 1961;
K. O. CONRADY, *Lateinische Dichtungstradition u. die dt. Lyrik des 17. Jahrh.*, 1962;
Reality and creative vision in German lyrical poetry, ed. by A. CLOSS (Proceedings of the 15th Symposium of the Colston Research Society), London 1963;
H. FRIEDRICH, *Epochen der italienischen Lyrik*, Frankfurt 1964;
Immanente Ästhetik, ästhetische Reflexion. Lyrik als Paradigma der Moderne, hgb. W. ISER, München 1966;

Zum Drama: (Vgl. oben S. 416)

K. VOSSLER, Dreierlei Begriffe vom Drama, in: *Aus d. roman. Welt II*, 1940;
W. BENJAMIN, *Ursprung d. dt. Trauerspiels*, 1928; rev. Ausg. 1963;
A. PERGER, *Einortsdrama u. Bewegungsdrama*, Brünn 1929;
R. PETSCH, Die innere Form d. Dramas, *Euphorion* 1930;
-, *Wesen und Formen des Dramas*, 1945;
O. GÖRNER, *Vom Memorabile zur Schicksalstragödie*, 1931;
J. KÖRNER, Tragik und Tragödie, *Pr. Jbb.* CCXXV, 1931;
J. SEGOND, La signification de la tragédie, *Revue des cours et conférences* 1935/36;
JEAN BÉRAND, *Initiation à l'art dramatique*, Montreal 1936;
F. L. LUCAS, *Tragedy.* In relation to Aristotle's Poetics, 3. Aufl., London 1935;
N. S. WILSON, *European Drama*, London 1937;
FR. GÜTTINGER, *Die romantische Komödie u. d. dt. Lustspiel*, 1939;
J. K. FAIBLEMAN, *In Praise of Comedy*, New York 1939;
H. BAKER, *Introduction to Tragedy*, Louisiana State Univ. Pr. 1939;
M. KOMMERELL, *Lessing u. Aristoteles.* Untersuchungen über d. Theorie d. Tragödie, Frankfurt 1940, ³1960;
P. KLUCKHOHN, Die Arten des Dramas, *DVj* 19, 1941;
KURT WEIGAND, *Situation u. Situationsgestaltung in d. Tragödie*, 1941;
H. J. BADEN, *Das Tragische.* Die Erkenntnisse d. griech. Tragödie, 1941;
E. BUSCH, *Die Idee d. Tragischen in d. dt. Klassik*, 1942;
O. ROMMEL, Komik u. Lustspieltheorie, *DVj* 21, 1943;
ARTHUR PFEIFFER, *Ursprung u. Gestalt d. Dramas.* Studien zu einer Phänomenologie d. Dichtkunst u. Morphologie d. Dramas, 1943;
UNA ELLIS-FERMOR, *The Frontiers of Drama*, London 1945;
A. R. THOMPSON, *The Anatomy of Drama*, Berkeley 1946;
RONALD PEACOCK, *The Poet in the Theatre*, London 1946;
-, *The Art of Drama*, London 1957;

MOODY E. PRIOR, *The Language of Tragedy*, Columb. Univ. Pr. 1947;
B. v. WIESE, *Die dt. Tragödie von Lessing bis Hebbel*, [5]1961;
K. JASPERS, *Über das Tragische* (1947), 1952;
Tragic Themes in Western Literature, hgb. Cleanth Brooks, New Haven, 1955;
P. SZONDI, *Theorie des mod. Dramas*, 1956; [2]1963;
W. G. McCOLLOM, *Tragedy*, 1957;
O. MANN, *Poetik der Tragödie*, Bern 1958;
R. B. SHARPE, *Irony in the drama*, Chapel Hill 1959;
W. HINCK, *Die Dramaturgie des späten Brecht*, 1959, [3]1962;
P. SZONDI, *Versuch über das Tragische*, 1961;
K. S. GUTHKE, *Geschichte u. Poetik der dt. Tragikomödie*, 1961;
R. DAUNICHT, *Die Entstehung des bürgerl. Trauerspiels in Deutschland*, Berlin 1963;
W. HINCK, *Das dt. Lustspiel des 17. und 18. Jh.s und die italien. Komödie*, Stuttgart 1965;

Zu Garretts «Frei Luiz de Sousa»:

EM. WISMER, *Der Einfluß d. dt. Romantikers Zach. Werner in Frankreich*, Neuchâtel 1928;
HENRI GLAESENER, La malédiction paternelle dans le théâtre romantique et le drame fataliste allemand, *Rcl* 1930;
ANDRÉE CRABBÉ ROCHA, *O teatro de Garrett*, Coimbra 1944;

Zur Epik: (Vgl. oben S. 416)

W. P. KER, *Epic and Romance*, London 1896;
H. KEITER u. T. KELTEN, *Der Roman. Theorie u. Technik*, 1912;
GEORG LUKÁCS, *Die Theorie des Romans*, 1920; [2]1963;
W. FLEMMING, *Epik u. Dramatik*, Karlsruhe 1925, 2. Aufl. Bern 1955;
ORTEGA Y GASSET, Ideas sobre la novela, in: *La deshumanización del arte*, Madrid 1925;
M. SOMMERFELD, Romantheorie u. Romantypus d. dt. Aufklärung, *DVj* 4, 1926;
K. VOSSLER, Der Roman bei den Romanen (1927), in: *Aus d. roman. Welt IV*, Leipzig 1940;
G. DUHAMEL, *Essai sur le roman*, Paris 1927;
FRANÇOIS MAURIAC, *Le roman*, Paris 1928;
–, *Le romancier et ses personnages*, Paris 1933;
A. HIRSCH, *Der Gattungsbegriff Novelle*, 1928;
M. BARRIÈRE, *Essai sur l'art du roman*, Paris 1931;
I. WORTIG, *Der Wendepunkt in d. neuen dt. Novelle u. seine Gestaltung*, Diss. Frankfurt 1931;
R. PETSCH, *Wesen u. Formen der Erzählkunst*, 1934;
HUGH WALPOLE, *Tendencies of the Modern Novel*, London 1934;
HENRY JAMES, *The Art of the Novel*, London 1935 (postum);
WALTER RALEIGH, *The English Novel*, London 1935;
R. KOSKIMIES, *Theorie des Romans*, Helsinki 1935;
W. VETTERLI, *Die ästhet. Deutung u. d. Problem der Einheit der Göttlichen Komödie in der neueren Literaturgesch.*, Straßburg 1935;
H. A. EBING, *Die dt. Kurzgeschichte*, 1936;
EDWIN MUIR, *The Structure of Novel*, 3. Aufl., London 1938;

D. DE GUZMAN, De la novela. Sus orígines y desenvolvimiento, *Anuario Acad. Columb. de la lengua*, Bogotá 1938;

M. RATNER, *Theory and Criticism of the Novel in France from l'Astrée to* 1750, New York 1938;

H. RIEFSTAHL, *Der Roman des Apuleius*. Beitrag z. Romantheorie, 1938;

A. THIBAUDET, *Réflexions sur le roman*, Paris 1938;

J. R. FREY, Bibliographie zur Theorie u. Technik d. dt. Romans (1910–1938), *Modern Language Notes* 54;

W. KRAUSS, Novela-Novella-Roman, *Zeitschr. f. roman. Philol.* 60, 1939;

W. SCHÄFER, D. Wesen der epischen Dichtung, *Zschr. f. Kulturphil.* 1939;

PH. A. BECKER, Vom Kurzlied zum Epos, *Zeitschr. f. franz. Sprache u. Liter.* 1940;

K. HAEDENS, *Paradoxe sur le roman*, Marseille 1941;

EDGAR MERTNER, Zur Theorie der Short Story in England und Amerika, *Anglia* LXV, 1941;

EDUARDO DIESTE, El tiempo épico. Ensayo sobre la novela, *Nosotros* 48/49, Buenos Aires;

R. Caillois, *Puissances du roman*, Marseille 1942;

C. M. BOWRA, *From Virgil to Milton*, London 1945;

W. C. CROSS, *The Modern English Novel*, Yale 1946;

V. H. DEBIDOUR, Epique et Epopée, in: *Saveurs des lettres*. Problèmes littéraires, Paris 1946;

ROBERT LIDDELL, *A Treatise on the Novel*, London 1947;

G. MÜLLER, *Die Bedeutung d. Zeit in d. Erzählkunst*, 1947;

–, Über d. Zeitgerüst des Erzählens, *DVj* 1950;

SEAN O'FAOLIN, *The Short Story*, London 1948;

F. ALTHEIM, *Roman u. Dekadenz*, 1951.

A. A. MENDILOW, *Time and the Novel*, London 1952;

M. BOWRA, *Heroic Poetry*, London 1952, [2]1961, dtsch. 1964;

KL. DODERER, *D. Kurzgeschichte in Dtschld. Ihre Form u. ihre Entwicklung*, 1953;

R. LIDDELL, *Some Principles of Fiction*, London 1953;

W. PABST, *Novellentheorie u. Novellendichtung. Zur Gesch. ihrer Antinomie in d. roman. Literaturen*, 1953;

STAFFAN BJÖRCK, *Romanens Formvärld*, Stockholm 1953;

B. v. ARX, *Novellistisches Dasein. Spielraum einer Gattung in d. Goethezeit*, Zürcher Beitr. V, 1954;

R. HUMPHREY, *Stream of Consciousness in the Modern Novel*, Berkeley 1954;

F. STANZEL, *Die typischen Erzählsituationen im Roman*, Wien 1955;

B. v. WIESE, *Die dt. Novelle von Goethe bis Kafka*, 2 Bde, 1962;

F. LOCKEMANN, *Gestalt u. Wandlungen d. dt. Novelle*, 1957.

W. LANGE, Über religiöse Wurzeln des Epischen, in: *Indogermanica*, Festschrift f. W. Krause, 1959;

W. SILZ, Geschichte, Theorie u. Kunst der dt. Novelle, *Deutschunterr.* 11, 1959;

R. KOSKIMIES, Die Theorie der Novelle, *Orbis litterarum* 14, Copenhague 1959;

J. MÜLLER, Novelle und Erzählung, *Etudes germ.* 16 (1961);

P. MICHELSEN, *L. Sterne u. der dt. Roman des 18. Jahrh.*, 1962;

G. ROHRMOSER, Literatur und Gesellschaft. Zur Theorie des Romans in der modernen Welt; in: *Festgabe für B. v. Wiese*, 1963;

H. Himmel, *Geschichte der dt. Novelle*, 1963;

D. Rolle, *Fielding und Sterne. Untersuchungen über die Rolle des Erzählers*, Münster 1963;

G. Bergsten, *Thomas Manns Doktor Faustus*, Stockholm 1963;

H. Wyssling, Die Technik der Montage. Zu Th. Manns «Erwähltem», *Euphorion* 57 (1963);

G. May, *Le dilemme du roman au XVIIIe siècle*, Paris 1963;

H. van Gorp, De aanwezigheid van de schrijver in de «auktoriale roman», *Spiegel der Letteren* VII (1963/64);

R. Scholes und R. Kelogg, *The nature of narrative*, New York 1966;

H. H. Malmede, *Wege zur Novelle*, Stuttgart 1966.

NAMENREGISTER

Aufgenommen wurden alle im Text und in der Bibliographie erwähnten Namen. Dichter- bzw. Künstlernamen wurden kursiv gesetzt. Die Seitenzahlen über 389 beziehen sich auf die Bibliographie.

SACHREGISTER

INHALTSVERZEICHNIS